Uni-Taschenbuch 60/61

# UTB

Eine Arbeitsgemeinschaft der Verlage

Birkhäuser Verlag Basel und Stuttgart
Wilhelm Fink Verlag München
Gustav Fischer Verlag Stuttgart
Francke Verlag München
Paul Haupt Verlag Bern und Stuttgart
Dr. Alfred Hüthig Verlag Heidelberg
J. C. B. Mohr (Paul Siebeck) Tübingen
Quelle & Meyer Heidelberg
Ernst Reinhardt Verlag München und Basel
F. K. Schattauer Verlag Stuttgart-New York
Ferdinand Schöningh Verlag Paderborn
Dr. Dietrich Steinkopff Verlag Darmstadt
Eugen Ulmer Verlag Stuttgart
Vandenhoeck & Ruprecht in Göttingen und Zürich
Verlag Dokumentation München-Pullach
Westdeutscher Verlag/Leske Verlag Op

# Der Poesiebegriff der deutschen Romantik

Herausgegeben von Karl Konrad Polheim

unter Mitwirkung von

Ines Alfes, Brigitte Bahr, Hans Rüdiger Bambey, Peter Beissel, Kurt Binneberg, Burkhard Bittrich, Ursula Gugel, Wolfgang Hünten, Michael Jungfer, Sabine Kähler, Guido Karutz, Hans Peter Klein, Rolf Dieter Koll, Heidja Kugel, Klaus Walter Littger, Renate Mögling, Heinz-Peter Niewerth, Eva Diana Plickert, Hans Gert Rossbach, Hans Peter Schmidt, Stephan Schmitz, Friedhelm Schneider, Heinz Jürgen Sprave.

Ferdinand Schöningh, Paderborn

Professor Dr. Karl Konrad Polheim ist Ordinarius für Neuere deutsche Sprache und Literatur an der Universität Bonn



ISBN: 3 506 99151 5


Printed in Germany.

Herstellung: Ferdinand Schöningh, Paderborn.

Einbandgestaltung: A. Krugmann, Stuttgart.

# Vorwort

Es ist nur natürlich, daß jede Epoche der Dichtung auf die eine oder andere, jedenfalls aber auf ihre eigene Weise sich mit dem Begriff der Poesie auseinandersetzt. In der deutschen Romantik spielt er eine besondere Rolle. Denn er bezeichnet hier nicht nur das, was der Dichter erschafft und was als Kunstwerk weiterlebt: „In der Poesie übergebe ich das Werk sich selbst" (Brentano, vgl. unten S. 258), er meint darüber hinaus die Kunst schlechthin: „Poesie heißt [...] das allen Künsten gemeinsame" (A. W. Schlegel, S. 25), er umfaßt das menschliche Miteinander wie das Dasein überhaupt: „Poesie ist die Basis der Gesellschaft", „Alles muß poetisch sein" (Novalis, S. 142, 151), er bedeutet das Wirken des Göttlichen: „Das poetische Ideal = [...] = Gott" (F. Schlegel, S. 77). Wie sich der Poesiebegriff auf den allgemeinen, ja auf den überirdischen Bereich ausdehnt, so führt er umgekehrt von dort auf die Dichtung und den Dichter zurück: „so scheine ich ein Dichter geworden zu sein und bin nur ein Objekt der Poesie" (Brentano, S. 262); die Erde ist „das eine Gedicht der Gottheit, dessen Teile und Blüte auch wir sind — [...], die Schönheit des Gedichtes zu verstehen, sind wir fähig, weil auch ein Teil des Dichters, ein Funke seines schaffenden Geistes in uns lebt" (F. Schlegel, S. 91).

Die Vielschichtigkeit (wobei die Schichten stets miteinander zusammenhängen und aufeinander verweisen), hier am Beispiel verschiedener Autoren angedeutet, findet sich gleichwohl bei jedem von ihnen und ist ein Kennzeichen des Poesiebegriffes der deutschen Romantik überhaupt. Gerade darum ist es so schwierig, ihn zu ergründen, aber gerade darum ist er auch so aufschlußreich und fruchtbar. Dazu kommt ein weiteres. Bei aller Verwandtschaft und scheinbaren Gleichheit prägen die einzelnen romantischen Denker und Dichter ihren Begriff von der Poesie immer wieder neu. Sie verteilen die Gewichte anders, nehmen Umschichtungen vor, verschieben Bedeutungen, bauen Ansätze aus, verfeinern Gedankengänge, vermehren Inhalte oder rücken auch bis zum Widerspruch ab — im ganzen ein lebendiges Wechselspiel zwischen

Übernommenem und Eigenständigem. Zeichnet sich dergestalt eine originelle Fülle innerhalb der Einheit der romantischen Konzeption ab, so wirkt diese wiederum weit über ihren eigentlichen Kreis hinaus. Die Zeitgenossen werden davon erfaßt, stärker als man anzunehmen gewohnt ist, und jene Dichter und Philosophen, die angeblich neben der Romantik für sich stehen, sind zumindest für den Poesiebegriff kaum von ihr zu trennen. Außer den Berühmten sind die minder Bekannten und die Trivialen zu berücksichtigen, welche die Idee von der Poesie aufgreifen, anwenden, popularisieren, aber auch verdeutlichen. Sie erst runden das Bild ab.

Diese Gleichheit und Verschiedenheit, Verwandtschaft und Wandlung des Poesiebegriffes in der Zeit der deutschen Romantik aufzuzeigen, will die vorliegende Textsammlung sich bemühen. Sie umfaßt 50 Autoren und geht damit bewußt über den engeren romantischen Kreis sowie über den der großen Namen hinaus. Ist es nur auf solche Weise erreichbar, den romantischen Poesiebegriff in seiner Breite und Auswirkung vorzuführen, so gebot der zur Verfügung stehende Raum doch allenthalben Beschränkungen. Es mußte auf vieles verzichtet, eine genaue Auswahl getroffen werden. Sie verursachte bisweilen die meiste Mühe: das Schwierigste am Sammeln ist das Wegwerfen. Im Rahmen des einzelnen Autors boten sich verschiedene Auswahlprinzipien an, um dessen Ansicht über die Poesie darzulegen. Es konnten vielerlei, jedoch kürzere Textausschnitte aus dem Gesamtwerk herausgelöst werden, so daß sie gewissermaßen ein Mosaik bildeten; oder es waren wenige, aber längere Texte gleichsam blockartig vorzuführen. Verzichtete man hier auf die vereinzelten, zerstreut liegenden Äußerungen, um die wichtigsten Stellen über Poesie durch ihren weiteren Zusammenhang zu veranschaulichen, so gab man dort den Kontext preis, um die Zitate für sich sprechen zu lassen. Beide Verfahrensweisen boten Vor- und Nachteile; sie sollten der jeweiligen Lage angepaßt werden: bei den bedeutendsten Autoren waren alle zwei Möglichkeiten auszunutzen, bei andern diejenige, welche die meisten Erkenntnisse versprach. Jedenfalls wurde versucht, die Texte so auszuwählen, daß sie sich gegenseitig stützten und ein womöglich geschlossenes Bild über den Poesiebegriff des

betreffenden Autors gaben, vielleicht auch auf gewisse Einflüsse und Übernahmen hinwiesen.
Die Autoren selbst sind chronologisch aufgeführt, derart, daß die Zeit des ersten aufgenommenen Zitates den Platz der Einordnung bestimmt. Ist es doch von nicht geringer Bedeutung, wann zum erstenmal ein Autor mit dem hervortrat, was er unter Poesie verstanden wissen wollte, um sich in den allgemeinen Chor einzuschalten. Alle weiteren Äußerungen werden dann angereiht, um die individuelle Einheit nicht zu zerstören, auch dann also, wenn sich der Poesiebegriff später weiterentwickelte und veränderte. Daher sind zum Teil Texte aufgenommen, die zeitlich lange nach der Romantik liegen, durch ihren Verfasser aber mit dieser eng verbunden sind. Bei anderen Autoren, die später mit der Romantik nichts mehr zu tun hatten, wurden solche Stellen nicht berücksichtigt. Wurde jeder Autor als ganzes vorgestellt, so war es sinnvoller, ihm die Quellenangaben zusammengefaßt voranzusetzen, als sie in gemeinsamen Listen suchen zu lassen. Den angegebenen Quellen folgen die abgedruckten Texte genau, und da jene nach dem Stand der Einzelforschung verschieden geartet sind, mußten auch diese in ihrer Gestaltung unterschiedlich ausfallen. Doch schien ein solches Verfahren exakter als etwa eine einheitlich durchgeführte Normalisierung. Offensichtliche Druckfehler sind stillschweigend verbessert.
Die vorgelegte Ausgabe ist aus meinem Bonner Oberseminar erwachsen, das seit 1968 durch mehrere Semester hindurch den Poesiebegriff der deutschen Romantik zum Thema hatte. Vorangegangen war eine eigene Textsammlung zu diesem Gebiet und ein Kölner Hauptseminar, aus dem etliche Teilnehmer mir nach Bonn folgten. Die endgültige Arbeit wurde dann im genannten Oberseminar geleistet. Den einzelnen Autoren wurden ausführliche Referate gewidmet, die auf der gesamten Textgrundlage aufbauten und das Wesen des jeweiligen Poesiebegriffes, sein System, seine Beziehungslinien, seine Abhängigkeiten und seine Ursprünglichkeit untersuchten. Die Diskussion machte die Wechselwirkungen und die Abgrenzungen gegenüber anderen Autoren deutlich. Auf Grund solcher Ergebnisse wurden aus den vollständigen Belegsammlungen der Autoren die Texte für unsere Ausgabe ausge-

wählt. Nach reiflicher Überlegung haben wir die Referate, auch in verkürzter Form, nicht beigegeben, um auf diese Weise dem originalen Wort den Platz, der ohnehin begrenzt war, ganz einzuräumen. Doch wird man aus der jeweiligen Zusammenstellung der Texte die aufgewendete Mühe wohl merken können. Auf diese Weise wurde eine Sammlung geschaffen, die — dem Ziel der *Uni-Taschenbücher* entsprechend — Material für die praktischen Anforderungen der Hochschule, in diesem Falle für Seminare und Übungen, zu bieten vermag.

Da es sich hier um eine Gemeinschaftsarbeit handelt, ist bei der gegenwärtigen Lage der deutschen Hochschulen eine Abgrenzung nötig: unsere Publikation hat nichts mit dem zu tun, was man heute aus modischen oder ideologischen Gründen als Autorenkollektiv oder als Demokratisierung der Wissenschaft propagiert. Ganz im Gegenteil: vereint ist hier der Ertrag selbständiger Arbeit, die unter der Leitung eines Lehrers entstand und im Zusammenwirken des ganzen Seminars aufeinander abgestimmt wurde. So gründet die Sammlung in einem Geist, dessen fruchtbares Wirken stets aufs neue bewiesen wurde durch die Lebendigkeit der Sitzungen, durch die rege Teilnahme aller Seminarangehörigen, die auch nach ihren Abschlußexamina weiter mitwirkten, durch die Anregungen, die allenthalben entsprangen und ausgebaut wurden, nicht zuletzt durch die „Postseminare", bei denen die Probleme im geselligen Kreis wieder und wieder diskutiert wurden. Für diese herrliche Zusammenarbeit, ein ungetrübtes Lehrer-Schüler-Verhältnis und ein Sym-Schaffen geradezu im romantischen Sinn möge die Ausgabe ein Zeugnis sein.

Die einzelnen Mitarbeiter und die Autoren, die von ihnen behandelt wurden, sind nun zu nennen. Es haben gearbeitet INES ALFES über Schelling, BRIGITTE BAHR über Dorothea, Caroline und Rahel, HANS RÜDIGER BAMBEY über Brentano, PETER BEISSEL über Varnhagen von Ense, KURT BINNEBERG über die Günderode, A. H. Müller, Solger und Steffens, BURKHARD BITTRICH über Arnim, URSULA GUGEL über Novalis, WOLFGANG HÜNTEN über August Wilhelm Schlegel, MICHAEL JUNGFER über Hölderlin und Chamisso, SABINE KÄHLER über Fouqué, GUIDO KARUTZ über Arndt,

Bonaventura, Creuzer, Eichendorff, Schenkendorf, Schopenhauer und Troxler, HANS PETER KLEIN über Görres, ROLF DIETER KOLL über Varnhagen von Ense, HEIDJA KUGEL über E. T. A. Hoffmann, KLAUS WALTER LITTGER über Jean Paul, RENATE MÖGLING über Bettina, HEINZ-PETER NIEWERTH über die Brüder Grimm, EVA DIANA PLICKERT über Runge, HANS GERT ROSSBACH über Schleiermacher, HANS PETER SCHMIDT über Hauff, STEPHAN SCHMITZ über Baader, FRIEDHELM SCHNEIDER über Hegel, HEINZ JÜRGEN SPRAVE über Tieck.

Über die von ihnen behandelten Autoren hinaus haben sich um die Ausgabe verdient gemacht Oberstudienrat im Hochschuldienst BURKHARD BITTRICH, WOLFGANG HÜNTEN, wiss. Assistent MICHAEL JUNGFER, Studienassessor GUIDO KARUTZ, Dr. HANS PETER SCHMIDT, wiss. Assistent STEPHAN SCHMITZ, meine eigenen Assistenten und Hilfskräfte KURT BINNEBERG, ROLF DIETER KOLL, Dr. KLAUS WALTER LITTGER und Dr. HEINZ-PETER NIEWERTH. Ihnen sowie allen Mitarbeitern an dieser Ausgabe sei herzlich gedankt.

Bonn, im Wintersemester 1971/72

Karl Konrad Polheim

# Inhalt

## I AUGUST WILHELM SCHLEGEL (1767—1845)



## II WILHELM HEINRICH WACKENRODER (1773—1798)



## III JOHANN LUDWIG TIECK (1773—1853)

# I August Wilhelm Schlegel (1767—1845)

Jenenser Vorlesungen = Vorlesungen über Philosophische Kunstlehre mit erläuternden Bemerkungen von K. Chr. Fr. Krause. Hg. von A. Wünsche. Leipzig: Dieterich 1911.

Berliner Vorlesungen = Vorlesungen über schöne Litteratur und Kunst. Hg. nach der Handschrift von J. Minor. 3 Bde. Heilbronn: Henninger 1884 (= Deutsche Litteratur-Denkmale des 18. u. 19. Jahrhunderts 17—19).

Wiener Vorlesungen = Vorlesungen über dramatische Kunst und Literatur. Kritische Ausgabe. Eingeleitet und mit Anmerkungen versehen von G. V. Amoretti. 2 Bde. Bonn und Leipzig: Schroeder 1923.

Werke = Sämmtliche Werke. Hg. von E. Böcking. 12 Bde. Leipzig: Weidmann 1846—1847.

F. Schlegel, Krit. Ausgabe = Kritische Friedrich-Schlegel-Ausgabe. Hg. von E. Behler unter Mitwirkung von J. J. Anstett und H. Eichner. München-Paderborn-Wien: Schöningh 1958 ff.

1 Über die Künstler, ein Gedicht von Schiller (1790) = Werke, Bd. VII.

*[S. 7]* Je zarter und feiner die innre Organisation des Menschen durch beständige Ausbildung, je durchsichtiger und leichter die Atmosphäre der Sinnlichkeit wird, die ihn von der Geisterwelt scheidet; um so mehr verliert die Sprache an Energie in der Darstellung sinnlicher Gegenstände; doch in eben dem Grade erweitert sich der poetische Horizont auf der andern Seite: was sonst nur den betrachtenden Verstand beschäftigen konnte, nimmt nun eine sinnlich-fühlbare, wenngleich ätherische, Bildung an.

2 Vorlesungen über Philosophische Kunstlehre (gehalten 1798) = Jenenser Vorlesungen.

*[S. 15 f. § 21]* [...] die erste Sprache [...] ist also weder bloß passiver Ausdruck der Empfindungen (und Gedanken) und bloß passive Erscheinung der Gegenstände, noch willkürlich erfunden, sondern sie ist eine bildende Darstellung von beiden, d. h. die

Sprache ist in ihrem Ursprunge poetisch. [...] Poesie ist eine bildende Darstellung der innern Empfindungen und der äußern Gegenstände vermittels der Sprache.

*[S. 23 § 27]* [...] die früheste Sprache ist daher im höchsten Grade tropisch [...] und bildlich, d. h. poetisch. P o e s i e ist bildlich anschauender Gedankenausdruck.

*[S. 26 § 29]* Wegen ihres Ursprungs kann keine Sprache unpoetisch werden; es bleiben immer poetische Elemente in ihr zerstreut; [...]

*[S. 29 § 30]* [...] Die Grenzen der Natur- und Kunstpoesie greifen sehr ineinander. So ist Homer [...] ein Gipfel der Naturpoesie in Rücksicht der poetischen Sprache und der Anfang der Kunstpoesie. Auch könnte man in eben diesem Sinne die ganze griechische Poesie eine Naturpoesie nennen, weil der Trieb, nicht die Kunst in ihr herrscht. Die Poesie gibt sich das Gesetz selbst.

*[S. 30 § 31]* Das Poetische war mit der Sprache ursprünglich verwandt, aber um es zu einem selbständigen Dasein zu erheben, dazu gehörte eine äußere Grenze; — Entstehung des Silbenmaßes.

3 Athenäumsfragmente (1798) = F. Schlegel, Krit. Ausgabe, Bd. II.

*[S. 166 Nr. 9]* Zum Glück wartet die Poesie eben so wenig auf die Theorie, als die Tugend auf die Moral, sonst hätten wir fürs erste keine Hoffnung zu einem Gedicht.

*[S. 193 Nr. 174]* Die Poesie ist Musik für das innere Ohr, und Malerei für das innere Auge; aber gedämpfte Musik, aber verschwebende Malerei.

4 Die Kunstlehre (1801—1802) = Berliner Vorlesungen, Bd. I.

*[S. 9 f.]* Sobald man behauptet, wie wir es denn allerdings behaupten, es sey eine philosophische Theorie der schönen Künste möglich, so haben wir dadurch schon ein Merkmal für diese gefunden, welches berechtigt, sie vor allen Gewerben, mechanischen nützlichen oder angenehmen Fertigkeiten, vorzugsweise Künste zu nennen. Den Inbegriff der Künste in diesem Sinne nennt man noch

besser die Kunst: dadurch deutet man an, daß das, was sie mit einander gemein haben (der menschliche Zweck) das Wesentliche an ihnen, das aber, was sie unterscheidet (die Mittel der Ausführung) das Zufällige ist. Diesem nach wäre ihre Philosophische Theorie am schicklichsten Kunstlehre zu benennen, nach der Analogie von Sittenlehre, Rechtslehre, Wissenschaftslehre. — Oder auch Poetik, da man einverstanden ist, daß es in allen schönen Künsten, außer dem mechanischen (technischen) und über ihm, einen poetischen Theil gebe; d. h. es wird eine freye schaffende Wirksamkeit der Fantasie (ποιησις) in ihnen erkannt. Poesie heißt dann im allgemeineren Sinne das allen Künsten gemeinsame, was sich nur nach der besondern Sphäre ihrer Darstellungen modifizirt.
Was würde also eine solche Kunstlehre oder Poetik zu leisten haben?
Sie würde als Grundsatz aufstellen müssen: die Kunst soll seyn, oder das Schöne, wenn wir einmal den Gegenstand derselben so nennen wollen, muß hervorgebracht werden.

*[S. 90]* Nach Schelling ist das Unendliche endlich dargestellt Schönheit, bey welcher Definition das Erhabene, wie es sich gehört, schon darunter begriffen ist. Hiemit bin ich vollkommen einverstanden, nur möchte ich den Ausdruck lieber so bestimmen: Das Schöne ist eine symbolische Darstellung des Unendlichen; weil alsdann zugleich klar wird, wie das Unendliche im Endlichen zur Erscheinung kommen kann.

*[S. 91]* Wie kann nun das Unendliche auf die Oberfläche, zur Erscheinung gebracht werden? Nur symbolisch, in Bildern und Zeichen. Die unpoetische Ansicht der Dinge ist die, welche mit den Wahrnehmungen der Sinne und den Bestimmungen des Verstandes alles an ihnen für abgethan hält; die poetische, welche sie immerfort deutet und eine figürliche Unerschöpflichkeit in ihnen sieht. [...] Dichten (im weitesten Sinne für das poetische allen Künsten zum Grunde liegende genommen) ist nichts andres als ein ewiges symbolisiren: wir suchen entweder für etwas Geistiges eine äußere Hülle, oder wir beziehen ein Äußres auf ein unsichtbares Innres.

Da nun Geist und Materie nach der Aussage des Verstandes sich durchaus entgegengesetzt sind, so daß gar kein allmähliges Übergehen aus einem in das andre Statt findet, so fragt sich wie wir dazu kommen, das Geistige materiell offenbaren, und wiederum im Materiellen Geistiges erkennen zu wollen? Unstreitig durch einen absoluten Akt, ohne uns auf Erfahrungen und Schlüsse zu gründen; wir erkennen die ursprüngliche Einerleyheit von Geist und Materie, welche nur speculativ dargethan werden kann, unmittelbar wiewohl unbewußter Weise durch die That an.

*[S. 92 f.]* Wie wir eben sahen, geht die Sprache vom bloßen Ausdruck durch willkührlichen Gebrauch zur Darstellung fort; wenn aber die Willkühr ihr herrschender Charakter wird, so verschwindet die Darstellung, d. h. der Zusammenhang des Zeichens mit dem Bezeichneten; und die Sprache wird alsdann nichts als eine Sammlung logischer Ziffern, tauglich die Rechnungen des Verstandes damit abzumachen. Um sie wieder poetisch zu machen, muß also ihre Bildlichkeit hergestellt werden, weswegen allgemein das uneigentliche, übertragene, tropische als dem poetischen Ausdrucke wesentlich betrachtet wird. Gewöhnlich macht man aber in den Vorschriften der Dichtkunst den bloßen Verstand zum Richter über die Schicklichkeit dieser, wie man meynt, erlaubten Zierrathen: es sollen Bilder und Vergleichungen gebraucht werden, aber sie dürfen nicht zu kühn seyn, sondern sich nur eben über die nüchterne Prosa erheben. Man erkennt nicht an, daß die Poesie hierin überschwenglich und absolut ist, daß sie, nachdem ihr jedesmaliger Charakter es mit sich bringt, auch das entfernteste verknüpfen und in einander übergehen lassen kann. Die gegenseitige Verkettung aller Dinge durch ein ununterbrochnes Symbolisiren, worauf die erste Bildung der Sprache sich gründet, soll ja in der Wiederschöpfung der Sprache, der Poesie, hergestellt werden; und sie ist nicht ein bloßer Nothbehelf unsers noch kindischen Geistes, sie wäre seine höchste Anschauung, wenn er je vollständig zu ihr gelangen könnte. Denn jedes Ding stellt zuvörderst sich selbst dar, d. h. es offenbart sein Innres durch sein Äußres, sein Wesen durch die Erscheinung (es ist also Symbol für sich selbst); demnächst das, womit es in näheren Verhältnissen steht

und Einwirkungen davon erfährt; endlich ist es ein Spiegel des Universums. In jenen schrankenlosen Übertragungen des poetischen Styls liegt also, der Ahndung und Anfoderung nach, die große Wahrheit daß eins alles und alles eins ist. Die Wirklichkeit liegt zwischen ihr und uns, und zieht uns unaufhörlich davon ab; die Fantasie räumt dieses störende Medium hinweg und versenkt uns in das Universum, indem sie es als ein Zauberreich ewiger Verwandlungen, worin nichts isolirt besteht, sondern alles aus allem durch die wunderbarste Schöpfung wird, in uns sich bewegen läßt.

*[S. 93 f.]* Auf die Symbolik der Wortsprache werden wir uns ausführlicher einlassen, wann wir sie als das Medium der Poesie betrachten; da werden wir sehen, daß das Vermögen, welches die Poesie zur eigentlichen schönen Kunst bildet, dasselbe, nur in einer höheren Potenz ist, welches der Sprache ihren Ursprung giebt. Hier wollen wir nur vorläufig bemerken, daß, da das Schöne nothwendig eine bedeutsame Erscheinung seyn muß, und die Deutungsfähigkeit des Menschen von seiner eignen Natur ausgeht, es nur so viel Medien der Kunst geben kann als Arten des natürlichen Ausdrucks, wodurch der Mensch sein Inneres im Äußeren offenbart.

*[S. 116 f.]* Die Sprache besteht aus hörbaren Zeichen, aber von Gegenständen, deren Vorstellungen in sich zu erwecken, die Einbildungskraft durch sie aufgefodert wird: sie ist folglich eine Combination des innern und äußern Sinnes, und umfaßt das ganze Gebiet des menschlichen Geistes. Daher muß die Poesie nothwendig die grenzenloseste aller Künste seyn und die andern müssen sich mehr oder weniger in ihr abspiegeln. Jedoch steht sie mit einer der Form nach in einer näheren Beziehung und das ist die Musik. Die Poesie stellt successiv dar, sie will also die Zeit erfüllen. Dieß thut die gewöhnliche Rede zwar auch, allein sie geht nicht darauf aus, es ist bey ihr unabsichtlich und zufällig. Wir sagen etwas nach einander, weil wir es freylich nicht auf einmal sagen können. Diesen Charakter des Forteilens bekömmt die Rede um so mehr, je mehr sie ein bloßes Geschäft des Verstandes wird, wir möchten gleichsam die Succession aufheben, und so verlieren auch alle einzelne Laute das Musikalische, welches eben in dem Schweben und

Verweilen der Stimme bey ihnen besteht. Je prosaischer die Rede, desto mehr verschwindet aus ihr das singend Accentuirte, und sie wird bloß trocken articulirt. Das Streben der Poesie ist nun ein gerade entgegengesetztes, und folglich um anzukündigen, daß sie eine Rede sey die ihren Zweck in sich selbst hat, daß sie keinem äußern Geschäfte dienen, und so in die anderweitig bestimmte Zeitfolge eingreifen will, muß sie sich ihre Zeitfolge selbst bilden. Nur dadurch wird der Hörer aus der Wirklichkeit entrückt, und in eine imaginative Zeitreihe versetzt, daß er in der Rede selbst eine gesetzmäßige Eintheilung der Successionen, ein Zeitmaß wahrnimmt; und daher die wunderbare Erscheinung daß die Sprache grade in ihrer freyesten Erscheinung, als bloßes Spiel gebraucht, sich des sonst in ihr herrschenden Charakters der Willkühr freywillig entäußert, und einem ihrem Inhalte scheinbar fremden Gesetze unterwirft. Dieses Gesetz ist das Zeitmaß, der Takt, der Rhythmus, welchen die Poesie in ihrem Ursprunge mit der Musik gemein hat, mit der sie so unzertrennlich vereinigt ist, daß sie nur musikalisch vorgetragen, nur gesungen werden kann.

*[S. 260 f.]* Der Dichter Simonides soll, als ihn der Herrscher von Syrakus befragte, was die Gottheit sey, sich einen Tag Bedenkzeit ausgebeten haben; nach Verlauf dieser Frist zwey Tage, drey Tage und so fort, und endlich, da jener auf einen wirklichen Bescheid drang, gab er zur Antwort: die Sache scheine ihm um so dunkler, je länger er sie erwäge. Die Frage: was die Poesie sey? würde ich geneigt seyn, auf ähnliche Weise zu beantworten, und damit sowohl als Simonides in der That etwas gesagt zu haben glauben.

*[S. 261]* [...] die übrigen Künste haben doch nach ihren beschränkten Medien oder Mitteln der Darstellung eine bestimmte Sphäre, die sich einigermaßen ausmessen läßt. Das Medium der Poesie aber ist eben dasselbe, wodurch der menschliche Geist überhaupt zur Besinnung gelangt, und seine Vorstellungen zu willkührlicher Verknüpfung und Äußerung in die Gewalt bekömmt: die Sprache. Daher ist sie auch nicht an Gegenstände gebunden, sondern sie schafft sich die ihrigen selbst; sie ist die umfassendste aller Künste, und gleichsam der in ihnen überall gegenwärtige Universal-Geist. Dasjenige in den Darstellungen der übrigen Künste, was

uns über die gewöhnliche Wirklichkeit in eine Welt der Fantasie erhebt, nennt man das Poetische in ihnen; Poesie bezeichnet also in diesem Sinne überhaupt die künstlerische Erfindung, den wunderbaren Akt, wodurch dieselbe die Natur bereichert; wie der Name aussagt, eine wahre Schöpfung und Hervorbringung.

*[S. 262 f.]* Man hat es höchst befremdlich und unverständlich gefunden, daß von Poesie der Poesie gesprochen worden ist; und doch ist es für den, welcher überhaupt von dem innern Organismus des geistigen Daseyns einen Begriff hat, sehr einfach, daß dieselbe Thätigkeit, durch welche zuerst etwas poetisches zu Stande gebracht wird, sich auf ihr Resultat zurückwendet. Ja man kann ohne Übertreibung und Paradoxie sagen, daß eigentlich alle Poesie, Poesie der Poesie sey; denn sie setzt schon die Sprache voraus, deren Erfindung doch der poetischen Anlage angehört, die selbst ein immer werdendes, sich verwandelndes, nie vollendetes Gedicht des gesamten Menschengeschlechtes ist. Noch mehr: in den früheren Epochen der Bildung gebiert sich in und aus der Sprache, aber eben so nothwendig und unabsichtlich als sie, eine dichterische Weltansicht, d. h. eine solche worin die Fantasie herrscht. Das ist die Mythologie. Diese ist gleichsam die höhere Potenz der ersten durch die Sprache bewerkstelligten Naturdarstellung; und die freye selbstbewußte Poesie, welche darauf fortbaut, für welche der Mythus wieder Stoff wird, den sie dichterisch behandelt, poetisirt, steht folglich noch um eine Stufe höher. So kann es nun weiter fortgehen, denn die Poesie verläßt den Menschen in keiner Epoche seiner Ausbildung (welche wirklich diesen Namen verdient, und nicht bloß Einseitigkeit und Ertödtung gewisser Anlagen ist) ganz; und wie sie das Ursprünglichste ist, die Ur- und Mutterkunst aller übrigen, so ist sie auch die letzte Vollendung der Menschheit, der Ocean, in den alles wieder zurückfließt, wie sehr es sich auch in mancherley Gestalten von ihm entfernt haben mag. Sie beseelt schon das erste Lallen des Kindes, und läßt noch jenseits der höchsten Speculation des Philosophen Seherblicke thun, welche den Geist eben da, wo er, um sich selbst anzuschauen, allem Leben entsagt hatte, wieder in die Mitte des Lebens zurückzaubern. So ist sie der Gipfel der Wissenschaft, die Deuterin, Dollmetscherin

jener himmlischen Offenbarung, wie die Alten sie mit Recht genannt haben, eine Sprache der Götter.

*[S. 269]* Die Sprache ist von ihrer Entstehung an der Urstoff der Poesie; das Sylbenmaß (im weitesten Sinne) die Form ihrer Realität, das äußerliche Gesetz, unter welchem sie in die Welt der Erscheinungen eintritt; die Mythologie endlich ist gleichsam eine Organisation, welche sich der poetische Geist aus der elementarischen Welt anbildet, und durch dessen Medium, mit dessen Organen er nun alle übrigen Gegenstände anschaut und ergreift.

*[S. 292]* Die Poesie ist, wenn ich so sagen darf, Speculation der Fantasie; und wie die philosophische Speculation die Fähigkeit zu abstrahiren dem Verstande zumuthet, so die poetische der Fantasie.

*[S. 330]* Der Zeitpunkt, wo der mythische Glaube aufhört und eine prosaische Ansicht der Dinge an seine Stelle tritt, würde demnach dem Erwachen zu vergleichen seyn, welches die Herrschaft der Fantasie durch Sorgen und Geschäfte, wobey der Verstand die Oberhand hat, aufhebt. Die Poesie ist eine künstliche Herstellung jenes mythischen Zustandes, ein freywilliges und waches Träumen.

5 Geschichte der klassischen Litteratur (1802—1803) = Berliner Vorlesungen, Bd. II.

*[S. 6]* [...] wie in der Natur so ist auch in der Kunst jede ächte, vollständige und deutlich umgränzte Einheit ein Spiegel des großen Ganzen.

*[S. 12]* Alle theoretischen Sätze, die ich brauche, werde ich an ihrer Stelle gehörig deutlich machen, nur e i n e n muß ich Sie bitten als Axiom überall vorauszusetzen, und sich immer gegenwärtig zu erhalten; nämlich den: daß alle schöne Kunst und die Poesie insbesondre, nicht eine müßige zufällig erfundne Ergötzlichkeit, nicht ein bloßer Luxus des Geistes sey, sondern daß sie aus einer ursprünglichen Hauptanlage des menschlichen Gemüths herfließe; daß sie folglich (namentlich die Poesie, denn bey den andern Künsten mußten gewisse Erfindungen vorangehn) zugleich mit dem Menschengeschlecht entstanden, und auch nicht anders als

mit ihm gänzlich aussterben könne; daß sich unter ihrem schönen Spiel ein heiliger Ernst verberge; daß sie das geschickteste Organ sey um das Göttliche und Höchste im menschlichen Geist zu offenbaren; daß sie folglich auch einen unendlichen, nach keinem bedingten Zweck abzumessenden Werth habe.

*[S. 46]* Welches sind denn aber jene ursprünglichen und ewigen Anlagen, Richtungen des menschlichen Gemüths? Wissenschaft und Kunst, mit andern Namen Philosophie und Poesie; (denn Poesie ist der Geist aller schönen Kunst, und Philosophie die absolute Wissenschaft, die Wissenschaft der Wissenschaften, ohne die es gar keine giebt, denn auch die Mathematik lernt erst durch Philosophie sich selbst begreifen) dann Religion und Sittlichkeit. Keines dieser Dinge ist von dem andern abgeleitet oder abhängig, alle sind in gleicher Dignität, [. . .]

*[S. 47]* Mythologie war das verbindende Mittelglied zwischen Philosophie und Poesie, und wurde auch von den Griechen als die gemeinschaftliche Wurzel beyder betrachtet. Bey einer entschiedneren Ausbildung sondern sich diese Dinge mehr, und um ihr Wesen gründlich zu erforschen, muß man sie sorgfältig aus einander halten. Zwar ist im menschlichen Geiste nichts isolirt vorhanden, und so ist auch in jedem wieder alles übrige enthalten: aber nur indem es sich ganz in seiner Sphäre hält, sich selber treu bleibt, kann es erst es selbst, und demnächst alles übrige mit seyn. Die Verwirrung der Gränzen hat von jeher großes Unheil angerichtet. Ächte Poesie wird von selbst zugleich philosophisch, moralisch und religiös seyn: gleichsam eine sinnbildliche Philosophie, eine losgesprochne freye Sittlichkeit und eine weltlich gewordne Mystik. Fodert man aber voreilig und auf ungebührliche Art von ihr einen baaren Ertrag philosophischer Wahrheiten, nebst moralischer Nutzanwendung und religiöser Erbauung: so wird die Bedingung von allem diesem, das wahrhaft Poetische, selbst zerstört.

*[S. 69 f.]* Eben auf dem Dunkel, worein sich die Wurzel unsers Daseyns verliert, auf dem unauflöslichen Geheimniß beruht der Zauber des Lebens, dieß ist die Seele aller Poesie.

*[S. 90]* So muß auch der heutige Dichter über das Wesen seiner Kunst mehr im klaren seyn, als es ehemalige große Dichter konnten, die wir daher besser begreifen müssen, als sie sich selbst; eine höhere Reflexion muß sich in seinen Werken wieder in Unbewußtseyn untertauchen. Deswegen ist jetzt Universalität das einzige Mittel, wieder etwas Großes zu erschwingen. Ein Dichter muß nicht nur die umfassendsten Studien antiker und moderner Poesie gemacht haben, er muß in gewissem Grade auch Philosoph, Physiker und Historiker seyn.

6 Geschichte der romantischen Litteratur (1803—1804) = Berliner Vorlesungen, Bd. III.

*[S. 4]* Das Wesen aller ächten Kunst und Poesie kann nicht mit dem vernünftelnden Verstande ergründet werden: sie nimmt das ganze Gemüth in Anspruch, sie kommt aus dem Innersten auserwählter Menschen, und so muß man sich ihr auch in seinem Innersten mit Ernst und Liebe hingeben, um in ihr Heiligthum eingelassen zu werden. Dann entsteht eine weit lebendigere Überzeugung als die, welche auf dem speculativen Wege ohne Bekanntschaft mit den Hervorbringungen der Poesie und Kunst bewirkt werden kann, daß diese aus einer wesentlichen Hauptanlage des Menschen entsprungen, etwas unendliches und ewiges, also göttliches, zum Gegenstande habe, und daß unser Gemüth mit einer unsterblichen Sehnsucht, wenn diese auch zuweilen durch die überwiegende Gewalt des Äußerlichen und Irdischen unterdrückt wird, zu ihr zurückkehrt, um hier seine eigne Verklärung zu erblicken, die Idee seiner selbst wieder zu finden, und sich unter mangelhaften und zerstückelten Bestrebungen in der Wirklichkeit durch das Bild ihrer gelungensten harmonischen Vollendung zu stärken und aufzuheitern.

*[S. 6]* Zwar machen die gesammten Künste gewissermaßen ein System aus, sie fodern und bedingen sich gegenseitig, und es gewährt große Aufschlüsse über sie, wenn man sein Studium so viel möglich auf alle ausdehnt. Indessen ist die Poesie, wie schon oft dargethan worden, eine Art von gemeinschaftlichem Mittelpunkt der Künste, in welchen sie zurückkehren und von da wieder aus-

gehn; da sie sich zum Mittel ihrer Darstellungen des allgemeinen Organs der Verständigung, der Sprache, bedient, so ist auch in ihr das klarste Bewußtseyn über das Streben aller Kunst einheimisch, sie kann eine Vermittlerin der übrigen abgeben, das Medium gleichsam, worin sie sich sämtlich auflösen lassen, um in einander überzugehen. Sie bedarf daher zu ihrem Verständnisse weniger die Betrachtung der andern Künste als sie vielmehr auf diese Licht zu werfen im Stande ist.

*[S. 20]* Wenn demnach in einer allgemeinen Geschichte der romantischen Poesie die Deutschen eine so unansehnliche Rolle spielen, ja fast daraus verschwinden, wenn wir besonders keine romantischen Künstler aus der Vorzeit aufzuweisen haben, die sich den großen entgegenstellen ließen, worauf andre Nationen seit Jahrhunderten stolz sind: so können wir uns damit trösten, daß unter der allgemeinen prosaischen Erstorbenheit bey uns zuerst das Gefühl für ächte Poesie wieder erwacht ist; [. . .]

7 Vorlesungen über dramatische Kunst und Literatur (1808) = Wiener Vorlesungen, Bd. I.

*[S. 4]* Es giebt kein Monopol der Poesie für gewisse Zeitalter und Völker; folglich ist auch der Despotismus des Geschmacks, womit diese, gewisse vielleicht ganz willkührlich bey ihnen festgestellte Regeln allgemein durchsetzen wollen, immer eine ungültige Anmaßung. Poesie, im weitesten Sinne genommen, als die Fähigkeit das Schöne zu ersinnen und es sichtbar oder hörbar darzustellen, ist eine allgemeine Gabe des Himmels, und selbst sogenannte Barbaren und Wilde haben nach ihrem Maaße Antheil daran.

*[S. 7]* Gerade die Zeitalter, Völker und Stände, welche das Bedürfniß einer selbstgeschaffenen Poesie am wenigsten fühlten, ließen sich die Nachahmung der Alten am besten gefallen. So entstanden todte Schulübungen, die höchstens eine kalte Bewunderung erregen konnten. Bloße Nachahmung ist aber in den schönen Künsten immer fruchtlos: auch was wir von andern entlehnen, muß in uns gleichsam wiedergeboren werden, wenn es poetisch hervorgehen soll. Was hilft alles Ankünsteln des fremden? Die Kunst

kann nicht ohne Natur bestehen, und der Mensch hat seinen menschlichen Mitbrüdern nichts anders zu geben als sich selbst.

*[S. 13]* So ist es denn auch: die Poesie der Alten war die des Besitzes, die unsrige ist die der Sehnsucht; jene steht fest auf dem Boden der Gegenwart, diese wiegt sich zwischen Erinnerung und Ahndung. Man misverstehe dieß nicht, als ob alles in einförmige Klage verfließen, und die Melancholie sich immer vorlaut aussprechen müßte. Wie in der heitern Weltansicht der Griechen die herbe Tragödie dennoch möglich war, so kann auch die aus der oben geschilderten entsprungene romantische Poesie alle Stimmungen bis zur fröhlichsten durchgehen, aber sie wird immer in einem namenlosen Etwas Spuren ihrer Quelle an sich tragen. Das Gefühl ist im ganzen bey den Neueren inniger, die Fantasie unkörperlicher, der Gedanke beschaulicher geworden. Freylich laufen in der Natur die Gränzen in einander, und die Dinge scheiden sich nicht so strenge, als man es thun muß, um einen Begriff festzuhalten.

## II Wilhelm Heinrich Wackenroder (1773—1798)

Schriften = Sämtliche Schriften. Hamburg: Rowohlt 1968 (= Rowohlts Klassiker der Literatur und der Wissenschaft. Texte deutscher Literatur 1500—1800. Hg. von K. O. Conrady. Bd. 22).
Briefe = Werke und Briefe. Hg. von F. v. d. Leyen. 2 Bde. Jena: Diederichs 1910.

1 Brief an Ludwig Tieck vom 12. Mai 1792 = Briefe, Bd. II.

*[S. 32]* Da wirds recht mit lauten dreisten Worten unsrer entarteten Dichterrepublik gesagt, daß nur Empfindung, Empfindung der Genius sein solle, der das Lied beleben könnte, daß Witz ein verzogenes Kind sei, das nur jenseit des Rheins zu Hause gehöre; und mehr dergleichen, was, wie Du weißt, schon lange meine Herzensmeinung gewesen. „Soll Witz, soll Witz im Liede sein?" fragt Denis und ich frag's mit ihm.

2 Brief an Ludwig Tieck vom November 1792 = Briefe, Bd. II.

*[S. 110]* Aber ich bin dabei auf die Gedanken gekommen, daß ein Mensch, der poetische Natur durch Übung und Kritik gereinigt und geläutert und gebildet hat, einer, der eine Anna Boleyn schreiben kann, (wenigstens a n f a n g e n kann — verstehst Du?) auch in der kleinsten Armseligkeit, die er hinwirft, nicht durchaus, nicht gänzlich sich so herablassen kann, daß kein Funken von seinem Talent erkennbar sein sollte. Ich habe immer geglaubt, daß der größte Kopf auch einmal, aus hunderterlei möglichen Veranlassungen, das fadeste Zeug schreiben kann; allein ich halte dafür, daß auch in diesem elenden Zeuge, i m m e r etwas ist, wärs auch nur ein einziges Wort, das im kleinen ein Miniaturbild seines Genies ist, und daß ihm vielleicht so zu sagen wider Wissen und Willen entschlüpft ist.

3 Brief an Ludwig Tieck vom Dezember 1792 = Briefe, Bd. II.

*[S. 135 f.]* Dabei kam ich aber nachher auf die Idee, diese Empfindung in eine Ode zu bringen, und überhaupt, eine ganze eigne

Art von Oden einzuführen: Eine Art, die ich lyrische Gedichte κατ' ἐξοχήν nennen würde, und die immer meine Lieblingsgattung gewesen sind. Es sollen treue Gemälde der Empfindung und Leidenschaft sein, ganz individuell und ganz nach der Natur gemalt. Sie sollen den echten, wahren Ausdruck der Leidenschaft darstellen, ihren Keim, ihre Quelle andeuten, auf ihre Folgen führen und so dazu dienen, Menschen Menschenherzen kennen zu lehren, Menschen Menschen zu erklären und zu entdecken, und Menschen vor Menschen zu verteidigen. Sie sollen zeigen, wie der Glückliche und Unglückliche durch das Übermaß seiner Empfindung zu Verbrechen geleitet werden kann; sie sollen den kältesten Hörer erwärmen und mit sich fortreißen, daß er am Ende selbst erschrickt, wohin er sich gestürzt sieht, aber eben dadurch aufs Fühlbarste lerne, wie er von empfindenden Menschen urteilen soll.

*[S. 139]* Und, um wider auf Kritik zurückzukommen, so gestehst Du mir gewiß leicht ein, daß s i e nicht das edelste Bestreben, und das höchste Verdienst des Menschen sein kann. Sie besteht immer nur in Vergleichung, Zusammensetzung und Trennung dessen, was schon da ist, im Verwandeln des schon existierenden. Nur S c h a f f e n bringt uns der Gottheit näher; und der Künstler, der Dichter, ist Schöpfer. Es lebe die Kunst! Sie allein erhebt uns über die Erde, und macht uns unsers Himmels würdig.

4 Brief an Ludwig Tieck vom Januar 1793 = Briefe, Bd. II.

*[S. 182]* Und im Grunde sollte jeder Dichter und Künstler doch bei jedem Werke wenigstens den Vorsatz haben, es so zu vollenden, wie es seine Kräfte, in ihrer wirksamsten Tätigkeit, nur immer erlaubten.

5 Brief an Ludwig Tieck vom 5. März 1793 = Briefe, Bd. II.

*[S. 195 f.]* D i e P h a n t a s i e, die das Ganze durchströmt, ist feurig, groß und erhaben, und vermischt sich oft so innig mit der V e r n u n f t, daß man sie nicht davon scheiden kann.
Deine Schwester hat aber gegen mich schon sehr richtig geäußert, die Dir so gewöhnliche und so leichte Bildersprache wäre zu sehr verschwendet. In der Tat, läßt sich wohl ein vollkommenes, ein schönes Gedicht erwarten, wenn der Dichter jedes Bild, das seine

üppige Einbildungskraft im Schreiben ihm darreicht, ergreift, und weil er in diesem Augenblicke der poetischen Begeisterung es deutlich faßt, es so hinwirft, wie es sich ihm darbietet, ohne die Verbindung, in die es gesetzt wird, ohne den Plan des Ganzen vor Augen zu haben? Gesetzt auch, das alle Bilder die Kritik aushielten, (und ist dies beim Abdallah und vielen Deiner übrigen Arbeiten der Fall?) so wäre dies nicht weniger als ein Beweis für ihre Rechtmäßigkeit an diesem Orte. Wahrlich, eine Schreibart, wo der von Empfindungen, von Visionen der Phantasie überfließende Dichter von einem Bilde zum andern überspringt, und eins in das andre hineinzieht, ist nicht viel besser als ein Stil, in dem epigrammatische Laune herrschen soll, wo eine Witzelei die andre, ein Wortspiel das andre jagt. Doch gilt dies keineswegs ganz von Deinem Abdallah.

6 Herzensergießungen eines kunstliebenden Klosterbruders (1797) = Schriften.

Einige Worte über Allgemeinheit, Toleranz und Menschenliebe in der Kunst

*[S. 44]* *Kunst* ist die Blume menschlicher Empfindung zu nennen. In ewig wechselnder Gestalt erhebt sie sich unter den mannigfaltigen Zonen der Erde zum Himmel empor, und dem allgemeinen Vater, der den Erdball mit allem, was daran ist, in seiner Hand hält, duftet auch von dieser Saat nur *ein* vereinigter Wohlgeruch.
Er erblickt in jeglichem Werke der Kunst, unter allen Zonen der Erde, die Spur von dem himmlischen Funken, der, von ihm ausgegangen, durch die Brust des Menschen hindurch, in dessen kleine Schöpfungen überging, aus denen er dem großen Schöpfer wieder entgegenglimmt.

*[S. 45 f.]* Das Einmaleins der Vernunft folgt unter allen Nationen der Erde denselben Gesetzen, und wird nur hier auf ein unendlich größeres, dort auf ein sehr geringes Feld von Gegenständen angewandt. — Auf ähnliche Weise ist das *Kunstgefühl* nur ein und derselbe himmlische Lichtstrahl, welcher aber, durch das mannigfachgeschliffene Glas der Sinnlichkeit unter verschiedenen Zonen sich in tausenderlei verschiedene Farben bricht.

*Schönheit:* ein wunderseltsames Wort! Erfindet erst neue Worte für jedes einzelne Kunstgefühl, für jedes einzelne Werk der Kunst! In jedem spielt eine andere Farbe, und für ein jedes sind andere Nerven in dem Gebäude des Menschen geschaffen.

Aber ihr spinnt aus diesem Worte, durch Künste des Verstandes, ein strenges *System,* und wollt alle Menschen zwingen, nach euren Vorschriften und Regeln zu fühlen, — und fühlet selber nicht.

Wer ein *System glaubt,* hat die allgemeine Liebe aus seinem Herzen verdrängt! Erträglicher noch ist Intoleranz des Gefühls, als Intoleranz des Verstandes; — *Aberglaube* besser als *Systemglaube.* —

## Von zwei wunderbaren Sprachen und deren geheimnisvoller Kraft

*[S. 55]* Die Sprache der Worte ist eine große Gabe des Himmels, und es war eine ewige Wohltat des Schöpfers, daß er die Zunge des ersten Menschen löste, damit er alle Dinge, die der Höchste um ihn her in die Welt gesetzt, und alle geistigen Bilder, die er in seine Seele gelegt hatte, nennen, und seinen Geist in dem mannigfaltigen Spiele mit diesem Reichtum von Namen üben konnte. Durch Worte herrschen wir über den ganzen Erdkreis; durch Worte erhandeln wir uns mit leichter Mühe alle Schätze der Erde. Nur das Unsichtbare, das über uns schwebt, ziehen Worte nicht in unser Gemüt herab.

Die irdischen Dinge haben wir in unsrer Hand, wenn wir ihre Namen aussprechen; — aber wenn wir die Allgüte Gottes oder die Tugend der Heiligen nennen hören, welches doch Gegenstände sind, die unser ganzes Wesen ergreifen sollten, so wird allein unser Ohr mit leeren Schallen gefüllt und unser Geist nicht, wie es sollte, erhoben.

Ich kenne aber zwei wunderbare Sprachen, durch welche der Schöpfer den Menschen vergönnt hat, die himmlischen Dinge in ganzer Macht, so viel es nämlich (um nicht verwegen zu sprechen) sterblichen Geschöpfen möglich ist, zu fassen und zu begreifen. Sie kommen durch ganz andere Wege zu unserm Inneren, als durch die Hülfe der Worte; sie bewegen auf einmal, auf eine wunderbare Weise, unser ganzes Wesen und drängen sich in jede Nerve und jeden Blutstropfen, der uns angehört. Die eine dieser wundervollen Sprachen redet nur Gott; die andere reden nur wenige Auserwählte unter den Menschen, die er zu seinen Lieblingen gesalbt hat. Ich meine: die Natur und die Kunst.

*[S. 56]* Die Kunst ist eine Sprache ganz anderer Art als die Natur; aber auch ihr ist, durch ähnliche dunkle und geheime Wege, eine wunderbare Kraft auf das Herz des Menschen eigen. Sie redet durch Bilder der Menschen und bedienet sich also einer Hieroglyphenschrift, deren Zeichen wir dem Äußern nach kennen und verstehen. Aber sie schmelzt das Geistige und Unsinnliche, auf eine so rührende und bewundernswürdige Weise, in die sichtbaren Gestalten hinein, daß wiederum unser ganzes Wesen und alles, was an uns ist, von Grund auf bewegt und erschüttert wird.

*[S. 58]* Die Kunst stellet uns die höchste menschliche Vollendung dar. Die Natur, so viel davon ein sterbliches Auge sieht, gleichet abgebrochenen Orakelsprüchen aus dem Munde der Gottheit. Ist es aber erlaubt, also von dergleichen Dingen zu reden, so möchte man vielleicht sagen, daß Gott wohl die ganze Natur oder die ganze Welt auf ähnliche Art, wie wir ein Kunstwerk, ansehen möge.

Die Größe des Michelangelo Buonarroti

*[S. 69]* Die Malerei ist eine Poesie mit Bildern der Menschen. So wie nun die Poeten ihre Gegenstände mit ganz verschiedenen Empfindungen beseelen, je nachdem ihnen vom Schöpfer ein verschiedener Geist eingehaucht ist; so auch in der Malerei. Einige Dichter beleben ihr ganzes Werk innerlich mit einer stillen und geheimen poetischen Seele; bei andern aber bricht die überfließende, üppige dichterische Kraft in jedem Momente der Darstellung hervor.

7 Phantasien über die Kunst für Freunde der Kunst (1799) = Schriften.

Schilderung wie die alten deutschen Künstler gelebt haben

*[S. 114]* So wie aber diese zwei großen göttlichen Wesen, die Religion und die Kunst, die besten Führerinnen des Menschen für sein äußeres, wirkliches Lebens sind, so sind auch für das innere, geistige Leben des menschlichen Gemüts ihre Schätze die

allerreichhaltigsten und köstlichsten Fundgruben der Gedanken und Gefühle, und es ist mir eine sehr bedeutende und geheimnisvolle Vorstellung, wenn ich sie zweien magischen Hohlspiegeln vergleiche, die mir alle Dinge der Welt sinnbildlich abspiegeln, durch deren Zauberbilder hindurch ich den wahren Geist aller Dinge erkennen und verstehen lerne.

### Von den verschiedenen Gattungen in jeder Kunst, und insbesondere von verschiedenen Arten der Kirchenmusik

*[S. 161]* Es kommt mir allemal seltsam vor, wenn Leute, welche die Kunst zu lieben vorgeben, in der Poesie, der Musik, oder in irgendeiner andern Kunst, sich beständig nur an Werke von einer Gattung, einer Farbe halten, und ihr Auge von allen andern Arten wegwenden. Hat gleich die Natur diejenigen, welche selbst Künstler sind, mehrenteils so eingerichtet, daß sie sich nur in einem Felde ihrer Kunst ganz wie zu Hause fühlen, und nur auf diesem ihrem vaterländischen Boden Kraft und Mut genug haben, selber zu säen und zu pflanzen; so kann ich doch nicht begreifen, wie eine wahre Liebe der Kunst nicht alle ihre Gärten durchwandern, und an allen Quellen sich freuen sollte. Es wird ja doch niemand mit halber Seele geboren!

*[S. 162 f.]* Nach dem Gegenstande zu urteilen, ist die geistliche Musik freilich die edelste und höchste, so wie auch in den Künsten der Malerei und Poesie der heilige, gottgeweihete Bezirk dem Menschen in dieser Hinsicht der ehrwürdigste sein muß. Es ist rührend zu sehen, wie diese drei Künste die Himmelsburg von ganz verschiedenen Seiten bestürmen, und mit kühnem Wetteifer untereinander kämpfen, dem Throne Gottes am nächsten zu kommen. Ich glaube aber wohl, daß die vernunftreiche Muse der Dichtkunst, und vorzüglich die stille und ernste Muse der Malerei, ihre dritte Schwester für die allerdreisteste und verwegenste im Lobe Gottes achten mögen, weil sie in einer fremden, unübersetzbaren Sprache, mit lautem Schalle, mit heftiger Bewegung, und mit harmonischer Vereinigung einer ganzen Schar lebendiger Wesen, von den Dingen des Himmels zu sprechen wagt.

Das eigentümliche innere Wesen der Tonkunst

*[S. 170 f.]* Wer das, was sich nur von innen heraus fühlen läßt, mit der Wünschelrute des untersuchenden Verstandes entdecken will, der wird ewig nur Gedanken über das Gefühl, und nicht das Gefühl selber, entdecken. Eine ewige feindselige Kluft ist zwischen dem fühlenden Herzen und den Untersuchungen des Forschens befestigt, und jenes ist ein selbständiges verschlossenes göttliches Wesen, das von der Vernunft nicht aufgeschlossen und gelöst werden kann. — Wie jedes einzelne Kunstwerk nur durch dasselbe Gefühl, von dem es hervorgebracht ward, erfaßt und innerlich ergriffen werden kann, so kann auch das Gefühl überhaupt nur vom Gefühl erfaßt und ergriffen werden; [...]

*[S. 172 f.]* Keine Kunst [als die Tonkunst] schildert die Empfindungen auf eine so künstliche, kühne, so dichterische, und eben darum für kalte Gemüter so erzwungene Weise. Das Verdichten der im wirklichen Leben verloren herumirrenden Gefühle in mannigfaltige feste Massen, ist das Wesen aller Dichtung; sie trennt das Vereinte, vereint fest das Getrennte, und in den engeren, schärferen Grenzen schlagen höhere, empörtere Wellen. Und wo sind die Grenzen und Sprünge schärfer, wo schlagen die Wellen höher als in der Tonkunst?

Aber in diesen Wellen strömt recht eigentlich nur das reine, formlose Wesen, der Gang und die Farbe, und auch vornehmlich der tausendfältige Übergang der Empfindungen; die idealische, engelreine Kunst weiß in ihrer Unschuld weder den Ursprung, noch das Ziel ihrer Regungen, kennt nicht den Zusammenhang ihrer Gefühle mit der wirklichen Welt.

8 Schilderung der dramatischen Arbeiten des Meistersängers Hans Sachs (Entstehungszeit unbekannt) = Schriften.

*[S. 205]* Wenn je die deutsche Poesie in irgendeiner Periode, Volkspoesie war, so war sie es im 16. Jahrhundert, dem Hauptzeitpunkte der Meistersänger. Handwerke und Künste blühten; der Bürger lebte im Wohlstande; — es war das goldne Alter des deutschen Kunstfleißes. Vornehmlich passen diese Züge auf einige da-

mals weitberühmte Städte, unter denen Nürnberg den ersten Rang behauptete. Gewiß hatte auch jene bürgerliche Poesie gute Wirkungen, und verbreitete eine gewisse Bildung auch unter der niedrigeren Klasse. Ihre Hauptzwecke waren: Beförderung der Religion, — und der Moralität: Hans Sachs, der als Haupt der Dichtkunst verehrt ward, gibt diese Zwecke mehrmals deutlich an; und wir sehen auch aus seinen Werken hinlänglich, daß er sie beständig vor Augen gehabt hat.

*[S. 206]* Wo Belehrung, moralische Belehrung, der Hauptzweck der Dichtkunst ist, da wohnt ihr echter Genius nicht. So war es bei uns fast durchaus der Fall im Mittelalter. Dazu kam noch überdies, daß die deutsche Sprache im 16. Jahrhundert viel zu wenig ausgebildet war, als daß sich eine eigene poetische Sprache von ihr hätte absondern können; welches um so weniger möglich sein konnte, da die besondere Gattung der Poesie, von der hier die Rede ist, auf die niedere Klasse mechanischer Handarbeiter eingeschränkt war, die in ihrem Ausdruck nicht leicht über den Bezirk der gemeinen Volkssprache hinauszutreten, und zur reinen Kunstschönheit zu gelangen vermochten.

## III Johann Ludwig Tieck (1773—1853)

Schriften = Schriften. 28 Bde. Berlin: Reimer 1828—54.
Krit. Schriften = Kritische Schriften. 4 Bde. Leipzig: Brockhaus 1848—52.
Briefe = Ludwig Tieck und die Brüder Schlegel. Briefe. Hg. von H. Lüdeke. Frankfurt a. M.: Baer 1930.
Erinnerungen = R. Köpke, Ludwig Tieck. Erinnerungen aus dem Leben des Dichters nach dessen mündlichen und schriftlichen Mittheilungen. 2 Bde. Leipzig: Brockhaus 1855.
Wackenroder, Briefe = Wilhelm Heinrich Wackenroder, Werke und Briefe. Hg. von F. v. d. Leyen. 2 Bde. Jena: Diederichs 1910.
Wackenroder, Schriften = Wilhelm Heinrich Wackenroder, Sämtliche Schriften. Hamburg: Rowohlt o. J. (= Rowohlts Klassiker der Literatur und Wissenschaft. Reihe Texte deutscher Literatur 1500—1800. Hg. von K. O. Conrady. Bd. 22).
DNL = Deutsche National-Litteratur. Historisch-kritische Ausgabe. Hg. von J. Kürschner. Bd. 145: Tieck und Wackenroder. Hg. von J. Minor. Berlin und Stuttgart: Spemann o. J.

1 Brief an Wilhelm Heinrich Wackenroder vom 28. Dezember 1792 = Wackenroder, Briefe, Bd. II.

*[S. 158 f.]* [...] hüte dich ja vor dem Fehler so vieler Dichter zu d e n k e n statt zu e m p f i n d e n. Der Dichter muß aus seinem Herzen sprechen, und dann wird er uns rühren, geht er den Umweg, von Beobachtung zur Empfindung, so wird er meist einen falschen Weg betreten, wir können an ihm wohl noch den wohlgeordneten Plan, das schöne Silbenmaß bewundern, aber unser Herz wird vorübergehn, bloß der Gelehrte wird sich dabei freuen, eine Menge Parallelstellen aus Catull, Horaz und Virgil zitiren zu können.

2 Die neuesten Musenalmanache und Taschenbücher (1796—1798) = Krit. Schriften, Bd. I.

*[S. 108]* Viele Dichter scheinen noch gar nicht darauf gekommen zu sein, daß die Versart eines Gedichts nicht blos vom Zufall

oder der Gewohnheit abhängen müsse; sie scheinen es gar nicht zu ahnden, daß der Wechsel der Reime und die Länge der Verse, die Composition der Strophe von einer leisen Regel regiert werden müsse, damit das Sylbenmaß als eine feine Musik das Gedicht begleite.

3 Franz Sternbalds Wanderungen (1798) = DNL, Bd. 145.

*[S. 160]* So ist die Seele des Künstlers oft von wunderlichen Träumereien befangen, denn jeder Gegenstand der Natur, jede bewegte Blume, jede ziehende Wolke ist ihm eine Erinnerung oder ein Wink in die Zukunft. Heereszüge von Luftgestalten wandeln durch seinen Sinn hin und zurück, die bei den übrigen Menschen keinen Eingang antreffen; besonders ist der Geist des Dichters ein ewig bewegter Strom, dessen murmelnde Melodie in keinem Augenblicke schweigt, jeder Hauch rührt ihn an und läßt eine Spur zurück, jeder Lichtstrahl spiegelt sich ab, er bedarf der lästigen Materie am wenigsten und hängt am meisten von sich selber ab, er darf in Mondschimmer und Abendröte seine Bilder kleiden und aus unsichtbaren Harfen nie gehörte Töne locken, auf denen Engel und zarte Geister herniedergleiten und jeden Hörer als Bruder grüßen, ohne daß sich dieser oft aus dem himmlischen Gruße vernimmt und nach irdischen Geschäften greift, um nur wieder bei sich selber zu sein.

*[S. 164 f.]* [Franz: „...] Aber wenn alle Menschen Künstler wären, oder Kunst verständen, wenn sie das reine Gemüt nicht beflecken und im Gewühl des Lebens abängstigen dürften, so wären doch gewiß alle um vieles glücklicher. Dann hätten sie die Freiheit und die Ruhe, die wahrhaftig die größte Seligkeit sind. Wie beglückt müßte sich dann der Künstler fühlen, der die reinsten Empfindungen dieser Geschöpfe darzustellen unternähme! dann würde es erst möglich sein, das Erhabene zu wagen, dann würde jener falsche Enthusiasmus, der sich an Kleinigkeiten und Spielwerk schließt, erst eine Bahn finden, auf der er eine herrliche Erscheinung wandeln dürfte. Aber alle Menschen sind so abgetrieben, so von Mühseligkeiten, Neid, Eigennutz, Planen, Sorgen verfolgt, daß sie gar nicht das Herz haben, die Kunst und Poesie, den Himmel und die Natur als etwas Göttliches anzusehn.

*[S. 169]* Oft möcht' ich alles in Gedichten niederschreiben, und ich fühle es jetzt, wie die Dichter entstanden sind. Du vermagst das Wesen, was Dein innerstes Herz bewegt, nicht anders auszusprechen. [...“]

*[S. 259]* „Oder daß es uns nur gegeben wäre,“ sagte Sternbald, „diese Fülle, diese Allmacht der Lieblichkeit in uns zu saugen, und im hellsten Bewußtsein diese Schätze aufzusparen. Ich wünsche nichts mehr, als daß ich in Tönen und Gesängen den übrigen Menschen diese Gefühle geben könnte; daß ich unter Musik und Frühlingswehen dichtete, und die höchsten Lieder sänge, die der Geist des Menschen bisher noch ausgeströmt hat. Ich fühle es jedesmal, wie Musik die Seele erhebt, und die jauchzenden Klänge wie Engel mit himmlischer Unschuld alle irdischen Begierden und Wünsche fern abhalten. Wenn man ein Fegfeuer glauben will, wo die Seele durch Schmerzen geläutert und gereinigt wird, so ist im Gegenteil die Musik ein Vorhimmel, wo diese Läuterung durch wehmütige Wonne geschieht.“

*[S. 272 f.]* „Fühlst du nicht oft“, sprach Rudolf weiter, „einen wunderbaren Zug deines Herzens dem Wunderbaren und Seltsamen entgegen? Man kann sich der Traumbilder dann nicht erwehren, man erwartet eine höchst sonderbare Fortsetzung unsers gewöhnlichen Lebenslaufs. Oft ist es, als wenn der Geist von Ariosts Dichtungen über uns hinwegfliegt, und uns in seinen krystallenen Wirbel mit fassen wird; nun horchen wir auf und sind auf die neue Zukunft begierig, auf die Erscheinungen, die an uns mit bunten Zaubergewändern vorübergehn sollen; dann ist es, als wollte der Waldstrom seine Melodie deutlicher aussprechen, als würde den Bäumen die Zunge gelöst, damit ihr Rauschen in verständlichern Gesang dahinrinne. Nun fängt die Liebe an auf fernen Flötentönen heranzuschreiten, das klopfende Herz will ihr entgegenfliegen, die Gegenwart ist wie durch einen mächtigen Bannspruch festgezaubert, und die glänzenden Minuten wagen es nicht, zu entfliehen. Ein Zirkel von Wohllaut hält uns mit magischen Kräften eingeschlossen, und eine neue verklärtere Existenz schimmert wie rätselhaftes Mondlicht in unser wirkliches Leben hinein.“

„O du Dichter!“ rief Franz aus, „wenn du nicht so leichtsinnig wärst, solltest du ein großes Wundergedicht erschaffen, voll von gaukelndem Glanz und irrenden Klängen, voll Irrlichter und Mondschimmer; ich höre dir mit Freuden zu, und mein Herz ist schon wunderbar von diesen Worten ergriffen.“

*[S. 283]* [Rudolf: „. . .] Laß doch der unschuldigen Poesie ihren Gang, wenn der klare Bach sich einmal ergießt, der Scherz soll ja nichts weiter als Scherz bedeuten; willst du ihn aber für eine Entweihung des Feierlichen und Erhabenen nehmen, so thust du dir selbst zu nahe. [. . .“]

*[S. 294]* „O, unmächtige Kunst!“ rief er [Franz] aus, und setzte sich auf eine grüne Felsenbank nieder; „wie lallend und kindisch sind deine Töne gegen den vollen harmonischen Orgelgesang, der aus den innersten Tiefen, aus Berg und Thal und Wald und Stromesglanz in schwellenden, steigenden Akkorden heraufquillt. Ich höre, ich vernehme, wie der ewige Weltgeist mit meisterndem Finger die furchtbare Harfe mit allen ihren Klängen greift, wie die mannigfaltigsten Gebilde sich seinem Spiel erzeugen, und umher und über die ganze Natur sich mit geistigen Flügeln ausbreiten. Die Begeisterung meines kleinen Menschenherzens will hineingreifen, und ringt sich müde und matt im Kampfe mit dem Hohen, der die Natur leise lieblich regiert, und mein Hindrängen zu ihm, mein Winken nach Hilfe in dieser Allmacht der Schönheit vielleicht nicht gewahrt. Die unsterbliche Melodie jauchzt, jubelt und stürmt über mich hinweg, zu Boden geworfen schwindelt mein Blick und starren meine Sinnen. O, ihr Thörichten! die ihr der Meinung seid, die allgewaltige Natur lasse sich verschönen, wenn ihr nur mit Kunstgriffen und kleinlicher Hinterlist eurer Ohnmacht zu Hilfe eilt, was könnt’ ihr anders, als uns die Natur nur ahnden lassen, wenn die Natur uns die Ahndung der Gottheit giebt? Nicht Ahndung, nicht Vorgefühl, urkräftige Empfindung selbst, sichtbar wandelt hier auf Höhen und Tiefen die Religion, empfängt und trägt mit gütigem Erbarmen auch meine Anbetung. Die Hieroglyphe, die das Höchste, die Gott bezeichnet, liegt da vor mir in thätiger Wirksamkeit, in Arbeit, sich selber aufzulösen und auszusprechen, ich fühle die Bewegung, das Rätsel im Begriff zu

schwinden, — und fühle meine Menschheit. — Die höchste Kunst kann sich nur selbst erklären, sie ist ein Gesang, deren Inhalt nur sie selbst zu sein vermag."

*[S. 297]* Der Alte fuhr fort: „Wenn ich nur malen, sprechen oder singen könnte, was mein eigentlichstes Selbst bewegt, dann wäre mir und auch den übrigen geholfen; aber mein Geist verschmäht die Worte und Zeichen, die sich ihm aufdrängen, und da er mit ihnen nicht hantieren kann, gebraucht er sie nur zum Spiel. So entsteht die Kunst, so ist das eigentliche Denken beschaffen."

*[S. 300]* „Alle Kunst ist allegorisch", sagte der [Alte] Maler, „wie Ihr es nehmt. Was kann der Mensch darstellen, einzig und für sich bestehend, abgesondert und ewig geschieden von der übrigen Welt, wie wir die Gegenstände vor uns sehn? Die Kunst soll es auch nicht: wir fügen zusammen, wir suchen dem Einzelnen einen allgemeinen Sinn aufzuheften, und so entsteht die Allegorie. Das Wort bezeichnet nichts anders als die wahrhafte Poesie, die das Hohe und Edle sucht, und es nur auf diesem Wege finden kann."

*[S. 346]* [Ludoviko: „...] Ihr fangt an zu untersuchen, wo nichts zu untersuchen ist, Ihr tastet die Göttlichkeit unsrer Religion an, die wie ein wunderbares Gedicht vor uns da liegt, und nun einmal keinem andern verständlich ist, als der sie versteht: hier wollt Ihr ergrübeln und widerlegen, und könnt mit allem Trachten nicht weiter vorwärts dringen, als es dem Blödsinne auch gelingen würde, da im Gegenteil die höhere Vernunft sich in der Untersuchung wie in Netzen würde gefangen fühlen, und lieber die edle Poesie glauben, als sie den Unmündigen erklären wollen."

4 Phantasien über die Kunst für Freunde der Kunst (1799) = Wackenroder, Schriften.

Das jüngste Gericht, von Michael Angelo

*[S. 127 f.]* Dante singt in prophetischen, wunderbar verschlungenen Terzinen seine Dichtung, nirgend ein Stillestand, nirgend wo die Pracht der gewaltigen Verse aufhörte, immer tiefer wirst du in die geheimnisreiche Allegorie hineingeführt, hier findest du keine Nebensachen, keinen Ruheplatz, auf dem der Dichter stille steht, alle Kräfte spannen sich zum großen magischen Eindruck, aller

Reiz ist vernachlässigt, die Erhabenheit nimmt dich in Empfang, die Wunder des Christentums, die mystischen Geheimnisse verschlingen dich in ihren unbegreiflichen Zirkeln, und nehmen dich mit sich fort.

Eben solche Beschaffenheit hat es mit dem Gedicht des Buonarroti.

*[S. 128]* Die Zukunft tut sich auf, alle Bilder, alle Kraft und Anstrengung ist gleichsam zu matt, zu gewöhnlich, Buonarroti ergreift hier das Mächtigste, das Ungeheuerste, sein Gemälde ist der Schluß aller Dichtung, aller religiösen Bilder, das Ende der Zeiten.

Die Töne

*[S. 189]* Die Musik ist Dichtkunst, der Dichter erfindet die Geschichte. Es ist dem menschlichen Geiste nicht möglich, vorher sich etwas Reizendes, Schönes, Lebensfülle vorzubilden.

Symphonien

*[S. 192]* Ich halte dafür, daß alles nebeneinander bestehn könne und müsse, und daß nichts eine so engherzige Verleugnung der Kunst und Hoheit ist, als wenn man zu früh scharfe Linien und Grenzen zwischen den Gebieten der Kunst zieht.

Der Traum

*[S. 203 f.]* Vom Wipfel seh' ich Bilder niederschreiten,
Ein Geisterheer dem hohen Baum entsteigt,
Der edlen Menge, wie sie abwärts gleiten,
Sich rauschend Stamm und Ast und Wipfel neigt,
Sie kommen her, ich fühl' mein Herze brennen,
Und irr' ich? alle glaub' ich jetzt zu kennen.

Und hinter ihnen wie sie weiter gehen,
Durch Himmel, Luft und auf der Erde hin,
Glaub' ich ein weißes helles Licht zu sehen,
Der Wiese Blumen glänzen schöner drin.
Die Bäume nun wie größre Blumen stehen,
Und jeglich Wesen pranget im Gewinn,
Ist alles rund mit Poesie umgossen,
Von Lieb' und Wohllaut jedes Blatt umflossen.

Sie sind's, die hochberühmten Wundergeister,
Der Greis Homer der vorderste der Schar,
Ihm folgen Rafael, und jener Meister,
Der immer Wonne meiner Seele war,
Der kühne Brite, sieh', er wandelt dreister
Vor allen her, ihm weicht die ganze Schar, —
Sie breiteten ein schönes Licht, mit Wonne
Erscheint es weit und dunkelt selbst die Sonne.

Nun war Entzücken rund umher entsprossen,
Wir wohnen unter ihm wie unter'm Zelt,
Vom Zauberschein ist alles weit umflossen,
Von süßen Tönen klingt die weite Welt,
Wohin wir gehn sind Blumen aufgeschossen,
Mit tausend Farben prangt das grüne Feld.
Es singt die Schar: Dies Glück müßt ihr uns danken,
Doch nie muß eure Liebe für uns wanken!

5 Briefe über Shakespeare (1800) = Krit. Schriften, Bd. I.

*[S. 139]* [...] daß das Rechte, was über Kunst gesagt werden kann, nur prophetisch klingen darf: das Uebrige ist entbehrlich und leicht zu erlernen, es muß der Rede über Kunst vorhergehn, aber über Dichter ist es dir nur erlaubt zu dichten, das heißt, sie im Ganzen zu verstehen, und dies Verständniß in seiner Ganzheit zu eröffnen.

*[S. 149]* Jedes ächte Dichterwerk macht eine unendliche Beschauung möglich und ist ihrer würdig, und alle diese Anschauungen von verschiedenen Seiten sind immer nur wie mancherlei Strahlen, die aus demselben Centro gehen, die den Glanz des Künstlers weiter verbreiten und dadurch selber Kunst sind.

*[S. 150 f.]* [...] denn die Idee der Einheit und Bildung eines Kunstwerks kann nicht mit den Zeiten wachsen, sondern sie muß ursprünglich in der Seele des Künstlers liegen, oder er ist kein Künstler, diese Vollendung ist seine Seele, alles übrige ist nur Hülle und Gewand. Darum war es dem großen Dante möglich, der zu sein, der er ist, und darum stehen Shakspeare und Cervantes so groß da, weil es die Eigenschaft der Kunst ist, das Höchste in

der Kindlichkeit zu sein, so daß das alte Sprichwort, wenn man es nur recht versteht, sehr wahr ist, daß die Poeten geboren werden. Darum tritt uns alles so freundlich und bekannt entgegen, was nur den Namen Poesie verdient, durch keine Zeiten oder Räume können wir von ihm getrennt sein, wenn unser Sinn nur unbefangen und kindlich genug ist, um ihm entgegenzukommen: die ältesten Wunder sind heut und gestern geschehen, die alte Weisheit spricht noch immer weise, längstgestorbene Schönheiten entzücken uns noch immer, und so geschieht es mir, daß alles, auch die Geschichte, die ich als Poesie der Natur betrachte und welche das Schicksal zu einer großen Einheit verbindet, mir so bekannt, wenn auch wunderbar, seltsam, aber doch verständlich, vor mein Gemüth tritt.

*[S. 168]* Die beiden Principe, Gut und Böse, werden beständig die Axen bleiben, um die sich die Phantasie in ewiger Schöpfung wendet, ohne sich zu erschöpfen, diese kindlichen Allegorien werden immer diejenigen sein, die den Menschen am Ende wieder nach vielen Umwegen zu sich ziehen, und ich sehe schon im voraus, wie neuere Dichter zu ihnen wieder ihre Zuflucht nehmen müssen, theils um die Natur und ihren Geist zu offenbaren, theils um sich dem Centrum aller Poesie und Wahrheit zu nähern.

6 Brief an Friedrich Schlegel von Mitte März 1801 = Briefe.

*[S. 65]* Ich fühle immer bestimmter, wie nothwendig meiner Existenz die Natur ist, und hier ist man so natürlich, daß schon deswegen von keiner Natur die Rede sein kann: der Schwulst der Berge, die Inkorrektheit von Bächen und Wäldern, der Schwung der Anhöhen ist die ewige Poesie, die ich nie zu lesen müde werde, und die mich stets begeistert. [...] Ich fühle nun die Umwandelungen der Mythologie, und möchte jezt mit dir darüber sprechen, es ist nichts Vergangenes, nichts Damaliges, es ist noch so, und muß sein. Ich kann es dir nicht ausdrücken, wie mir alles in der Welt immer mehr Eins wird, wie ich gar keine Unterschiede von Räumen oder Zeiten mehr statuiren kann, es wird mir Alles bedeutend, alles was Geschichte giebt und Poesie, so wie alle Natur, und alles in mir, sieht mich aus einem einzigen tiefen Auge an, voller Liebe, aber schreckvoller Bedeutung.

7 Brief an Friedrich Schlegel vom 23. April 1801 = Briefe.

*[S. 71]* [...] daß eben nichts so dunkel ist, als der Trieb, weshalb wir dichten, und alles, was wir im Zusammenhange ansehn, das wird eben dunkel durch das Licht, das wir hineinbringen, und muß es werden, weil wir es sonst nicht erkennen. Die Erleuchtung des gewöhnlichen Verstandes ist dabei satanisch, d. h. platt.

8 Brief an Friedrich Schlegel vom 16. Dezember 1803 = Briefe.

*[S. 148]* Mit Leichtsinn muß die Entwickelung des poetischen Triebes anfangen, und in schönem Leichtsinn muß sich auch das Talent wieder ausbilden, in Sicherheit und Leichtigkeit, sonst ist die Poesie eben so sehr eine Quaal als eine Ergötzung des Gemüthes.

9 Die altdeutschen Minnelieder (1803) = Krit. Schriften, Bd. I.

*[S. 187 f.]* Wenn es keine Täuschung ist, daß wir in einem Zeitalter leben, in welchem die Liebe zum Schönen und das Verständniß von neuem erwacht und sich in mannichfaltigen, verschiedenen Gestalten zeigt, so ist es die Pflicht eines Jeden, diesen Trieb anzuerkennen und, soviel es in seinen Kräften steht, zu befördern und deutlicher zu entwickeln. Sehen wir auf eine unlängst verflossene Zeit zurück, die sich durch Gleichgültigkeit, Mißverständnisse oder das Nichtbeachten der Werke der schönen Künste auszeichnet, so müssen wir über die schnelle Veränderung erstaunen, die in einem so kurzen Zeitraume bewirkt hat, daß man sich nicht nur für die Denkmäler verflossener Zeitalter interessirt, sondern sie würdigt, und nicht nur mit einseitigem und verblendetem Eifer bewundert, sondern durch ein höheres Streben sich bemüht, jeden Geist auf seine ihm eigene Art zu verstehen und zu fassen, und alle Werke der verschiedensten Künstler, so sehr sie alle für sich selbst das Höchste sein mögen, als Theile Einer Poesie, Einer Kunst anzuschauen und auf diesem Wege ein heiliges, unbekanntes Land zu ahnden und endlich zu entdecken, von dem alle gerührten und begeisterten Gemüther geweissagt haben, und dem alle Gedichte als Bürger und Einwohner zugehören. Denn es gibt doch nur Eine Poesie, die in sich selbst von den frühesten Zeiten bis in die fernste

Zukunft, mit den Werken, die wir besitzen, und mit den verlorenen, die unsere Phantasie ergänzen möchte, sowie mit den künftigen, welche sie ahnden will, ein unzertrennliches Ganze ausmacht. Sie ist nichts weiter, als das menschliche Gemüth selbst in allen seinen Tiefen, jenes unbekannte Wesen, welches immer ein Geheimniß bleiben wird, das sich aber auf unendliche Weise zu gestalten sucht, ein Verständniß, welches sich immer offenbaren will, immer von neuem versiegt, und nach bestimmten Zeiträumen verjüngt und in neuer Verwandlung wieder hervortritt. Je mehr der Mensch von seinem Gemüthe weiß, je mehr weiß er von der Poesie, ihre Geschichte kann keine andere sein, als die des Gemüths von den ersten Offenbarungen und dem Wunderglauben der Kindheit, der schönen Ahndungen des jugendlichen Lebens zur Reifheit der Phantasie, bis in alle ihre Verirrungen, die sich wieder zur frühen kindlichen Klarheit selber zurückführen, dazwischen wechselnd mit prophetischen Träumen, mit Anschauungen, welche verloren gehen und sich wieder suchen. So ist die wahre Geschichte der Poesie die Geschichte eines Geistes, sie wird in diesem Sinne immer ein unerreichbares Ideal bleiben; jedoch ist es jedem Beobachter, jedem Freunde der Poesie möglich, seine Ansichten darzustellen, seine Liebe in Worten auszusprechen, um alte Mißverständnisse zu entwirren, oder die, die ihn verstehen, allmälig der klaren, freien Ansicht näher zu führen.

*[S. 189 f.]* Erfreulich ist es, zu bemerken, wie dies Gefühl des Ganzen schon jetzt in der Liebe zur Poesie wirkt. Wenigstens ist wol noch kein Zeitalter gewesen, welches so viele Anlage gezeigt hätte, alle Gattungen der Poesie zu lieben und zu erkennen (Individuen, die sich oft beim ersten Anblick zu widersprechen scheinen) und von keiner Vorliebe sich bis zur Parteilichkeit und Nichterkennung verblenden zu lassen. So wie jetzt wurden die Alten noch nie gelesen und übersetzt, die verstehenden Bewunderer des Shakspeare sind nicht mehr selten, die italienischen Poeten haben ihre Freunde, man liest und studirt die spanischen Dichter so fleißig, als es in Deutschland möglich ist, von der Uebersetzung des Calderon darf man sich den besten Einfluß versprechen; es steht zu erwarten, daß die Lieder der Provenzalen, die Romanzen

des Nordens und die Blüten der indischen Imagination uns nicht mehr lange fremd bleiben werden; was man von der Poesie fodern darf, welche Stelle sie einnehmen kann, auch dies scheint mehr anerkannt zu werden; man ist in Grundsätzen fast einig, die man noch vor wenigen Jahren Thorheit gescholten hätte, und dabei sind die Fortschritte der Erkenntniß nicht von mehr Widersprüchen und Verwirrungen begleitet und gestört, als jede große menschliche Bestrebung nothwendig immer herbeiziehen wird.

*[S. 193]* Diese Zeit, in welche alle jene Erzählungen vom Parzival, Titurel, Tristan, Artus, Daniel von Blumenthal und andere gehören, ist die eigentliche Blütenzeit der romantischen Poesie. Liebe, Religion, Ritterthum und Zauberei verweben sich in ein großes, wunderbares Gedicht, zu welchem alle einzelne Epopöen als Theile Eines Ganzen gehören, [...]

*[S. 194]* Auf diese Weise hatte sich eine wahre Geschichte gleichsam bis zur völligen Auflösung in Poesie hindurchgearbeitet, und als nun die letzten Erinnerungen verschwunden waren, wurde es möglich, daß auch diese dichterische Welt wiederum ihren Mittelpunkt und Zusammenhang verlor [...]

*[S. 195]* Wir müssen annehmen, daß der Sinn für die Poesie in jener Zeit eben so innig, als empfänglich und vielumfassend war; jeder dieser Gegenstände bildete eine eigene poetische Welt um sich, ohne eine andere stören zu wollen, und alte Tradition, Liebe und Religion vereinigten die verschiedensten Gemüther zu einem Interesse.

*[S. 199 f.]* Es ist nichts weniger, als Trieb zur Künstlichkeit oder zu Schwierigkeiten, welche den Reim zuerst in die Poesie eingeführt hat, sondern die Liebe zum Ton und Klang, das Gefühl, daß die ähnlich lautenden Worte in deutlicher oder geheimnißvoller Verwandtschaft stehen müssen, das Bestreben, die Poesie in Musik, in etwas Bestimmt-Unbestimmtes zu verwandeln. Dem reimenden Dichter verschwindet das Maß der Längen und Kürzen gänzlich, er fügt nach seinem Bestreben, welches den Wohllaut im gleichförmigen Zusammenhang der Wörter sucht, die einzelnen Laute zusammen, unbekümmert um die Prosodie der Alten, er vermischt

Längen und Kürzen um so lieber willkürlich, damit er sich um so mehr dem Ideal einer rein musikalischen Zusammensetzung annähere. [...] In diesem lieblichen labyrinthischen Wesen von Fragen und Antworten, von Symmetrie, freundlichem Widerhall und einem zarten Schwung und Tanz mannichfaltiger Laute schwebt die Seele des Gedichts, wie in einem klaren durchsichtigen Körper, die alle Theile regiert und bewegt, und weil sie so zart und geistig ist, beinahe über die Schönheit des Körpers vergessen wird.

*[S. 204]* Die Poesie war ein allgemeines Bedürfniß des Lebens und von diesem ungetrennt, daher erscheint sie so gesund und frei, und so viel Kunst und strenge Schule auch so manche Gedichte dieser Zeit verrathen, so möchte man doch diese Poesie nicht Kunst nennen; sie ist gelernt, aber nicht um gelehrt zu erscheinen, die Meisterschaft verbirgt sich in der Unschuld und Liebe, der Poet ist unbesorgt um das Interesse, daher bleibt er in aller Künstlichkeit so einfältig und naiv, [...]

10 Kaiser Octavianus (1804) = Schriften, Bd. I.

Vorbericht (1828)

*[S. XXXVIII f.]* [...] versuchte ich es in diesem wundersamen Mährchen zugleich meine Ansicht der romantischen Poesie allegorisch, lyrisch und dramatisch niederzulegen. Der Prolog war bestimmt, diese Absicht deutlich anzukündigen, und die Romanze hier und im ersten Theil des Gedichtes, so wie Felicitas und die schöne Türkin in der zweiten Hälfte, sollten in Poesie und als lebende Personen, umgeben von andern poetischen Charakteren, außer ihren Schicksalen zugleich die dichterische Ansicht der Poesie und Liebe aussprechen.

*[S. XL f.]* Ich stelle dieses Gedicht darum an die Spitze der ganzen Sammlung, weil es meine Absicht in der Poesie am deutlichsten ausspricht.

Prolog (1804)

*[S. 10 f.]* D e r D i c h t e r

Durch Himmelsplan die rothen Wolken ziehen,
Beglänzet von der Sonne Abendstralen,

Jetzt sieht man sie in hellem Feuer glühen,
Und wie sie sich in seltsam Bildniß mahlen:
So oftmals Helden, große Thaten blühen,
Aufsteigend aus der Zeiten goldnen Schaalen,
Doch wie sie noch die Welt am schönsten schmücken,
Fliehn sie wie Wolken und ein schnell Entzücken.
Was dieser fliehnde Schimmer will bedeuten,
Die Bildniß, die sich durch einander jagen,
Die Glanzgestalten, die so furchtbar schreiten,
Kann nur der Dichter offenbarend sagen;
Es wechseln die Gestalten wie die Zeiten,
Sind sie euch Räthsel, müßt ihr ihn nur fragen,
Ewig bleibt stehn in seinem Lied gedichtet,
Was die Natur schafft und im Rausch vernichtet.
Es wohnt in ihr nur dieser ewge Wille,
Zu wechseln mit Gebären und Erzeugen,
Vom Chaos zieht sie ab die dunkle Hülle,
Die Tön' erweckt sie aus dem todten Schweigen,
Ein Lebensquell regt sich die alte Stille,
In der Gebilde auf und nieder steigen,
Nur Phantasie schaut in das ewge Weben,
Wie stets dem Tod erblüht verjüngtes Leben.

*[S. 136—139]* Romanze tritt ein

Wie beglückt, wer auf den Flügeln
Seiner Phantasieen wandelt,
Erde, Wasser, Luft und Himmel
Sieht er in dem hohen Gange.
Aufgeschlossen sind die Reiche,
Wo das Gold, die Erze wachsen,
Wo Demant, Rubinen keimen,
Ruhig sprießen in den Schaalen.
Also sieht er auch der Herzen
Geister, welche Rathschlag halten,
In der Morgen-Abendröthe
Lieblich blühende Gestalten.
Phantasie im goldnen Meere

Wirft, wo sie nur kann, den Anker,
Und aus grünen Wogen steigen
Blumenvolle Wunder-Lande.
Nirgend ruht sie, wer ihr folget
An dem schönen Zauberbande,
Steigt in's Innre, schaut die Kräfte
Der regierenden Gewalten:
Wie aus Wasser alle Welten
Hat der ewge Trieb erschaffen,
Wie das Feuer ihre Wurzel,
Die in ihren Kindern pranget;
Und das Licht die höchste Blüthe,
In dem Menschen Lieb' ihr Name,
Wie sich alles dahin stürzet,
Eilt im brünstigen Verlangen.
Immer will die Erde aufwärts
Liebend an der Sonne hangen,
Und das Feuer hält sie innen
In sich selber eingefangen;
So erbiert sie aus dem Sehnen
Liebelechzend reine Wasser,
Diese sind die Mutter-Thränen,
Die ihr fließen von den Wangen:
Und sie läßt die Blumen grünen,
Keimen läßt sie schöne Pflanzen,
Berge, Wälder, Flur sind trunken
In der Wonn', im Liebes-Glanze.
Dürstend lechzt der Menschenbusen,
Seele will hinauf gelangen,
Und in tiefster Inbrunst leise
Wird des Schaffens Trieb empfangen:
Denn das Feuer fängt die Liebe,
Und nun kann sie nicht von dannen,
Worauf manche tiefe Meister
Wissenschaft und Kunst ersannen:
Und am herrlichsten, am freisten
Die kristallnen Brunnen sprangen,

Die in Reimen, die in Tönen,
Dichtender Begeistrung klangen.
Wieder sind es Mutterthränen,
Daß die Kinder ihr entschwanden,
Daß der Lieben süßes Leben
Um sie in den Steinen starret.
Aber drinn sieht man das Herze,
Das die ganze Welt erlabet,
Und der Liebesgeist die Flügel
Lauter schwinget im Gesange.
Und der Schäfer hört es rauschen
Fern an seinem Blumenhange,
Und sein Herz in Freude zitternd
Will erwiedern, kann nur stammeln.
Also fühl' ich, also sinn' ich,
Wer die Worte nicht verstanden,
Denk', ich sei nur wildes Mädchen,
Mit dem Namen die Romanze.

11 Phantasus (1812—1816) = Schriften, Bd. IV.

*[S. 17 f.]* Ist diese Gegend nicht, durch welche wir wandeln, fing Theodor an, einem schönen romantischen Gedichte zu vergleichen? Erst wand sich der Weg labirinthisch auf und ab durch den dichten Buchenwald, der nur augenblickliche räthselhafte Aussicht in die Landschaft erlaubte: so ist die erste Einleitung des Gedichtes; dann geriethen wir an den blauen Fluß, der uns plötzlich überraschte und uns den Blick in das unvermuthete frisch grüne Thal gönnte: so ist die plötzliche Gegenwart einer innigen Liebe; dann die hohen Felsengruppen, die sich edel und majestätisch erhuben und höher bis zum Himmel wuchsen, je weiter wir gingen: so treten in die alten Erzählungen erhabene Begebenheiten hinein, und lenken unsern Sinn von den Blumen ab; dann hatten wir den großen Blick auf ein weit ausgebreitetes Thal, mit schwebenden Dörfern und Thürmen auf schön geformten Bergen in der Ferne, wir sahen Wälder, weidende Heerden, Hütten der Bergleute, aus denen wir das Getöse herüber vernahmen: so öffnet sich ein großes Dichterwerk in die Mannichfaltigkeit der Welt und entfaltet den

Reichthum der Charaktere; nun traten wir in den Hain von verschiedenem duftenden Gehölz, in welchem die Nachtigall so lieblich klagte, die Sonne sich verbarg, ein Bach so leise schluchzend aus den Bergen quoll, und murmelnd jenen blauen Strom suchte, den wir plötzlich, um die Felsenecke biegend, in aller Herrlichkeit wieder fanden: so schmilzt Sehnsucht und Schmerz, und sucht die verwandte Brust des tröstenden Freundes, um sich ganz, ganz in dessen lieblich erquickende Fülle zu ergießen, und sich in triumphirende Woge zu verwandeln. Wie wird sich diese reizende Landschaft nun ferner noch entwickeln? Schon oft habe ich Lust gefühlt, einer romantischen Musik ein Gedicht unterzulegen, oder gewünscht, ein genialer Tonkünstler möchte mir voraus arbeiten, um nachher den Text seiner Musik zu suchen; aber warlich, ich fühle jezt, daß sich aus solchem Wechsel einer anmuthigen Landschaft ebenfalls ein reizendes erzählendes Gedicht entwickeln ließe.

12 Über „Die Piccolomini", „Wallensteins Tod" (1823—1824) = Krit. Schriften, Bd. III.

*[S. 42]* Geht in einem Dichter die Gesammtheit einer großen Geschichtsbegebenheit auf, so wird er um so poetischer und um so größer sein, je näher er sich der Wahrheit hält, sein Werk ist so vollendeter, je weniger er störende, spröde Bestandtheile wegzuwerfen braucht: er fühlt sich selbst als der Genius der Geschichte, und die Dichtkunst kann schwerlich glänzender auftreten, als wenn sie auf diese Weise eins mit der wahren Wirklichkeit wird.

13 Bemerkungen, Einfälle und Grillen über das Deutsche Theater (1825) = Krit. Schriften, Bd. IV.

*[S. 17]* Daher kommt es, daß der ächte dramatische Dichter (jeder Poet, nur der Dramatiker mehr als Alle), wenn er Fremdes, Seltenes, Unverstandenes und Vorzeit aufgibt, wieder seine schönsten Kräfte und poetischen Elemente aus seiner Gegenwart nimmt. Ohne diese würde er weder verständlich sein, noch weniger aber große Wirkungen hervorbringen können. Wie er aber seine Gegenwart benutzt und kennt, wie sehr er sich ihrer bemächtigt, indem er über ihr steht und sie dadurch mit erhabenem Instinkt mit Vor-

zeit und der fernsten Zukunft verknüpft, das eben ist es, wodurch er erst zum wahren, zum großen Dichter wird: [...]

*[S. 372]* Die ächte Poesie ist zu allen Zeiten verständlich und erschüttert und befriedigt das edlere Gemüth.

14 Dichterleben (1826) = Schriften, Bd. XVIII.

*[S. 61 f.]* Wie alles Schaffen doch nur ein Verwandeln ist, so, dünkt mir, wäre es der Zweck des Dichters und sei es von je gewesen, denselben Trieb, der das Thier roh und stark und die Blume geheimnißreich erregt und entwickelt, in himmlische Klarheit, in Sehnsucht nach dem Unsichtbaren zu steigern, so das Leibliche mit dem Geistigen, das Ewige mit dem Irdischen, Cupido und Psyche, im Sinne des alten Mährchens, auf das Innigste in Gegenwart und mit dem Beifall aller Götter zu vermählen.

*[S. 67]* Wenn der Mensch kein Mannesalter finden wird, der keine Kindheit gehabt hat, worauf soll denn die Welt, die der Dichter uns giebt, feststehen, wenn er selbst den nothwendigsten Stützpunct, der ihn tragen muß, wegwirft? Die Vaterlandsliebe ist ja ein gebildetes, erzogenes Naturgefühl, ein zum edelsten Bewußtsein ausgearbeiteter Instinct. Wie sie nur da möglich wird, wo ein wahrer Staat ist, ein edler Fürst regiert, und jene Freiheit gedeihen kann, die dem Menschen unentbehrlich ist, so bemächtigt sie sich auch in diesen ächten Staaten der edelsten Gemüther und giebt ihnen die höchste Begeisterung, diese unsterbliche Liebe zum Boden, zur überlieferten Verfassung, zu alten Sitten, frohen Festen und wunderlichen Legenden.

*[S. 121]* Und der Dichter vor allen! Er, der gesandt wurde, den verschlossenen Sinnen alle die Erscheinungen der Natur und der Geschichte auszudeuten, — soll er denn nicht durch sein höheres Wesen den Sklavensinn zur wahren Verehrung und Liebe, so wie die stolze, sich auflehnende Verachtung, die sich doch selber nicht genügt, zur zarten Milde läutern?

*[S. 122]* Ist der Reiche und Mächtige erst glücklich, wenn er im reinen Spiegel der Dichtkunst seine Vorzüge erblickt, die ohne diesen Wiederschein ihm in trüber Einsamkeit wohl selbst arm

dünken mögen, so wird auch das einsame Gemüth des Dichters erst wahrhaft mit dem Ueberirdischen vermählt, wenn er den Abglanz desselben im Irdischen mit liebender Hingebung erkennen mag.

15 Die neue Volkspoesie (1827) = Krit. Schriften, Bd. II.

*[S. 122]* Es ist darum nicht leere, müßige Liebhaberei, oder nur allein Huldigung der Schönheit, oder gar Eitelkeit und blinde Vorliebe, wenn eine gebildete Nation ihre Dichter ehrt, die vergessenen wieder hervorsucht, erklärt, sammelt und mit immer neuer Liebe das Alte von neuem lebendig macht. Je mannichfaltiger die poetische Literatur eines Volkes ist, um so mehr wird sich auch in den übrigen Verhältnissen ein reiches Leben entwickelt haben; um so weiter es seine dichterischen Erinnerungen in die Vorzeit hinaufführen kann, um so treuer wird es an seinen Sitten hangen, um so selbständiger, fester und sicherer wird es auch in seiner politischen Kraft und Eigenthümlichkeit erscheinen, wenn die alten Denkmale und deren Gesinnungen wirklich noch das Volk beleben, und nicht etwa nur dazu dienen, dem Gelehrten ein Feld für eigensinnige Forschungen darzubieten.

16 Kritik und deutsches Bücherwesen (1828) = Krit. Schriften, Bd. II.

*[S. 147]* Ein wahres Buch bezieht sich auch doppelt, zunächst auf sich selbst, dann aber auch auf seine Zeit, und beides muß sich innigst durchdringen. Ist aber unser Urtheil selbst nur aus der Zeit erwachsen, so verstehen wir das Werk des Genius niemals, welches eine neue Zeit, und natürlich auch eine andere Mode, durch seine Großartigkeit erschafft. Und so sind es auf der andern Seite oft die dunkeln, verhüllten Ahndungen, unausgesprochene quälende Stimmungen, Gefühle und Anschauungen die der Worte ermangeln, und die der große Autor ihrer Qual entbindet, indem er ihnen für Jahrhunderte die Zunge löst; ein ganz nahe liegendes Verständniß, welches keiner finden konnte, macht der Genius zum innigsten Bedürfniß seiner Welt, und gibt so dem Worte seine Schöpferkraft wieder, die es noch nie verloren hat.

*[S. 161]* Darum eben ist der ächte Dichter so groß und lehr-

reich, für Gegenwart und Zukunft. Auf jener Schaukel, die sich erhebt und senkt, und auf welcher er, die Laute spielend, hin und wieder schwankt, erschaut er, wenn ihn die Begeisterung hoch hinauf wirft, neben der Muse sitzend, von oben viele Wunder und ihre Erklärung, die der Philosoph und der Wissenschaftkundige nicht sieht oder nicht versteht.

*[S. 163]* Der größte, der heilendste Trost ist immer der, daß das tödtendste Uebel dadurch schon gemildert wird, wenn der große Dichter nur das Wort gefunden und es ausgesprochen hat.

17 Goethe und seine Zeit (1828) = Krit. Schriften, Bd. II.

*[S. 197 f.]* Kann denn nicht aber auch ein Lied dramatisch sein? Gewiß, und wir haben deren vortreffliche, so wie dramatische Romanzen, Erzählungen, die fast ganz in Schauspiel und Dialog aufgehen, und diese drei Hauptarten der Poesie (unter welche sich wol alle zu künstlichen und gesuchten Abtheilungen der Poesie bringen lassen, mit welchen sich die deutschen Registratoren immer noch quälen) können sich in allen Gattungen durchdringen, wenn auch die eine immer die Basis sein muß.

*[S. 240]* Eben darum, meine Freunde, weil der Poet zugleich Prophet ist, und mehr ist und weniger als der Philosoph und der praktische Mensch, weil er sein Bestes in sich selbst nicht verstehen kann, weil die That, und immerdar nur die That, ihn verkündiget, so hat der geborne, wahre Dichter gar keinen höhern Beruf, als eben diesen Geist des Verkündigens immerdar walten zu lassen, für diese Begeisterung, das Anschauen, die Visionen, die ihn besuchen, alle Kräfte zu sammeln und alle Zeit zu sparen.

*[S. 254]* Daß ein Vaterland durch den Dichter sich seiner bewußt wird, daß die Kunst also auch eine politische Wichtigkeit hat, braucht Kundigen nicht gesagt zu werden.

*[S. 256]* Wie kann man nur zweifeln, daß die Naturbegeisterung, wenn wir sie einmal so nennen wollen, unmittelbar und an sich wahre Inspiration sei, im Fall sie nur die ächte, wirkliche ist, und keine aufflackernde Hitze. Es gibt und kann keine höhere geben, sie hat die ganze Fülle der Welt in sich und bringt sie dem

Dichter, der durch sie Erfindung, Größe, Kraft und Vollendung erhält. Jene, die sich schon vorsätzlich mit Gegenständen verbinden will, die ein Ideal sucht und erstrebt, das sie mit Bewußtsein über sich stellt, ist schon die wahre und ursprüngliche nicht mehr.

*[S. 272 f.]* Ist denn, fragen wir wieder aus der Zukunft heraus, nicht diese herrliche Poesie, die zeitgemäße nothwendige, so vollendet, so einzig sie sein mag, nicht dennoch, so wie die des Euripides, eine revolutionaire? —

Will man entgegen fragen: ist es in diesem Sinne nicht eine jede? — so ist dies nun wahr oder halbwahr, oder ein Viertel, indem alle Poesie sich des Geistes der Zeit bemächtigt, ihn ausspricht und zu höherem Leben erhebt. Denn es hat wol noch keinen Poeten gegeben, der nicht den Wunsch gehabt hätte, zu gefallen und sich allgemeinen Beifall zu erringen. Ein Dichter muß in diesem Sinne Demagog sein, aber es ist doch ein großer Unterschied, ob ein Perikles oder Kleon, ein Goethe oder Kotzebue die Menge begeistert. Hat aber doch Goethe selbst Herrmann und Dorothee und die Iphigenia geschrieben, die in keinen Gegensatz zur Zeit treten, sondern nur das Edle, Wahre, über welches kein Zweifel stattfinden kann, bestätigen und in das Licht der Verklärung stellen. Und so hat die Poesie die Kraft und Fähigkeit, immer noch wieder im alten, naiven Sinn die Gebilde nur als solche zu nehmen, sie klar und vollständig zu entwickeln, gleichsam aus sich selbst zu befreien, und auf diese Weise zwar erhebend, aber auch kühlend und beruhigend zu wirken.

18 Vorbericht (1829) = Schriften, Bd. XI.

*[S. XXI]* Es zeigt sich auch dem unkritischen Auge, daß die Tragödie nur aus der Begeisterung hervor gehn könne, welche das Uebermenschliche auszudrücken und in anschauliche Gestalt zu bringen strebt, und daß die Vision, wenn sie in die Seele des Dichters steigt, so geheimnißvoll im Schaffen wirkt, daß in allen Zeiten die Ungeweihten diese Frucht der Begeisterung so oft das Willkührliche, Widersprechende, Ungeziemende gescholten haben, weil sie eben den gewöhnlichen Maasstab, den ihnen Zufall und Herkommen in die Hand gegeben, anlegten, und nicht sahen, wie

jedes ächte Kunstwerk die innersten und nothwendigsten Regeln befolgt, indem der schaffende Dichter auch diese erst auf seiner neuen Bahn gefunden hat.

*[S. LXXXVII f.]* Aber alle Stände, alle Verhältnisse der neuen Zeit, ihre Bedingungen und Eigenthümlichkeiten sind dem klaren dichterischen Auge gewiß nicht minder zur Poesie und edlen Darstellung geeignet, als es dem Cervantes seine Zeit und Umgebung war, und es ist wohl nur Verwöhnung einiger vorzüglichen Critiker, in der Zeit selbst einen unbedingten Gegensatz vom Poetischen und Unpoetischen anzunehmen. Gewinnt jene Vorzeit für uns an romantischem Interesse, so können wir dagegen die Bedingungen unsers Lebens und der Zustände desselben um so klarer erfassen.

*[S. LXXXIX]* [...] so ist in allen Richtungen des Lebens und Gefühls ein Unauflösbares, dessen sich immer wieder die Dichtkunst, wie sie sich auch in Nachahmung und Darstellung zu ersättigen scheint, bemächtigt, um den todten Buchstaben der gewöhnlichen Wahrheit neu zu beleben und zu erklären.

19 Der Mondsüchtige (1832) = Schriften, Bd. XXI.

*[S. 81—83]* Wir haben so viel gestritten, erforscht, studirt und systematisirt, um die Poesie in die ihr gehörigen Classen zu bringen, und einen hauptsächlichen Unterschied hat man bisher immer aus der Acht gelassen. Wenn der Grieche schön „Poet“ sagt, so spricht der Deutsche auch löblich, „Dichter.“ Ja, dieser Begünstigte soll Alles, was den gewöhnlichen Menschen als Ahndung, Einfall, oder gehaltlose Laune vor der Seele flattert, d i c h t e n , v e r d i c h t e n . Jene Geburten der zartesten Geister, die das blöde Auge in der Natur, wenn diese im schaffenden Schlummer liegt und die süßen Träume geistig und durch Blumen und Blüthenbäume fliegend ausgießt, gar nicht, oder als matte und unbedeutende Gespenster sieht, soll der Poet v e r d i c h t e n , daß wir Alle das liebende Herz und den Phantasiereichthum unserer Mutter erkennen. Die Wolkendünste des Gemüthes, die den gewöhnlichen Menschen beängstigen und sein Leben verwirren, soll er in Lichtgestalt, in großartigen Schmerz, süße Wehmuth, sinnige

Melancholie und schöpferische Laune verdichten und umwandeln. Glaubst Du, daß vielen Menschen diese wunderbare Gabe verliehen sei? denn es ist ja das Schaffen aus dem Nichts oder dem Chaos.

Diese wackern herrlichen Schöpfer werden nun immerdar mit jenen verwechselt, die ich, ohne alle Bitterkeit und Ironie, im Gegensatz die D ü n n e r, V e r d ü n n e r nennen möchte. Mit großer Geschicklichkeit, oft mit vielem Talent, wissen sie einen Gedanken, ein Gefühl, Bild, das ihnen beim Dichter auffällt, anmuthig zu verdünnen, und das, was sich körperlich und geistig figurirt hat, wieder allgemach in die Gegend des Dunstes und Nebels mit vielen Worten hineinzuspediren. Wenn der Dichter uns das Fernste und Unsichtbarste recht nahe vor die Augen rückt, so wissen diese Dünner das Nächste und Deutlichste so unkenntlich zu machen, daß man oft nicht ohne Erstaunen und einigen Schwindel ihren künstlichen Prozessen zusieht. Ganze Bibliotheken sind damals, den Goldschlägern mit ihrem Goldschaum nicht unähnlich, aus dem Werther herausgedünnt. Wie aber kein Mensch, selbst nicht der mächtigste Monarch, darauf verfallen wird, seine Gemälde mit Rahmen von massivem Golde zu umziehn, um seine Mundtasse einen ächt goldenen Reif zu legen, auf seinen in Marmor gebundenen Büchern, auch wenn es Prachtexemplare sind, gediegene goldene Lettern zum Titel einzuprägen, sondern wir uns alle hier der leichten Vergoldung oder selbst des Goldschaumes als des besser ziemenden Materials erfreuen: — so sind auch für tausend Gelegenheiten des Lebens und für die größere Zahl der Leser, Genießender und Gebildeter die Arbeiten dieser Dünner viel passender und bequemer, als die Werke der Dichter. Ich habe oft zu bemerken Gelegenheit gehabt, daß treffliche, zarte Menschen, die recht ein Studium des Lebens daraus gemacht hatten, sich an diesen goldschäumenden Dünnern zu entzücken und zu erbauen, ganz verdutzt und fast erstarrt dastanden, wenn sie einmal zufällig an einen Dichter geriethen.

Es giebt Provinzen, die sich in unserm Deutschland auszeichnen, daß sie recht fruchtbar in Hervorbringung dieser Dünner sind. Sie sind dem Vaterlande in vielen Rücksichten sehr nützlich.

Oft wirst Du sehn, daß das ächte Werk eines Dichters nicht viel

Eingang findet und wenig beachtet wird, es ist zu gediegen und dadurch zu unbequem. Was geschieht? Eine Anzahl Dünner macht sich an das unbehülfliche Wesen, schlägt, preßt, klimpert, zieht, dehnt, faselt und prattert und schnattert so lange, bis die verständigen Fabrikanten daraus ein Dutzend begeisternder Lieblingswerke hervorgeschnitzelt haben, die in der Literatur eine neue Epoche zu begründen scheinen.

Mit diesen Dünnern hängen die Dehner zusammen, die auch ihre Verdienste haben können. Sie verhalten sich zu den Dünnern wie die Drahtzieher zu den Goldschlägern.

Freilich muß man die Verdichter nicht mit den Verdickern verwechseln, diesen Grobschmieden in der Poesie, wo der Haufe oft genug das Platte, Gemeine mit dem Kräftigen, Großen verwechselt.

Ich habe Dir, mein Freund, nur eine Andeutung meiner Aesthetik geben wollen. Die Nutzanwendung überlasse ich Dir selbst.

20 Tod des Dichters (1833) = Schriften, Bd. XIX.

*[S. 267 f.]* Möglich ist es, daß viele der edelsten Gefühle und besten Gedanken wie Sommerwolken durch meinen Kopf ziehn und in ein Nichts verschwinden, so mag dann Vers und Gedicht diese ergänzen und neue für jene erschaffen. — Es geschieht auch vielleicht, daß diese Begeisterungen im Verlauf des Gedankens schwach und irdisch werden, und im Gedicht wieder zur Erinnerung gebracht, ihren himmlischen Fittich entfalten. — Es ist auch nicht ohne, daß eine reine Entzückung, ein göttliches Schauen in Wort und Rede gefesselt, sich in irdischen Banden nur qualvoll bewegt, und in der Mensur nun büßt, daß es zum menschlichen Gedichte geworden. Damit es sich in Worten faßt, muß es oft seinen himmlischen Ursprung verläugnen. — Auch trifft es wohl zu, daß in unserm fernsten und tiefsten Wesen, wo Bewußtsein und Gedanke nicht hineinreichen, räthselhafte, stumme Ahndungen erwachen, aus dem dunkeln Tode treibt unvermerkt ein Sprosse des Lebens hervor, aus diesen entwickelt sich farbige Blüthe und so verwirklichet und belebt das Gedicht das feinste und unsichtbarste Dasein und hüllt es in leichte, körperliche Gewande.

*[S. 271]* Der Dichter, sagen die Menschen, schwebe immer losgebunden über der Erde. Man hält mich für einen solchen. Ich kann aber so wenig fliegen, als mich von der Erde losbinden. Mein Gefühl schlingt sich nur um so fester der Erde an und allen irdischen Dingen, um so mehr ich mich poetisch gestimmt fühle. Was sind denn Früchte und Blumen, Wald, Fels und Meer, Thiere und Menschen anders, als deutungsvolle Zeichen und Chiffern, in welchen die ewig schaffende Kraft ihre Gedanken geschrieben und in sie niedergelegt hat? Dadurch, daß sie etwas bedeuten, sind sie. Meine Begeisterung ist, daß der Naturgeist in mich niedersteigt, und nun faß' ich, seh' ich, fühl' ich und weiß, was sie sind. Wenn dies den Poeten macht, so bin ich einer. Das Einsteigen in das Irdische, um dort das Ueberirdische zu finden, scheint mir mein Verkehr und meine Bestimmung.

*[S. 275]* Im angewöhnten Gefühl, den Bildern und der Erinnerung, selbst in sprichwörtlicher Rede leben die alten Fabelgötter noch immer ihr luftiges, poetisches Dasein. Warum sollte man es dem Dichter verkümmern, sie auch im ernsten, großen Gedicht, neben den Lehren und der Begeistrung aufzustellen und sie sprechen und handeln zu lassen? Die Allegorie bietet sich von selber dar, und da ein gewisser Glaube an diese Wesen sich in unserm Gemüthe nicht vernichten läßt, so sind sie deshalb auch poetisch und wahr. Und ist in unserm Innern nicht jener Gegensatz, der sie im Gedicht rechtfertigen würde? Die Milde und Frommheit des Christen, sein Entzücken in der Andacht und im Glauben an den Heiland, — wie steht diesem jener ewige sinnliche poetische Trieb unsrer Phantasie entgegen, der in der Schönheit der Frauen, in der Hingebung in Leidenschaft und Liebe noch immer jene allmächtige Herrschaft der Venus und ihres Sohnes anerkennen möchte?

21 Zur Geschichte der Novelle (1834) = Krit. Schriften, Bd. II.

*[S. 378]* Der wahre Autor, der ächte Dichter, der große Künstler ist ein Sohn seiner Zeit: in seinen Produktionen spiegelt sich das Beste des Jahrhunderts, dessen Streben, die wahre Bildung, Vergangenheit und Zukunft sind in den Reflexen der Lichter erkennbar. Mode, Stimmung, Vorurtheil, Krankheit, Fanatismus

und Leidenschaft gehören der Zeit, machen sie aber nicht, sind nicht diese. Ein Autor, der nur dem Zufälligen nachgeht, mit dem Strome schwimmend, das Nichtige für das Wahre hält und so sich hinreißen läßt, daß er diese Hitze mit der ächten Begeisterung verwechselt, wird nie etwas hervorbringen, das ihn überlebt. Die Zeit selbst vertritt die Stelle der Kritik und bewahrt das auf, was würdig, macht vergessen, was unbedeutend ist. Oft trifft sie es recht und ergänzt oder ersetzt die wahre Kritik; oft aber ist sie nur vergeßlich wie das Alter, und es hat sich wol getroffen, daß ächte Kunstwerke auf eine Zeit lang in die Polterkammer gelegt oder manierirte Dichtungen als Muster in spätere Jahre herübergeschleppt wurden.

22 Brief an Friedrich Laun vom Jahre 1842 = Krit. Schriften, Bd. II.

*[S. 406 f.]* Es brach die Zeit der sonderbarsten Poesie und Romanenliteratur herein, von Deutschen erregt, aber von den Franzosen doch eigentlich nur mit Sicherheit und Virtuosität behandelt, die man so recht eigentlich dem Vernünftigen, Wahren und Edeln gegenüber, die r o m a n t i s c h e hat taufen wollen. Ein Mißverstand unserer Tage, wie so manche andere Irrthümer. Als wenn wir seit dem Mittelalter, im Gegensatz der Griechen, irgend eine andere Poesie, als die *romantische* haben könnten! Und als wenn so Vieles jener alten Dichtkunst nicht schon zu uns ahndungsreich herüberwinkte und den Gefühlen und der Sehnsucht und Traumwelt, die, wie Viele wähnen, erst mit dem Christenthum entstanden und möglich geworden, freundlich die Hände reichte!

23 Über nordische Volksmärchen (1842—1846) = Krit. Schriften, Bd. II.

*[S. 414 f.]* Denn das ist das nothwendige und natürliche Wunder, daß eine staunenswürdige That, eine Offenbarung der Begeisterung, eine grauenhafte Erscheinung, hier, dort, früher, später, in dieser, in jener Umwandlung wiederkehrt, die frühsten Erinnerungen sich begegnen, Zeit und Raum verschwindet und der Sinn des Volkes, die Sage und Dichtung, unbekümmert um Kritik und Zweifel, sich so gestaltet und austönt, wie die Natur selbst ihr

prophetisches Brausen der Wasserfälle, ihr Waldrauschen und den Vogelgesang des Frühlings immer wieder so inhalt- und deutungsvoll den Kundigen vernehmen läßt.

24 Unterhaltungen mit Tieck (1849—1853) = Erinnerungen, Bd. II.

*[S. 173]* Nachher hat man mich zum Haupte einer sogenannten Romantischen Schule machen wollen. Nichts hat mir ferner gelegen als das, wie überhaupt in meinem ganzen Leben alles Parteiwesen. Dennoch hat man nicht aufgehört gegen mich in diesem Sinne zu schreiben und zu sprechen, aber nur, weil man mich nicht kannte. Wenn man mich aufforderte eine Definition des Romantischen zu geben, so würde ich das nicht vermögen. Ich weiß zwischen poetisch und romantisch überhaupt keinen Unterschied zu machen.

*[S. 204]* [...] was bei mir von der Poesie unzertrennlich ist, der reine und wahre Sinn für die Natur und das Natürliche.

*[S. 237]* Das Wort Romantisch, das man so häufig gebrauchen hört, und oft in so verkehrter Weise, hat viel Unheil angerichtet. Es hat mich immer verdrossen, wenn ich von der romantischen Poesie als einer besondern Gattung habe reden hören. Man will sie der classischen entgegenstellen, und damit einen Gegensatz bezeichnen. Aber Poesie ist und bleibt zuerst Poesie, sie wird immer und überall dieselbe sein müssen, man mag sie nun classisch oder romantisch nennen. Sie ist an sich schon romantisch, es gibt in diesem Sinne gar keine andere als romantische Poesie; ich weiß hier gar keinen Unterschied zu machen.

*[S. 237 f.]* Manche neuere Poeten haben sich selbst romantisch genannt, andere haben sich bemüht, dagegen eine antiromantische Poesie aufzustellen. Die einen wie die andern würden romantisch sein, wenn sie zuerst nur Dichter wären. Die sogenannte Poesie der modernen Gegner des Romantischen ist nichts als Unpoesie. Alle legen in ihre Dichtungen eine bestimmte Tendenz, die außerhalb der Poesie liegt. Dabei muß diese natürlich zu kurz kommen. Sie alle wollen also eigentlich irgend etwas anderes, nur nicht die Poesie. Aber des Dichters höchstes Gesetz kann nur die Dichtung sein, sie schließt alles andere in sich, aber sie steht auch einer

jeden Tendenz entgegen, die von außen in sie hineingelegt werden soll, sie mag einen Namen haben welchen sie wolle. Nur seiner Begeisterung kann der Dichter folgen. Wenn man dieses Reden über das Romantische hört, so erkennt man auch hier, die meisten sprechen nur nach, und gebrauchen Worte, die sie nicht verstehen.

*[S. 238]* Es ist unendlich schwer den Begriff der Ironie in einer bestimmten Formel auszusprechen. Auch Solger gibt am Schlusse des „Erwin" nach den Untersuchungen über das Schöne nur Andeutungen darüber als über das Höchste. Es ist das Göttlich-Menschliche in der Poesie. Wer dieses als tiefste Überzeugung in sich trägt und erlebt hat, bedarf der noch einer Definition? Am Ende setzt diese doch nur an die Stelle des einen Wortes ein anderes, das vielleicht ebenso wenig verstanden wird.

*[S. 238 f.]* Die Ironie, von der ich spreche, ist ja nicht Spott, Hohn, Persiflage, oder was man sonst der Art gewöhnlich darunter zu verstehen pflegt, es ist vielmehr der tiefste Ernst, der zugleich mit Scherz und wahrer Heiterkeit verbunden ist. Sie ist nicht blos negativ, sondern etwas durchaus Positives. Sie ist die Kraft, die dem Dichter die Herrschaft über den Stoff erhält; er soll sich nicht an denselben verlieren, sondern über ihm stehen. So bewahrt ihn die Ironie vor Einseitigkeiten und leerem Idealisiren.

*[S. 240]* Das gewöhnliche Ideal ist etwas ganz Allgemeines, eine angebliche Schönheitsidee, die am Ende nur eine Negation ist; und das Idealisiren ist nichts als ein Verwischen des Individuellen, ein Verallgemeinern, sodaß zuletzt etwas ganz Leeres übrig bleibt, was dann das Wahre sein soll. Aber hierin liegt die Poesie nicht, sondern gerade in dem Lebendigen und Individuellen.

## IV Johann Gottlieb Fichte (1762—1814)

Gesamtausgabe der Bayerischen Akademie der Wissenschaften. Hg. von R. Lauth und H. Jacob. Briefe, Bd. II. Stuttgart-Bad Cannstatt: Frommann 1970.

Brief an Johann Wolfgang von Goethe vom 21. Juni 1794.

*[S. 143]* So lange hat die Philosophie Ihr Ziel noch nicht erreicht, als die Resultate der reflektirenden Abstraktion sich noch nicht an die reinste Geistigkeit des Gefühls anschmiegen. Ich betrachte *Sie,* und habe Sie immer betrachtet als den Repräsentanten der leztern auf der gegenwärtig errungnen Stuffe der Humanität. An *Sie* wendet mit Recht sich die Philosophie: *Ihr* Gefühl ist derselben Probierstein.

# V Friedrich Schlegel (1772—1829)

Krit. Ausgabe = Kritische Friedrich-Schlegel-Ausgabe. Hg. von E. Behler unter Mitwirkung von J. J. Anstett und H. Eichner. München-Paderborn-Wien: Schöningh 1958 ff.

Werke = Sämmtliche Werke. Zweite Original-Ausgabe. 15 Bde. Wien: Klang 1846.

Jugendschriften = Prosaische Jugendschriften. Hg. von J. Minor. 2 Bde. Wien: Konegen 1882.

Notebooks = Literary Notebooks 1797—1801. Hg. von H. Eichner. London: Athlone 1957.

Europa = Europa. Eine Zeitschrift. Hg. von F. Schlegel. 2 Bde. Frankfurt a. M.: Wilmans 1803—05 (Fotomechanischer Nachdruck, Stuttgart: Cotta 1963).

Unveröffentlichtes.

1 Ueber das Studium der Griechischen Poesie (1795—1796) = Jugendschriften, Bd. I.

*[S. 87 f.]* Es springt in die Augen, dass die moderne Poesie das Ziel, nach welchem sie strebt, entweder noch nicht erreicht hat; oder dass ihr Streben überhaupt kein festes Ziel, ihre Bildung keine bestimmte Richtung, die Masse ihrer Geschichte keinen gesetzmässigen Zusammenhang, das Ganze keine Einheit hat. [...] Der Name der Kunst wird entweiht, wenn man das Poesie nennt: mit abentheuerlichen oder kindischen Bildern spielen, um schlaffe Begierden zu stacheln, stumpfe Sinne zu kitzeln, und rohen Lüsten zu schmeicheln. Aber überall, wo echte Bildung nicht die ganze Volksmasse durchdringt, wird es eine gemeinere Kunst geben, die keine andere Reize kennt, als niedrige Ueppigkeit und widerliche Heftigkeit. Bey stetem Wechsel des Stoffs bleibt ihr Geist immer derselbe: verworrne Dürftigkeit. Bey uns hingegen giebt es auch eine bessere Kunst, deren Werke unter denen der gemeinen, wie hohe Felsen aus der unbestimmten Nebelmasse einer entfernten Gegend hervortreten. Wir treffen in der neuen Kunstgeschichte hie und da auf Dichter, welche in der Mitte eines versunknen Zeitalters Fremdlinge aus einer höhern Welt zu seyn scheinen. Mit der ganzen Kraft ihres

Gemüths wollen sie das Ewige, und wenn sie in ihren Werken Uebereinstimmung und Befriedigung noch nicht völlig erreichen: so streben sie doch so mächtig nach denselben, dass sie die gerechteste Hoffnung erregen, das Ziel der Poesie werde nicht ewig unerreichbar bleiben, wenn es anders durch Kraft und Kunst, durch Bildung und Wissenschaft erreicht werden kann. Allein in dieser bessern Kunst selbst offenbaren sich die Mängel der modernen Poesie am sichtbarsten.

*[S. 92]* Wenn man diese Zwecklosigkeit und Gesetzlosigkeit des Ganzen der modernen Poesie, und die hohe Treflichkeit der einzelnen Theile gleich aufmerksam beobachtet: so erscheint ihre Masse wie ein Meer streitender Kräfte, wo die Theilchen der aufgelösten Schönheit, die Bruchstücke der zerschmetterten Kunst, in trüber Mischung sich verworren durch einander regen. Man könnte sie ein Chaos alles Erhabnen, Schönen und Reizenden nennen, welches gleich dem alten Chaos, aus dem sich, wie die Sage lehrt, die Welt ordnete, eine Liebe und einen Hass erwartet, um die verschiedenartigen Bestandtheile zu scheiden, die gleichartigen aber zu vereinigen.

*[S. 95]* Wenn die nazionellen Theile der modernen Poesie, aus ihrem Zusammenhang gerissen, und als einzelne für sich bestehende Ganze betrachtet werden, so sind sie unerklärlich. Sie bekommen erst durch einander Haltung und Bedeutung. Je aufmerksamer man aber die ganze Masse der modernen Poesie selbst betrachtet, je mehr erscheint auch sie als das blosse Stück eines Ganzen.

*[S. 109 f.]* Aus diesem Mangel der Allgemeingültigkeit, aus dieser Herrschaft des Manierirten, Charakteristischen und Individuellen, erklärt sich von selbst die durchgängige Richtung der Poesie, ja der ganzen aesthetischen Bildung der Modernen aufs Interessante. Interessant nehmlich ist jedes originelle Individuum, welches ein grösseres Quantum von intellektuellem Gehalt oder aesthetischer Energie enthält. [...] Das Uebermass des Individuellen führt also von selbst zum Objektiven, das Interessante ist die Vorbereitung des Schönen, und das letzte Ziel der moder-

nen Poesie kann kein andres seyn als das höchste Schöne, ein Maximum von objektiver aesthetischer Vollkommenheit.

*[S. 111]* Die erhabne Bestimmung der modernen Poesie ist also nichts geringeres als das höchste Ziel jeder möglichen Poesie, das Grösste was von der Kunst gefordert werden, und wonach sie streben kann. Das unbedingt Höchste kann aber nie ganz erreicht werden. Das äusserste, was die strebende Kraft vermag, ist: sich diesem unerreichbaren Ziele immer mehr und mehr zu nähern.

*[S. 118]* Die Poesie ist eine universelle Kunst: denn ihr Organ, die Phantasie ist schon ungleich näher mit der Freyheit verwandt, und unabhängiger von äusserm Einfluss. Poesie und poetischer Geschmack ist daher weit korruptibler, wie der plastische, aber auch unendlich perfektibler.

*[S. 121]* Der Augenblick scheint in der That für eine ästhetische Revoluzion reif zu seyn, durch welche das Objektive in der ästhetischen Bildung der Modernen herrschend werden könnte. Nur geschieht freylich nichts Grosses von selbst, ohne Kraft und Entschluss! Es würde ein sich selbst bestrafender Irrthum seyn, wenn wir die Hände in den Schooss legen und uns überreden wollten, der Geschmack des Zeitalters bedürfe gar keiner durchgängigen Verbesserung mehr. So lange das Objektive nicht allgemein herrschend ist, leuchtet diess Bedürfniss von selbst ein. Die Herrschaft des Interessanten, Charakteristischen und Manierirten ist eine wahre aesthetische Heteronomie in der schönen Poesie. So wie in der chaotischen Anarchie der Masse der modernen Poesie alle Elemente der schönen Kunst vorhanden sind, so finden sich in ihr auch alle selbst die entgegengesetzten Arten des ästhetischen Verderbens, Rohigkeit neben Künsteley, kraftlose Dürftigkeit neben gesetzlosem Frevel.

*[S. 137 f.]* Unbeschränkter Umfang ist der eine grosse Vorzug der Poesie, dessen sie vielleicht sehr nothwendig bedarf, um die durchgängige Bestimmtheit des Beharrlichen, welche die Plastik, und die durchgängige Lebendigkeit des Wechselnden, welche die Musik vor ihr voraus hat, zu ersetzen. Beyde geben der Sinnlichkeit unmittelbar Anschauungen und Empfindungen; zu dem

Gemüthe reden sie nur durch Umwege eine oft dunkle Sprache. Sie können Gedanken und Sitten nur mittelbar darstellen. Die Dichtkunst redet durch die Einbildungskraft unmittelbar zu Geist und Herz in einer oft matten und vieldeutig unbestimmten aber allumfassenden Sprache. Der Vorzug jener sinnlichen Künste, unendliche Bestimmtheit und unendliche Lebendigkeit — Einzelnheit ist nicht sowohl Verdienst der Kunst als entlehntes Eigenthum der Natur. Sie sind Mischungen, welche zwischen reiner Natur und reiner Kunst in der Mitte stehn. Die einzige eigentliche reine Kunst ohne erborgte Kraft, und fremde Hülfe, ist Poesie. [...] Vollständigkeit der Verknüpfung ist der zweyte grosse Vorzug der Poesie.

*[S. 139]* Eine vollendete poetische Handlung ist ein in sich abgeschlossnes Ganzes, eine technische Welt.

*[S. 171]* Die Bildungsgeschichte der modernen Poesie stellt nichts andres dar, als den steten Streit der subjektiven Anlage, und der objektiven Tendenz des ästhetischen Vermögens und das allmählige Uebergewicht des letztern. Mit jeder wesentlichen Veränderung des Verhältnisses des Objektiven und des Subjektiven beginnt eine neue Bildungsstufe. Zwey grosse Bildungsperioden, welche aber nicht isolirt auf einander folgen, sondern wie Glieder einer Kette in einander greifen, hat die moderne Poesie schon wirklich zurückgelegt; und jetzt steht sie im Anfange der dritten Periode.

2 Lyceumsfragmente (1797) = Krit. Ausgabe, Bd. II.

*[S. 154 Nr. 62]* Man hat schon so viele Theorien der Dichtarten. Warum hat man noch keinen Begriff von Dichtart? Vielleicht würde man sich dann mit einer einzigen Theorie der Dichtarten behelfen müssen.

*[S. 155 Nr. 65]* Die Poesie ist eine republikanische Rede; eine Rede, die ihr eignes Gesetz und ihr eigner Zweck ist, wo alle Teile freie Bürger sind, und mitstimmen dürfen.

*[S. 158 Nr. 93]* In den Alten sieht man den vollendeten Buchstaben der ganzen Poesie: in den Neuern ahnet man den werdenden Geist.

*[S. 159 Nr. 100]* Die Poesie des einen heißt die philosophische; die des andern die philologische; die des dritten die rhetorische, u. s. w. Welches ist denn nun die poetische Poesie?

*[S. 161 Nr. 115]* Die ganze Geschichte der modernen Poesie ist ein fortlaufender Kommentar zu dem kurzen Text der Philosophie: Alle Kunst soll Wissenschaft, und alle Wissenschaft soll Kunst werden; Poesie und Philosophie sollen vereinigt sein.

*[S. 162 Nr. 117]* Poesie kann nur durch Poesie kritisiert werden. Ein Kunsturteil, welches nicht selbst ein Kunstwerk ist, entweder im Stoff, als Darstellung des notwendigen Eindrucks in seinem Werden, oder durch eine schöne Form, und einen im Geist der alten römischen Satire liberalen Ton, hat gar kein Bürgerrecht im Reiche der Kunst.

3 Fragmente zur Literatur und Poesie (1797—1798) = Notebooks.

*[Nr. 208]* Die classische P[oesie], die Naturp[oesie], die sentimentale P[oesie], (d. h. die absolute, e[thische], mystische) annihiliren sich selbst. Die progressive vereinigt alle, vernichtet sich selbst immer, setzt sich aber auch immer wieder. —

*[Nr. 220]* Die Poesie soll nur Individuen und soll auch nur Gattung darstellen; viele Gedichte stellen Individuen dar, welche Repräsentanten einer Gattung sind. —

*[Nr. 266]* Worin besteht das Wesentliche des poetischen Gefühls? — Daß man gerührt wird übers Wirkliche, beweißt ⟨gar⟩ nichts. Die Abwesenheit des p[oetischen] Gefühls macht ein solches noch viel rührender für den Zuschauer. Es besteht wohl darin, daß man sich selbst afficirt, sowohl sein Gefühl als Einbildung. —

*[Nr. 285]* Der vollkommene Poet muß auch ein Philol[og] sein. —

*[Nr. 295]* ⟨Erschöpft kann keine Tendenz der modernen P[oesie] werden.⟩

*[Nr. 313]* Je mehr die P[oesie] W[issen]sch[aft] wird je mehr wird sie auch Kunst. —

*[Nr. 332]* Alles was der Poet berührt wird Poesie; er geht bei dieser Poetisazion natürlich von sich aus, vom Mittelpunkt. Daher $\frac{\text{SatWIndNaiv}\,\eta\vartheta^{(2}}{0}$. Ginge er nicht von sich aus, so gäbe es auch keinen Grund, warum er nicht von sich ausging, wo dann [ein] *absolutes* p[oetisches] Ph[ilosophe]m entstehen würde. —

*[Nr. 411]* Alle P[oesie] ist absolut idealische oder absolut abstracte, oder absolut individuelle. Die Ideal-p[oesie] entsteht nur aus absoluter Vereinigung der Begriffspoesie und Individuenpoesie. —

*[Nr. 425]* Es hat noch kein Dichter hinlänglich Studium gehabt und die Kenntnisse und den Verstand, alles was schon da war, zu nutzen. Jeder schafft die Kunst von neuem; darum bleibt sie ewig in der Kindheit. —

*[Nr. 548]* Der Gang der modernen P[oesie] muß cyklisch d. h. cyklisirend sein, wie der der Philos[ophie] ꝏ pp. — In der Geschichte scheint der Gang so zu sein: 1) universelle P[oesie] 2) absolute P[oesie] 3) abstrakte P[oesie] nach ph[ilosophischer] e[thischer] p[oetischer] Tendenz 4) *absoluter* R[oman] und dann cyklisch immer wieder so. —

*[Nr. 552]* Die universelle P[oesie] zerfällt in analytische und synthetische; die absolute in positive und negative ⟨oder Obj[ektive] und Subj[ektive]. —⟩

*[Nr. 556]* Die absolute P[oesie] = transcendentale oder speculative P[oesie]. —

*[Nr. 579]* Jedes Rom[antische] Kunstwerk $=\pi^{(2}=$ k[ritische] P[oesie] verwandt mit der Charakteristik.

*[Nr. 583]* ⟨Man kann eben so gut sagen, es giebt unendlich viele als es giebt nur Eine progressive Dichtart. Also giebt es eigentlich gar keine; denn Art läßt sich ohne Mitart nicht denken. —⟩

*[Nr. 596]* Ist etwa die Naturprosa poetisch — wie manche

Naturp[oesie] prosaisch? — ⟨Giebts poetische Prosa oder annihilirt sie sich selbst?⟩ Da es prosaische Poesie giebt (den Roman) so muß es auch wohl poetische Prosa geben.

*[Nr. 613]* Imperativ: die P[oesie] soll gesellig und die Geselligkeit p[oetisch] sein. —

*[Nr. 614]* Imperativ: Die P[oesie] soll sittlich und die Sittlichkeit soll p[oetisch] sein. —

*[Nr. 698]* Die Poesie soll ins *Unendliche* thesirt d. h. potenzirt werden (= Transc[endental]p[oesie],) ins *Unendliche* synthesirt, R[omantische] P[oesie] und antithesirt, T[ranscendental]p[oesie] pp. — Muß es nicht unendlich viele Arten der modernen P[oesie] geben? —

*[Nr. 727]* In der Transc[endental]p[oesie] herrscht Ironie, in der R[omantischen] P[oesie] Parodie, in der *absolut* eth[ischen] P[oesie] Urbanität.

*[Nr. 732]* Das unmögliche Ideal der P[oesie] =

$$\sqrt[\frac{1}{0}]{\frac{R(^{\frac{1}{0}}}{0}} + \sqrt[\frac{1}{0}]{\frac{\pi\,\varphi(^{\frac{1}{0}}}{0}} + \sqrt[\frac{1}{0}]{\frac{\pi\pi(^{\frac{1}{0}}}{0}}$$

*[Nr. 735]* $\frac{F}{0}, \frac{S}{0}, \frac{M}{0}$ sind die poetischen Ideen. —

⟨Das p[oetische] Ideal = $\sqrt[\frac{1}{0}]{\frac{FSM(^{\frac{1}{0}}}{0}}$ = Gott.⟩

*[Nr. 761]* Unauflösliche Gleichung in der P[oesie] ist die absolute Vereinigung der sent[imentalen] und naiven P[oesie], der Naturp[oesie] und Kunstp[oesie], der rom[antischen] P[oesie] und rom[antischen] Prosa, der classischen und progressiven ⟨?⟩, ⟨der absoluten, universellen und der abstracten P[oesie],⟩ der ph[ilosophischen], e[thischen], pol[itischen] Poesie, ⟨der p[oetischen] und kr[itischen] pp. —⟩

*[Nr. 766]* Die Trennung der Transc[endental]p[oesie] folgt gleichfalls aus dem Imperativ der Abstraction. — Die rom[antische] P[oesie] ist Emp[irisch], die Transc[endentale] ist mystisch oder polemisch, die abstracte P[oesie] wird erst zusammen mit der absoluten oder universellen kritisch. — ⟨Die abstracte P[oe-

sie] vereinigt die absolute und universelle; die universelle R[omantische] P[oesie] ist aus der Transc[endental]p[oesie] und Abstracten P[oesie] gemischt. — Die absolute aus der Vereinigung der universellen und abstracten. —⟩ Die Transc[endental]p[oesie] hat wieder etwas von der classischen Naturp[oesie]. Sie ist mystisch, bakchisch, orphisch. — *Correcte* P[oesie] ist die negativ gebildete, in Manier und Styl negative. In Tendenz und Form ist die *parodische* negativ; in Stoff und Ton die polemische. —

*[Nr. 774]* Der *Roman* als *progressive* Poesie zu betrachten. —

*[Nr. 792]* In der romantischen P[oesie] sollte romantische Kr[itik] mit der P[oesie] selbst verbunden sein; dadurch wird sie potenzirt, und in ihrer Späre desto concentrirter, daß P[oesie] und k[ritische] P[oesie] verbunden, verschmolzen und gemischt sei. —

*[Nr. 964]* Durch die Synthesirung aller alten R[omantischen] P[oesie] muß die moderne sich ergeben. —

*[Nr. 969]* Die classische Naturp[oesie] ist R[omantisch], die progr[essive] ist Transc[endental].

*[Nr. 973]* Eigentlich ist alle P[oesie] = R[omantisch]!

*[Nr. 1000]* Die moderne P[oesie] ist im Ganzen philos[ophisch], die alte p[oetisch]; die alte politischer, die moderne aber ächt ethischer. —

*[Nr. 1018]* Die P[oesie] ist die Potenz der Ph[ilosophie], die Ph[ilosophie] die Potenz der P[oesie]. —

*[Nr. 1033]* Der Synthese der R[omantischen] P[oesie] und Hist[orischen] Ph[ilosophie] sind gar keine Gränzen zu setzen. — Die Verbindung der Philos[ophie] und P[oesie] geschieht in der R[omantischen] P[oesie] durch *Mischung*, in Proph[etie] durch *Verschmelzung*. —

*[Nr. 1041]* *Schön* ist p[oetische] P[oesie]. — Die Transc[endental]p[oesie] beginnt mit der absoluten Verschiedenheit

des Id[ealen] und Re[alen]. Da ist Schiller also ein Anfänger der Transc[endental]p[oesie] und nur halber Transc[endental-]p[oesie] die mit der Identität enden muß. —

*[Nr. 1049]* Die ch[ristliche] P[oesie] ist Symbol des absoluten Ideals. —

*[Nr. 1066]* Die älteste Universalp[oesie] ist die Naturp[oesie]. Die phy[sische] Poesie ist die Grundlage der Rom[antischen]. —

*[Nr. 1081]* R[omantische] P[oesie] ist P[oesie], die z u g l e i c h mythisch, physisch und historisch ist. —

4 Philosophische Fragmente. Erste Epoche. III (1797—1801; hier 1798) = Krit. Ausgabe, Bd. XVIII.

*[S. 143 Nr. III 247]* Für das eigentl[iche] *Genie* ist wohl nur die Poesie ein schickliches Organ. —

5 Ideen zu Gedichten (1798) = Notebooks.

*[Nr. 1261]* Die Poesie ist die Sprache der Religion und der Götter. Das ist die reellste Definition von ihr. —

*[Nr. 1336]* R[omantische] Kunst ist eben nichts als e[thische] P[oesie]. Kennt man P[oesie] ganz und hat E[thos], so muß sich das übrige von selbst geben. —

*[Nr. 1350]* Das gesamte Leben und die gesamte Poesie sollen in Contract gesezt werden; die ganze Poesie soll popularisirt werden und das ganze Leben poetisirt. —

*[Nr. 1686]* Alle realistischen K[ünste] und W[issenschaften] sind P[oesie]. —

*[Nr. 1800]* Poesie muß und kann ganz mit dem Leben verschmelzen. — Was in der höchsten Potenz dargestellt ist, nicht um eines dikan[ischen] oder log[ischen] Zweckes [willen], das ist Poesie; so Platon, Thukydides pp.

*[Nr. 1820]* Die einzige gültige Beglaubigung eines Priesters ist die, daß er Poesie redet. —

6 Athenäumsfragmente (1798) = Krit. Ausgabe, Bd. II.

*[S. 167 Nr. 13]* Wenn junge Personen beiderlei Geschlechts nach einer lustigen Musik zu tanzen wissen, so fällt es ihnen gar nicht ein, deshalb über die Tonkunst urteilen zu wollen. Warum haben die Leute weniger Respekt vor der Poesie?

*[S. 180 Nr. 101]* Was in der Poesie geschieht, geschieht nie, oder immer. Sonst ist es keine rechte Poesie. Man darf nicht glauben sollen, daß es jetzt wirklich geschehe.

*[S. 181 Nr. 114]* Eine Definition der Poesie kann nur bestimmen, was sie sein soll, nicht was sie in der Wirklichkeit war und ist; sonst würde sie am kürzesten so lauten: Poesie ist, was man zu irgendeiner Zeit, an irgendeinem Orte so genannt hat.

*[S. 182 Nr. 116]* Die romantische Poesie ist eine progressive Universalpoesie. Ihre Bestimmung ist nicht bloß, alle getrennte Gattungen der Poesie wieder zu vereinigen, und die Poesie mit der Philosophie und Rhetorik in Berührung zu setzen. Sie will, und soll auch Poesie und Prosa, Genialität und Kritik, Kunstpoesie und Naturpoesie bald mischen, bald verschmelzen, die Poesie lebendig und gesellig, und das Leben und die Gesellschaft poetisch machen, den Witz poetisieren, und die Formen der Kunst mit gediegnem Bildungsstoff jeder Art anfüllen und sättigen, und durch die Schwingungen des Humors beseelen. Sie umfaßt alles, was nur poetisch ist, vom größten wieder mehre Systeme in sich enthaltenden Systeme der Kunst, bis zu dem Seufzer, dem Kuß, den das dichtende Kind aushaucht in kunstlosen Gesang. Sie kann sich so in das Dargestellte verlieren, daß man glauben möchte, poetische Individuen jeder Art zu charakterisieren, sei ihr Eins und Alles; und doch gibt es noch keine Form, die so dazu gemacht wäre, den Geist des Autors vollständig auszudrücken: so daß manche Künstler, die nur auch einen Roman schreiben wollten, von ungefähr sich selbst dargestellt haben. Nur sie kann gleich dem Epos ein Spiegel der ganzen umgebenden Welt, ein Bild des Zeitalters werden. Und doch kann auch sie am meisten zwischen dem Dargestellten und dem Darstellenden, frei von allem realen und idealen Interesse auf den Flügeln der poetischen Reflexion in der Mitte schweben, diese Reflexion immer wieder potenzieren und wie in

einer endlosen Reihe von Spiegeln vervielfachen. Sie ist der höchsten und der allseitigsten Bildung fähig; nicht bloß von innen heraus, sondern auch von außen hinein; indem sie jedem, was ein Ganzes in ihren Produkten sein soll, alle Teile ähnlich organisiert, wodurch ihr die Aussicht auf eine grenzenlos wachsende Klassizität eröffnet wird. Die romantische Poesie ist unter den Künsten was der Witz der Philosophie, und die Gesellschaft, Umgang, Freundschaft und Liebe im Leben ist. Andre Dichtarten sind fertig, und können nun vollständig zergliedert werden. Die romantische Dichtart ist noch im Werden; ja das ist ihr eigentliches Wesen, daß sie ewig nur werden, nie vollendet sein kann. Sie kann durch keine Theorie erschöpft werden, und nur eine divinatorische Kritik dürfte es wagen, ihr Ideal charakterisieren zu wollen. Sie allein ist unendlich, wie sie allein frei ist, und das als ihr erstes Gesetz anerkennt, daß die Willkür des Dichters kein Gesetz über sich leide. Die romantische Dichtart ist die einzige, die mehr als Art, und gleichsam die Dichtkunst selbst ist: denn in einem gewissen Sinn ist oder soll alle Poesie romantisch sein.

*[S. 204 Nr. 238]* Es gibt eine Poesie, deren eins und alles das Verhältnis des Idealen und des Realen ist, und die also nach der Analogie der philosophischen Kunstsprache Transzendentalpoesie heißen müßte. Sie beginnt als Satire mit der absoluten Verschiedenheit des Idealen und Realen, schwebt als Elegie in der Mitte, und endigt als Idylle mit der absoluten Identität beider. So wie man aber wenig Wert auf eine Transzendentalphilosophie legen würde, die nicht kritisch wäre, nicht auch das Produzierende mit dem Produkt darstellte, und im System der transzendentalen Gedanken zugleich eine Charakteristik des transzendentalen Denkens enthielte: so sollte wohl auch jene Poesie die in modernen Dichtern nicht seltnen transzendentalen Materialien und Vorübungen zu einer poetischen Theorie des Dichtungsvermögens mit der künstlerischen Reflexion und schönen Selbstbespiegelung, die sich im Pindar, den lyrischen Fragmenten der Griechen, und der alten Elegie, unter den Neuern aber in Goethe findet, vereinigen, und in jeder ihrer Darstellungen sich selbst mit darstellen, und überall zugleich Poesie und Poesie der Poesie sein.

*[S. 206 Nr. 247]* Dantes prophetisches Gedicht ist das einzige System der transzendentalen Poesie, immer noch das höchste seiner Art. Shakespeares Universalität ist wie der Mittelpunkt der romantischen Kunst. Goethes rein poetische Poesie ist die vollständigste Poesie der Poesie. Das ist der große Dreiklang der modernen Poesie, der innerste und allerheiligste Kreis unter allen engern und weitern Sphären der kritischen Auswahl der Klassiker der neuern Dichtkunst.

*[S. 207 f. Nr. 252]* Eine eigentliche Kunstlehre der Poesie würde mit der absoluten Verschiedenheit der ewig unauflöslichen Trennung der Kunst und der rohen Schönheit anfangen. Sie selbst würde den Kampf beider darstellen, und mit der vollkommnen Harmonie der Kunstpoesie und Naturpoesie endigen. Diese findet sich nur in den Alten, und sie selbst würde nichts anders sein, als eine höhere Geschichte vom Geist der klassischen Poesie. Eine Philosophie der Poesie überhaupt aber, würde mit der Selbständigkeit des Schönen beginnen, mit dem Satz, daß es vom Wahren und Sittlichen getrennt sei und getrennt sein solle, und daß es mit diesem gleiche Rechte habe; welches für den, der es nur überhaupt begreifen kann, schon aus dem Satz folgt, daß Ich = Ich sei. Sie selbst würde zwischen Vereinigung und Trennung der Philosophie und der Poesie, der Praxis und der Poesie, der Poesie überhaupt und der Gattungen und Arten schweben, und mit der völligen Vereinigung enden. Ihr Anfang gäbe die Prinzipien der reinen Poetik, ihre Mitte die Theorie der besondern eigentümlich modernen Dichtarten, der didaktischen, der musikalischen, der rhetorischen im höhern Sinn u. s. w. Eine Philosophie des Romans, deren erste Grundlinien Platos politische Kunstlehre enthält, wäre der Schlußstein.

*[S. 208 f. Nr. 255]* Je mehr die Poesie Wissenschaft wird, je mehr wird sie auch Kunst. Soll die Poesie Kunst werden, soll der Künstler von seinen Mitteln und seinen Zwecken, ihren Hindernissen und ihren Gegenständen gründliche Einsicht und Wissenschaft haben, so muß der Dichter über seine Kunst philosophieren. Soll er nicht bloß Erfinder und Arbeiter sondern auch Kenner in seinem Fache sein, und seine Mitbürger im Reiche der Kunst verstehn können, so muß er auch Philolog werden.

*[S. 225 f. Nr. 339]* [...] Geist ist wie eine Musik von Gedanken; wo Seele ist, da haben auch die Gefühle Umriß und Gestalt, edles Verhältnis und reizendes Kolorit. Gemüt ist die Poesie der erhabenen Vernunft, und durch Vereinigung mit Philosophie und sittlicher Erfahrung entspringt aus ihm die namenlose Kunst, welche das verworrne flüchtige Leben ergreift und zur ewigen Einheit bildet.

7 Über die Philosophie. An Dorothea (1798) = Jugendschriften, Bd. II.

*[S. 325]* Das reine Leben bloss um des Lebens willen ist der eigentliche Quell der G e m e i n h e i t , und alles ist gemein, was gar nichts hat vom Weltgeiste der Philosophie und der Poesie. Sie allein sind ganz, und können erst alle besondere Wissenschaften und Künste zu einem Ganzen beseelen und vereinen. Nur in ihnen kann auch das einzelne Werk die Welt umfassen, und nur von ihnen kann man sagen, dass alle Werke, die sie jemals hervorgebracht haben, Glieder einer Organisazion sind.

*[S. 327 f.]* Ich bin weit entfernt, es der Poesie zum Verbrechen zu machen, dass sie weniger Religion hat, als ihre Schwester. Denn es scheint mir eben ihre liebenswürdige Bestimmung, den Geist mit der Natur zu befreunden und den Himmel selbst durch den Zauber ihrer geselligen Reize auf die Erde herab zu locken; Menschen zu Göttern zu erheben, das mag sie der Philosophie überlassen. Wenn ein Mann gegen seine Lage und Lebensart ein Gegengewicht bedarf, um nicht die Musen zu vergessen und die Harmonie zu verlieren, so können ihn die Wissenschaften nicht retten, wenn nicht die Poesie ihn aus ihrer Quelle ewiger Jugend erfrischt und stärkt. [...] Ich gestehe also gern, dass die Poesie die nächsten Ansprüche auf viele Frauen hat, und dass sie allen heilsam und unentbehrlich sey. Ueberhaupt ist es gar nicht darauf abgesehen, die Musen zu trennen. Schon der Gedanke wäre Frevel. Poesie und Philosophie sind ein untheilbares Ganzes, ewig verbunden, obgleich selten beysammen, wie Kastor und Pollux. Das äusserste Gebiet grosser und erhabner Menschheit theilen sie unter sich. Aber in der Mitte begegnen sich ihre verschiedenen Richtungen; hier im

Innersten und Allerheiligsten ist der Geist ganz, und Poesie und Philosophie völlig Eins und verschmolzen.

8 Philosophische Fragmente. Zweite Epoche. I (1798—1799) = Krit. Ausgabe, Bd. XVIII.

*[S. 208 Nr. IV 146]* Poesie ist moral[ische] Spekulazion (φσ [Philosophie] moral[ische] Abstraction). Die Poesie ist die intellekt.[uale] Anschauung der Menschheit. —

*[S. 227 Nr. IV 404]* (γρ [Grammatik] und μυϑ [Mythologie] erzeugen Poesie.

*[S. 235 Nr. IV 509]* Die Poesie ist eine Personification des ewigen Menschen — Allegorische μιμ [Mimik] μουσ [Musik] und Plast[ik] und Symbol[ik] der Natur. —

*[S. 248 Nr. IV 658]* Alle π [Poesie] **und** φ [Philosophie] ist Mystik, Mysterien als K[unst] und W[issenschaft]. —

*[S. 260 Nr. IV 798]* Wissenschaft muß Poesie eben so wohl sein als die φσ [Philosophie] Kunst. —

*[S. 289 Nr. IV 1120]* 〈π [Poesie] = $\frac{\mu\iota\mu\ \mu o\upsilon\sigma\ \text{Plast Pict}}{0}$ [reine Mimik, Musik, Plastik, Piktur] und = $\frac{\rho}{0}$ [reine Rhetorik] ρ [Rhetorik] = π [poetisch] κ [Kritik] = φ [philosophisch].〉

*[S. 313 Nr. IV 1445]* Allerdings soll die π [Poesie] aufhören, aber dann auch die φσ [Philosophie]. — Was wird bleiben? — So ewig wie Rel[igion] und Mor[al] ist auch π [Poesie] und φ [Philosophie]. —

9 Philosophische Fragmente. Zweite Epoche. II (1798—1801) = Krit. Ausgabe, Bd. XVIII.

*[S. 339 Nr. V 204]* Der Gott d[er] Poesie ist die Seele d[er] Welt — Geist und Wort durchs Ganze.

*[S. 373 Nr. V 638]* Hist[orie] eine π [Poesie] die zugl[eich] φλ [Philologie] und φσ [Philosophie] ist. Reine π [Poesie] ist zu nichts nutze, als um d[en] Göttern damit zu dienen. —

*[S. 380 Nr. V 711]* Eine sich selbst begründende ππ [poetische

Poesie] = Mythologie. — Die Geschichte der Poesie muß selbst Poesie seyn?

*[S. 388 f. Nr. V 818]* Landbau, Krieg, Gewerbe, viell.[eicht] durch π [Poesie] zu begründen, näml[ich] die innersten Princ[ipien], so daß φσ [Philosophie] nur dienen muß; wie die innersten Princ[ipien] der μουσ [Musik] Rel[igion] sind, der Künstler aber doch von φσ [Philosophie] die Theorie d.[es] Schalls entlehnt. —

10 Ideen (1799) = Krit. Ausgabe, Bd. II.

*[S. 258 Nr. 25]* Das Leben und die Kraft der Poesie besteht darin, daß sie aus sich herausgeht, ein Stück von der Religion losreißt, und dann in sich zurückgeht, indem sie es sich aneignet. Ebenso ist es auch mit der Philosophie.

*[S. 259 Nr. 34]* Wer Religion hat, wird Poesie reden. Aber um sie zu suchen und zu entdecken, ist Philosophie das Werkzeug.

*[S. 260 f. Nr. 46]* Poesie und Philosophie sind, je nachdem man es nimmt, verschiedne Sphären, verschiedne Formen, oder auch die Faktoren der Religion. Denn versucht es nur beide wirklich zu verbinden, und ihr werdet nichts anders erhalten als Religion.

*[S. 261 Nr. 48]* Wo die Philosophie aufhört, muß die Poesie anfangen. Einen gemeinen Standpunkt, eine nur im Gegensatz der Kunst und Bildung natürliche Denkart, ein bloßes Leben soll es gar nicht geben; d. h. es soll kein Reich der Rohheit jenseits der Grenzen der Bildung gedacht werden. Jedes denkende Glied der Organisation fühle seine Grenzen nicht ohne seine Einheit in der Beziehung aufs Ganze. Man soll der Philosophie zum Beispiel nicht bloß die Unphilosophie, sondern die Poesie entgegensetzen.

*[S. 262 Nr. 62]* Man hat nur so viel Moral, als man Philosophie und Poesie hat.

*[S. 264 Nr. 85]* Der Kern, das Zentrum der Poesie ist in der Mythologie zu finden, und in den Mysterien der Alten. Sättigt das Gefühl des Lebens mit der Idee des Unendlichen, und ihr werdet die Alten verstehen und die Poesie.

*[S. 267 Nr. 108]* Was sich tun läßt, so lange Philosophie und

Poesie getrennt sind, ist getan und vollendet. Also ist die Zeit nun da, beide zu vereinigen.

*[S. 269 Nr. 127]* Die Poesie der Dichter bedürfen die Frauen weniger, weil ihr eigenstes Wesen Poesie ist.

11 Fragmente zur Poesie und Literatur II und Ideen zu Gedichten (1799—1801) = Notebooks und Unveröffentlichtes.

*[Unveröffentlicht, S. 5]* Die Grundmythologie der modernen P[oesie] ist Allegorie.

*[Nr. 1574]* Das Wesen der P[oesie] besteht allerdings im μυθος. — ηθος und παθος findet auch in anderen Künsten Statt. — Durch den μυθος wird die Poesie eben so unendlich. —

*[Nr. 1611]* Die P[oesie] des jetzigen Zeitalters bezieht sich durchgängig auf Philos[ophie] — und insofern hat sich auch die deutsche durch die vollendete Trennung in G[oethe] und F[ichte] selbst vernichtet. Die ältere Ph[ilosophie] und P[oesie] berühren sich gar nicht, sind aber beide sehr religiös. — Auch die Moral soll ganz aufhören. Alle P[oesie] und alle Ph[ilosophie] soll moralisch sein.

*[Nr. 1612]* Die höchste P[oesie] etwa wie Licht. Die organische Oberfläche der Erde ist die Romanze der Natur. — Das ideale C[en]t[rum] der P[oesie] voll Liebe und Ideen. Aus der L i e b e und dem C h a o s muß die Poesie abgeleitet werden.

*[Nr. 1618]* Originalität, Universalität, und Individualität vielleicht die Kategorien der Poesie. — Besser μυθος – ηθος – παθος. – ⟨Das Romantische, — das Didaktische oder der Enthusiasmus — das Classische und das Universelle.⟩

*[Nr. 1645]* E n t h u s i a s m u s und H a r m o n i e sind die Seele der Poesie — und dann das Classische. Tendenz der Poesie zum Leben und zur Liebe. —

*[Nr. 1647]* [. . .] A n g e w a n d t e P o e s i e i s t H i s t o r i e. — Die höchste P[oesie] ist selbst Historie. — Die am meisten Fant[astische] P[oesie] erscheint nicht. —

*[Nr. 1664]* Historie ist so wenig ohne Poesie möglich wie Phy-

sik. — Zum System des Menschen kommt man nicht ohne P[oesie]. — Alle Theol[ogie] [ist] P[oesie]. —

*[Nr. 1665]* Die P[oesie] hat zwei Ideale, wo in Einem die Kunst herrscht, in dem andern der Witz. —

*[Nr. 1666]* Für den gemeinen Standpunkt ist die Poesie idealisch, ja auch für Historie und Physik. Für den Philos[ophen] ist sie das Centrum des Realismus.

*[Nr. 1667]* Die theologische Deduction der P[oesie] wäre daß Gott selbst ein Dichter ist.

*[Nr. 1761]* Vom Roman kann man nur fodern was das *Wesen* der Poesie ist, Naiv — Grotesk — Fant[astisch] — Sent[imental]. —

*[Nr. 1786]* Poesie ist der ursprüngliche Zustand des Menschen und auch der letzte. Alle orientalische Ph[ilosophie] nur P[oesie]. Die höchste Moral wird Poesie. Nur durch Poesie kann ein Mensch sein Dasein zum Dasein der Menschheit erweitern. Nur in ihr sind Alle Mittel jedes Einen. — Der Witz ist die Rückkehr zur Poesie. —

*[Unveröffentlicht, S. 39]* Auch die classische P[oesie] und die romantische müssen aufs Primitive zurückgeführt werden. — Die primit[ive] historische P[oesie] ein Centrum nämlich d[ie] Natur der Dinge.

*[Nr. 1809]* Es giebt eine zweifache Deduction der Poesie. Für den practischen Menschen von Seite des Spiels, der Feste, des Scheins, der Allegorie. — Die andre für den Philos[ophen] von Seite der Fantasie und ihrer Orgien. — Also Deduction der P[oesie] das Erste; es muß gezeigt werden daß Philos[ophie] und E[thos] dahin zurückspringen und daß sie auch von da ausfließen. — Aus der Orgie der Fantasie und Myst[ik] der Alleg[orie] vereint geht Mythologie hervor. — Plato hat selbst die Absicht, Philos[ophie] als wahre P[oesie] und höchste Musik aufzustellen. —

*[Nr. 1814]* Der Quell und der Grund der Mor[al] ist P[oesie], und das Ende und Ziel der P[oesie]. —

*[Nr. 1815]* Die romantische P[oesie] ist eigentlich die P[oesie] selbst, wie die idealische. —

*[Nr. 1817]* Zum Romantischen gehört es noch, wie P[oesie] in den edeln Ständen blühte (als höhere Sprache des edeln Lebens), bei den Deutschen zur Zeit der Minnesinger, bei den Spaniern zur Zeit des Cervantes, bei den Italiänern zur goldnen Zeit.

*[Nr. 1842]* Was zum Geist gehört (Dichtart, Diction) muß aus antiker und moderner P[oesie] verschmolzen, der Buchstabe streng auseinander gehalten werden. Jedes Werk der P[oesie] muß ἑν και πᾶν sein — der ganze Dichter und die ganze Natur. Dadurch wird ein Werk *ad intra,* wie das Schauspiel *ad extra.* —

*[Nr. 1846]* Zu dem alten Enthusiasmus muß die P[oesie] wieder auf dem Wege des großen Witzes gelangen, und durch die Wuth der Physik. Das einzige Princip der Poesie ist der Enthusiasmus. —

*[Nr. 1852]* Aus Religion und Phy[sik] zusammen quillt Poesie. —

*[Nr. 1855]* Allegorie ist der philos[ophische] Begriff der P[oesie]. —

*[Nr. 1858]* Die schöne Mitte ist in der Poesie, ja sie ist es selbst.

*[Nr. 1870]* Die *Encyclopädie* wird in der Poesie harmonische Ausbildung, die Religion Enthusiasmus. Das abgeschmackteste und tiefste Vorurtheil ist eben das, die P[oesie] so leicht zu nehmen, sich keine Mühe um sie geben zu wollen, und das zur Maxime zu machen.

*[Nr. 1899]* Die Poesie ist Theosophie; keiner ist ein Dichter als der Prophet. —

*[Nr. 1909]* Religion haben heißt poetisch leben, Gefühl ist das Wesen derselben.

*[Nr. 1973]* Es giebt auch eine Form des Enthusiasmus wie der Allegorie, und diese sind eben das Eigenthümliche der Poesie.

*[Nr. 1985]* Das Unterscheidende in der Form der P[oesie] liegt in der Idee daß alle Gedichte Ein Gedicht sein sollen. Diese Idee läßt sich aber nur aus der Beziehung der P[oesie] auf die Religion begreifen. —

*[Nr. 2061]* Wurzel von Idylle und Lyr[ik] zugleich ist offenbar Elegie — Poesie der Liebe, wie {Arabeske / Satura} des Witzes; die beiden Pole der romantischen P[oesie]. —

*[Unveröffentlicht, S. 79]* Cha[os] = Arab[eske]. Aether = Eleg[ie]. [...] Alle romantische P[oesie] = Cha[os], die mythologische = Aether.

*[Nr. 2079]* Alle romantische P[oesie] im engern Sinn cha[otisch]. —

*[Nr. 2091]* Was ist der eigentliche innerste Grundcharakter der romantischen Poesie? — ⟨Die witzige Constr[uction] des Fantastischen reicht noch nicht ganz zu; vielleicht aber der pict[orielle] und mus[ikalische] Charakter, der freilich bewußtlos ist aber doch unverkennbar. Mangel der innern organischen Fortbildung, wie in der Griechischen Poesie; alles einzeln und bewußtlos.⟩ Der [Grundcharakter] der jetzigen ist Kunst (Gelehrsamkeit) und dadurch Zurückführung auf Theosophie. —

*[Nr. 2097]* [...] Vielleicht ist das Prinzip der romantischen P[oesie] zwiefach; sie ist erotisch und dann kunstähnlich d. h. pittoresk, musikalisch pp.

*[Nr. 2106]* Die Grundquellen der Poesie sind Zorn und Wollust* und zwar die einzigen. Scherz und Ironie müssen von jenen durchdrungen sein, um wahre Poesie zu werden. Jenes sind die Elemente des Lebens. Bildung rein zur Kunst und diesem entgegengesetzt — herrscht im zweiten Grade der Poesie. —
⟨*[Zorn und Wollust] die Pole, Witz die Indifferenz.⟩

*[Nr. 2108]* Die vergeblich gesuchte Einleitung in die Philos[ophie] ist die P[oesie].

12 Gespräch über die Poesie (1800) = Krit. Ausgabe, Bd. II.

*[S. 284—287]* Alle Gemüter, die sie lieben, befreundet und bindet Poesie mit unauflöslichen Banden. Mögen sie sonst im eignen Leben das Verschiedenste suchen, einer gänzlich verachten, was der andre am heiligsten hält, sich verkennen, nicht vernehmen, ewig fremd bleiben; in dieser Region sind sie dennoch durch höhere Zauberkraft einig und in Frieden. Jede Muse sucht und findet die andre, und alle Ströme der Poesie fließen zusammen in das allgemeine große Meer.

Die Vernunft ist nur eine und in allen dieselbe: wie aber jeder Mensch seine eigne Natur hat und seine eigne Liebe, so trägt auch jeder seine eigne Poesie in sich. Die muß ihm bleiben und soll ihm bleiben, so gewiß er der ist, der er ist, so gewiß nur irgend etwas Ursprüngliches in ihm war; und keine Kritik kann und darf ihm sein eigenstes Wesen, seine innerste Kraft rauben, um ihn zu einem allgemeinen Bilde ohne Geist und ohne Sinn zu läutern und zu reinigen, wie die Toren sich bemühen, die nicht wissen was sie wollen. Aber lehren soll ihn die hohe Wissenschaft echter Kritik, wie er sich selbst bilden muß in sich selbst, und vor allem soll sie ihn lehren, auch jede andre selbständige Gestalt der Poesie in ihrer klassischen Kraft und Fülle zu fassen, daß die Blüte und der Kern fremder Geister Nahrung und Same werde für seine eigne Fantasie.

Nie wird der Geist, welcher die Orgien der wahren Muse kennt, auf dieser Bahn bis ans Ende dringen, oder wähnen, daß er es erreicht: denn nie kann er eine Sehnsucht stillen, die aus der Fülle der Befriedigungen selbst sich ewig von neuem erzeugt. Unermeßlich und unerschöpflich ist die Welt der Poesie wie der Reichtum der belebenden Natur an Gewächsen, Tieren und Bildungen jeglicher Art, Gestalt und Farbe. Selbst die künstlichen Werke oder natürlichen Erzeugnisse, welche die Form und den Namen von Gedichten tragen, wird nicht leicht auch der umfassendste alle umfassen. Und was sind sie gegen die formlose und bewußtlose Poesie, die sich in der Pflanze regt, im Lichte strahlt, im Kinde lächelt, in der Blüte der Jugend schimmert, in der liebenden Brust der Frauen glüht? — Diese aber ist die erste, ursprüngliche, ohne die es gewiß keine Poesie der Worte geben würde. Ja wir alle, die wir Menschen sind, haben immer und ewig keinen andern Gegenstand und keinen andern Stoff aller Tätigkeit und aller Freude, als das eine Gedicht der Gottheit, dessen Teil und Blüte auch wir sind — die Erde. Die Musik des unendlichen Spielwerks zu vernehmen, die Schönheit des Gedichts zu verstehen, sind wir fähig, weil auch ein Teil des Dichters, ein Funke seines schaffenden Geistes in uns lebt und tief unter der Asche der selbstgemachten Unvernunft mit heimlicher Gewalt zu glühen niemals aufhört.

Es ist nicht nötig, daß irgend jemand sich bestrebe, etwa durch vernünftige Reden und Lehren die Poesie zu erhalten und fortzupflanzen, oder gar sie erst hervorzubringen, zu erfinden, aufzustellen und ihr strafende Gesetze zu geben, wie es die Theorie der Dichtkunst so gern möchte. Wie der Kern der Erde sich von selbst mit Gebilden und Gewächsen bekleidete, wie das Leben von selbst aus der Tiefe hervorsprang, und alles voll ward von Wesen die sich fröhlich vermehrten; so blüht auch Poesie von selbst aus der unsichtbaren Urkraft der Menschheit hervor, wenn der erwärmende Strahl der göttlichen Sonne sie trifft und befruchtet. Nur Gestalt und Farbe können es nachbildend ausdrücken, wie der Mensch gebildet ist; und so läßt sich auch eigentlich nicht reden von der Poesie als nur in Poesie.

Die Ansicht eines jeden von ihr ist wahr und gut, insofern sie selbst Poesie ist. Da nun aber seine Poesie, eben weil es die seine ist, beschränkt sein muß, so kann auch seine Ansicht der Poesie nicht anders als beschränkt sein. Dieses kann der Geist nicht ertragen, ohne Zweifel weil er, ohne es zu wissen, es dennoch weiß, daß kein Mensch schlechthin nur ein Mensch ist, sondern zugleich auch die ganze Menschheit wirklich und in Wahrheit sein kann und soll. Darum geht der Mensch, sicher sich selbst immer wieder zu finden, immer von neuem aus sich heraus, um die Ergänzung seines innersten Wesens in der Tiefe eines fremden zu suchen und zu finden. Das Spiel der Mitteilung und der Annäherung ist das Geschäft und die Kraft des Lebens, absolute Vollendung ist nur im Tode.

Darum darf es auch dem Dichter nicht genügen, den Ausdruck seiner eigentümlichen Poesie, wie sie ihm angeboren und angebildet wurde, in bleibenden Werken zu hinterlassen. Er muß streben, seine Poesie und seine Ansicht der Poesie ewig zu erweitern, und sie der höchsten zu nähern die überhaupt auf der Erde möglich ist; dadurch daß er seinen Teil an das große Ganze auf die bestimmteste Weise anzuschließen strebt: denn die tötende Verallgemeinerung wirkt gerade das Gegenteil.

Er kann es, wenn er den Mittelpunkt gefunden hat, durch Mitteilung mit denen, die ihn gleichfalls von einer andern Seite auf eine andre Weise gefunden haben. Die Liebe bedarf der Gegenliebe. Ja für den wahren Dichter kann selbst das Verkehr mit denen, die nur auf der bunten Oberfläche spielen, heilsam und lehrreich sein. Er ist ein geselliges Wesen.

Für mich hatte es von jeher einen großen Reiz mit Dichtern und dichterisch Gesinnten über die Poesie zu reden. Viele Gespräche der Art habe ich nie vergessen, von andern weiß ich nicht genau, was der Fantasie und was der Erinnerung angehört; vieles ist wirklich darin, andres ersonnen. So das gegenwärtige, welches ganz verschiedene Ansichten gegeneinander stellen soll, deren jede aus ihrem Standpunkte den unendlichen Geist der Poesie in einem neuen Lichte zeigen kann, und die alle mehr oder minder bald von dieser bald von jener Seite in den eigentlichen Kern zu dringen streben. Das Interesse an dieser Vielseitigkeit erzeugte den Entschluß, was ich in einem Kreise von Freunden bemerkt und anfänglich nur in Beziehung auf sie gedacht hatte, allen denen mitzuteilen, die eigne Liebe im Busen spüren und gesonnen sind, in die heiligen Mysterien der Natur und der Poesie kraft ihrer innern Lebensfülle sich selbst einzuweihen.

*[S. 304—307]* *Amalia.* Wenn das so fortgeht, wird sich uns, ehe wirs uns versehen, eins nach dem andern in Poesie verwandeln. Ist denn alles Poesie?

*Lothario.* Jede Kunst und jede Wissenschaft die durch die Rede wirkt, wenn sie als Kunst um ihrer selbst willen geübt wird, und wenn sie den höchsten Gipfel erreicht, erscheint als Poesie.

*Ludoviko.* Und jede, die auch nicht in den Worten der Sprache ihr Wesen treibt, hat einen unsichtbaren Geist, und der ist Poesie.

*Marcus.* Ich stimme in vielen ja fast in den meisten Punkten mit

Ihnen überein. Nur wünschte ich, Sie hätten noch mehr Rücksicht auf die Dichtarten genommen; oder um mich besser auszudrücken, ich wünschte, daß eine bestimmtere Theorie derselben aus Ihrer Darstellung hervorginge.
*Andrea.* Ich habe mich in diesem Stück ganz in den Grenzen der Geschichte halten wollen.
*Ludoviko.* Sie könnten sich immerhin auch auf die Philosophie berufen. Wenigstens habe ich noch in keiner Einteilung den ursprünglichen Gegensatz der Poesie so wiedergefunden, als in Ihrer Gegeneinanderstellung der epischen und der jambischen Dichtungsart.
*Andrea.* Die doch nur historisch ist.
*Lothario.* Es ist natürlich, daß wenn die Poesie auf eine so große Weise entsteht, wie in jenem glücklichen Lande, sie sich auf zwiefache Art äußert. Sie bildet entweder eine Welt aus sich heraus, oder sie schließt sich an die äußre, welches im Anfang nicht durch Idealisieren sondern auf eine feindliche und harte Art geschehen wird. So erkläre ich mir die epische und die jambische Gattung.
*Amalia.* Mich schauderts immer, wenn ich ein Buch aufschlage, wo die Fantasie und ihre Werke rubrikenweise klassifiziert werden.
*Marcus.* Solche verabscheuungswürdige Bücher wird Ihnen niemand zumuten zu lesen. Und doch ist eine Theorie der Dichtarten grade das, was uns fehlt. Und was kann sie anders sein als eine Klassifikation, die zugleich Geschichte und Theorie der Dichtkunst wäre?
*Ludoviko.* Sie würde uns darstellen wie und auf welche Weise die Fantasie eines — erdichteten Dichters, der, als Urbild, der Dichter aller Dichter wäre, sich kraft ihrer Tätigkeit durch diese selbst notwendig beschränken und teilen muß.
*Amalia.* Wie kann aber dieses künstliche Wesen zur Poesie dienen?
*Lothario.* Sie haben bis jetzt eigentlich wenig Ursache, Amalia, über dergleichen künstliches Wesen bei Ihren Freunden zu klagen. Es muß noch ganz anders kommen, wenn die Poesie wirklich ein künstliches Wesen werden soll.
*Marcus.* Ohne Absonderung findet keine Bildung statt, und Bildung ist das Wesen der Kunst. Also werden Sie jene Einteilungen wenigstens als Mittel gelten lassen.
*Amalia.* Diese Mittel werfen sich oft zum Zweck auf, und immer

bleibt es ein gefährlicher Umweg, der gar zu oft den Sinn für das Höchste tötet, ehe das Ziel erreicht ist.
*Ludoviko.* Der rechte Sinn läßt sich nicht töten.
*Amalia.* Und welche Mittel zu welchem Zweck? Es ist ein Zweck, den man nur gleich oder nie erreichen kann. Jeder freie Geist sollte unmittelbar das Ideal ergreifen und sich der Harmonie hingeben, die er in seinem Innern finden muß, sobald er sie da suchen will.
*Ludoviko.* Die innere Vorstellung kann nur durch die Darstellung nach außen, sich selbst klarer und ganz lebendig werden.
*Marcus.* Und Darstellung ist Sache der Kunst, man stelle sich wie man auch wolle.
*Antonio.* Nun so sollte man die Poesie auch als Kunst behandeln. Es kann wenig fruchten, sie in einer kritischen Geschichte so zu betrachten, wenn die Dichter nicht selbst Künstler und Meister sind, mit sichern Werkzeugen zu bestimmten Zwecken auf beliebige Weise zu verfahren.
*Marcus.* Und warum sollten sie das nicht? Freilich müssen sie es und werden es auch. Das Wesentlichste sind die bestimmten Zwecke, die Absonderung wodurch allein das Kunstwerk Umriß erhält und in sich selbst vollendet wird. Die Fantasie des Dichters soll sich nicht in eine chaotische Überhauptpoesie ergießen, sondern jedes Werk soll der Form und der Gattung nach einen durchaus bestimmten Charakter haben.
*Antonio.* Sie zielen schon wieder auf Ihre Theorie der Dichtarten. Wären Sie nur erst damit im reinen.
*Lothario.* Es ist nicht zu tadeln, wenn unser Freund auch noch so oft darauf zurückkommt. Die Theorie der Dichtungsarten würde die eigentümliche Kunstlehre der Poesie sein. Ich habe oft im einzelnen bestätigt gefunden, was ich im allgemeinen schon wußte: daß die Prinzipien des Rhythmus und selbst der gereimten Sylbenmaße musikalisch sind; was in der Darstellung von Charakteren, Situationen, Leidenschaften das Wesentliche, Innere ist, der Geist, dürfte in den bildenden und zeichnenden Künsten einheimisch sein. Die Diktion selbst, obgleich sie schon unmittelbarer mit dem eigentümlichen Wesen der Poesie zusammenhängt, ist ihr mit der Rhetorik gemein. Die Dichtungsarten sind eigentlich die Poesie selbst.
*Marcus.* Auch mit einer bündigen Theorie derselben bliebe noch

vieles zu tun übrig, oder eigentlich alles. Es fehlt nicht an Lehren und Theorien, daß und wie die Poesie eine Kunst sein und werden solle. Wird sie es aber dadurch wirklich? — Dies könnte nur auf dem praktischen Wege geschehn, wenn mehre Dichter sich vereinigten eine Schule der Poesie zu stiften, wo der Meister den Lehrling wie in andern Künsten tüchtig angriffe und wacker plagte, aber auch im Schweiß seines Angesichts ihm eine solide Grundlage als Erbschaft hinterließe, auf die der Nachfolger dadurch von Anfang an im Vorteil nun immer größer und kühner fortbauen dürfte, um sich endlich auf der stolzesten Höhe frei und mit Leichtigkeit zu bewegen.

*Andrea.* Das Reich der Poesie ist unsichtbar. Wenn ihr nur nicht auf die äußre Form seht, so könnt ihr eine Schule der Poesie in ihrer Geschichte finden, größer als in irgendeiner andern Kunst. Die Meister aller Zeiten und Nationen haben uns vorgearbeitet, uns ein ungeheures Kapital hinterlassen. Dies in der Kürze zu zeigen, war der Zweck meiner Vorlesung.

*[S. 323—324]* [*Antonio.* ...] Jedes Gedicht soll eigentlich romantisch und jedes soll didaktisch sein in jenem weitern Sinne des Wortes, wo es die Tendenz nach einem tiefen unendlichen Sinn bezeichnet. Auch machen wir diese Foderung überall, ohne eben den Namen zu gebrauchen. Selbst in ganz populären Arten wie z. B. im Schauspiel, fodern wir Ironie; wir fodern, daß die Begebenheiten, die Menschen, kurz das ganze Spiel des Lebens wirklich auch als Spiel genommen und dargestellt sei. Dieses scheint uns das Wesentlichste, und was liegt nicht alles darin? — Wir halten uns also nur an die Bedeutung des Ganzen; was den Sinn, das Herz, den Verstand, die Einbildung einzeln reizt, rührt, beschäftigt und ergötzt, scheint uns nur Zeichen, Mittel zur Anschauung des Ganzen, in dem Augenblick, wo wir uns zu diesem erheben.

*Lothario.* Alle heiligen Spiele der Kunst sind nur ferne Nachbildungen von dem unendlichen Spiele der Welt, dem ewig sich selbst bildenden Kunstwerk.

*Ludoviko.* Mit andern Worten: alle Schönheit ist Allegorie. Das Höchste kann man eben weil es unaussprechlich ist, nur allegorisch sagen.

*Lothario.* Darum sind die innersten Mysterien aller Künste und Wissenschaften ein Eigentum der Poesie. Von da ist alles ausgegangen, und dahin muß alles zurückfließen. In einem idealischen Zustande der Menschheit würde es nur Poesie geben; nämlich die Künste und Wissenschaften sind alsdann noch eins. In unserm Zustande würde nur der wahre Dichter ein idealischer Mensch sein und ein universeller Künstler.
*Antonio.* Oder die Mitteilung und Darstellung aller Künste und aller Wissenschaften kann nicht ohne einen poetischen Bestandteil sein.
*Ludoviko.* Ich bin Lotharios Meinung, daß die Kraft aller Künste und Wissenschaften sich in einem Zentralpunkt begegnet, und hoffe zu den Göttern, Euch sogar aus der Mathematik Nahrung für Euren Enthusiasmus zu schaffen, und Euren Geist durch ihre Wunder zu entflammen.

13 Transzendentalphilosophie (Jenenser Vorlesung, gehalten 1800 bis 1801) =Krit. Ausgabe, Bd. XII.

*[S. 61 f.]* Der Materie nach hat auch die *Poesie* und Kunst kein anderes Objekt als *Religion* und *Moral.* In dieser Sphäre ist die Materie der Poesie geschlossen. Aller Kunst-Sinn wird sich beziehen auf Liebe und Natur, mithin auf *Religion.* Das Besondere aber, der Charakter, die Leidenschaften, Gefühle, die die Kunst darstellt pp., bezieht sich auf die Moral. — Alles spezifisch Einzelne in den menschlichen Leidenschaften, so wie alles Große und Göttliche, kann aus der *Ehre* und *Liebe* abgeleitet werden.
*Die Kunst* ist die *materielle Poesie* in Ton, Farbe oder Wort.
Die Philosophie, indem sie aus sich selbst herausgeht, und Philosophie des Lebens wird, kommt mit der Poesie überein. Die *Materie* ist einerley der Kunst und der Wissenschaft; aber die *Form* ist verschieden. Der Philosoph will wissen, aber der Künstler will darstellen. Hierdurch unterscheiden sich also schon *Poesie* und *Philosophie,* nämlich jene stellt dar; diese hingegen will *wissen*, sie erklärt, oder giebt Vorschriften, wie etwas wirklich gemacht werde.
Aber wir werden noch eine andere Verschiedenheit auffinden, die tiefer in ihrem Wesen liegt, eine Verschiedenheit der Sphären, die

reell ist. Nämlich: Liebe, Natur, Individua, Ehre und Bildung machen den Inhalt aller Kunst und der praktischen Philosophie aus. Nun giengen wir in der Philosophie aus von dem Mittelgliede der drey Grundbegriffe der praktischen Philosophie, nämlich *Moral — Politik — Religion;* ob es gleich auch möglich gewesen wäre, mit den Endgliedern anzufangen. Wir haben gezeigt, wie Moral und Religion in der Politik vereinigt werden. Dies findet nun nur in der *Philosophie* statt, nicht auch in der *Kunst.* Diese hat mit der Politik nichts zu thun. Sie liegt ganz außer ihrer Sphäre. Die Philosophie kann und soll die Prinzipien des praktischen Lebens und des innern Menschen oder seiner Rückkehr ins Ganze verbinden, und zwar so, daß es auch noch praktisch bleibt.

Die Poesie verbindet auch durch ein Mittelglied die beyden Endglieder, Moral und Religion, aber dies Mittelglied ist nicht Politik, wie bey der Philosophie, sondern es ist die *Mythologie.*

In jeder Mythologie ist eine Symbolik der Natur und der Liebe; besonders ist bemerkbar darinnen das Individuelle, das Menschliche. Die Menschheit ist ganz darinnen ausgedrückt.

Das Mittelglied der Poesie ist also die Mythologie, in der Philosophie die Politik. Beyde vereinigen Moral und Religion. Nun haben wir zu bemerken das Übergewicht des einen Elements in dem einen Fall, und das Übergewicht des andern Elements im andern. Bey der *Mythologie* ist die *Religion das Überwiegende,* in der *Politik* die *Moral.* Jenes zeigt sich darinnen, daß die Mythologie ganz vom praktischen Leben entfernt ist.

14 Zur Philosophie I. Paris 1802 Jul. = Krit. Ausgabe, Bd. XVIII.

*[S. 468 Nr. V 360]* Der Zweck des Ganzen = $\frac{\text{Id}}{0}$ [absoluter Idealismus], die höchste Potenz ist *Magie = Poesie* —

15 Zur Philosophie II. Paris 1802 Dezember = Krit. Ausgabe, Bd. XVIII.

*[S. 473 f. Nr. VII 27]* VOLLENDETER IDEALISMUS IST POESIE —

Der *Erinnrung der ursprünglichen Einheit* ist die *Erschaffung der ewigen* ⟨*himmlischen*⟩ *Freiheit* (— ?) entgegengesezt — Das ist das Wesen des Id[ealismus]. —

16 Zur Poesie II. Paris 1802 Dezember = Unveröffentlichtes Notizheft.

*[Bl. 11 r]* Die ursprüngliche Form der Poesie ist das Wortspiel.

*[Bl. 12 v]* Die Trennung der Philosophie und der Poesie gehört bloß zum exoterischen Idealismus. — Die Vereinigung zum esoterischen.

17 Gemäldebeschreibungen aus Paris und den Niederlanden in den Jahren 1802—1804. Nachtrag italienischer Gemälde (1803) = Krit. Ausgabe, Bd. IV.

*[S. 75 f.]* [...] die *Poesie* in dem Gemälde. Nicht als ob der Gegenstand erdichtet sein müßte; aber doch muß der Maler, was er darstellen will, eigentümlich sich denken und ordnen, seine eigne Bedeutung ihm leihen, sonst trag' er nicht diesen Namen, und sei bloßer Kopist. Geist und Buchstabe also, das Mechanische und die Poesie, das sind Bestandteile der Malerei, weil eins in einem gewissen Grade sein kann ohne das andere, oder doch weit unvollkommner. Einer möglichen Mißdeutung müssen wir noch vorbeugen, was die Forderung der Poesie betrifft. Der Maler soll ein Dichter sein, das ist keine Frage; aber nicht eben ein Dichter in Worten, sondern in Farben. Mag er doch seine Poesie überall anders her haben, als aus der Poesie selbst, wenn es nur Poesie ist. Das Beispiel der alten Maler wird uns auch hier am besten orientieren. Poetisch zwar, wenn man dies auf die Poesie der Worte und der Dichter beschränken will, sind nur wenige Gemälde des Altertums zu nennen, und diese wenigen sind eher etwas leichtsinnig gedacht und nicht die höchsten. Aber wir meinen darunter nur die poetische Ansicht der Dinge, und diese hatten die Alten näher aus der Quelle. Die Poesie der alten Maler war teils die Religion, wie beim Perugino, Fra Bartolomeo und vielen andern Alten; teils Philosophie, wie beim tiefsinnigen Leonardo, oder aber beides, wie in dem unergründlichen Dürer.

Die Poesie der damaligen Zeit, oder doch was allgemein davon in Umlauf und den Malern bekannt war, war nicht so tief als jene Quellen, nicht so poetisch, wenn man das Wortspiel leiden will, als die Religion und die mystische Philosophie jener Künstler. Aber seitdem sich die Philosophie aus den mathematischen und physikalischen Wissenschaften in das Gebiet der Worte und der reinsten, höchsten Abstraktion zurückgezogen, wohin dem Künstler ganz zu folgen, keinesweges angemessen ist; und seitdem Religion wenigstens aus dem, was äußerlich so heißt, völlig verschwunden ist, dürfte für den Maler, dessen Kunst doch auch eine umfassende, universelle, nicht so beschränkte Kunst ist, als Plastik und Musik, kein andrer Rat bleiben, als sich an die universellste Kunst aller Künste anzuschließen, an die Poesie, wo er, wenn er sie gründlich studiert, beides vereinigt finden wird, sowohl die Religion als die Philosophie der alten Zeit.

*[S. 78]* Sollte es aber scheinen, als stände die Forderung einer poetischen Absicht im Widerspruch mit dieser Behauptung, daß die Malerei vors erste nichts anders sein sollte, als Malerei, so ist erstlich zu bemerken, daß die Poesie unter allen Künsten allein gleichsam eine allgemeine alle übrigen verbindende Mitkunst ist, und zweitens, daß dieses bloß auf die Erfindung geht, die nur im Gegensatz des Mechanismus poetisch genannt wird, selbst aber allerdings eine eigentümliche von der eigentlichen Poesie noch ganz verschiedne Art und Konstruktion haben muß.

18 Zur Poesie. Anno 1803, I = Unveröffentlichtes Notizheft.

*[Bl. 20 r]* Poetische Poesie ist nicht Charakter des Romantischen allein, alle Mythologie ist das auch. — Romantische ist philosophische Poesie, unstreitig.

19 Zur Poesie 1803, II = Unveröffentlichtes Notizheft.

*[Bl. 2 r]* Die Dichtarten der Griechen und Inder ganz moralisch [...] Unsre also mythologisch und künstlich; das paßt sehr gut. — Mährchen und musikalische, pittoreske, architektonische Gedichte. Plastik vielleicht die indifferente Kunst. Unsre Dichtart sollte aber vielleicht auch in die Zukunft wirkend sein. — Orakel, Visionen? — Poetische Poesie ist unsre Dichtart.

20 Literatur (1803) = Europa, Bd. I (1. Heft).

*[S. 41 f.]* Die kühnste Freiheit des Denkens ist auf eine Weise nicht bloß rege gemacht, sondern constituirt und organisirt, daß wir fernerhin nur für allgemeine Ausbreitung und für noch sorgfältigere Ausbildung des einmal erworbenen und nie wieder zu verlierenden Gutes zu sorgen haben. Die Dichtkunst, selbst zur ernsten Wissenschaft geworden, beseelt alle übrigen durch den Geist und die Kraft ihrer höchsten Blüthe; Kunstgefühl und wissenschaftlich strenger Scharfsinn begleitet die gründlichste und reichste Gelehrsamkeit, und das Licht der geistigen Anschauung verbreitet sich immer mehr und mehr über alle Künste und Zweige der Kenntniß.

*[S. 47 f.]* Die Poesie wird der Mittelpunkt und das Ziel unsrer Betrachtungen seyn. Denn eben diese Stelle glauben wir, nimmt sie in jenem Ganzen der Kunst und Wissenschaft ein. Die Philosophie selbst ist doch nur Organon, Methode, Constitution der richtigen d. h. der göttlichen Denkart, welche eben das Wesen der wahren Poesie ausmacht; sie ist also nur Bildungsanstalt, Werkzeug und Mittel zu dem, was die Poesie selbst ist. Die Physik aber, wenn erst eine neue aus dem Idealismus vollendet hervorgegangen wäre, was würde sie anders seyn, als materiellerer Ausdruck desselben, eine sinnliche und lebendige Darstellung jener höchsten Wahrheit? [...] Die Poesie also betrachten wir als die erste und höchste aller Künste und Wissenschaften; denn auch Wissenschaft ist sie im vollsten Sinn dieselbe, welche Plato Dialektik, Jakob Böhme aber Theosophie nannte, die Wissenschaft von dem, was allein und wahrhaft wirklich ist. Auch die Philosophie kann keinen andern Gegenstand haben, aber was sie unterscheidet, ist, daß sie nur auf eine negative Weise und durch indirekte Darstellung diesem Ziele sich nähert; da hingegen jede positive Darstellung des Ganzen unvermeidlich Poesie wird.

*[S. 54—56]* Wir kehren zurück zur Poesie, die wir zum Behuf der Beurtheilung der neuesten Fortschritte eintheilen wollen, wie die Alten ihre Philosophie; in die esoterische und exoterische, da jeder Unbefangene leicht durch Beobachtung oder auch durch Nachdenken wird finden können, daß diese beiden

Tendenzen oder Zwecke wesentlich verschieden sind. Exoterische, jedem nicht ganz Verwahrloseten verständliche Poesie nennen wir diejenige, welche das Ideal des Schönen in dem Verhältnisse des menschlichen Lebens darstellt, und sich in die Sphäre desselben beschränkt, d. h. die dramatische. Esoterisch aber nennen wir diejenige Poesie, die über den Menschen hinausgeht, und zugleich die Welt und die Natur zu umfassen strebt, wodurch sie mehr oder weniger in das Gebiet der Wissenschaft übergeht, und auch an den Empfänger ungleich höhere oder doch combinirtere Forderungen macht. Zu dieser Gattung würden wir nicht nur umfassende didaktische Gedichte rechnen, deren Zweck doch kein andrer seyn kann, als der, die eigentlich unnatürliche und verwerfliche Trennung der Poesie und Wissenschaft wieder aufzuheben und zu vermitteln; oder solche Gedichte, deren eigentlicher Zweck es wäre, die Poesie auf ihre Quellen zurückzuführen, die Mythologie wieder herzustellen, und den alten Fabeln ihre Naturbedeutung wieder zu geben; sondern auch diejenige Poesie, welche davon ausgeht, das der Poesie entgegengesetzte Element des gemeinen Lebens zu poetisiren und sein Entgegenstreben zu besiegen, bei welchem Geschäft sie nicht selten die Form und das Costum desselben annehmen zu wollen scheinen kann; ich meine den Roman. Es ist vielleicht einer Misdeutung unterworfen, wenn ich sage, daß jeder Roman nach Art eines Mährchens construirt seyn sollte, jede wahre Mythologie es aber unfehlbar ist, weil die nähere Anwendung dieses Satzes viele Modificationen erfordern würde. Glücklicherweise aber kommt mir ein Beispiel zu statten, welches jedem, der es studiren will, meine Behauptung deutlich machen und ihm den Uebergang vom Roman zur Mythologie zeigen kann. Es ist der unvollendet gebliebene Heinrich von Ofterdingen von Novalis.

21 Geschichte der europäischen Literatur (Paris-Kölner Vorlesung, gehalten 1803—1804) = Krit. Ausgabe, Bd. XI.

*[S. 7]* Insofern die Philosophie, als Geist der Gelehrsamkeit und aller Wissenschaften überhaupt, in Rücksicht der Form alle die Wissenschaften begreift, die sich durch Zeichen ausdrücken, und in derselben Rücksicht die Poesie auch alle Künste umfaßt, die durch

ein anderes Medium als durch die Sprache wirken — wie denn Mathematik, Chemie und Physik nur einzeln, aber genauer, d. h. spezieller zeigen, was schon in der Philosophie enthalten, und so Malerei, Plastik und Musik getrennt, lebhafter und besser dasselbe ausdrücken, was die Poesie alles zusammen leistet — insofern umfaßt die Literatur *alle Wissenschaften und Künste,* ist sie *Enzyklopädie.* Wir brauchen nicht an die Anwendung der Form der Mathematik, Physik und Chemie auf die Philosophie und wieder der Musik, Malerei und Plastik auf die Poesie zu erinnern, wie sie besonders in neuerer Zeit mit Glück versucht worden, um den innigen Zusammenhang der Philosophie mit allen Wissenschaften und der Poesie mit allen Künsten deutlicher zu machen und jene als allgemeinste Wissenschaft: als Wissenschaft der Wissenschaften, diese als allgemeinste Kunst: als Kunst der Künste darzustellen.

*[S. 10 f.]* ⟨Betrachten wir im kurzen noch einmal das Verhältnis der Philosophie und Poesie zu den übrigen Künsten und Wissenschaften. In allen Künsten und Wissenschaften ist zwar die Tendenz nach dem Höchsten, Unendlichen sichtbar, aber in keiner so vorherrschend wie in der Philosophie und Poesie. Sie vor allem zeichnen sich durch Unbedingtheit und reine Idealität des absoluten Zweckes aus. Daher auch hier die Allgemeinheit des Interesses. Poesie und Philosophie sind die allgemeinsten aller Wissenschaften und Künste. Die Poesie vereinigt alle Kunst, die Philosophie ist Wissenschaft aller Wissenschaften. Poesie ist Musik, ist Malerei in Worten; die Philosophie vereinigt den Geist, die Form und Methode aller anderen Wissenschaften. Ebenso wie z. B. der Chemiker die Stoffe, so zerlegt der Philosoph die Gedanken und Begriffe in ihre Urelemente; und so rein wie in der Mathematik bestimmt der Philosoph den reinen Menschen.⟩ Philosophie und Poesie sind sozusagen die eigentliche Weltseele aller Wissenschaften und Künste und der gemeinschaftliche Mittelpunkt. Sie sind unzertrennlich verbunden, ein Baum, dessen Wurzel die Philosophie, dessen schönste Frucht die Poesie ist. Poesie ohne Philosophie wird leer und oberflächlich, Philosophie ohne Poesie bleibt ohne Einfluß und wird barbarisch.

Diese Universalität der Philosophie und Poesie wird noch dadurch vermehrt, daß sie beide in der Rede wirken, dem gemeinsamen Organ aller Menschen, wodurch sie in naher Beziehung auf das Leben stehen. Zudem haben beide den *Menschen* zum vornehmsten Gegenstand, und zwar den *Menschen im ganzen,* in seiner ungeteilten Einheit, während andere nicht bei der Betrachtung des Ganzen stehenbleiben und sich in einzelne Teile und Zwecke verlieren. Deshalb ist denn auch das Studium der Poesie und Philosophie das der *Humaniora* genannt worden.

*[S. 14]* Ein Grund noch, der Poesie gewissermaßen den Vorzug zu geben vor der Philosophie, ist, weil sie wenigstens für *Europa* von beiden die älteste und die gemeinschaftliche Wurzel aller Wissenschaften und Künste war. Die älteste Poesie ist nämlich *Mythologie,* und diese ist Poesie, Philosophie und Historie zugleich. Sie enthält einesteils viele historische Sagen, dann hat sie auch allegorische Bilder und Darstellungen, die, abgesondert betrachtet, als eine Art von Naturphilosophie anzusehen sind.

*[S. 91 f.]* Die älteste Poesie war nicht Darstellung der Menschen, sondern der Götter. Sobald die Poesie anfängt, sich zu vereinzeln, verliert sie sich immer mehr vom großen Ganzen der ursprünglichen Poesie, bezieht sich nicht mehr auf das Höchste, auf die Götter, sondern wird mehr Darstellung des Menschen und des menschlichen Lebens. Das eigentlich *Göttliche* im Menschen ist nämlich die Quelle aller höheren Kräfte, und aus der einzigen Verbindung derselben entspringt die höchste Blüte der Poesie. Hier müssen alle menschlichen Kräfte zusammenfallen, der ganze Mensch muß angesprochen werden. Jede Produktion, in der eine einzelne Kraft des Menschen allein herrscht und überwiegt, ist untergeordnet, da ist die Gattung nicht das Höchste. Eine Poesie aber, die der Mensch aus der ganzen Fülle seiner Kräfte ersonnen hat, bedarf keiner Rechtfertigung, sie ist die höchste. Nicht so ist es mit den anderen Arten. Hier fragen wir zuerst nach dem Grund der Vereinzelung, warum hier bloß der Witz, dort bloß das Gefühl herrscht. Die Erklärung findet sich in der Geschichte, diese gibt uns den Grund der Vereinzelung.

Die älteste Poesie, die Poesie der Sage, der Erinnerung und Einbildungskraft fordert eine mitwirkende, aushelfende Kraft. Es ist nicht allein hinreichend, daß es eine Poesie überhaupt, d. h. eine poetische Ansicht gebe. Sie muß auch durch das Gefühl in das Herz des Menschen kräftig eingeführt werden. So entsteht die Lyrik, die Poesie des Gefühls. Das auf den höchsten Grad gesteigerte Gefühl aber bringt die Poesie der Leidenschaft hervor, und ebenso führt die Leidenschaft zur Poesie des Witzes. Denn aufs Ende muß die Leidenschaft ermüdend und niederdrückend werden. Man muß sich notwendig nach Erholung sehnen und sich dann natürlich zum geraden Gegenteil, zum Witz wenden, der — so wie die Leidenschaft niederschlägt und anstrengt — erheitert und belebt. Bloße Tragödie führt zur höchsten Einseitigkeit. Was würde man von einem Volke denken müssen, das bloß eine Tragödie, und zwar eine solche wie die griechische, ohne alle Komödie hätte? Insofern das, was im gemeinen Leben Witz heißt, eben nicht poetisch scheinen sollte, ist zu bemerken, daß die gemeine Leidenschaft auch nicht poetisch, sondern bloß durch idealische Darstellung und Schönheit der Form veredelt wird, und ebenso ist es mit dem Witz.

Die dramatische Poesie hat, wie schon mehrmals gesagt worden, den bestimmten Zweck, die Menschen, denen es an poetischem Sinn fehlt, durch mächtigen Eindruck aufzuregen und zur Poesie zu bilden. Daher ist schon die Vereinzelung notwendig, ⟨um eine gemischte Menge von Menschen, denen die poetische Ansicht des Ganzen nicht allen gleich beiwohnen wird, zu dieser zu erheben.⟩ Das Einzelne wird für die Darstellung herausgehoben, um als imposante sinnliche Erscheinung vermittelst der Beihilfe aller übrigen Künste den stumpfen Sinn der Menge kräftig aufzuregen und für die poetische Ansicht des Ganzen empfänglich zu machen. Und damit dieser Zweck nicht durchaus verfehlt werde, muß das dramatische Gedicht so poetisch sein, als es innerhalb der Grenzen der Gattung nur immer möglich ist. Die Poesie des Witzes wie der Leidenschaft muß daher unendlich sein. Die vereinzelte Geisteskraft muß ins Unendliche erweitert werden, um Beschränktheit zu verhüten. Es muß in der Tragödie ein unendliches Gefühl und unendliche Leidenschaft, in der Komödie eine unendliche Fülle des Witzes dargestellt werden.

*[S. 92 f.]* Von der Historie wenigstens scheidet sich die Poesie am meisten und vorzüglichsten durch ihre willkürliche Erfindung. Hierin also treffen schon Poesie und Witz zusammen und daraus wird noch einmal der Vorwurf, als wäre der Witz unpoetisch, gründlich widerlegt. Das Wesen des Spiels besteht eben nur in der Freiheit, in dem freien Bewegen eines gegebenen Stoffes. Aus dieser Freiheit ließen sich alle übrigen Bestimmungen ableiten. Soll der Witz *göttlich* sein, so ist die erste Bedingung, daß er von allen Gesetzen und Banden frei gegeben werde. Was ihn indessen recht eigentlich zum Witz macht, ist die unendliche Mannigfaltigkeit und Fülle des Gedankenspiels.

*[S. 114]* Die Poesie, die das Unendliche nur andeutet, gibt nicht bestimmte Begriffe, sondern nur Anschauungen. Es ist eine unendliche Fülle, ein Chaos von Gedanken, die sie darzustellen und zu einem schönen Ganzen zu ordnen strebt. Dazu bedarf die Poesie einer äußeren Gesetzmäßigkeit und Beschränkung, eines Metrums. Ein Metrum setzt aber notwendig mancherlei Überflüssigkeiten, Willkürlichkeiten, Zufälligkeiten in der Gedanken- und Wortfolge voraus, wie dies denn auch bei der Unbestimmtheit der poetischen Sprache wirklich der Fall ist.

*[S. 147]* Soll nun eine solche Sprache zur Poesie gebildet werden, so kann dies nicht durch einen plötzlichen Schwung geschehen, da ihr Grundcharakter doch nun einmal Abstraktion ist, sondern man muß ein Mittel suchen, das den Übergang macht. Dieses Medium ist nun der *Witz.*
Abstraktion ist der Charakter der Wissenschaft. Wissenschaft an sich selbst ist der Poesie nicht entgegengesetzt, da sie mit ihr den nämlichen Gegenstand hat und der Stoff, die Elemente des Wissens, immer poetisch sind. Doch in der Form, der Methode liegt der Unterschied. Um eine abstrakte Sprache poetisch zu bilden, darf man nur das streng Bestimmte, Philosophische, Wissenschaftliche vermeiden und an die Stelle der pedantisch ängstlichen Ordnung, durch eine kühne, freie Versetzung aller jener Elemente, eine schöne phantastische Unordnung einführen. Dies kann nun geschehen durch das Medium des Witzes. Der Witz ist sehr nahe mit dem Wissen verwandt. Es ist kein Tiefsinn so tief, der

sich mit dem Witz nicht vereinigen ließe. Witz ist ein einzelner Gedanke des Wissens ohne gemessene, geregelte Verknüpfung in einer freien, willkürlich kühn verschlungenen Form. Eine wissenschaftliche Methode widerspricht durchaus dem Wesen des Witzes. Der Hauptcharakter des Witzes ist, daß er ein Gedanken*spiel*, das Wissenschaftliche hingegen eine Gedanken*arbeit* ist. Ein Spiel läßt sich nicht anders denken als wie eine absolut freie, von allen ängstlichen Regeln und Gesetzen unabhängige Tätigkeit. Ein Produkt des Witzes muß also in Hinsicht der Anordnung und Stellung der Gedanken denselben Charakter der Freiheit und Ungebundenheit an sich tragen.

Einer abstrakten Sprache nun, die mehr zum Wissenschaftlichen als zur Poesie hinneigt, kann nur durch eine freie und kühne Versetzung der Form, durch Abweichung von der strengen, ängstlichen Methode und durch Wiederaufbauen neuer, dem poetischen Geiste sich freier und inniger anschmiegender Formen eine poetische Gestalt gegeben werden. Den Italienern und Spaniern blieb kein anderes Mittel übrig, ihre abstrakte und unpoetische Sprache zur Poesie zu bilden, als das Medium des Witzes.

Der ganze Charakter der romantischen Poesie beruht auf dieser Verbindung des Witzes und der Poesie, auf diesem Spiel mit den logischen und mathematischen Grundformen der Silbenmaße, die denn doch Formen des Witzes sind, eine äußerst spielende Verschlingung und Verkettung der Gedanken veranlassen und so den Witz mit der Poesie verbinden. Eine so innige Verwebung des Witzes mit der Poesie hat durchaus nur in der romantischen Literatur stattgefunden und ist weder in der griechischen und römischen, noch in einer anderen sichtbar.

*[S. 156]* Wenn man mit Rücksicht auf die ganz kunstlose, ganz natürliche ältere spanische Poesie auf das sieht, was nach der allgemein herrschenden Ansicht den Begriff des Romantischen bestimmt, so wird dieses im Gegensatz des Klassischen sich erklären lassen als die Vereinigung der Poesie und des Lebens — als eine Poesie, die mit dem Leben eins zu werden sucht, wo das Leben ganz poetisch, die Poesie ganz lebendig ist. Bei den Italienern ist die Poesie mehr eine wissenschaftliche, künstliche, gelehrte, die eben kein

poetisches Leben notwendig voraussetzt und sehr gut ohne dieses bestehen kann. Die romantische Poesie ist die natürliche Blüte und Frucht eines poetischen Lebens. In Rücksicht der Form nennt man in der Poesie überall dasjenige romantisch, was in einem hohen Grade entweder musikalisch, oder pittoresk und farbig ist.

*[S. 160]* Der Roman ist die ursprünglichste, eigentümlichste, vollkommenste Form der romantischen Poesie, die eben durch diese Vermischung aller Formen von der alten klassischen, wo die Gattungen ganz streng getrennt wurden, sich unterscheidet. Jene ganz romantische, reich und kunstvoll verschlungene Komposition, wo jede Art von Stil auf die mannigfaltigste Weise wechselt, aus diesen verschiedenen Stilen oft neue Mischungen sich entwickeln, oft das Parodistische sich findet, wenn alte Romane parodiert werden, — findet sich in der höchsten Vollkommenheit in den drei größten Kunstwerken des Cervantes: der GALATEA, dem DON QUIJOTE, dem PERSILES. Der Stil ist in allen diesen Werken durchaus romantisch.
Das Romantische des Stils besteht nämlich in der Prosa ebenso wie in der Poesie in dem Witzigen, Farbigen, Musikalischen, wozu man noch das Altertümliche, höchst Einfache, Naive, Strenge, Kindliche rechnen kann, das uns ganz in den Geist jenes poetischen Altertums versetzt.

22 Zur Philosophie (1803—1807) = Krit. Ausgabe, Bd. XVIII.

*[S. 568 Beilage VIII Nr. 81]* [...] ⟨*Poesie ist religiöser als Religion selbst.*⟩

*[S. 569 Beilage VIII Nr. 84]* Die *Poesie* ist die *Sonne* in die sich alle Planeten der Kunst und Wissenschaft auflösen. φσ [Philosophie] kann schon darum nicht allgemeine WS[Wissenschaft] oder WSWS[Wissenschaft der Wissenschaft] sein, weil sie WS[Wissenschaft] ist; Poesie als Darstellung ist zugl[leich] WS[Wissenschaft] und mehr als das.

*[S. 573 f. Beilage VIII Nr. 121]* POESIE ist freilich mehr Belohnung, Genuß einer vollendeten Nation, als Mittel, sie zu schaffen und zur Nation zu machen. Auch kann π [Poesie] mehr noch

misbraucht und bestohlen werden; doch das ist wohl gleich. — φσ [Philosophie] ist überall anwendbar es giebt aber auch eine φσ [Philosophie] die in π [Poesie] übergeht und nicht in Mor[al] und Relig[ion] — und κρ [kritische] π [Poesie] kann es auch ohne Nation geben.

23 Die Entwicklung der Philosophie in zwölf Büchern (Kölner Vorlesung, gehalten 1804—1805) = Krit. Ausgabe, Bd. XII.

*[S. 123 f.]* Aus dem vorhergehenden muß nun hinlänglich klar sein, daß der Materialismus nicht als Philosophie bestehen kann; er ist vom Skeptizismus, Pantheismus und Idealismus widerlegt, dann auch gezeigt worden, daß er, so wie der Empirismus, sehr nahe mit der Historie verwandt, so auch dieser mehr mit einer andern wissenschaftlichen Disziplin, als mit der Philosophie selbst, und zwar mit der Physik verwandt ist. Dem eigentlichen Wesen des Materialismus nach gäbe es nur *eine* Wissenschaft: *Physik,* denn alles gehört zur Natur.

Aber außerdem ist er auch noch mit einer andern Hervorbringung des menschlichen Geistes näher verwandt als mit der Philosophie, und diese ist die *Poesie.* Das Wesen des Materialismus, von allem Äußerlichen gesondert, zerfällt überhaupt in zwei Teile, wodurch er sich besonders auszeichnet: 1. das Prinzip der Priorität des Animalischen vor allem Intellektuellen und Übersinnlichen, und 2. eine überaus kühne und reiche Phantasie, die es wagt, das ganze Universum beleben, die unendliche Fülle der Natur in ihrer Mannigfaltigkeit begreifen, umspannen und umfassen zu wollen.

Eben durch diese große üppige Phantasie, und insofern er mit derselben Darstellungen erzeugt, die, wiewohl sehr animalisch und sinnlich, doch überaus poetisch sind, unterscheidet er sich fast allein vom Empirismus.

Die poetischen Darstellungen des Materialismus haben daher auch, weil sie dem Wesen dieser Gattung viel angemessener sind, durchaus den Vorzug vor den philosophischen; die poetische Seite desselben steht weit über der philosophischen und man kann dreist behaupten: der Materialismus neigt sich durchaus mehr zur Poesie als zur Philosophie; am besten und kräftigsten erscheint und spricht sich die ursprüngliche Denkart des Materialismus in Poesie

aus, weit besser als in allen Systemen; ein Beweis davon ist die griechische Poesie, der dies Prinzip durchaus zugrunde liegt.
Materialismus ist deshalb eigentlich auch nur als Poesie zu dulden; wenn auch die Poesie, die er hervorbringt, nicht gerade die wahre, so neigt er doch mehr zur wahren Poesie als zur Philosophie, er ist überhaupt mit dem Wesen der Poesie verträglicher.

*[S. 165 f.]* Die Philosophie hat den nämlichen Gegenstand, wie die Poesie, das *Unendliche;* aber sie ist in der äußern *Form,* der Art und Weise, wie sie den Gegenstand auffaßt und behandelt, von ihr unterschieden.
Die Philosophie ist *Wissenschaft,* die Poesie *Darstellung* des Unendlichen. Die Poesie begnügt sich das Göttliche bloß *anzuschauen,* und diese Anschauung *darzustellen;* die Philosophie strebt nach positiver *Erkenntnis,* nach wissenschaftlicher *Bestimmung* und *Erklärung* des Göttlichen; sie geht darauf aus, das Unendliche so in ihre Gewalt zu bekommen, mit der Bestimmtheit und Gewißheit zu behandeln, wie in dem praktischen Leben die Gegenstände nach bestimmten Regeln behandelt werden; sie sucht das Höchste nach Begriffen zu erkennen und zu erklären, und diese Erkenntnis mit systematischer Strenge und Konsequenz wissenschaftlich zu konstruieren. In der Poesie ist das Höchste nur *angedeutet,* sie läßt es nur *ahnen,* statt es wie die Philosophie in *bestimmte Formeln* zu bringen und erklären zu wollen.

24 Zur Poesie und Literatur 1807, I = Unveröffentlichtes Notizheft.

*[S. 3]* Sollte nicht alle Poesie eigentlich geistlich sein? — In der Mitte zwischen der Mythischen und der bloß lyrischen Naturpoesie steht die religiöse, christliche — Psalmen — Propheten (Philosophie in Poesie aufgelöst) obwohl selbst nicht Poesie, doch Quelle für alle religiösen Dichter.

*[S. 34]* Der Poet steht eigentlich in der Mitte der Mythologie und der Volkslieder. Die Geschichte der Poesie wird doch eigentlich nur durch die Kunstdichter gemacht.

*[S. 44]* Die ächt moderne Poesie ist diejenige, welche auch im Gegenstande das ist — das Wesen des Modernen besteht aber

darin, daß die dargestellte Welt eine solche ist, in der eine vernünftige Praxis — der Verstand durchaus herrschend ist.

*[S. 45]* So wie die moderne Welt revolutionär ward, wird sie auch wieder poetisch — denn es herrscht nicht mehr der Verstand und seine Gesetze, sondern die Zerstörung als wilde Naturkraft — oder unerbittliches Schicksal und wir stehen wieder auf dem Boden der Poesie.

25 Über deutsche Sprache und Literatur (Kölner Privatvorlesung, gehalten 1807. Nachschrift der Brüder Boisserée) = Unveröffentlicht.

*[Bl. 14 v f.]* Aber nicht allein ist die Anordnung der Töne und Klänge bei der lyrischen Poesie auf die Worte anwendbar, sondern selbst die der Baukunst, Malerei und Bildhauerei mögen für die Poesie überhaupt entlehnt werden. Für die Poesie gäbe es also noch ein Prinzip, das nicht auf dem Gebiet der Sprache selbst erzeugt, sondern aus einer [anderen] Sphäre hergenommen ist.

*[Bl. 19 v]* Dass das Bildliche die Poesie von der gemeinen Rede unterscheidet, ist auffallend klar und sowohl historisch erwiesen als in den Werken der Poesie selbst gegründet. Die Bildlichkeit ist eine notwendige Folgerung aus der Unbestimmbarkeit, Unerkennbarkeit des Unendlichen. Das Bedürfnis und die Notwendigkeit geht hervor aus dem einfachen Grunde, daß das Unendliche nie ganz ausgesprochen werden kann, sondern nur angedeutet, in Bildern und Sinnbildern. — Soll die Philosophie die Idee des Unendlichen als das einzige Reelle begründen, so wird Philosophie notwendig zur Poesie führen.

*[Bl. 23 v f.]* Sowohl Philosophie als Poesie ist eine höhere Sprache. Sie erhöhen, vervollkommnen die Sprache, oder wenn man es anders ansieht, sie sollen die Sprache wieder zurück zu ihrer ursprünglichen Beschaffenheit führen, sollen verhindern, sich entgegenzusetzen dem Verderben der Sprache. Verdorben aber wird sie durch den gemeinen Gebrauch. Der tägliche Gebrauch zum notdürftigen Verkehr zieht die Sprache immer mehr herab von ihrer göttlichen Bestimmung. Es ist aber ein Gegengewicht nötig, daß die nicht ganz herabsinke zu einem gemeinen, bloss technischen

Handwerkzeug. Sie muß zurückgeführt werden zu ihrer ursprünglichen Bestimmung, sie muß Darstellung der Welt werden.

*[Bl. 26 v f.]* Denn ein Grund von so vielen Mißverständnissen und Schwierigkeiten ist, daß man eben den großen Umfang der Kunst und Poesie nicht zu umfassen weiß. Man wird dieses umgehen, man wird die große Mannigfaltigkeit im Umfang leichter übersehen können, wenn man statt sich den Begriff der Poesie in viele Kunstregeln auszuspinnen, vorzüglich Rücksicht nimmt nicht sowohl auf die Verschiedenheit des Stoffes als die verschiedene Form der Poesie und dies in ein Prinzip zu fassen sucht, eine Theorie der Dichtungsarten in eine allgemeine Ansicht zu bringen sucht.

*[Bl. 29 r]* Insofern nun das Romantische die Verbindung und Vereinigung gleichsam aller verschiedenen Töne der Poesie, so ist sie *[sic]* auch eigentlich nun der vollkommene Akkord der Poesie überhaupt. Das Romantische also eigentlich allein die vollständigste. Versteht sich, das Romantische nur im Ton, dieses Prädikat nur vom Ton gilt. [...] Da nun die Poesie in allen ihren Kräften wirken soll, so geht, mit Rücksicht auf den Unterschied dieser Gemütszustände und Geistesfähigkeit (und ihrer möglichen Vereinigung?), das Gesetz hervor, die Poesie soll Romantisch sein.

*[Bl. 30 r f.]* Faßt man den Begriff des Romantischen recht auf und versteht endlich den Begriff des Klassischen, wie es verstanden werden muß, nicht bloß so allgemein, sondern mit Rücksicht auf das, was die wahrhaft klassischen Dichter der Alten als wahre Dichter und Künstler charakterisiert, so wird man das Wesen des Klassischen setzen und finden in der gediegenen Kraft und Ausbildung, Vollendung, dann ist zwar vielleicht eine Art von Übergewicht in der Geschichte merklich, so daß da allerdings das Klassische von dem Romantischen geschieden erscheint. Allein für die Theorie und Beurteilung sind beide Begriffe gar nicht getrennt. Es ist gar nicht einzusehen, warum nicht gediegene Kraft, Kunst und vollendete Bildung des Klassischen verbunden sein sollte mit der reizenden Verwirrung und Verschmelzung aller Fähigkeiten und Gefühlszustände des dichtenden Geistes, welche das Romantische ausmacht, charakterisiert. Wir finden in Calderon, Cervantes

überall gediegene Kraft und Bildung — das Klassische ist also mit dem Romantischen gar nicht unvereinbar, ja die romantischen Gedichte sollen klassisch sein, sollen besonders wenn von ernsten großen Werken die Rede ist, die Gediegenheit, Kraft und Ausbildung haben, welche vorzüglich die ernsten großen Werke von einigem Umfang der Alten auszeichnet.

*[Bl. 32 r f.]* Alle jene Eigenschaften: elegisch — fantastisch, tragisch — komisch, können nun in einem Gedicht gemischt sein, und mit Rücksicht auf das Ideal der Poesie kann nun die Vereinigung aller jener Eigenschaften, Fähigkeiten, die höchste Regel sein. Man [soll] nun als eigentliche Poesie die Trennung nur als Ausnahme gelten lassen, und eben dies [die Vereinigung] ist das Romantische, der Zauber, womit märchenhafte Schilderungen unsere Fantasie erfüllen sollen und unser Gefühl auf eine zarte Weise geregt und angesprochen wird. Es bewährt sich also auch hier das allgemeine Gesetz: die Poesie soll romantisch sein.

*[Bl. 35 r]* Es ist uns genug: die epische Poesie ist die älteste, wesentlichste, ursprünglichste, die Grundlage aller Poesie überhaupt. Die dramatische eine angewandte, abgeleitete, neuere, nicht so wesentlich notwendig. Es läßt sich nicht denken, daß ein Volk, das ein Drama hätte und poetisch wäre, keine epische Periode gehabt hätte. Selbst die lyrische [Poesie] setzt dieselbe wie die dramatische voraus. Denn sie muß, um wirksam zu sein, aus irgendeiner poetischen Denkart hervorgehen, sich auf irgendeine poetische Denkungsart beziehen (Diese Denkart = Mythologie), kann nicht bloße Musik in Worten sein, z. B. die Minnelieder der Deutschen sind freilich allerdings durchaus Gefühl und Musik in Worten, ohne alle Allegorie und Mythologie, aber es liegt ihnen doch etwas zu Grunde, eine eigentümliche Denkart (das Rittertum), die nicht etwa bloß an die Wirklichkeit anschloß und daher genommen, sondern weiter hergenommen sein muß, sich auf ältere Tradition stützt, auf einen alten Glauben. Sie atmen doch alle einen Geist, beziehen sich alle auf einerlei Denkart, die im höchsten Grade poetisch, die Rittersitten pp. Ohne vorhergegangene epische Poesie ist aber eine solche Denkart nicht denkbar.

*[Bl. 39 r f.]* Diese zwei allgemeinen Merkmale, Charaktere —

Tendenz zu reiner Erfindung und der Gebrauch der Prosa, scheinen wieder auf eine gewisse Art zusammenzuhängen — so wie der Dichter gleichsam die größte Dichterkraft und das höchste Maß derselben bewirkt, aufbietet, indem er eine ganz neue Poesie erfindet, so auch das äußerste Maß von Kunst, daß er Poesie in Prosa ausdrückt. In diesem Bestreben liegt etwas Großes. Es deutet dieses auf eine gewisse Allgemeinherrschaft, die der Poesie soll gegeben werden, hat allerdings etwas Großes. Der Dichter soll sich nicht allein in Versen ausdrücken, auch die Prosa soll Poesie werden, jeder Dichter soll seine eigene Poesie aus sich selbst erfinden können.

*[Bl. 42 v]* Doch wenn die Fülle der alten Poesie durch die fortgehende Tätigkeit des poetischen Geistes immer soll verdoppelt und erhöht werden, (wie denn die Idee, alles poetisch zu gestalten, mit dem Wesen der Poesie so sehr verwandt ist, daß man erwarten kann, sie überall anzutreffen, wo die Poesie eine große Allgemeinheit erlangt hat), so soll auch die Poesie poetisiert werden, so muß es auch eine Poesie der Poesie geben. Dies Postulat liegt nun auch beim Märchen zugrunde. Alle die höchste Poesie ist ihm noch nicht poetisch genug. Der Prozeß der Poetisierung der Poesie, der Verdopplung der Poesie ist ebenso ein philosophischer als poetischer. Ja, indem nicht unwillkürliche Dichtung, Fabeln, Sagen, sondern absichtliche Sinnbilder, willkürliche oder Umerdichtung hier das Hinzugefügte sind, hat die Philosophie den größten Anteil. Jenes Umdichten des Poetischen läßt sich nur durch Allegorie bewerkstelligen, insofern jene Allegorie eine willkürliche, systematisch zusammenhängende ist, hat die Philosophie den größten Anteil daran; das Märchen soll also philosophisch sein, obschon das, was herauskommt, poetisch ist. Hieraus läßt sich auch erklären, warum das Märchen in Prosa geschrieben.

*[Bl. 52 r f.]* Es ist aber vorher immer noch wieder in Erinnerung zu bringen, daß die Notwendigkeit der Poesie [sich] auf das Bedürfnis [gründet], welches aus der Unvollkommenheit der Philosophie hervorgeht, das Unendliche darzustellen. Dies ist die philosophische Begründung der Poesie. [...] Der Gegenstand aller Philosophie, ohne sich auf diese Differenz und nähere Untersuchung

derselben einzulassen, ist das Unendliche, Göttliche. Hiermit beschäftigte sie sich. Dies läßt sich aber nicht in einem absoluten Begriff fassen, kann nicht durch einen Begriff und Wissenschaft erschöpft werden, ist über allen Begriffen erhaben. Ist dies klar, so muß dasselbe durch Sinnbilder angedeutet, dargestellt werden. Aber auch ist die Philosophie, insofern sie auf Wissenschaft geht, durchaus kalt, trocken. Sie ist als eine nüchterne, ruhige Untersuchung ganz verschieden von allem Enthusiasmus, den sie aber doch voraussetzt. [...] Es ist also zur Ergänzung der Philosophie Allegorie und Enthusiasmus nötig, und aus diesen zwei Grundquellen geht die Poesie hervor. Diese beiden Bedürfnisse soll die Poesie ersetzen. Es finden sich daher auch bei allen Nationen zwei Grundfäden, zwei verschiedene Teile der Poesie, Poesie in zweierlei Form, entweder Hymnen als Ausdruck des Enthusiasmus für das Göttliche und (in Fabeln und Mythologie) Episches als Allegorie jenes Begriffs, Idee des Unendlichen. Die epische Poesie, wie sie in der ältesten Geschichte sich zeigt, als erzählender Vortrag der ältesten Fabel, ist in der nächsten Beziehung mit der Mythologie.

*[Bl. 61 v]* Nicht nur Dichter aller Art und Zeit, sondern auch Künstler und Philosophen aller Art haben die Mythologie jeder auf seine eigene Art gestaltet und dadurch nicht nur poetisiert, sondern auch gebildet. Deshalb ist ihr in der Poesie die Gültigkeit nicht abzusprechen.

*[Bl. 75 v f.]* Soll die Poesie es überhaupt vorzüglich mit der Sprache zu tun haben, im innersten Wesen eine Sprachkunst sein, soll durch die Poesie die Sprache veredelt zu ihrer ursprünglichen Bedeutung zurückführen, so wäre es eines Dichters gar nicht unwürdig, sich mit Zurückführung zu der Bedeutung, ursprünglichem Wesen der einzelnen Buchstaben, Vokale, Konsonanten und Silben zu beschäftigen. Wollte man einwenden, daß dies zu künstlich, kann man wohl zugeben, daß es zu Irrtümern, Verirrungen führen (damit wie mit allem, was einen tiefen Sinn hat, Mißbrauch getrieben werden) könnte, aber doch im Ganzen die Sprache nie künstlich genug sein kann, wenn sie nur recht gebraucht wird. Die Künstlichkeit in derselben kann nie groß genug sein.

*[Bl. 95 v]* [...] Der Empirismus eigentlich die auf einer Formel gebaute Grunddenkart der neueren Zeit, dies der Brennpunkt, worin alle jene Meinungen, alle Versuche in Poesie und Wissenschaft zusammenfließen. Das objektivste Merkmal der modernen Poesie ist also ein bloß negatives (wie der Empirismus selbst nur ein negatives Prinzip), indem ihr eigentliches Wesen darin besteht, daß sie nicht romantisch. Der ganze Vorwurf, den man dieser Literatur mit Recht machen kann, ist, daß sie nicht klassisch, nicht romantisch, ihre Negativität. Antike, besonders romantische Poesie setzt durchaus Ansichten und Ideen voraus, welche unmöglich mit dem Empirismus verträglich [...] Sie beruhen auf Ideen, die auf eine idealistische Denkart sich beziehen [...] Es gibt also zwei ganz verschiedene Systeme von Literatur, eine Lockianische, empirische und [eine] idealistische.

*[Bl. 96 v]* Eine Poesie soll nicht bloß an ein Zeitalter sich anschließen, sondern an eine Nation, der Begriff hier nicht politisch, sondern ganz im höheren (im Ganzen) historischen Sinn u. Umfang [genommen]. Die Geschichte einer Nation ist ihr Charakter. (Der Charakter, der aus der Geschichte hervorgeht, ist der wahre, auf die gegenwärtige wirkliche Zeit darf hierbei nicht Rücksicht genommen werden.) Und insofern soll die Poesie national sein.

*[Bl. 100 r ff.]* Man hat auch den Mittelpunkt aller Wissenschaften und Künste in die Poesie gesetzt, versucht sie als die Zentralkunst aller Wissenschaften und Künste zu betrachten. Dies hat auch wohl viel wahres, da alle Wissenschaften und Künste dem Dichter Stoff werden können, alles poetisch gestaltet werden kann, und diese Gestaltung das Höchste ist, denn Poesie im wahren Sinne enthält gleichsam den Geist und das Wesentliche aller Künste und Wissenschaften in sich. Die Ansicht der Natur des begeisterten Dichters und die Darstellung der Gefühle eines frommen Dichters werden das enthalten, was der Physiker und Theologe in seinem Wissen hat.

Aber wenn es wahr ist, daß die Anschauungen und Begriffe auf ihrer höchsten Stufe von Entwicklung, letzter Blüte in allen Fächern, zuletzt in Poesie übergehen können und sollen, insofern die Poesie nichts anders ist als die schönste, höchste, reichste, freiste Gestaltung aller Fähigkeiten der höchsten Gedanken, die der Mensch haben kann, bloß als freies Spiel zu keinem Gebrauch und Zweck, so kann aber eben weil die Poesie da eine bloß spielende zwecklose Tätigkeit, [sie] zwar alles in sich aufnehmen, nur nicht wieder zurückgeben, nicht für diejenigen Tätigkeiten, welche auf ein bestimmtes Geschäft und Zweck gehen, Prinzip sein. Sie kann den Wissenschaften und Künsten, die einen bestimmten Zweck und Methode haben, diese nicht geben, auf diese nicht zurückwirken. Sie kann nur auf den Geist zurückwirken und nicht strenge.

Sie würde doch, wenn man sie ganz isoliert behandelte, sich selbst zu sehr in ein bloßes Spiel verwandeln. Sie bedarf eines Fundamentes, welches von einer anderen Tätigkeit hervorkommen muß, weil die spielende Tätigkeit sehr leicht in ein bloßes Spiel ausartet und aufhört, hinreichend zu sein. Aber auch die Philosophie, statt Mittelpunkt aller anderen Wissenschaften und Künste zu sein, bedarf zu ihrem eignen Fortkommen noch anderer Beihilfe, besonders der Poesie. Ohne diese könne keine Philosophie gedeihen, wo poetischer Geist, Denkart gänzlich erloschen, kann keine geistige Anschauung statthaben, fehlt also eigentlich das Organ der Philosophie [...] So bedarf nun die Poesie eines Fundamentes von außen her — und dies die Philosophie. Beide ergänzen sich — es trägt oft eine dazu bei, der anderen aufzuhelfen, die andere zu empfehlen, wie dies bei uns der Fall gewesen mit der Philosophie, welche den Sinn für Poesie geregt hat. Mit allem dem kann die Philosophie, ob sie gleich würdige Ansichten der Poesie verbreiten kann, der Poesie das eigentliche Fundament doch nicht geben, nur Beihilfe sein.

Allein es gibt noch eine dritte Tätigkeit, welche beide mehr vereinigt und den großen Vorzug hat, auch alle übrigen Wissenschaften und Künste in einem Ganzen zu vereinigen und sie in eine beliebige Beziehung zu setzen auf das menschliche Leben: die Geschichte. Philosophie sowohl als Poesie führen auf Geschichte [...] Die Historie [...] ist die höchste Form des menschlichen Geistes, zu der es keiner anderen Vorbereitung bedarf. Nur bedarf freilich die Geschichte auch der Philosophie und Poesie. Ohne poetischen Geist sänke sie herab zu bloßem trocknem Empirismus, aber [andererseits sind] auch viele künstliche Probleme und Verwicklungen in der Geschichte, die nur durch Philosophie zu lösen. — Diese drei Formen also als der Mittelpunkt, wodurch alle Künste und Wissenschaften verbunden werden. Die Geschichte aber das Höchste, das Zentrum von allem, ohne sie würde die Poesie ausarten in leere Spielerei und jede wahre Philosophie geht doch zuletzt in Geschichte über. [...] Geschichte und Poesie zusammengenommen führten uns gleichsam da zur Einheit wieder zurück zu dem, wovon die Alten ausgingen, der Mythologie. Denen es aber fehlte an etwas, worin ihre so zersplitterten und getrennten Wissenschaften und Künste zurückkehren könnten. Poesie und Geschichte recht verbunden der eigentliche Mittelpunkt, da es die allgemeine Philosophie muß besonders sein, Einleitung zur höheren Geschichte und Poesie [zu geben], so lange als diese noch nicht recht erkannt, unvollständig und der empirische Geist noch herrschend. Und wenn dies nicht mehr nötig, [dann ist] die Anwendung dessen, was in der höheren Geschichte und Poesie ausgesprochen (der höheren Denkart), anzuwenden als Moral und Rhetorik auf Sitte, Staat, Politik, Leben. Anwendung auf das Leben und zwar auf das Leben, was das Gemeinsamste ist, auf Sitte und Staat.

26 Zur Poesie und Literatur 1808, I (1808—1809) = Unveröffentlichtes Notizheft.

*[Bl. 8 r f.]* Die Kunst ist eigentlich nur zur Darstellung der Gottheit bestimmt — gleichsam in verschiedenen Cyklen, Architektur, Mahlerei, — Musik der aller Innerste. Poesie dagegen zunächst zur Darstellung der Natur (daher die kosmogonische, die heroische Poesie die erste.) [...] Die epische Poesie soll auch wie die Architektur die unendliche Fülle des göttlichen Lebens darstellen; die mystische Poesie dagegen ist pittoresk und evangelisch erotisch im höchsten Sinne, und völlig dasselbe mit der wahrhaft romantischen, Synthese der drei einfachen Arten der Poesie, der epischen, dramatischen und lyrischen Gattung.

*[Bl. 17 r]* Die Darstellung der Gottheit oder der Natur macht eine deutliche Scheidung in mehreren Gattungen der Poesie. — Die

dramatische ist eine indirecte Darstellung der Gottheit, die epische der Natur, die romantische der Welt, aber auch in (jenen) zwei Richtungen.

27 Poesie und Literatur 1811, I = Unveröffentlichtes Notizheft.

*[Bl. 47]* Man sollte glauben, die Poesie könne weder im absolut Elegischen die Musik, noch im absolut Fantastischen die bildende Kunst erreichen, und sollte sich daher mehr auf das absolut Heroische beschränken. Gleichwohl ist hingegen vieles zu erinnern; das absolut Elegische kann die Poesie in viel mannigfacheren Gestalten darstellen als die Musik; und keine bildende Kunst kann die Fülle und Seeligkeit der Fantasie ganz erreichen. [...] — Die Poesie hingegen scheint zunächst auf die Extreme zu gehen; wenn sie auch im absolut Heroischen ihren ursprünglichen Sitz hat, weil sie historischer ist, als die andren Künste und allein Kosmogonie seyn kann; so besteht ihre Vortrefflichkeit vorzüglich darin, aus dem absolut Heroischen Grund immer mehr in die Extreme absolut Elegisch und absolut Fantastisch zu kommen.

28 Zur Poesie und Literatur 1811, 2 = Unveröffentlichtes Notizheft.

*[S. 12]* Die älteste Poesie ist eine Offenbahrung der Natur; daraus entsteht dann in Verbindung mit Religion und Philosophie — Mythologie;

*[S. 13]* Die Poesie entspringt eben wie die Philosophie aus zwey Elementen oder Quellen; die eine und wesentlichste ist die Offenbahrung des Naturgefühls; die andre ist die Gabe der Darstellung. (Von jeher sehr getrennt)

*[S. 48]* Die älteste Poesie war eins mit der Philosophie; die neuste, vierte soll es wieder seyn. Die neue Poesie soll zugleich höchst national, und durchaus universell seyn; durch Kunst Eins mit Philosophie, wie einst durch Natur.

29 Zur Poesie und Literatur 1812 = Unveröffentlichtes Notizheft.

*[Bl. 45 r]* So wäre die Mahlerey die eigentliche Centralkunst? — Das ist wohl offenbar die Poesie zwischen Musik und Mahlerey.

30 Geschichte der alten und neuen Literatur (Wiener Vorlesung, gehalten 1812; mit Zusätzen 1822) = Krit. Ausgabe, Bd. VI.

*[S. 59 f.]* Nach unserm Begriff von der Dichtkunst kann die lebendige Darstellung des Lebens auch ohne alles Wunderbare, und ohne alle eigentliche Dichtung, von dem Gebiete der Poesie nicht ausgeschlossen werden. Die erste und ursprüngliche Bestimmung der Poesie, wenn wir sie auf den Menschen und das Leben, und überhaupt darauf beziehen, was sie eigentlich für eine Nation sein soll, ist es freilich, die einem Volke eigentümlichen Erinnerungen und Sagen zu bewahren und zu verschönern, und eine große Vergangenheit verherrlicht im Andenken zu erhalten; so wie es in den Heldengedichten geschieht, wo das Wunderbare freien Raum hat, und der Dichter sich an die Mythologie anschließt. Die zweite Bestimmung der Poesie ist es, ein klares und sprechendes Gemälde des wirklichen Lebens uns vor Augen zu stellen. Es ist dies auch in andern Formen möglich; die dramatische Dichtkunst aber kann es am lebendigsten. Nicht bloß die äußere Erscheinung des Lebens allein soll die Poesie darstellen; sie kann auch dazu dienen, das höhere Leben des innern Gefühls anzuregen. Das Wesen einer hierauf gerichteten Poesie ist eben die Begeisterung, oder das höhere und schönere Gefühl, was in vielerlei Gestalten sich kund gibt, die aber, sobald diese Richtung die überwiegende ist, immer zur lyrischen gehören.

Uns also besteht das Wesen der Poesie in der Dichtung, Darstellung und Begeisterung. In der Dichtung sind die beiden andern Elemente, Darstellung und Begeisterung, vollständig vereint; aber auch ohne eigentliche Dichtung, und ohne alles Wunderbare, kann ein Werk des Geistes und der Rede durch Darstellung oder Begeisterung allein poetisch sein, und genannt zu werden verdienen. ⟨Eben diese Elemente der Dichtkunst, nannten wir oben Sage, Lied und Bild, welches nur in einer andern Auffassung, oder von einer andern Seite angesehen, dasselbe ist, wie die hier genannten Bestandteile. Die Dichtung, wenn sie nicht durchaus willkürlich und rein erfunden ist, wenn sie sich an ein Gegebnes anschließt, und auf der Überlieferung beruht, geht aus der Sage, wie aus ihrer Wurzel hervor, und es bildet diese, die Sage nämlich, die materielle Grundlage und den sichtbaren Körper der Poesie. Die Begeisterung aber ist die Seele des Gesanges, so wie das kunstreiche Abbild des göttlichen Lebens, wie die Alten es in ihrer Tragödie zu erreichen strebten, die Krone der poetischen Darstellung ist, wo der innere Geist der Poesie den Gipfel seines Strebens erreicht. So beruht auch das Leben der Poesie, wie jedes höhere, innere Leben, auf den drei Prinzipien von Geist, Seele und Körper oder dem sinnlichen Element; und dem harmonischen Zusammenwirken dieser vereinten Elemente in ihrer steigenden Abstufung; und Sage, Lied und Bild sind die einzelnen Buchstaben oder Sylben, welche den poetischen Dreiklang und das ewige Wort der Poesie bilden und vollenden; das Wort der Natur nämlich, so wie die Fantasie diese in Liebe auffaßt, und das Wort des sehnsüchtigen Gefühls, wie es sich in der allgemeinen oder nationalen Erinnerung oder auch in deren Ahndung des Göttlichen ausspricht; welches Wort der Poesie selbst nur ein Teil ist, von dem ganzen, vollständigen Wort, welches nach dem göttlichen Ebenbilde der Menschenseele in allen ihren Fähigkeiten ursprünglich eingepflanzt und welches in der irdischen Hülle auszusprechen, der Mensch in der Sinnenwelt berufen ist.⟩

*[S. 275—277]* Das wahre und richtige Verhältnis der Poesie zur Gegenwart und zur Vergangenheit zu bestimmen, ist eine Frage, welche die eigentlichen Tiefen und das innere Wesen der Kunst betrifft. Überhaupt wird in unseren Theorien, außer einigen ganz allgemeinen, gehaltleeren und fast durchgehends falschen Ansichten und Definitionen über die Kunst und das Schöne an sich, meistens nur von den Formen der Poesie gehandelt, welche zu kennen allerdings notwendig, aber doch bei weitem nicht zureichend ist. Eine Theorie von dem der Dichtkunst angemessenen Inhalt gibt es noch kaum, ungeachtet eine solche für ihre Beziehung auf das Leben doch ungleich wichtiger wäre. Ich habe mich in den gegenwärtigen Vorträgen bemüht, diese Lücke auszufüllen, und eine solche Theorie zu geben, überall, wo sich dazu die Gelegenheit darbot.

Was die Darstellung des Wirklichen ⟨ und der nächsten Gegenwart⟩ in der Poesie betrifft, so ist vor allen Dingen zu erinnern, daß das Wirkliche nicht deswegen als ungünstig, schwierig oder verwerflich für die poetische Darstellung erscheint, weil es an sich immer gemein und schlechter wäre, als das Vergangene. Es ist wahr, das Gemeine und Unpoetische tritt in der Nähe und Gegenwart allerdings stärker und herrschender hervor; in der Ferne und Vergangenheit, wo nur die großen Gestalten hell erscheinen, verliert es sich mehr in den Hintergrund. Aber diese Schwierigkeit könnte ein wahrer Dichter wohl besiegen, dessen Kunst oft eben darin sich zeigt, das, was als das Gewöhnlichste und Alltäglichste gilt, indem er eine höhere Bedeutung und einen tiefern Sinn heraus fühlt oder ahndend hinein legt, durchaus neu, und in einem dichterischen Lichte verklärt erscheinen zu lassen. Beengend aber, bindend und beschränkend ist die Deutlichkeit der Gegenwart jederzeit für die Fantasie; und wenn man dieser im Stoff unnützerweise so enge Fesseln anlegt, so ist zu besorgen, daß sie sich nur von einer andern Seite in Rücksicht der Sprache und Darstellung desto mehr dafür entschädigen werde.

Um meine Ansicht über diesen Punkt auf dem kürzesten Wege deutlich zu machen, erinnere ich an das, was ich über die religiösen und christlichen Gegenstände schon mehrmals bemerkte. Die übersinnliche Welt, die Gottheit, und die reinen Geister können im ganzen nicht geradezu dargestellt werden; die Natur und die Menschheit sind die eigentlichen und nächsten Gegenstände der Poesie. Aber jene höhere und geistige Welt kann überall in diesen irdischen Stoff eingehüllt sein, und aus ihm hervorschimmern. Eben so ist auch die indirekte Vorstellung der Wirklichkeit und Gegenwart, die beste und angemessenste. Die schönste Blüte des jugendlichen Lebens und der höchste Schwung der Leidenschaft, die reiche Fülle einer klaren Weltanschauung, lassen sich leicht in die weiter oder enger umgrenzte Vergangenheit und Sage einer Nation verlegen, gewinnen da einen ungleich freiern Spielraum, und erscheinen in reinerem Lichte. Der älteste Dichter der Vergangenheit, welchen wir kennen, Homer, ist zugleich ein Darsteller der lebendigsten und frischesten Gegenwart. Jeder wahre Dichter stellt in der Vorzeit zugleich sein eigenes Zeitalter, ja im gewissen Sinne sich selbst mit dar. Dieses scheint mir durchaus das Rechte und das wahre Verhältnis der Poesie zur Zeit folgendes zu sein.

An und für sich soll sie nur das Ewige, das immer und überall Bedeutende und Schöne darstellen; aber geradezu und ganz ohne Hülle vermag sie dies nicht. Sie bedarf dazu eines körperlichen Bodens, und diesen findet sie in ihrer eigentlichen Sphäre, der Sage oder der nationalen Erinnerung und Vergangenheit. In das Gemälde derselben, trägt sie aber den ganzen Reichtum der Gegenwart, so weit dieselbe dichterisch ist, hinein, und indem sie das Rätsel der Welterscheinung, die Verwicklung des Lebens bis zu ihrer endlichen Auflösung hinleitet, und überhaupt eine höhere Verklärung aller Dinge in ihrem Zauberspiegel ahnden läßt, greift sie selbst in die Zukunft ein, ⟨als Morgenröte ihrer Herrlichkeit, und Ahndung des herannahenden Frühlings.⟩ Sie bewährt sich auf diese Weise, alle Zeiten, Vergangenheit, Gegenwart und Zukunft vereinend, als wahrhaft sinnliche Darstellung des Ewigen, oder der vollendeten Zeit. Auch im philosophischen Sinne ist das Ewige ja keine Abwesenheit und bloße Negation der Zeit, sondern vielmehr ihre ganze ungeteilte Fülle, in der alle Elemente derselben ⟨nicht unselig zerrissen, sondern innig⟩ vereint sind, wo die vergangene Liebe in bleibender Erinnerung immer wieder neu und gegenwärtig wird, das Leben der Gegenwart aber zugleich eine Fülle der Hoffnung und eine reiche Zukunft ⟨stets anwachsender Herrlichkeit⟩ schon jetzt in sich trägt.

Wenn ich im ganzen die indirekte Darstellung der Wirklichkeit ⟨und der umgebenden Gegenwart⟩, für die der Poesie angemessene halte, so soll dies keineswegs ein Verwerfungsurteil über alle Dichterwerke aussprechen, welche den entgegengesetzten Weg wählten. Man muß den Künstler von seinen Werken zu unterscheiden wissen. Der wahre Dichter bewährt sich auch auf dem falschen Wege und auch in solchen Werken, die ihrer ursprünglichen Anlage nach nicht vollkommen gelingen konnten.

*[S. 285 f.]* [...] so ist hier wohl der rechte Ort, das ⟨eigentümliche⟩ Wesen des Romantischen überhaupt zu bestimmen. Es beruht dasselbe ⟨nebst der schon bezeichneten innigen Anschließung an das Leben, wodurch es sich als eine lebendige Sagen-Poesie von der bloß allegorischen Gedanken-Poesie unterscheidet, nächstdem und vornehmlich⟩ auf dem mit dem Christentum und durch

dasselbe auch in der Poesie herrschenden Liebesgefühle, in welchem selbst das Leiden nur als Mittel der Verklärung erscheint, der tragische Ernst der alten Götterlehre und heidnischen Vorzeit in ein heiteres Spiel der Fantasie sich auflöst, und dann auch unter den äußern Formen der Darstellung und der Sprache solche gewählt werden, welche jenem inneren Liebesgefühle und Spiel der Fantasie entsprechen. In diesem ⟨weiteren⟩ Sinne, da das Romantische bloß die eigentümlich christliche Schönheit und Poesie bezeichnet, sollte wohl alle Poesie romantisch sein. In der Tat streitet auch das Romantische an sich mit dem Alten und wahrhaft Antiken nicht. Die Sage von Troja und die Homerischen Gesänge sind durchaus romantisch; so auch alles, was in indischen, persischen und andern orientalischen oder ⟨altnordischen und vorchristlichen⟩ europäischen Gedichten wahrhaft poetisch ist. ⟨Jene nordische Schule und ihre Dichtungen unterscheiden sich von dem eigentlich Romantischen nur dadurch, daß sie mehr Reste aus dem Heidentum behalten hat; daher die größere Naturtiefe des alten Nordens, bei einem geringeren Grade von christlicher Schönheit und Verklärung der Fantasie.⟩ Wo aber immer das höchste Leben mit Gefühl und ahndungsvoller Begeisterung in seiner tieferen Bedeutung ergriffen und dargestellt ist, da regen sich einzelne Anklänge wenigstens jener göttlichen Liebe, deren Mittelpunkt und volle Harmonie wir freilich erst im Christentum finden. Auch in den Tragikern der Alten sind die Anklänge dieses Gefühls ausgestreut und verbreitet, ungeachtet ihrer im ganzen finstern und dunkeln Weltansicht; die innere Liebe bricht in edeln Gemütern auch unter Irrtum und falschen Schreckbildern überall hervor. Nicht bloß die Kunst ist groß und bewundernswert im Äschylus und Sophokles, sondern auch die Gesinnung und das Gemüt. Nicht also in den lebendigen, nur in den künstlich gelehrten Dichtern des Altertums wird dieses liebevoll Romantische vermißt. Nicht dem Alten und Antiken, sondern nur dem unter uns fälschlich wieder aufgestellten Antikischen, allem was ohne innere Liebe bloß die Form der Alten nachkünstelt, ist das Romantische entgegengesetzt; so wie auf der andern Seite dem Modernen, d. h. demjenigen, was die Wirkung auf das Leben fälschlich dadurch zu erreichen sucht, daß es sich ganz an die Gegenwart anschließt, und in die Wirklichkeit einengt, wodurch es denn, wie sehr auch die Absicht und der Stoff verfeinert werden mag, der Herrschaft der beschränkten Zeit und Mode unvermeidlich anheim fällt.

31 Zur Poesie und Literatur 1817 Dezember — 1820 = Unveröffentlichtes Notizheft.

*[S. 62]* Der pathetischen Künste oder in der Bewegung wirkenden, und auf den Sinn des Beweglichen, das Gehör wirkend, sind drey: Rhetorik — Poesie — Musik. Diese Stellung der Poesie zwischen Musik und Rhetorik gibt in mancher Beziehung neues Licht über das Wesen derselben.

32 Ueber La Martine's religiöse Gedichte (1820) = Werke, Bd. VIII.

*[S. 186 f.]* Es giebt wohl nicht leicht einen schneidendern Gegensatz in dem ganzen Gebiethe der Geistescultur, als den zwischen der Poesie und dem dichterischen Gefühl der Deutschen Nation, und jener angenommenen Darstellungsform, welche bei den Franzosen diese Stelle einnimmt. Dort ist es ein tiefes Ahnen der Fantasie, was den Grundton des Lebens bildet, und die eigenthümliche Weltansicht bestimmt; ein Gefühl und ein Streben, was im Unendlichen verschwebt, oder mehrentheils nur in Fragmenten und halbvollendeten Gebilden sich räthselhaft kund giebt. Bei den Franzosen ist es ein nach allen Rücksichten der gesellschaftlichen Convenienz abgemeßner Ausdruck in der Darstellung der Leidenschaft, was als die vollkommenste Poesie bewundert wird, während es uns meistens nur den Eindruck von guter Prosa macht. Die Deutsche Poesie senkt sich mehr und mehr in die Vergangenheit zurück und wurzelt in der Sage, wo die Wellen der Fantasie noch frisch aus der Quelle strömen; die Gegenwart der wirklichen Welt kann sie höchstens nur im humoristischen Witz ergreifen, und dadurch in das Gebieth der Fantasie erheben. Die dichterische Darstellung der Franzosen ist in der Gegenwart daheim, und selbst die Vergangenheit stellt sie gern ohne sehr eigenthümliche Lokalfarben, in idealischer Allgemeinheit hin, mit täuschender Lebendigkeit, durch hinreißenden Effekt der Leidenschaft und des theatralischen Eindrucks. Es giebt aber etwas Mittleres und Tieferes, als

das bloß leidenschaftliche Gefühl, welches der prosaischen Wirklichkeit immer noch sehr nahe steht, ja auch als der Zauberschein der Fantasie in ihrem räthselvollen Sagenspiel, das freilich den Hauptstoff und den eigentlich geistigen Körper der Poesie bildet. Dieses mittlere, tiefere Element nun, worin jene andern beiden als in ihrem gemeinsamen Urquell zusammenkommen, ist das höhere Gefühl, was mehr ist als Leidenschaft, und was wir Begeisterung nennen, und vielleicht richtiger Beseelung nennen sollten. Denn eben diese tiefe, innige Beseelung ist es, aus der alles Leben, und auch das der Fantasie hervorgeht, so wie jeder Geistesflug in die Höhe seinen Aufschwung nimmt. Denn die wahre Begeisterung ist allein diejenige, welche aus dem tiefen Grunde jener alldurchdringenden Beseelung der innerlichen Liebe hervorgeht, und wo dieser Grund fehlt, ist die Begeisterung hohl, nicht ächt, und nur leidenschaftlich; obwohl auch diese Beseelung hinwieder einen Strahl von oben, und den Anhauch eines höheren Geistes bedarf, um sich aufwärts zur lichten Klarheit zu erheben.

*[S. 196 f.]* Die alte Poesie ist nun einmahl vorüber; ich meine darunter jenen stillen Zauber der Fantasie, aus der Vergangenheit und der Erinnerung, der uns und jeden, den er berührt, so unwiderstehlich anzieht, und mit friedlich liebevollem Gefühl in die schönen Tage der Vorzeit versenkt, und ihren ritterlichen Edelmuth, ihre fromme Unschuld, so wie die kindlichen Gefühle und lieblichen Spiele, in den magischen Spiegel wehmüthiger Jugenderinnerung von neuem zurückruft. Diese kindlichen Spiele der Fantasie, und die romantische Kunst, welche darauf gerichtet ist, mögen wohl auch ferner ihren Gang ungehindert, in dieser ihnen bestimmten Sphäre, für sich fortgehen, wo wir sie gern walten lassen, um den Teppich des sonst so einförmigen und trüben Lebens, hier und da wenigstens mit einigen Blumen, aus dem Frühling von ehemahls zu schmücken und zu durchwirken. Der herrschende Ton der Zeit ist aber eigentlich nicht mehr dieser des romantischen Gefühls für die schöne Vergangenheit; der Geist ist auf etwas andres gerichtet, wie man es leicht an dem vor allen andern bewunderten Dichter-Genie der Zeit sehen mag, welcher jetzt fast bei allen Nationen den Scepter

der Dichtkunst, wie es noch selten in der Art geschehen ist, an sich gerissen hat. Die neue Zeit bedarf natürlich auch einer neuen Poesie; und sie wird dieselbe auch finden und erreichen, entweder auf dem guten und göttlichen Wege, oder auf einem verderblichen und ganz verwerflichen, bösen Abwege; in reiner christlicher Schönheit der Gefühle und wahrhaft frommer Dichter- und Sehergabe, oder durch den falschen Zauber einer dämonischen Begeisterung, wie Lord Byrons Muse sich stets mehr zu solchem Abgrunde hinneigt.

33 Gespräch über die Poesie, 2. Fassung (1823) = Krit. Ausgabe, Bd. II.

*[S. 355—360]* [*Lothario* ...] Was sie uns aber bis jetzt gegeben haben, waren eigentlich nur erst zwei Elemente der Kunst und Poesie, deren jedes uns von einer zwiefachen Seite dargestellt wurde. Das erste und unentbehrlichste dieser Elemente ist das der deutlich erkannten Kunstbildung nach ihrem bestimmten und abgesonderten Stufengange der gesamten, alten und neuern Poesie; und dasselbe Element wurde uns dann, zur unmittelbaren Anwendung, an einem einzelnen reichen Kunstgenie und Vorbilde der Gegenwart, noch näher vor die Augen gerückt. Das zweite Element ist jenes unsichtbare, welches uns die verborgne Wurzel und Quelle aller Dichtung und Sage in der wunderbaren Kraft der Fantasie enthüllt, deren ewiges Wirken und Schaffen in der symbolischen Welt der Mythologie, oder in der Natursage wie in der Naturanschauung daheim ist. Dasselbe Element hat unser humoristischer Freund nur von einer andern Seite ergriffen, und es in seinem ewigen Kampfe mit der prosaischen Wirklichkeit dargestellt; denn aller wahrhaft poetische Witz und dichterische Humor ist doch nur eine angewandte Fantasie; oder eine indirekte Äußerungsart derselben.

*Antonio.* Sie wollen sagen, daß ich die Poesie, und das heißt doch wohl, die dichtende Fantasie, im gebundenen Zustande der sogenannten gemeinen und reellen Wirklichkeit oder im Stande der Erniedrigung zu beobachten und zu zeigen versucht; und das will ich mir schon gefallen lassen, und gern eingeständig sein, wenn es auch nur des Gegensatzes oder der Abwechslung wegen geschehen wäre, da ich von allen Seiten die andern mehr olympisch gestimmten und gesinnten Geister hinreichend bemüht sah, die Kunst in ihrer idealischen Höhe auf das glorreichste zu verherrlichen.

*Lothario.* Wo uns zwei entgegengesetzte Elemente gegeben sind, es sei für welchen Gegenstand der Natur oder des menschlichen Daseins und Wirkens es wolle; da dürfen wir kühn voraussetzen, daß wir noch ein drittes, als vollendende Einheit des Ganzen, zu jenen ersten zweien anzufügen und aufzusuchen haben.

Wie nun das vollkommenste Wesen in drei Kräften gemeinsam wirkt oder erkannt wird; so beruht auch das innre Leben des Menschen auf jenen drei Prinzipien von Geist, Seele und Körper, oder den drei Blättern im Buche der Ewigkeit, als dem Worte der Verherrlichung und Offenbarung des ewigen Vaters und Schöpfers aller Dinge.

Als ein treuer Spiegel der Menschenseele muß auch die Poesie in jener dreifachen Grundkraft verstanden werden; und es muß also eine Poesie des Geistes, ein dichterisches Element der Seele und ein mehr verkörpertes Darstellungsgenie in der Kunst, abgesondert vorhanden sein und deutlich unterschieden werden können.

Und so verhält es sich auch wirklich. Die materielle Dichtkunst ist diejenige, welche auf der Vorstellung der äußern Gegenstände, der Begebenheiten, Charaktere, Handlungen, Leidenschaften beruht, und diese in der ganzen Fülle der einzelnen Züge, der eigentümlichsten Wahrheit und der historischen Wirklichkeit nach den Gesetzen und in dem verklärenden Lichte der Poesie zu schildern versucht. Außer der dramatischen Gattung gehört aber auch der Roman in diese Sphäre; da er, obwohl der äußerlichen Form der Poesie, als prosaische Dichtkunst entsagend, doch auch auf die Darstellung der äußern Welt gerichtet ist, es sei nun zur Entwicklung des innern Lebens, oder in den Verwicklungen und im Spiel des gesellschaftlichen Daseins, dem auch das dramatische Schauspiel und Lustspiel nicht selten gewidmet ist. Einen andern Zweig dieser gröberen und mehr körperlichen Darstellungs-Poesie, bildet die polemische Dichtkunst, welche an einem feindlichen Stoffe und den widerstrebenden Gegenständen einer absichtlich oder willkürlich als unpoetisch aufgefaßten Wirklichkeit ihr Genie und ihre genialische Begeisterung ausläßt; in der Satire, der Volkskomödie oder in der humoristischen Ergießung, und in welcher andern Form sich noch die Poesie des Witzes kund geben mag. Die höchste Stelle aber unter diesen verschiedenen Arten der ganzen Gattung nimmt die tragische Kunst ein, die ich aber lieber, in einem weitern Sinne als idealische Darstellung einer erhabenen oder schönen Wirklichkeit bezeichnen möchte. Diese ganze Art von Poesie nun, soll uns ein treues Bild geben von dem Spiele des innern Daseins im Kampfe mit der äußern Welt. Auf eine andre höhere Stufe und in eine freiere Ansicht der Fantasie führt uns dagegen der epische Sagenstrom; denn dieser hat es gar nicht mehr mit der Gegenwart und Wirklichkeit zu tun, sie mag nun idealisch oder polemisch aufgefaßt werden. Er entspringt einer tieferen Naturquelle, und auch was geschichtlich ist in dieser Poesie der Vergangenheit, wird aufgelöst und verschmilzt in das allgemeine Sagen-Element uralter und ewiger Fantasie, so daß nichts einzelnes mehr in reeller Absonderung dramatisch hervortreten kann. Die Sage ist mit einem Wort die Seele der Poesie, wo die geistige Bedeutung und die lebendige Darstellung sich gegenseitig vollständig durchdringen; und ist eben darum zugleich auch die Poesie der Natur und unvergänglichen Erinnerung. In dieser Sphäre der Dichtkunst ist das Epos oder der Heldengesang die höchste Art. Das philosophische Naturgedicht oder die alte Kosmogonie der Göttersage bildet nur einen Zweig, eine Episode desselben; die Romanzen sind die einzelnen, zerstreuten Anklänge der epischen Sage, wie das Idyll bei den Alten ein Fragment vom dichterischen Gemälde war; und das Märchen ist eine Spielsage, als arabeske Dichtung, zum Scherz der Fantasie, in allem Bilderschmuck der blühendsten Poesie.

Es bleibt manches lokal und unbestimmt in der mannichfaltigen Fülle aller dieser verschiedenen Formen und Arten der Poesie, welche oft nah aneinander grenzen, eine in die andre übergehen, oder ihren Charakter verwechseln und vermischen. Unstreitig aber kann eine wahre und genügende Theorie der Dichtungsarten, wie unser Freund sie so dringend fordert, nur aus dieser Idee von der dreifachen Grundkraft der Poesie abgeleitet werden.

Eine dritte Gattung, nächst jener materiellen Dichtkunst, und dann der Poesie der Sage und Natur, als dem Seelen-Element aller Mythologie, bildet die Poesie des Geistes, welche in einer noch höhern Region des Göttlichen wandelt. Die lyrische Gattung, der ich eine viel höhere Würde und Bedeutung anweise, als ihr in den bisherigen Darstellungen, die wir uns gegenseitig mitgeteilt haben, bis jetzt zu Teil geworden, ist die eigentliche Sphäre für diese Poesie der Begeisterung. Zwar bricht wohl jedes lebendige Gefühl, welches die Brust des Dichters berührt, schon ganz kunstlos in mannichfache Lieder aus; die Begeisterung in den chorischen Gesängen ist mehrenteils eine vaterländische; und auch die tiefe elegische Liebesklage nimmt eine wesentliche Stelle ein im Kreise der lyrischen Dichtung. Indessen bleibt doch das Göttliche der wahre und eigentümlichste Gegenstand der höchsten Begeisterung, wie schon der Name darauf hinführt; und eigentlich geistliche Gedichte sind kaum anders denkbar, als in der lyrischen Art. Selbst bei den Alten gab wohl die Mythologie den Stoff her für alle epischen Gesänge und dramatischen Werke; aber der tiefere Sinn der Mysterien konnte nur in Hymnen ausgesprochen werden. Symbolisch ist die Sprache, wie die Bilder und Gedanken, in dieser ältesten Poesie; und zwar in einem ganz vorzüglichen Sinne. Denn hier ist das Symbol noch rein und streng in sich geschlossen, als einfache Hieroglyphe, und ist noch nicht in Sage zergangen oder zur mythischen Geschichte entfaltet. Der alte Hymnus ist die Grundform der lyrischen Dichtung und eben darum auch der Anfang aller Poesie; in welcher Urform, die drei Unterarten der entwickelten lyrischen Kunst, noch wie in der gemeinsamen Wurzel beisammen liegen. Denn der wahre gottbegeisterte Hymnus vereinigt die Musik und den Wohllaut des kunstlosen Liedes, mit der Hoheit und Begeisterung des chorischen Gesanges, und mit der Tiefe des schwebenden Gefühls und der fortgehenden Gedankenverwebung in der elegischen Dichtung. Die gnomischen Dichtersprüche, als Poesie der Gedanken, bilden nicht sowohl eine Unterart, als einen Zweig und Episode für diese ganze Gattung der Poesie des Geistes und der Begeisterung. Sowohl die geflügelten symbolischen Orakelsprüche des grauen Altertums, als die wahrhaft dichterischen Epigramme und Sinngedichte einer neuern Zeit, dienen als geistige Blüten des höchsten Gefühls, oder als lichte Gedankenstrahlen und helle Anhaltspunkte zum Träger und zur reichen Zierde für jenen vollen lyrischen Strom des begeisterten

Gesanges. Nehmen wir die höchsten Momente und Lichtpunkte aus der lyrischen Kunst der alten und neuen Poesie zusammen; vereinigen wir in Gedanken die geistige Schönheit des Petrarca, in seiner höheren allegorischen Bedeutung, und die milde Hoheit und ruhige Würde der Begeisterung in den Pindarischen Gesängen. Denken wir uns dann zu jenen höchsten Formen poetischer Kunst und Schönheit, um die Idee der höchsten lyrischen Vollkommenheit zu vollenden, für den innern Gehalt noch die gottbegeisterten Psalmen des heiligen Dichters der Hebräer hinzu; jene geflügelten Lobgesänge auf den Herrn der Heerscharen, welche zugleich doch auch so menschlich tief gefühlt sind. Denn wenn schon der chorische Gesang der Griechen in seiner kreisenden Bewegung den himmlischen Reigen der Gestirne nachbildet, nach der Idee eines Pythagoras oder Plato von dem Harmonienzauber der Sphären; so stellen uns jene heiligen Gesänge den schaffenden Geist selbst dar, welcher den Orion und das Siebengestirn geordnet hat. Nicht immer schildern sie uns bloß die Sehnsucht des eignen Herzens nach dem göttlichen Urquell, sondern sie entfalten auch die siderischen Wunder der Schöpfung überall in ihrem herrlichen Reichtum. Nur in lyrischen Sinnbildern lassen sich diese ewigen Geheimnisse der Offenbarung aussprechen, und diese höchste lyrische Gattung ist daher auch die eigentliche Sphäre für die christliche Dichtkunst; dagegen jede christliche Nachbildung oder Aneignung der alten Epopöe und mythischen Dichtung in ihrer heidnischen Form schon in der ersten Anlage den Keim des Mißlungenen mit sich trägt. Aus dieser höchsten Region mag sich aber allerdings dieses göttliche Licht der christlichen Schönheit, wie ein heller Morgenstern über alle Blumengefilde der Fantasie und über das ganze Gebiet der Poesie verbreiten und alles im Geiste der Liebe neu verklären.

Kann es eine Poesie des Unsichtbaren geben, der man es anfühlt, daß sie nicht von dieser Welt ist, so ist es nur diese Poesie der Wahrheit und der göttlichen Geheimnisse. Die wahre symbolische Dichtkunst ist nicht immer und überall, eine kunstlose Natur- und unbewußte Volks- oder auch bloße Sagen-Poesie, der wir ihre nächste Stelle nach der ersten schon angewiesen haben und in hohen Ehren lassen wollen. Jene erste aber ist vielmehr eine nicht bloß mit der äußern Bilderhülle spielende, sondern zugleich den tiefen Sinn erkennende, mithin wissende Poesie. Wenn uns daher unser naturphilosophischer Freund, den Realismus von der dichterischen Seite gezeigt hat, und als Grundlage der Fantasie und Quelle einer neuen tieferen Naturpoesie darstellen wollte; so wäre zu wünschen gewesen, und bliebe noch übrig, nur einen Schritt weiter zu gehen und uns zum Spiritualismus zu erheben. Das heißt, zu jener Denkart, welche der Offenbarung, so wie jeder alten, wenn auch nur Platonischen Theologie zum Grunde liegt; von der auch, weil es der allgemeine Glaube der Urwelt war, die deutlichsten Spuren, aus den Bruchstücken jedweder ältesten, indischen, nordischen oder hellenischen Poesie noch häufig einzeln hervorblicken. Der Spiritualismus aber ist die Lehre von der dreifachen Grundkraft des göttlichen und des menschlichen Daseins, oder von dem vereinigten Wirken und Leben des Geistes und der Seele in Gott und seinem ewigen Worte.

Nur auf dem Grunde dieser Ansicht von den drei Prinzipien des innern Lebens, kann auch die Idee der Poesie vollständig und ganz erfaßt werden, wie ich es hier anzudeuten versucht habe. Aus dieser vollständigen Idee des Ganzen aber werden dann alle die übrigen Ideen für die verschiedenen Arten und Äußerungen, Formen und Hervorbringungen der Poesie von selbst erfolgen und leicht in künstlerische Anwendung für jedes einzelne zu bringen sein.

34 Philosophie des Lebens. In fünfzehn Vorlesungen gehalten zu Wien im Jahre 1827 = Krit. Ausgabe, Bd. X.

*[S. 234 f.]* Auch die Poesie ist keine vierte Kunst neben jenen dreien, als nämlich auf der gleichen Linie stehend und erst die ganze Zahl vollmachend; sondern sie ist die allgemeine symbolische Kunst, welche in einem andern Medium, alle die drei andern darstellenden Künste des Schönen umfaßt und in sich vereinigt; und während sie durch den Rhythmus und sonstige Verskunst, als eine Musik in Worten erscheint, enthält ihre Bildersprache einen immer fließenden Strom von beweglichen Gemälden im lebendigen Farbenspiele der wechselnden Beleuchtung; in der Struktur des Ganzen aber, welches weder ein rein historisches noch ein bloß

logisch-geordnetes oder rhetorisches Ganzes sein darf, sucht sie daneben eine schöne organische Entwicklung und Gliederung, eine architektonisch große und doch richtige Anordnung zu erreichen. Den schöpferischen Anfangspunkt der Poesie bildet allemal irgend ein großer und eigentümlicher Lichtstrahl der symbolischen Sage, welcher zugleich die ehrwürdige Vergangenheit umfaßt und in eine ahndungsvolle Zukunft wenigstens scheinbar hinausdeutet; indem schwerlich eine große epische Hervorbringung der alten Zeit gefunden wird, die nicht auch dieses dichterisch prophetische, oder die geheimnisvolle Tiefe der einen und der andern Welt berührende Element in sich enthielte. Die mittlere Region bildet dann die Poesie des Gefühls und jene Seelenmusik oder Dichtersprache des Gesanges, in welcher die tiefe Sehnsucht des Moments und verzehrende Leidenschaft des Augenblicks, eingetaucht und verklärt in diesem unsterblichen Element, als eine ewige erscheint. Den höchsten Gipfel der organischen Entwicklung in der Poesie aber bezeichnet die dramatische Kunst, als die dritte Stufe der dichterischen Form, welche den vollen Kampf des Lebens zum Gegenstande hat, und diesen in der lebendigsten Anschauung wirklich zu machen und gleichsam körperlich vor Augen zu stellen sucht. Es ist eine sichtbare Analogie zwischen den einzelnen Bestandteilen und den verschiedenen Hauptgattungen oder Arten der Poesie, und jenen drei materiellen Künsten des Schönen; und so wie diese durchaus symbolisch sind, im Gegenstande, Ausdruck und Zweck ihrer Darstellung; so ist auch die alle jene drei Sphären zugleich umfassende Kunst der Poesie dieses ebenso sehr und in noch höherem Maße. Und dieses war das Ziel, wohin ich wollte, da die symbolische Bedeutung des ganzen Lebens hier der Gegenstand ist, der jetzt unsere Aufmerksamkeit in Anspruch nimmt. Denn wenn jenes höchste Wissen, welches wesentlich eins ist mit dem göttlichen Glauben, wirklich auf das Leben angewandt werden, wirklich mit demselben eins werden, und ganz in Leben und wirkliches Dasein verwandelt werden soll, wovon ich die Überzeugung in dem letzten Vortrage zu begründen suchte; so kann dieses nur auf dem symbolischen Wege geschehen, oder wenigstens ist die symbolische Bedeutung des Lebens entweder selbst die Grundlage, oder doch ein unentbehrliches Hülfsmittel und eine nicht zu umgehende Übergangsstufe einer solchen Vereinigung und der Vollendung derselben.

35 Philosophische Vorlesungen insbesondere über Philosophie der Sprache und des Wortes. Geschrieben und vorgetragen zu Dresden im Dezember 1828 und in den ersten Tagen des Januars 1829 = Krit. Ausgabe, Bd. X.

*[S. 393 f.]* [...] von den nähern Verbindungspunkten, in welchen sich Zeit und Ewigkeit berühren oder gegenseitig durchdringen. Es giebt deren noch mehrere andre Arten; eine der minder wunderbaren, und ⟨eben so⟩ allgemein und wohlthuend auf die Seele wirkenden als allgemein verständlichen ist die, welche in der wahren Kunst und höheren Poesie Statt findet. Denn auch hier ist es unter der irdischen Hülle der sinnlichen Erscheinung, der zeitlichen Begebenheit, der bildlichen Dichtung, doch das Ewige, was überall hindurch schimmert, und eben auf dieser aus dem äußern Schmuckgewande hervorleuchtenden Kraft des Ewigen beruht die hohe Würde und der hinreißende Zauber der wahren Kunst und der höheren Poesie; obwohl auch hier eben ⟨so wie dort⟩ jene strenge Unterscheidung zwischen dem echten Golde, und dem unächten aesthetischen Flitterstaat oder bloßen Modeschein eintreten muß, wie überall, wo das Ewige und Himmlische mit dem Irdischen und Vergänglichen in Berührung tritt. Die dem menschlichen Gemüth eingepflanzte oder mitgegebne und angebohrne, und ⟨hier⟩ aus dem Verborgnen wieder aufquellende Erinnerung der ewigen Liebe, ⟨wovon ich den ursprünglich Platonischen Begriff von allen fremdartigen Beymischungen und störenden Zusätzen zu reinigen, und eben dadurch zu erklären und zu rechtfertigen suchte,⟩ ist nicht bloß eine Grundlage des höhern Lebens überhaupt, sondern besonders auch eine von den großen innern Lebensadern der wahren Kunst und Poesie; deren ⟨es⟩ jedoch noch mehrere andre, eben so wesentliche und nicht minder reiche und ergiebige giebt. Eine solche ist z. B. die Sehnsucht nach dem Unendlichen, welche ⟨mehr hoffend und strebend in die Zukunft gerichtet ist,⟩ wie jene ⟨ewige Liebes⟩Erinnerung, die doch als solche ⟨mehr⟩ an der Vergangenheit haftet, und oft auch mit einem ⟨historischen⟩ Gefühl der wirklichen Vergangenheit zu-

sammenschmilzt; während die ⟨eigentliche⟩ Begeisterung im Leben wie in der Kunst, an ein Höchstes und Göttliches der Gegenwart, es mag nun ein wirkliches oder ein wenigstens dafür gehaltenes seyn, sich ⟨unmittelbar an die Gegenwart⟩ anschließt, und mit dem ⟨Gefühl⟩ dieser Gegenwart ⟨und dem Glauben daran⟩ innigst verbunden [ist].

*[S. 399]* Selbst für die Kunst und Poesie giebt es mehr als Eine solche Urquelle oder innere Lebensader des höhern Gefühls; und wenn die Erinnerung der ewigen Liebe ⟨als⟩ Eine derselben anerkannt werden muß; wer könnte wohl zweifeln, daß auch die in der menschlichen Brust so tief wurzelnde reine Sehnsucht nach dem Unendlichen ein zweites solches AnfangsElement bildet? — In der Poesie scheint wohl jenes Erste, oder das Elegische vorzuwalten, wenigstens in den einfachen ersten Dichtungen aus der ältesten Urzeit der Fantasie; als wehmüthige Erinnerung an die untergegangene Götterwelt und Heldenzeit; oder auch als klagender Nachhall über die verlohrne paradiesische Unschuld und den ersten ⟨himmlischen⟩ Zustand; oder ⟨endlich in einem⟩ noch allgemeinern und höhern ⟨Sinne⟩ als verlohrne Anklänge aus der seeligen Kindheit der ganzen Schöpfung, ehe noch die Geisterwelt durch den Zwiespalt zerrüttet war, ⟨und⟩ vor allem Anfang ⟨des Bösen und dem daraus hervorgegangenen Unglück der Natur⟩. ⟨In dieser Hinsicht könnte man nach der Analogie eines schon früher gebrauchten Ausdrucks die Poesie überhaupt die transcendentale Erinnerung des Ewigen im menschlichen Geiste nennen, wie sie ⟨die ursprüngliche, erste und älteste Poesie nämlich,⟩ als das gemeinsame Gedächtniß, oder das höhere ErinnerungsOrgan des ⟨ganzen⟩ Menschengeschlechts, von Jahrhundert zu Jahrhundert, von einer Nation zur andern fortgeht, im wechselnden Gewande der Zeiten aber und durch alle Zeit hindurch doch immer wieder auf jenes Erste und Ewige zurückweist.⟩

*[S. 401 f.]* Eine Kunst geht oft in das Gebiet der andern hinüber, was nicht immer bloß ein Fehlgriff ist oder auf einer wesentlichen und darum irrigen und schädlichen Verwechslung beruht. Besonders ist die Poesie auch oft in den andern Gebieten einheimisch und am meisten unter allen übrigen eine allgemeine

Kunst. Wenn auch jene ältesten und uralten Dichtungen ⟨oder epischen⟩ Gesänge erhabener Erinnerung, die erste Stelle einnehmen; wer würde darum die tiefe, innere Sehnsucht, als das Divinationsvermögen der höhern Liebe und ewigen Hoffnung und überhaupt diese ganze Musik der Gefühle von der Poesie ausschließen wollen, die ja eben ⟨den geistigen⟩ Inhalt und das beseelende Princip oder eigenthümliche Wesen der lyrischen Kunst bildet? — Oder wer möchte es tadeln, wenn die Poesie, das was ihren innern Geist und eigentliches Wesen bildet, in jenen göttlichen Erinnerungen und sehnsüchtigen Vorgefühlen, nun auch in noch andrer Weise auszudrücken, und ⟨als dramatische Darstellung⟩ den wesentlichen Gehalt ihres innern Seyns in der lebendigsten Wirklichkeit und ganz gegenwärtig vollendet hinzustellen strebt; in welcher Hinsicht sie dann wenigstens darin der bildenden Kunst wieder näher tritt und manche ⟨mit dieser⟩ verwandte Eigenschaft annehmen kann. — Es ist hier überhaupt ein mögliches Mißverständniß abzuwenden. Nicht ohne Grund zwar, glaube ich, muß man vor allem auf die nothwendig strenge Unterscheidung dringen, um die wahre Kunst und höhere Poesie zu sondern von dem unächten Schein. Eine Poesie welche der Leidenschaft, der Mode, oder auch der Prosa und was immer für bloß prosaischen Zwecken dienstbar ist, kann nicht diesen Nahmen verdienen. Etwas andres aber ist es, wenn der Dichter seine Poesie, und durchaus poetische Weltansicht, und diese ist es doch eben die den Dichter macht und nicht die äußere Form allein, in die prosaische Wirklichkeit irgend einer Gegenwart oder eines historisch gegebenen Stoffes hinein arbeitet⟨; oder wenn er das Gewirre der menschlichen Leidenschaften⟩ ⟨keinesweges⟩ um es weiter fortzupflanzen, oder noch mehr zu entzünden, vielmehr mit klarem Verstande die ganze Verwicklung ⟨desselben⟩ tief durchschauend in einer kunstreich harmonischen Nachbildung zusammenfaßt.⟩ Dieß könnte man, obwohl hier in einem ganz andern Gebiete, aber doch in einem ähnlichen Sinne, wie bey den mathematischen Wissenschaften, ⟨eine⟩ angewandte Poesie nennen, und mehrere der höchsten künstlerischen Hervorbringungen aus sehr verschiedenen Zeiten gehören dahin.

*[S. 485 f.]* Auch jener seelige Kindheitszustand der ganzen Schöpfung, vor allem Anfange des Unglücks und vor der Störung des Bösen, dessen ich erwähnte, und wovon der Begriff, wenigstens, als solcher, überhaupt nicht so ganz vernachlässigt werden sollte, ist für das höhere, geistige Ziel der Kunst, und ⟨besonders auch für⟩ das innere Wesen der Poesie ein nicht unwichtiger und vielfach fruchtbarer Begriff. Ich nannte die höhere Poesie, nach der darin waltenden göttlichen Idee der ewigen Hoffnung eine Morgenröthe im Aufgange in dieser Sphäre der geistigen Bildung und dichtenden Fantasie; bemerkte aber zugleich, daß auch die wehmütige Erinnerung, der trauernde Nachblick in eine dahingeschwundene große Vergangenheit, oder den verlohrnen kindlich seeligen Zustand ⟨des ersten Anfangs⟩, nicht eigentlich damit im Gegensatz oder gar im Widerstreit, sondern daß ⟨dieses Gefühl auch⟩ nur ⟨als⟩ der Wiederschein jener Hoffnung zu betrachten sey, als der Reflex von der andern Seite, so wie ja auch der liebliche Himmelsglanz der Abendröthe der aufstrahlenden Morgendämmerung in dem Eindruck für die Fantasie nah verwandt ist. Man könnte in dieser Hinsicht von der Poesie und ihrem innern Wesen überhaupt sagen, sie sey ein geistiger Nachhall ⟨der Seele⟩, ein ⟨Strahl der⟩ wehmütige[n] Erinnerung an das verlohrne Paradies; nicht als ob dieses und die Geschichte desselben, so wie sie uns überliefert ist und wie sie der brittische Dichter sich erwählt und behandelt hat, der einzige oder auch nur ein besonders glücklicher Gegenstand für die Dichtkunst wäre; sondern mit Beziehung auf jenes allgemeine Paradies der Natur im ganzen Weltall, auf den verlohrnen seeligen Kindheitszustand der Schöpfung, ehe diese durch den Abfall von Gott zerrüttet ward. Ein Ton der paradisischen Erinnerung, ein ⟨wehmütiger⟩ Nachhall von dieser himmlischen Unschuld und Urschöne des Weltalls im Anfang, kann sich als der ⟨innere⟩ belebende Geist als der höhere Lebensfaden ⟨überall⟩ durch die Gesänge und kunstreichen Darstellungen einer nicht ganz irdischen Poesie hinziehen; nicht als ob dieser Lichtstrahl allein schon den Inhalt eines vollendet entfalteten Dichterwerks ⟨bilden⟩ sollte oder immer ⟨bilden⟩ könnte, dessen äußerer Stoff und Gegenstand meistens ein mehr körperlicher, geschichtlich lebendiger ⟨zu seyn pflegt und auch⟩ seyn

muß; sondern so wie ich es früherhin von der göttlichen Hoffnung sagte, daß auch bey den aufs gründlichste ausgeführten, bis auf die tiefsten Gründe und Einzelheiten in allen Zügen genau durchforschten ⟨und dem gemäß dargestellten⟩ Gemählde der Wirklichkeit, dieses doch ⟨die⟩ in jener ⟨vollständigen⟩ Außenwelt der Darstellung eingehüllte innere Seele des Ganzen seyn könnte. Wo aber in einem Werke der Darstellung jener innere höhere Lebensfaden ganz fehlt, da wird es immer nur Prosa seyn und bleiben, wenn auch der Form nach in Versen, Kunst allenfalls, Witz, Geschichte, Ironie, alles was man will, nur nicht Poesie, deren Begriff, außer da, wo man ihn schon verlohren hat, oder zu verlieren anfängt, nirgends von dem der Begeisterung jemals ganz getrennt werden kann. Eine durchaus kalte VerstandesPoesie wenigstens, wenn man sie überhaupt noch als solche betrachten will, verhält sich zu der wahren Poesie der Begeisterung, ⟨in jedem Fall⟩ doch nur wie der SurrogatGlauben der reinen Vernunft zu dem lebendigen Glauben des vollen Gefühls, aus der eignen innigsten Ueberzeugung und Liebe.

## VI Novalis (Friedrich Leopold Freiherr von Hardenberg) (1772—1801)

Schriften I = Schriften. Im Verein mit R. Samuel hg. von P. Kluckhohn. 4 Bde. Leipzig: Bibliographisches Institut o. J.
Schriften II = Schriften. Die Werke Friedrich von Hardenbergs. Hg. von P. Kluckhohn und R. Samuel. 2. Aufl. Stuttgart: Kohlhammer 1960 ff.

1 Philosophische Studien der Jahre 1795—1796 (Fichte-Studien) = Schriften II, Bd. II.

*[S. 237 Nr. 435]* Die Poesie ist für den Menschen, was das Chor dem griechischen Schauspiele ist — Handlungsweise der schönen, rythmischen Seele — begleitende Stimme unsers bildenden Selbst — Gang im Lande der Schönheit — überall leise Spur des Fingers der Humanitaet — freye Regel — Sieg über die rohe Natur in jedem Worte — ihr Witz ist Ausdruck freyer, selbstständiger Thätigkeit — Flug — Humanisirung. Aufklärung — Rythmus — Kunst.

2 Brief an August Wilhelm Schlegel vom 30. November 1797 = Schriften I, Bd. IV.

*[S. 213]* Am Ende ist alle Poesie Übersetzung.

3 Brief an August Wilhelm Schlegel vom 12. Januar 1798 = Schriften I, Bd. IV.

*[S. 224 f.]* Anders die Poesie. Sie ist von Natur flüssig — allbildsam und unbeschränkt — Jeder Reiz bewegt sich nach allen Seiten — Sie ist Element des Geistes — ein ewig stilles Meer, das sich nur auf der Oberfläche in tausend willkürliche Wellen bricht. Wenn die Poesie sich erweitern will, so kann sie es nur, indem sie sich beschränkt — indem sie sich zusammenzieht — ihren Feuerstoff gleichsam fahren läßt — und gerinnt. Sie erhält einen prosaischen Schein — ihre Bestandteile stehn in keiner so innigen Gemeinschaft — mithin nicht unter so strengen, rhythmischen Gesetzen — sie wird fähiger zur Darstellung des Beschränkten.

Aber sie bleibt Poesie — mithin den wesentlichen Gesetzen ihrer Natur getreu — Sie wird gleichsam ein organisches Wesen — dessen ganzer Bau seine Entstehung aus dem Flüssigen, seine ursprünglich elastische Natur, seine Unbeschränktheit, seine Allfähigkeit verrät. Nur die Mischung ihrer Glieder ist regellos — die Ordnung derselben — ihr Verhältnis zum Ganzen ist noch dasselbe — Ein jeder Reiz verbreitet sich darin nach allen Seiten. Auch hier bewegen sich nur die Glieder um das ewig ruhende, eine Ganze. Wir nehmen das Leben oder den Zustand des Geistes — diese unbewegliche Einheit und das Maß aller Bewegungen — nur mittelst der Bewegungen der Glieder wahr. So erblickt man die Vernunft nur durch das Medium der Sinne. Je einfacher, gleichförmiger, ruhiger auch hier die Bewegungen der Sätze sind — je übereinstimmender ihre Mischungen im Ganzen sind — je lockerer der Zusammenhang — je durchsichtiger und farbloser der Ausdruck — desto vollkommner diese, im Gegensatz zu der geschmückten Prosa — nachlässige, von den Gegenständen *abhängig scheinende* Poesie.

Die Poesie scheint von der Strenge ihrer Forderungen hier nachzulassen — williger und gefügiger zu werden — aber dem, der den Versuch mit der Poesie in dieser Form wagt, wird es bald offenbar werden, wie schwer sie in dieser Gestalt vollkommen zu realisieren ist. Diese erweiterte Poesie ist gerade das höchste Problem des poetischen Dichters — ein Problem, was nur durch Annäherung gelöst werden kann und was zu der höhern Poesie eigentlich gehört, deren Grundsätze zu der niedern sich verhalten, wie die Grundsätze der höhern Meßkunde zu denen der niedern. Hier ist noch ein unermeßliches Feld — ein im eigentlichsten Sinn, unendliches Gebiet — Man könnte jene höhere Poesie die Poesie des Unendlichen nennen.

4 Blüthenstaub (1798) = Schriften II, Bd. II.

*[S. 441 Nr. 70]* Unsere Sprache ist entweder mechanisch, atomistisch oder dynamisch. Die ächt poetische Sprache soll aber organisch, lebendig seyn. Wie oft fühlt man die Armuth an Worten, um mehre Ideen mit Einem Schlage zu treffen.

*[Nr. 71]* Dichter und Priester waren im Anfang Eins, und nur

spätere Zeiten haben sie getrennt. Der ächte Dichter ist aber immer Priester, so wie der ächte Priester immer Dichter geblieben. Und sollte nicht die Zukunft den alten Zustand der Dinge wieder herbeyführen?

*[S. 447 Nr. 77]* Unser Alltagsleben besteht aus lauter erhaltenden, immer wiederkehrenden Verrichtungen. Dieser Zirkel von Gewohnheiten ist nur Mittel zu einem Hauptmittel, unserm irdischen Daseyn überhaupt, das aus mannichfaltigen Arten zu existiren gemischt ist.
Philister leben nur ein Alltagsleben. Das Hauptmittel scheint ihr einziger Zweck zu seyn. Sie thun das alles, um des irdischen Lebens willen; wie es scheint und nach ihren eignen Äußerungen scheinen muß. Poesie mischen sie nur zur Nothdurft unter, weil sie nun einmal an eine gewisse Unterbrechung ihres täglichen Laufs gewöhnt sind. In der Regel erfolgt diese Unterbrechung alle sieben Tage, und könnte ein poetisches Septanfieber heißen. Sonntags ruht die Arbeit, sie leben ein bißchen besser als gewöhnlich und dieser Sonntagsrausch endigt sich mit einem etwas tiefern Schlafe als sonst; daher auch Montags alles noch einen raschern Gang hat. Ihre parties de plaisir müssen konvenzionell, gewöhnlich, modisch seyn, aber auch ihr Vergnügen verarbeiten sie, wie alles, mühsam und förmlich.
Den höchsten Grad seines poetischen Daseyns erreicht der Philister bey einer Reise, Hochzeit, Kindtaufe, und in der Kirche. Hier werden seine kühnsten Wünsche befriedigt, und oft übertroffen.

*[S. 461 Nr. 109]* Nichts ist poetischer, als Erinnerung und Ahndung oder Vorstellung der Zukunft. Die Vorstellungen der Vorzeit ziehn uns zum Sterben, zum Verfliegen an. Die Vorstellungen der Zukunft treiben uns zum Beleben, zum Verkürzen, zur assimilirenden Wirksamkeit. Daher ist alle Erinnerung wehmüthig, alle Ahndung freudig. Jene mäßigt die allzugroße Lebhaftigkeit, diese erhebt ein zu schwaches Leben. Die gewöhnliche Gegenwart verknüpft Vergangenheit und Zukunft durch Beschränkung. Es entsteht Kontiguität, durch Erstarrung Krystallisazion. Es giebt aber eine geistige Gegenwart, die beyde durch Auflösung identifizirt, und diese Mischung ist das Element, die Atmosphäre des Dichters.

*[Nr. 110]* Die Menschenwelt ist das gemeinschaftliche Organ der Götter. Poesie vereinigt sie, wie uns.

5 Vermischte Bemerkungen (1798) = Schriften II, Bd. II.

*[S. 468 Nr. 122]* Die gemäßigte Regierungsform ist halber Staat und halber Naturstand — es ist eine künstliche, sehr zerbrechliche *Maschine* — daher allen genialischen Köpfen höchst zuwider — aber das Steckenpferd unsrer Zeit. Ließe sich diese Maschine in ein lebendiges, autonomes Wesen verwandeln, so wäre das große Problem gelößt. Naturwillkühr und Kunstzwang durchdringen sich, wenn man sie in Geist auflößt. Der Geist macht beydes flüssig. Der Geist ist jederzeit poëtisch. Der poëtische Staat — ist der wahrhafte, vollkommne Staat.

6 Logologische Fragmente (1798) = Schriften II, Bd. II.

*[S. 533 Nr. 31]* ⟨Die Poësie hebt jedes Einzelne durch eine eigenthümliche Verknüpfung mit dem übrigen Ganzen — und wenn die Philosophie durch ihre Gesezgebung die Welt erst zu dem wircksamen Einfluß der Ideen bereitet, so ist gleichsam Poësie der Schlüssel der Philosophie, ihr Zweck und ihre Bedeutung; denn die Poësie bildet die schöne Gesellschaft — die Weltfamilie — die schöne Haushaltung des Universums.
Wie die Philosophie durch System und Staat, die *Kräfte* des Individuums mit den Kräften der Menschheit und des Weltalls *verstärckt,* das Ganze zum Organ des Individuums, und das Individuum zum Organ des Ganzen macht — So die Poësie, in Ansehung des *Lebens.* Das Individuum lebt im Ganzen und das Ganze im Individuum. Durch Poësie entsteht die höchste Sympathie und Coactivität, die innigste *Gemeinschaft* des Endlichen und Unendlichen.⟩
*[Nr. 32]* ⟨Der Dichter schließt, wie er den Zug beginnt. Wenn der Philosoph nur alles ordnet, alles stellt, so lößte der Dichter alle Bande auf. Seine Worte sind nicht allgemeine Zeichen — Töne sind es — Zauberworte, die schöne Gruppen um sich her bewegen. Wie Kleider der Heiligen noch wunderbare Kräfte behalten, so ist manches Wort durch irgend ein herrliches Andenken, geheiligt und

fast allein schon ein Gedicht geworden. Dem Dichter ist die Sprache nie zu arm, aber immer zu allgemein. Er bedarf oft wiederkehrender, durch den Gebrauch ausgespielter Worte. Seine Welt ist einfach, wie sein Instrument — aber eben so unerschöpflich an Melodieen.⟩

*[S. 534 Nr. 37]* ⟨Poësie ist die Basis der Gesellschaft, wie Tugend die Basis des Staats. Religion ist eine Mischung von Poësie und Tugend — man errathe also — welche Basis?⟩

*[S. 535 Nr. 42]* ⟨Poësie ist die große Kunst der Construction der transscendentalen Gesundheit. Der Poët ist also der transscendentale Arzt.
Die Poësie schaltet und waltet mit Schmerz und Kitzel — mit Lust und Unlust — Irrthum und Wahrheit — Gesundheit und Kranckheit — Sie mischt alles zu ihrem großen Zweck der Zwecke — der *Erhebung des Menschen über sich selbst.*⟩
*[Nr. 43]* ⟨Wie sich die bisherigen Philosophieen zur Logologie verhalten, so die bisherigen Poësieen zur Poësie, die da kommen soll.
Die bisherigen Poësieen wirckten meistentheils dynamisch, die Künftige, transscendentale Poësie könnte man die organische heißen. Wenn sie erfunden ist, so wird man sehn, daß alle ächte Dichter bisher, ohne ihr Wissen, organisch poëtisirten — daß aber dieser Mangel an Bewußtseyn dessen, was sie thaten — einen wesentlichen Einfluß auf das Ganze ihrer Wercke hatte — so daß sie größestentheils nur im Einzelnen ächt poëtisch — im Ganzen aber gewöhnlich unpoëtisch waren. Die Logologie wird diese Revolution nothwendig herbeyführen.⟩
*[Nr. 46]* ⟨Die Poësie lößt fremdes Daseyn in Eignen auf.⟩

*[S. 536 Nr. 47]* ⟨Die transscendentale Poësie ist aus Philosophie und Poësie gemischt. Im Grunde befaßt sie alle transscendentale Functionen, und enthält in der That das transscendentale überhaupt. Der transscendentale Dichter ist der transscendentale Mensch überhaupt.⟩
*[Nr. 48]* Von der Bearbeitung der transscendentalen Poesie läßt sich eine Tropik erwarten — die die Gesetze der *symbolischen Construction* der transscendentalen Welt begreift.

*[Nr. 49]* ⟨Das Genie überhaupt ist poëtisch. Wo das Genie gewirckt hat — hat es poëtisch gewirckt. Der ächt moralische Mensch ist Dichter.⟩

*[Nr. 50]* ⟨Der ächte Anfang ist NaturPoësie. Das Ende ist der 2te Anfang — und ist KunstPoësie.⟩

*[Nr. 51]* ⟨Es wäre eine artige Frage, ob denn das lyrische Gedicht eigentlich *Gedicht*, PlusPoësie, oder Prosa, Minuspoësie wäre? Wie man den Roman für Prosa gehalten hat, so hat man das lyrische Gedicht für Poësie gehalten — beydes mit Unrecht. Die höchste, eigentlichste Prosa ist das lyrische Gedicht.
Die sogenannte Prosa ist aus Beschränckung der absoluten Extreme entstanden — Sie ist nur ad interim da und spielt eine subalterne, temporelle Rolle. Es kommt eine Zeit, wo sie nicht mehr ist. Dann ist aus der Beschränkung eine Durchdringung geworden. Ein wahrhaftes Leben ist entstanden, und Prosa und Poësie sind dadurch auf das innigste vereinigt, und in Wechsel gesezt.⟩

Poëticismen

*[S. 537 Nr. 53]* ⟨Lessing sah zu scharf und verlor darüber das Gefühl des undeutlichen Ganzen, die magische Anschauung der Gegenstände zusammen in mannichfacher Erleuchtung und Verduncklung.⟩

*[Nr. 54]* ⟨Wie episches, lyrisches und dramatisches Zeitalter in der Geschichte der griechischen Poësie einander folgten, so lösen sich in der Universalgeschichte der Poësie die Antike, Moderne, und Vereinigte Periode ab. Das Interressante ist der Gegenstand der Minus Poësie.
In Göthen scheint sich ein Kern dieser Vereinigung angesezt zu haben — Wer die Weise seiner Entstehung erräth hat die Möglichkeit einer vollkommnen Geschichte der Poësie gegeben.⟩

*[Nr. 55]* Bey den Alten war die Religion schon gewissermaaßen das, was sie bey uns werden soll — practische Poësie.

*[Nr. 59]* Man sollte plastische Kunstwercke nie ohne Musik sehn — musikalische Kunstwercke hingegen nur in schön dekorirten Sälen hören.
Poëtische Kunstwercke aber nie ohne beydes zugleich genießen.

*[S. 544 Nr. 99]* Unterschied zwischen *Dichten* und ein Gedicht machen. Der *Verstand* ist der Inbegriff der Talente. Die Vernunft sezt, die Fantasie *entwirft* — der Verstand führt aus. Umgekehrt, wo die Fantasie *ausführt*— und der Verstand entwirft.
romantische und rhetorische Poësie.

*[S. 545 Nr. 105]* Die Welt muß romantisirt werden. So findet man den urspr[ünglichen] Sinn wieder. Romantisiren ist nichts, als eine qualit[ative] Potenzirung. Das niedre Selbst wird mit einem bessern Selbst in dieser Operation identificirt. So wie wir selbst eine solche qualit[ative] Potenzenreihe sind. Diese Operation ist noch ganz unbekannt. Indem ich dem Gemeinen einen hohen Sinn, dem Gewöhnlichen ein geheimnißvolles Ansehn, dem Bekannten die Würde des Unbekannten, dem Endlichen einen unendlichen Schein gebe so romantisire ich es — Umgekehrt ist die Operation für das Höhere, Unbekannte, Mystische, Unendliche — dies wird durch diese Verknüpfung logarythmisirt — Es bekommt einen geläufigen Ausdruck. romantische Philosophie. *Lingua romana.* Wechselerhöhung und Erniedrigung.

7 Fragmente oder Denkaufgaben (1798) = Schriften II, Bd. II.

*[S. 564 Nr. 197]* Plastik, Musik und Poesie verhalten sich wie Epos, Lyra und Drama. Es sind unzertrennliche Elemente, die in jedem freyen Kunstwesen zusammen, und nur nach Beschaffenheit, in verschiednen Verhältnissen geeinigt sind.

8 Über Goethe (1798) = Schriften II, Bd. II.

*[S. 647 Nr. 473]* [...] Die Poësie ist das ächt absolut Reelle. Dies ist der Kern meiner Phil[osophie]. Je poëtischer, je wahrer.

9 Das Allgemeine Brouillon (1798) = Schriften II, Bd. III.

*[S. 242 Nr. 10]* ⟨Romantisiren ähnlich dem Algebraisiren — Brief an Fr[iedrich Schlegel] — romantisch.⟩

*[S. 297 Nr. 323]* POÉTIK. Die *Poësie* im strengern Sinn scheint fast die Mittelkunst zwischen den bildenden und tönenden Künsten zu seyn. Musik. Poësie. DescriptivPoësie.) Sollte der Tact der

Figur — und der Ton der Farbe entsprechen? rythmische und melodische Musik — Skulptur und Mahlerey.
*Elemente der Poësie.*

*[S. 302 Nr. 342]* [...] *Ferne* Phil[osophie] klingt wie Poesie — weil jeder Ruf in die Ferne Vocal wird. Auf beyden Seiten oder um sie her liegt + und minus Poësie. So wird alles in der Entfernung *Poësie — Poëm. Actio in distans.* Ferne Berge, ferne Menschen, ferne Begebenheiten etc. alles wird romantisch, quod idem est — daher ergiebt sich unsre Urpoëtische Natur. Poësie der Nacht und Dämmerung.
Das Nützliche ist per se prosaïsch. Jeder best[immte] Zweck ist ein *consonirter* — gehemmter Zweck überhaupt. *Ferne Zwecke.*

*[S. 306 Nr. 368]* [...] Alle Poësie hat einen tragischen Zug. (Ächtem Scherz liegt Ernst zum Grunde. Tragische Wirckung der Farce, des Marionettenspiels — des buntesten Lebens — des Gemeinen, Trivialen.)

*[S. 309 Nr. 382]* [...] Die Poësie ist die Prosa unter den Künsten. Worte sind acustische Configurationen der Gedanken.
[...] Die Algeber ist die *Poësie.*

*[S. 360 Nr. 545]* POËTIK. Wenn man manche Gedichte in *Musik sezt,* warum sezt man sie nicht in Poësie.

*[S. 368 Nr. 582]* [...] Die Malerey und Zeichnung sezt alles in *Fläche* — und *Flächenerscheinungen.* Die Musik alles in Bewegungen. Die Poësie alles in Worte und Sprachzeichen um.

*[S. 396 Nr. 684]* Jede W[issenschaft] wird Poësie — nachdem sie Phil[osophie] geworden ist.

*[S. 399 Nr. 688]* Poësie bezieht sich unmittelbar auf d[ie] Sprache. Aesthetik ist nicht so unrechter Ausdruck, als die Herrn glauben — Schönheitslehre ist der beste Ausdruck, wie mich dünckt.
Poësie ist ein Theil der phil[osophischen] Technik. Das Prädicat philosophisch — drückt *überall* die *Selbstbezweckung* — und zwar die *indirecte,* aus. Die directe Selbstbezweckung ist ein Unding mithin — entsteht durch sie eine zerstörende, mithin *zerstörliche* — und zu zerstörende Potenz — der grobe Egoïsm.

Im Allg[emeinen] kann man alle Stufen der *Worttechnik* unter dem Ausdruck Poësie begreifen. Richtigkeit, Deutlichkeit, Reinheit, Vollständigkeit, Ordnung sind *Praedicate* oder *Kennzeichen* der niedrigern Gattungen der Poësie. Schönheit ist das Ideal, das Ziel — die Möglichkeit — der Zweck der Poesie überhaupt. — Wird nach dem nothwendigen Schema der Poësie (Rede) — der nothw[endigen] Poësie (Rede) — die wirckliche Poësie (Rede) bearbeitet — so entsteht die idealische Poësie (Rede), die Schönheitspoësie (rede). Harmonie — Euphonie etc. alles begreift Schönheit überhaupt. *S c h ö n e  S e e l e.*

*[S. 420 f. Nr. 782]* [...] Religionslehre ist wissensch[aftliche] Poësie. Poësie ist unter d[en] Empfindungen — was Phil[osophie] in Beziehung auf Gedanken ist.
(Selbstgedanke — *Selbstempfindung.*)
Religion ist Synth[esis] von Gefühl und Gedanke oder Wissen Rel[igions]Lehre ist also eine Synthesis von Poëtik und Philosophik.

*[S. 449 Nr. 940]* Das Mährchen ist gleichsam der *Canon* der *Poësie* — alles poëtische muß mährchenhaft seyn. Der Dichter betet den Zufall an.

10 Monolog (1799?) = Schriften II, Bd. II.

*[S. 672 f.]* Wenn man den Leuten nur begreiflich machen könnte, daß es mit der Sprache wie mit den mathematischen Formeln sei — Sie machen eine Welt für sich aus — Sie spielen nur mit sich selbst, drücken nichts als ihre wunderbare Natur aus, und eben darum sind sie so ausdrucksvoll — eben darum spiegelt sich in ihnen das seltsame Verhältnißspiel der Dinge. Nur durch ihre Freiheit sind sie Glieder der Natur und nur in ihren freien Bewegungen äußert sich die Weltseele und macht sie zu einem zarten Maaßstab und Grundriß der Dinge. So ist es auch mit der Sprache — wer ein feines Gefühl ihrer Applicatur, ihres Takts, ihres musikalischen Geistes hat, wer in sich das zarte Wirken ihrer innern Natur vernimmt, und danach seine Zunge oder seine Hand bewegt, der wird ein Prophet sein, dagegen wer es wohl weiß, aber nicht Ohr und Sinn genug für sie hat, Wahrheiten wie

diese schreiben, aber von der Sprache selbst zum Besten gehalten und von den Menschen, wie Cassandra von den Trojanern, verspottet werden wird. Wenn ich damit das Wesen und Amt der Poesie auf das deutlichste angegeben zu haben glaube, so weiß ich doch, daß es kein Mensch verstehn kann, und ich ganz was albernes gesagt habe, weil ich es habe sagen wollen, und so keine Poesie zu Stande kommt. Wie, wenn ich aber reden müßte? und dieser Sprachtrieb zu sprechen das Kennzeichen der Eingebung der Sprache, der Wirksamkeit der Sprache in mir wäre? und mein Wille nur auch alles wollte, was ich müßte, so könnte dies ja am Ende ohne mein Wissen und Glauben Poesie sein und ein Geheimniß der Sprache verständlich machen? und so wär' ich ein berufener Schriftsteller, denn ein Schriftsteller ist wohl nur ein Sprachbegeisterter? —

11 Fragmente und Studien (1799—1800) = Schriften II, Bd. III.

*[S. 558 Nr. 21]* Ein Roman muß durch und durch Poësie seyn. Die Poësie ist nämlich, wie die Philosophie, eine harmonische Stimmung unsers Gemüths, wo sich alles verschönert, wo jedes Ding seine gehörige Ansicht — alles seine passende *Begleitung* und *Umgebung* findet. Es scheint in einem ächt poëtischen Buche, alles so *natürlich* — und doch so wunderbar — Man glaubt es könne nichts anders seyn, und als habe man nur bisher in der Welt geschlummert — und gehe einem nun erst der rechte Sinn für die Welt auf. Alle Errinnerung und Ahndung scheint aus eben dieser Quelle zu seyn — So auch diejenige Gegenwart, wo man in Illusion befangen ist — einzelne Stunden, wo man gleichsam in allen Gegenständen, die man betrachtet, steckt und die unendlichen, unbegreiflichen gleichzeitigen Empfindungen eines zusammenstimmenden Pluralis fühlt.

*[S. 563 Nr. 56]* Dichtkunst ist wohl nur — willkührlicher, thätiger, produktiver Gebrauch unsrer Organe — und vielleicht wäre Denken selbst nicht viel etwas anders — und Denken und Dichten also einerley. Denn im Denken wenden ja die Sinne den Reichthum ihrer Eindrücke zu einer neuen Art von Eindrücken an — und was daraus entsteht, nennen wir Gedanken.

*[S. 572 Nr. 113]* Erzählungen, ohne Zusammenhang, jedoch mit Association, wie *Träume.* Gedichte — blos *wohlklingend* und voll schöner Worte — aber auch ohne allen Sinn und Zusamenhang — höchstens einzelne Strofen verständlich — sie müssen, wie lauter Bruchstücke aus den verschiedenartigsten Dingen [seyn]. Höchstens kann wahre Poësie einen *allegorischen* Sinn im Großen haben und eine indirecte Wirckung wie Musik etc. thun — Die Natur ist daher rein *poëtisch* — und so die Stube eines Zauberers — eines Physikers — eine Kinderstube — eine Polter und Vorrathskammer.

*[S. 587 Nr. 221]* [...] Nichts ist *poëtischer,* als alle *Übergänge* und heterogène Mischungen.

*[S. 638 Nr. 504]* Poèten sind Isolatoren und Leiter des poëtischen Stroms zugleich.

*[S. 638 f. Nr. 505]* Wilhelm Meisters Lehrjahre sind gewissermaaßen durchaus *prosaïsch* — und modern. Das Romantische geht darinn zu Grunde — auch die Naturpoësie, das Wunderbare — Er handelt blos von gewöhnlichen *menschlichen* Dingen — die Natur und der Mystizism sind ganz vergessen. Es ist eine poëtisirte bürgerliche und häusliche Geschichte. Das Wunderbare darinn wird ausdrücklich, als Poesie und Schwärmerey, behandelt. Künstlerischer Atheïsmus ist der Geist des Buchs.
Sehr viel Oeconomie — mit prosaïschen, wohlfeilen Stoff ein poëtischer Effect erreicht.

*[S. 639 Nr. 507]* [...] Sollte Poesie nichts, als innre *Mahlerey* und Musik — etc. seyn. Freylich modificirt durch die Natur des *Gemüths.*
Man sucht mit der Poesie, die gleichsam nur das mechanische Instrument dazu ist, innre *Stimmungen,* und Gemählde oder *Anschauungen* hervorzubringen — vielleicht auch *geistige* Tänze etc.
Poésie = *Gemütherregungskunst.*

*[S. 646 f. Nr. 536]* *Gegen* Wilhelm Meisters Lehrjahre. Es ist im Grunde ein fatales und albernes Buch — so pretentiös und pretiös — undichterisch im höchsten Grade, was den Geist betrift —

so poëtisch auch die Darstellung ist. Es ist eine Satyre auf die Poësie, Religion etc. Aus Stroh und Hobelspänen ein wolschmeckendes Gericht, ein Götterbild zusammengesezt. Hinten wird alles Farçe. Die Oeconomische Natur ist die Wahre — *Übrig bleibende.*
[...] W[ilhelm] M[eister] ist eigentlich ein Candide, gegen die Poësie gerichtet.
Die Poësie ist der Arlequin in der ganzen Farce. Im Grunde kommt der Adel dadurch schlechtweg, daß er ihn zur Poësie rechnet, und die Poësie, daß er sie vom Adel repraesentiren läßt.

*[S. 649 Nr. 549]* Der Romandichter sucht mit Begebenheiten und Dialogen, mit Reflexionen und Schilderungen — Poësie hervorzubringen, wie der Lyrische Dichter durch Empfindungen, Gedanken und Bilder.
Es kommt also alles auf die Weise an, auf die künstlerische Wählungs und Verbindungskunst.

*[S. 650 Nr. 553]* Poësie ist *Darstellung* des *Gemüths* — der *innern Welt in ihrer Gesamtheit.* Schon ihr Medium, die Worte deuten es an, denn sie sind ja die äußre Offenbarung jenes innern Kraftreichs. Ganz, was die Plastik zur äußern gestalteten Welt ist und die Musik zu den Tönen. Effect ist ihr gerade entgegengesezt — insofern sie plastisch ist — doch giebt es eine musikalische Poësie, die das Gemüth selbst in ein mannichfaltiges Spiel von Bewegungen sezt.

*[Nr. 556]* Lustspiel und Trauerspiel gewinnen sehr und werden eigentlich erst poëtisch durch eine zarte, symbolische Verbindung. Der Ernst muß heiter, der Scherz ernsthaft schimmern.

*[Nr. 557]* Die Darstellung des Gemüths muß, wie die Darstellung der Natur, selbstthätig, eigenthümlich allgemein, verknüpfend und schöpferisch seyn. Nicht wie es ist, sondern wie es seyn könnte, und seyn muß.

*[S. 652 Nr. 570]* [...] Die Naturpoësie ist wohl der eigentliche Gegenstand der Kunstpoësie — und die Äußerlichkeiten der poëtischen Rede scheinen sonderbare Formeln ähnlicher Verhältnisse, sinnbildliche Zeichen des *Poëtischen* an den Erscheinungen zu seyn.

*[S. 653 Nr. 572]* [...] Die Poësie heilt die Wunden, die der Verstand schlägt. Sie besteht gerade aus entgegengesezten Bestandtheilen — aus erhebender Wahrheit und angenehmer Täuschung.

*[S. 654 Nr. 577]* Es ist höchstbegreiflich, warum am Ende alles Poësie wird — Wird nicht die Welt am Ende, *Gemüth?*

*[S. 670 Nr. 611]* Im Shakespeare wechselt durchaus Poesie mit Antipoësie — Harmonie mit Disharmonie ab — das Gemeine, Niedrige[,] Häßliche, mit dem Romantischen, Höhern, Schönen — das Wirckliche mit dem Erdichteten.

Dies ist gerade mit dem griechischen Trauersp[iel] der entgegengesezte Fall.

*[S. 677 Nr. 631]* [...] (Wer recht poëtisch ist, dem ist die ganze Welt ein fortlaufendes *Drama.)*

*[S. 683 Nr. 654]* Der Dichter hat blos mit *Begriffen* zu thun. Schilderungen etc. borgt er nur als BegriffsZeichen. Es giebt poëtische Musik und Mahlerey — diese wird oft mit Poësie verwechselt, z. B. von Tiek, auch wohl von Göthe.

*[Nr. 655]* Qualitative Perspective.

*[Nr. 656]* In eigentlichen Poëmen ist keine als die *Einheit* des *Gemüths.* Es können Augenblicke kommen, wo Abcbücher und Compendia uns poëtisch erscheinen.

Poësie = offenbarten Gemüth — *wircksamer* (produktiver) *Individualitaet.*

*[Nr. 657]* Es ist möglich, in einem Shakespeareschen Stück eine willkührliche Idee, Allegorie etc. zu finden — nur poëtisch muß sie seyn — d. i. Philologische Poësie.

Aufgabe — in einem Buche das Universum zu finden.

*[S. 685 Nr. 667]* Die Aesthetik ist ganz unabhängig von der Poësie.

*[Nr. 668]* [...] Die Kunst, auf eine *angenehme* Art zu *befremden,* einen Gegenstand fremd zu machen und doch bekannt und anziehend, das ist die romantische Poëtik.

Es giebt einen speciellen Sinn für Poësie — eine poëtische Stimmung in uns. Die Poësie ist durchaus personell und darum unbeschreiblich und indefinissabel. Wer es nicht unmittelbar weiß und fühlt, was Poësie ist, dem läßt sich kein Begrif davon beybringen. Poësie ist Poësie. Von *Rede(Sprach)kunst* himmelweit verschieden.

*[S. 685 f. Nr. 671]* Der Sinn für Poësie hat viel mit dem Sinn für Mystizism gemein. Er ist der Sinn für das Eigenthümliche, Personelle, Unbekannte, Geheimnißvolle, zu *Offenbarende*, das Nothwendigzufällige. Er stellt das Undarstellbare dar. Er sieht das Unsichtbare, fühlt das Unfühlbare etc. Kritik der Poësie ist Unding. Schwer schon ist zu entscheiden, doch einzig mögliche Entscheidung, ob etwas Poësie sey, oder nicht. Der Dichter ist wahrhaft sinnberaubt — dafür kommt alles in ihm vor. Er stellt im eigentlichsten Sinn *Subj[ect] Obj[ect]* vor — *Gemüth und Welt.* Daher die Unendlichkeit eines guten Gedichts, die Ewigkeit. Der Sinn für P[oësie] hat nahe Verwandtschaft mit dem Sinn der Weissagung und dem religiösen, dem Sehersinn überhaupt. Der Dichter ordnet, vereinigt, wählt, erfindet — und es ist ihm selbst unbegreiflich, warum gerade so und nicht anders.

*[S. 690 Nr. 690]* Worinn eigentlich das Wesen der Poësie bestehe, läßt sich schlechthin nicht bestimmen. Es ist unendlich zusammengesezt und doch einfach. Schön, romantisch, harmonisch sind nur Theilausdrücke des Poëtischen.

12 Brief an den Bruder Karl vom April 1800 (?) = Schriften I, Bd. IV.

*[S. 336]* Ja keine Nachahmung der Natur. Die Poesie ist durchaus das Gegenteil. Höchstens kann die Nachahmung der Natur, der Wirklichkeit nur allegorisch, oder im Gegensatz, oder des tragischen und lustigen Effekts wegen hin und wieder gebraucht werden.
Alles muß p o e t i s c h sein.

13 Heinrich von Ofterdingen (1802) = Schriften II, Bd. I.

*[S. 281—284]* [Klingsohr: „...] Nichts ist dem Dichter unentbehrlicher, als Einsicht in die Natur jedes Geschäfts, Bekanntschaft mit den Mitteln jeden Zweck zu erreichen, und Gegenwart des Geistes, nach Zeit und Umständen, die schicklichsten zu wählen.

Begeisterung ohne Verstand ist unnütz und gefährlich, und der Dichter wird wenig Wunder tun können, wenn er selbst über Wunder erstaunt."

[Heinrich:] „Ist aber dem Dichter nicht ein inniger Glaube an die menschliche Regierung des Schicksals unentbehrlich?"

„Unentbehrlich allerdings, weil er sich das Schicksal nicht anders vorstellen kann, wenn er reiflich darüber nachdenkt; aber wie entfernt ist diese heitere Gewißheit, von jener ängstlichen Ungewißheit, von jener blinden Furcht des Aberglaubens. Und so ist auch die kühle, belebende Wärme eines dichterischen Gemüts gerade das Widerspiel von jener wilden Hitze eines kränklichen Herzens. Diese ist arm, betäubend und vorübergehend; jene sondert alle Gestalten rein ab, begünstigt die Ausbildung der mannigfaltigsten Verhältnisse, und ist ewig durch sich selbst. Der junge Dichter kann nicht kühl, nicht besonnen genug sein. Zur wahren, melodischen Gesprächigkeit gehört ein weiter, aufmerksamer und ruhiger Sinn. Es wird ein verworrnes Geschwätz, wenn ein reißender Strom in der Brust tobt, und die Aufmerksamkeit in eine zitternde Gedankenlosigkeit auflöst. Nochmals wiederhole ich, das echte Gemüt ist wie das Licht, ebenso ruhig und empfindlich, ebenso elastisch und durchdringlich, ebenso mächtig und ebenso unmerklich wirksam als dieses köstliche Element, das auf alle Gegenstände sich mit feiner Abgemessenheit verteilt, und sie alle in reizender Mannigfaltigkeit erscheinen läßt. Der Dichter ist reiner Stahl, ebenso empfindlich, wie ein zerbrechlicher Glasfaden, und ebenso hart, wie ein ungeschmeidiger Kiesel." [...]

„Die Poesie will vorzüglich", fuhr Klingsohr fort, „als strenge Kunst getrieben werden. Als bloßer Genuß hört sie auf Poesie zu sein. Ein Dichter muß nicht den ganzen Tag müßig umherlaufen, und auf Bilder und Gefühle Jagd machen. Das ist ganz der verkehrte Weg. Ein reines offenes Gemüt, Gewandtheit im Nachdenken und Betrachten, und Geschicklichkeit alle seine Fähigkeiten in eine gegenseitig belebende Tätigkeit zu versetzen und darin zu erhalten, das sind die Erfordernisse unserer Kunst. Wenn Ihr Euch mir überlassen wollt, so soll kein Tag Euch vergehn, wo Ihr nicht Eure Kenntnisse bereichert, und einige nützliche Einsichten erlangt habt. [...“]

[...] „Die Erzählung Eurer Reise", sagte Klingsohr, „hat mir gestern abend eine angenehme Unterhaltung gewährt. Ich habe wohl gemerkt, daß der Geist der Dichtkunst Euer freundlicher Begleiter ist. Eure Gefährten sind unbemerkt seine Stimmen geworden. In der Nähe des Dichters bricht die Poesie überall aus. Das Land der Poesie, das romantische Morgenland, hat Euch mit seiner süßen Wehmut begrüßt; der Krieg hat Euch in seiner wilden Herrlichkeit angeredet, und die Natur und Geschichte sind Euch unter der Gestalt eines Bergmanns und eines Einsiedlers begegnet." „Ihr vergeßt das Beste, lieber Meister, die himmlische Erscheinung der Liebe. Es hängt nur von Euch ab, diese Erscheinung mir auf ewig festzuhalten." — „Was meinst du", rief Klingsohr, indem er sich zu Mathilden wandte, die eben auf ihn zukam. „Hast du Lust, Heinrichs unzertrennliche Gefährtin zu sein? Wo du bleibst, bleibe ich auch." Mathilde erschrak, sie flog in die Arme ihres Vaters. Heinrich zitterte in unendlicher Freude. „Wird er mich denn ewig geleiten wollen, lieber Vater?" — „Frage ihn selbst", sagte Klingsohr gerührt. Sie sah Heinrichen mit der innigsten Zärtlichkeit an. „Meine Ewigkeit ist ja dein Werk", rief Heinrich, indem ihm die Tränen über die blühenden Wangen stürzten. Sie umschlangen sich zugleich. Klingsohr faßte sie in seine Arme. „Meine Kinder", rief er, „seid einander treu bis in den Tod! Liebe und Treue werden euer Leben zur ewigen Poesie machen."

*[S. 284—287]* [...] Sie sprachen nachher von Poesie.
„Ich weiß nicht", sagte Klingsohr, „warum man es für Poesie nach gemeiner Weise hält, wenn man die Natur für einen Poeten ausgibt. Sie ist es nicht zu allen Zeiten. Es ist in ihr, wie in dem Menschen, ein entgegengesetztes Wesen, die dumpfe Begierde und die stumpfe Gefühllosigkeit und Trägheit, die einen rastlosen Streit mit der Poesie führen. Er wäre ein schöner Stoff zu einem Gedicht, dieser gewaltige Kampf. Manche Länder und Zeiten scheinen, wie die meisten Menschen, ganz unter der Botmäßigkeit dieser Feindin der Poesie zu stehen, dagegen in andern die Poesie einheimisch und überall sichtbar ist. Für den Geschichtschreiber sind die Zeiten dieses Kampfes äußerst merkwürdig, ihre Darstellung ein reizendes und belohnendes Geschäft. Es sind

gewöhnlich die Geburtszeiten der Dichter. Der Widersacherin ist nichts unangenehmer, als daß sie der Poesie gegenüber selbst zu einer poetischen Person wird, und nicht selten in der Hitze die Waffen mit ihr tauscht, und von ihrem eigenen heimtückischen Geschosse heftig getroffen wird, dahingegen die Wunden der Poesie, die sie von ihren eigenen Waffen erhält, leicht heilen und sie nur noch reizender und gewaltiger machen."

„Der Krieg überhaupt", sagte Heinrich, „scheint mir eine poetische Wirkung. Die Leute glauben sich für irgendeinen armseligen Besitz schlagen zu müssen, und merken nicht, daß sie der romantische Geist aufregt, um die unnützen Schlechtigkeiten durch sich selbst zu vernichten. Sie führen die Waffen für die Sache der Poesie, und beide Heere folgen *einer* unsichtbaren Fahne."

„Im Kriege", versetzte Klingsohr, „regt sich das Urgewässer. Neue Weltteile sollen entstehen, neue Geschlechter sollen aus der großen Auflösung anschießen. Der wahre Krieg ist der Religionskrieg; der geht geradezu auf Untergang, und der Wahnsinn der Menschen erscheint in seiner völligen Gestalt. Viele Kriege, besonders die vom Nationalhaß entspringen, gehören in die Klasse mit, und sie sind echte Dichtungen. Hier sind die wahren Helden zu Hause, die das edelste Gegenbild der Dichter, nichts anders, als unwillkürlich von Poesie durchdrungene Weltkräfte sind. Ein Dichter, der zugleich Held wäre, ist schon ein göttlicher Gesandter, aber seiner Darstellung ist unsere Poesie nicht gewachsen."

„Wie versteht Ihr das, lieber Vater?" sagte Heinrich. „Kann ein Gegenstand zu überschwenglich für die Poesie sein?"

„Allerdings. Nur kann man im Grunde nicht sagen, für die Poesie, sondern nur für unsere irdischen Mittel und Werkzeuge. Wenn es schon für einen einzelnen Dichter nur ein eigentümliches Gebiet gibt, innerhalb dessen er bleiben muß, um nicht alle Haltung und den Atem zu verlieren: so gibt es auch für die ganze Summe menschlicher Kräfte eine bestimmte Grenze der Darstellbarkeit, über welche hinaus die Darstellung die nötige Dichtigkeit und Gestaltung nicht behalten kann, und in ein leeres täuschendes Unding sich verliert. Besonders als Lehrling kann man nicht genug sich vor diesen Ausschweifungen hüten, da eine lebhafte Phantasie nur gar zu gern nach den Grenzen sich begibt, und übermütig das

Unsinnliche, Übermäßige zu ergreifen und auszusprechen sucht. Reifere Erfahrung lehrt erst, jene Unverhältnismäßigkeit der Gegenstände zu vermeiden, und die Aufspürung des Einfachsten und Höchsten der Weltweisheit zu überlassen. Der ältere Dichter steigt nicht höher, als er es gerade nötig hat, um seinen mannigfaltigen Vorrat in eine leichtfaßliche Ordnung zu stellen, und hütet sich wohl, die Mannigfaltigkeit zu verlassen, die ihm Stoff genug und auch die nötigen Vergleichungspunkte darbietet. Ich möchte fast sagen, das Chaos muß in jeder Dichtung durch den regelmäßigen Flor der Ordnung schimmern. Den Reichtum der Erfindung macht nur eine leichte Zusammenstellung faßlich und anmutig, dagegen auch das bloße Ebenmaß die unangenehme Dürre einer Zahlenfigur hat. Die beste Poesie liegt uns ganz nahe, und ein gewöhnlicher Gegenstand ist nicht selten ihr liebster Stoff. Für den Dichter ist die Poesie an beschränkte Werkzeuge gebunden, und eben dadurch wird sie zur Kunst. Die Sprache überhaupt hat ihren bestimmten Kreis. Noch enger ist der Umfang einer besonderen Volkssprache. Durch Übung und Nachdenken lernt der Dichter seine Sprache kennen. Er weiß, was er mit ihr leisten kann, genau, und wird keinen törichten Versuch machen, sie über ihre Kräfte anzuspannen. Nur selten wird er alle ihre Kräfte in *einen* Punkt zusammen drängen, denn sonst wird er ermüdend, und vernichtet selbst die kostbare Wirkung einer gutangebrachten Kraftäußerung. Auf seltsame Sprünge richtet sie nur ein Gaukler, kein Dichter ab. Überhaupt können die Dichter nicht genug von den Musikern und Malern lernen. In diesen Künsten wird es recht auffallend, wie nötig es ist, wirtschaftlich mit den Hülfsmitteln der Kunst umzugehn, und wie viel auf geschickte Verhältnisse ankommt. Dagegen könnten freilich jene Künstler auch von uns die poetische Unabhängigkeit und den innern Geist jeder Dichtung und Erfindung, jedes echten Kunstwerks überhaupt, dankbar annehmen. Sie sollen poetischer und wir musikalischer und malerischer sein — beides nach der Art und Weise unserer Kunst. Der Stoff ist nicht der Zweck der Kunst, aber die Ausführung ist es. Du wirst selbst sehen, welche Gesänge dir am besten geraten, gewiß die, deren Gegenstände dir am geläufigsten und gegenwärtigsten sind. Daher kann man sagen, daß die Poesie ganz auf

Erfahrung beruht. Ich weiß selbst, daß mir in jungen Jahren ein Gegenstand nicht leicht zu entfernt und zu unbekannt sein konnte, den ich nicht am liebsten besungen hätte. Was wurde es? ein leeres, armseliges Wortgeräusch, ohne einen Funken wahrer Poesie. Daher ist auch ein Märchen eine sehr schwierige Aufgabe, und selten wird ein junger Dichter sie gut lösen." [...]

„Die Sprache", sagte Heinrich, „ist wirklich eine kleine Welt in Zeichen und Tönen. Wie der Mensch sie beherrscht, so möchte er gern die große Welt beherrschen, und sich frei darin ausdrücken können. Und eben in dieser Freude, das, was außer der Welt ist, in ihr zu offenbaren, das tun zu können, was eigentlich der ursprüngliche Trieb unsers Daseins ist, liegt der Ursprung der Poesie."

„Es ist recht übel", sagte Klingsohr, „daß die Poesie einen besondern Namen hat, und die Dichter eine besondere Zunft ausmachen. Es ist gar nichts Besonderes. Es ist die eigentümliche Handlungsweise des menschlichen Geistes. Dichtet und trachtet nicht jeder Mensch in jeder Minute?" — Eben trat Mathilde ins Zimmer, als Klingsohr noch sagte: „Man betrachte nur die Liebe. Nirgends wird wohl die Notwendigkeit der Poesie zum Bestand der Menschheit so klar, als in ihr. Die Liebe ist stumm, nur die Poesie kann für sie sprechen. Oder die Liebe ist selbst nichts, als die höchste Naturpoesie. Doch ich will dir nicht Dinge sagen, die du besser weißt als ich."

„Du bist ja der Vater der Liebe", sagte Heinrich, indem er Mathilden umschlang, und beide seine Hand küßten.

14 Paralipomenon zum Heinrich von Ofterdingen = Schriften II, Bd. I.

*[S. 335 Nr. 1]* Poesie ist wahrhafter Idealismus — Betrachtung der Welt, wie Betrachtung eines *großen* Gemüts — Selbstbewußtsein des Universums.

*[Nr. 7]* Man kann die Poesie nicht gering genug schätzen.

# VII Friedrich Daniel Ernst Schleiermacher (1768—1834)

Werke I = Sämmtliche Werke. Berlin: Reimer 1835 ff.

Werke II = Werke. Auswahl in 4 Bdn. Hg. von O. Braun und J. Bauer. 2. Aufl. Leipzig: Meiner 1927 f.

Ästhetik = Ästhetik. Im Auftrage der Preußischen Akademie der Wissenschaften und der Literatur-Archiv-Gesellschaft zu Berlin nach den bisher unveröffentlichten Urschriften zum ersten Male herausgegeben von R. Odebrecht. Berlin und Leipzig: de Gruyter 1931.

Dilthey = W. Dilthey, Leben Schleiermachers. Bd. I. Berlin: Reimer 1870. Anhang: Denkmale der inneren Entwicklung Schleiermachers.

F. Schlegel, Krit. Ausgabe = Kritische Friedrich-Schlegel-Ausgabe. Hg. von E. Behler unter Mitwirkung von J. J. Anstett und H. Eichner. München-Paderborn-Wien: Schöningh 1958 ff.

1 Athenäumsfragmente (1798) = F. Schlegel, Krit. Ausgabe, Bd. II.

*[S. 227 Nr. 350]* Keine Poesie, keine Wirklichkeit. So wie es trotz aller Sinne ohne Fantasie keine Außenwelt gibt, so auch mit allem Sinn ohne Gemüt keine Geisterwelt. Wer nur Sinn hat, sieht keinen Menschen, sondern bloß Menschliches: dem Zauberstabe des Gemüts allein tut sich alles auf. Es setzt Menschen und ergreift sie; es schaut an wie das Auge ohne sich seiner mathematischen Operation bewußt zu sein.

2 Monologen. Eine Neujahrsgabe (1800) = Werke II, Bd. IV.

*[S. 413—415]* Ist das Schauen des Geistes in sich selbst die göttliche Quelle alles Bildens und Dichtens, und findet er nur in sich, was er darstellt im unsterblichen Werk: warum soll nicht bei allem Bilden und Dichten, das immer nur ihn darstellt, er auch zurückschauen in sich selbst? Teile nicht, was ewig vereint ist, dein Wesen, das weder das Tun noch das Wissen um sein Tun entbehren mag, ohne sich zu zerstören! Bewege alles in der Welt und richte aus, was du vermagst; gib dich hin dem Gefühl deiner angeborenen

Schranken, bearbeite jedes Mittel der geistigen Gemeinschaft; stelle dar dein Eigentümliches und zeichne mit deinem Geist alles, was dich umgibt; arbeite an den heiligen Werken der Menschheit, ziehe an die befreundeten Geister: aber immer schaue in dich selbst, wisse, was du tust, und in welcher Gestalt dein Handeln einhergeht. Der Gedanke, mit dem sie die Gottheit zu denken meinen, welche sie nimmer erreichen, hat doch für dich die Wahrheit einer schönen Allegorie auf das, was der Mensch sein soll. Durch sein bloßes Sein erhält sich der Geist die Welt, und durch Freiheit gibt er sich die Tätigkeit, die immer ein und dieselbe sein wechselndes Handeln hervorbringt: aber unverrückt schaut er zugleich seine Tätigkeit an in diesem Handeln immer neu und immer dieselbe, und dies Anschaun ist Unsterblichkeit und ewiges Leben, denn es bedarf der Geist nichts als sich selbst, und es vergeht nicht die Betrachtung dem zurückbleibenden Gegenstand, noch stirbt der Gegenstand vor der überlebenden Betrachtung. So haben sie auch gedichtet die Unsterblichkeit, die sie allzu genügsam erst nach der Zeit suchen statt neben der Zeit, und ihre Fabeln sind weiser als sie selbst. Es erscheint ja dem sinnlichen Menschen das innere Handeln nur als ein Schatten der äußeren Tat, und ins Reich der Schatten haben sie die Seele auf ewig gesetzt, und geweint, daß dort unten nur ein dürftiges Bild der frühern Tätigkeit ein dunkles Leben ihr friste: aber klarer als der Olymp ist das, was der dürftige Sinn verbannte in unterirdische Finsternis, und das Reich der Schatten sei schon hier mir das Urbild der Wirklichkeit. Jenseit der zeitlichen Welt liegt ihnen ja die Gottheit, und die Gottheit anzuschaun und zu loben, haben sie den Menschen nach dem Tode auf ewig befreit von den Schranken der Zeit: aber es schwebt schon jetzt der Geist über der zeitlichen Welt, und ihn anzuschaun ist Ewigkeit und unsterblicher Gesänge himmlischer Genuß.

3 Vertraute Briefe über Friedrich Schlegels Lucinde (1800) = Werke I, Abt. III, Bd. I.

*[S. 481]* Ein jedes Kunstwerk, welches sich als ein solches fühlt, muß seiner Natur nach Anspruch auf die Ewigkeit machen, und eben deshalb muß es auch existiren wollen, sobald es existiren

kann: denn was erst auf einen günstigen Moment wartet, zeiht sich selbst der Vergänglichkeit. Eine vorübergehende That thut wohl, den Augenblikk der größten Kraft abzuwarten; aber ein Werk? Es besteht ja, dieser Augenblikk kommt doch zur rechten Zeit; warum soll alles verloren gehn, was es vorher sein und ausrichten kann? Vorbereiten soll man erst? Nun ja, Kunstwerke selbst sollen nebenbei Vorbereitungen sein, sie sollen den Menschen den Sinn öffnen, um Ideen in ihr Gemüth und ihr Leben aufzunehmen: aber auf sie soll man wieder erst vorbereiten? wodurch? durch Theorie? Wer kehrt sich denn an Theorie, wer nimmt sie ernsthaft heut zu Tage und sucht eine Beziehung aufs Leben darin? Also womit soll man wieder auf die Theorie vorbereiten, und wo soll dieser Kreislauf der Präcautionen ein Ende nehmen? Nein, nein! Ein Kunstwerk enthält eine Anschauung, von dieser muß am Ende alles ausgehn, und also ist sie billig das erste was dargeboten wird. Es kommt hier auf eine Synthesis an, diese läßt sich nicht demonstriren, man muß sie vormachen und vorzeigen; [...]

*[S. 502]* Was von Poesie in uns ist ist doch wol nur die unmittheilbare der Natur und des Herzens, die für uns immer die Quelle des zartesten und schönsten im Leben sein wird, aber sich doch weigert in die Welt hinaus zu gehn. Pflege sie als mein liebstes Eigenthum in Dir, und wisse daß ich bald wiederkomme, Momente mit Dir zu leben, welche verdienten gedichtet zu werden.

4 Tagebuchnotizen (1799—1800) = Dilthey.

*[S. 113 Nr. 1]* Vergleichung der poetischen und praktischen Naturen. Jene sind mehr historisch, diese mehr prophetisch. Tendenz beider in den andern Standpunkt hinüber zu spielen. Die poetischen, welche das Bilden als bloße Praxis betreiben wollen verhunzen die Kunst. Die praktischen, welche die Praxis als Kunst betreiben wollen, verhunzen die Welt und sich selber. Dies kann nur der Standpunkt der Gottheit sein: Handle, und was daraus werden soll in der Welt und für die Welt, das überlasse dem Genius der Zeit. Wirkung auf die Menschen darf nur auf diese Art stattfinden. Politische Naturen sind eigentlich poetisch, nicht ethisch. So der Onkel im Meister. Eine ethische Natur ist in der

Politik immer fragmentarisch und scheinbar inconsequent. Eine poetische Natur will auch sich selbst bilden wie ein Werk, eine praktische behandelt sich als ein organisches Wesen, dem man nur Nahrung geben und nachhelfen kann. Eben so weichen sie in der Pädagogik ab.

## Zweites Tagebuch

*[S. 116 Nr. 17]* Ist nicht der Roman eigentlich die einzige Poesie der Neueren? Alles andre ist ihnen fremd. Ihr Drama hat seinen Ursprung in der Novelle und neigt immer dazu hin, und das beste Lyrische ist theils im Roman, theils muß man einen Roman darum herum machen, um es zu verstehen.

*[Nr. 20]* Die gänzliche Unfähigkeit der Alten zum Roman liegt wol zum Theil darin, daß ihre Poesie von der bildenden Kunst ausging, die es immer nur mit Momenten zu thun hat, und nicht mit dem Successiven, wie der Roman. Denn sonst bleibt es doch dabei, daß der Roman der Gipfel und die natürliche Tendenz aller Poesie ist.

*[S. 117 Nr. 27]* Philosophie und Religion gehen auf die ideale Thätigkeit, Moral und Poesie auf die reale. Darum kann auch das was die Religion anschaut nicht das Produkt der Philosophie sein, sondern das der Moral und der Poesie. Eigentlich so: Es giebt nur eine Philosophie der Natur und der Menschheit und eine Religion der Welt und der Kunst; aber keine Philosophie der Religion und keine Religion der Philosophie.

*[Nr. 28]* [...] Poesie und Moral gehn auf das Bewußtsein der Freiheit.

## Drittes Tagebuch

*[S. 126 Nr. 35]* Das was Adelung Harmonie nennt, den nachahmenden Numerus, möchte ich der Prosa niemals erlauben. In der Poesie soll der Numerus doch sich hervorheben; es wird also der Aufmerksamkeit kein neuer außerwesentlicher Gegenstand aufgedrängt, sondern nur durch etwas, was ohnedies da sein muß, ein Theil des Hauptzwecks erreicht, wobei noch die Kunst, trotz der scheinbaren Beschränktheit des Gesetzes diese Wirkung hervorge-

bracht zu haben, erfreulich ist. In der Prosa muß dagegen der Numerus erst auf eine höhere Potenz erhoben, und also ein neues und ihrem Geiste in den modernen Sprachen ganz zuwiderlaufendes Mittel geschaffen werden, welches störend ist. Vielleicht liegt in diesem verschiednen Verhältniß des Numerus einer der Hauptunterschiede zwischen Prosa und Poesie. Dies muß weiter bedacht werden.

*[S. 130 Nr. 65]* Bei mir geht der Fortschritt vom Aeußern zum Innern in der Poesie so: Epos, Drama, Roman. Das Lyrische ist Element der beiden letztern, doch am meisten des letzten; vom Epos ist es nach meinem Sinn ganz auszuschließen. In diesem Sinne steht doch Roman nicht in der Mitte zwischen Drama und Epos. Romanzen sind romantisch, weil da Geschichte nur ein Mittel ist, um ein Inneres, eine Stimmung auszudrücken. Dies ist unverständlich, wenn sie für sich bestehen; darum sind sie nur Element. Wenn sie als Masse für sich bestehen sollen, müßten sie episch werden und einen ganz andern Charakter haben. Ich halte dies also für eine falsche Tendenz.

5 Tugendlehre (1804—1805) = Werke II, Bd. II.

*[S. 48]* Symbolische Anschauung des Ganzen = Princip der Kunst.

6 Brouillon zur Ethik (1805—1806) = Werke II, Bd. II.

*[S. 187 f.]* Hier noch die Frage, ob auch die Poesie im Leben eines jeden hervortritt und wie? — Die Poesie ist eigentlich die Reaction der Art, wie das Individuum von der ethischen Seite der Welt afficirt wird. Dies sieht man aus ihren großen Productionen, Drama und Roman, wo sie Geschichte bildet und also durch das Ethische afficiren will. Zu diesen Productionen verhält sich alles andere nur wie elementarisches Materielle oder elementarische Form. (Es ist eine ganz falsche Ansicht, daß man in den bildenden Künsten die Erfindung im Gegensaz der Ausführung den poetischen Theil nennt. Denn die Erfindung ist in ihnen von ganz anderer Art, als in der Poesie. Man kann freilich Stoffe zu einer plastischen oder pittoresken Composition aus einem Gedicht neh-

men und umgekehrt, aber immer mit einer Verwischung der relativen Gegensäze. Denn in der Plastik und Malerei muß überall die Naturseite hervortreten, in der Poesie die ethische.) Eben deshalb hat auch die Poesie kein anderes Mittel als die Sprache, weil das Afficirtsein durch die ethische Seite nur von der höhern Anschauung, dem Erkennen ausgehn kann, mit welchem zugleich auch die Sprache gegeben ist. Hieraus ergiebt sich, wo die Poesie im Leben hervortreten muß, nemlich beim sittlichen Afficirtsein, das selbst wieder aus den geselligen Verhältnissen hervorgeht und überall, wo die Sprache gebraucht wird. (Wenn wir die Vollkommenheit der Anwendung der Sprache im geselligen Leben Wiz nennen, so ist der freilich auf diese Art nicht dasselbe in der Dichtkunst. Allein man erwäge nur das Verhältniß beider Sphären. Wiz ist eben die individuelle Combination in ihrer Gewalt über das allgemeine Darstellungsmittel, und so ist er auch in der Composition, aber im Großen und Ganzen, nicht im Einzelnen.) Dies giebt auch die wahre Bedeutung der Wohlredenheit. Diese ist keine eigne Kunst im Sinne der andern, weil sie nicht auf einem eigenthümlichen organischen Vermögen fundirt ist (daher die Schlechtigkeit der Sophisten, die eigentlich bloße Virtuosen der Wohlredenheit sein wollten). Sie ist aber die poetische Behandlung der Sprache außerhalb des virtuellen Gebietes der Poesie. Da kein objectives Wissen ohne subjectives ist, so auch keine Darstellung, und diese muß sich als Poesie in der Sprache offenbaren, sowol im plastischen Element, dem Worte, als auch im musikalischen, dem Rhythmus. Auch ist die Form der Poesie in ihren höchsten Bildungen das Gespräch.

7 Ethik (1812—1813) = Werke II, Bd. II.

*[S. 314 § 226 Anmerkung 1]* Es ist sehr uneigentlich und versteckt die Natur der übrigen Künste, wenn man alle gleichsam als Ausflüsse der Poesie ansieht. Der Maler sieht gar nicht erst die Geschichte oder die Gegend, sondern gleich das Bild, so wie der Dichter nicht äußere Gestalten zu sehen braucht.

8 Ästhetik (1819) = Ästhetik.

*[S. 17 f.]* Wo wir das Gefühl der Kunst nicht haben, haben wir

auch das Gefühl der Unvollkommenheit unserer Kenntnis oder unserer Befangenheit. Wir wenden nun unsere Idee der Kunst auf die göttliche Weltschöpfung an und sagen:
So wie in der Kunst der Mensch schöpferisch ist, so Gott in der Schöpfung künstlerisch. Der Genuß dieser göttlichen Kunst ist immer als die höchste Bestimmung des Menschen, durch die er selbst wieder künstlerisch aufgeregt werden sollte (ewige Musik und Poesie der Offenbarung) angesehn worden. Dies hat sich bei den Alten ausgesprochen, so daß das anschauende Leben als die höchste Potenz betrachtet wird; sie hat sich in der antiken Welt als die höchste Potenz des künftigen Lebens gezeigt. Und so löset sich alles in die unendliche Einheit der göttlichen Kunst auf.

## VIII Jean Paul (Johann Paul Friedrich Richter) (1763—1825)

Werke = Sämtliche Werke. Historisch-kritische Ausgabe. Hg. von der Preußischen Akademie der Wissenschaften. I. Abteilung: Zu Lebzeiten des Dichters erschienene Werke. Hg. von E. Berend u. a. Weimar: Böhlau 1927 ff.

Varnhagen, Denkwürdigkeiten = K. A. Varnhagen von Ense, Denkwürdigkeiten und vermischte Schriften. 9 Bde. Mannheim: Hoff bzw. Leipzig: Brockhaus 1837—59.

1 Quintus Fixlein (1796) = Werke, Bd. V.

*[S. 188]* Leute, deren Kopf voll poetischer Kreaturen ist, finden auch außerhalb desselben keine geringern. Dem ächten Dichter ist das ganze Leben dramatisch, alle Nachbarn sind ihm Charaktere, alle fremde Schmerzen sind ihm süße der Illusion, alles erscheint ihm beweglich, erhoben, arkadisch, fliehend und froh, und er kommt nie darhinter, wie bürgerlich-eng einem armen Archivsekretär mit sechs Kindern — gesetzt er wäre das selber — zu Muthe ist. Denn ist er selber bürgerlich unglücklich, z. B. ein Träger des Lazarus-Orden: so kommt es ihm vor, als mach' er eine Gastrolle in Gay's Bettleroper; das Schicksal ist der Theaterdichter, und Frau und Kind sind die stehende Truppe. — Und wahrlich, der Philosoph und der Mensch dürfen hier nicht anders denken als der Dichter; und der, für den das äußere (bürgerliche, physische) Leben mehr ist als eine Rolle: der ist ein Komödiantenkind, das seine Rolle mit seinem Leben verwirrt und das auf dem Theater zu weinen anfängt. Dieser Gesichtspunkt, der metaphorischer scheint, als er ist, erhebt zu einer Standhaftigkeit, die erhabener, seltener und süßer ist als die stoische Apathie und die uns an der Freude alles empfinden lässet, ausgenommen ihren Verlust.

*[S. 189 f.]* Woher kömmt nun, da die Phantasie nur der goldene Abend-Wiederschein der Sinne ist, dieser Reiz eigner Art, der an Träumen, Abwesenden, Geliebten, entrückten Zeiten und Ländern, an Kinderjahren und — was ich kaum zu nennen brauchte

— an den von den Dichtern in die Welt geschickten Blumengöttinnen und Blumenparterren haftet? — Wenn wir heraus haben, warum uns die Dichter gefallen: so wissen wir das Uebrige auch. Davon könnte man mehrere Ursachen angeben, die richtig wären, ohne zureichend zu sein. Z. B. Wir denken das ganze Jahr weniger mit Bildern als mit Zeichen, d. h. zwar mit Bildern, aber nur mit dunklern kleinern, mit Klängen und Lettern: der Dichter aber rücket nicht nur in unserem Kopfe alle Bilder und Farben zu einem einzigen Altarblatte zusammen, sondern er frischet uns auch jedes einzelne Bild und Farbenkorn durch folgenden Kunstgriff auf. Indem er durch die Metapher einen Körper zur Hülle von etwas Geistigen macht (z. B. Blüte einer Wissenschaft): so zwingt er uns, dieses Körperliche, also hier „Blüte", heller zu sehen, als in einer Botanik geschähe. Und wieder umgekehrt gibt er, wie vermittelst der Metapher dem Körperlichen durch das Geistige, eben so vermittelst der Personifikazion dem Geistigen durch das Körperliche höhere Farben.

Ferner könnte man — und kann auch — sagen: der dramatische Dichter überwältigt uns durch die Verwandlung der Wochen in Minuten und erweckt, indem er die tragische, vielleicht über Jahre hingesponnene Geschichte in wenige Stunden zusammen zieht, unsere Leidenschaften blos darum, weil er ihnen gleicht, da sie auch wie Taschenspieler und Heerführer uns durch Geschwindigkeit berücken.

*[S. 192]* Das Idealische in der Poesie ist nichts anders als diese vorgespiegelte Unendlichkeit; ohne diese Unendlichkeit gibt die Poesie nur platte abgefärbte Schieferabdrücke, aber keine Blumenstücke der hohen Natur. Folglich muß alle Poesie idealisieren: die Theile müssen wirklich, aber das Ganze idealisch sein. Die richtigste Beschreibung einer Gegend gehöret darum noch in keinen Musenalmanach, sondern mehr in ein Flurbuch — ein Protokoll ist darum noch keine Szene aus einem Lustspiel — die Nachahmung der Natur ist noch keine Dichtkunst, weil die Kopie nicht mehr enthalten kann als das Urbild. —

Die Poesie ist eigentlich dramatisch und malt Empfindungen, fremde oder eigene: das Uebrige — die Bilder, der Flug, der

Wohlklang, die Nachahmung der Natur — diese Dinge sind nur die Reißkohlen, Malerchatoullen und Gerüste zu jener Malerei. Diese Werkzeuge verhalten sich zur Poesie wie der Generalbaß oder die Harmonie zur Melodie, wie das Kolorit zur Zeichnung. Dazu setz' ich nun weiter: alle Quantitäten sind für uns endlich, alle Qualitäten sind unendlich. Von jenen können wir durch die äußern Sinne Kenntnis haben, von diesen nur durch den innern. Folglich ist jede Qualität für uns eine geistige Eigenschaft. Geister und ihre Aeußerungen stellen sich unserem Innern eben so gränzenlos als dunkel dar. Mithin muß das in uns geworfene Sonnenbild, das wir uns vom Dichter machen, vergrößert, vervielfältigt und schimmernd in den Wellen zittern, die er selber in uns zusammentrieb.

2 Blumen-, Frucht- und Dornenstücke [...] Siebenkäs (1796—1797) = Werke, Bd. VI.

*[S. 122]* Mich bewegt allezeit ein steifer altväterischer roher Vers, zumal aus einem ihm angemeßnen Munde, inniger als ein saftloser neuer mit elenden Eis- und Federblumen, und eine ganz elende Poesie ist besser als jede mittelmäßige.

3 Der Jubelsenior (1797) = Werke, Bd. V.

*[S. 387—389]* Prodromus galeatus

Eine Biographie oder ein Roman ist blos eine psychologische Geschichte, die am lackierten Blumenstab einer äußern emporwächset. Es gibt kein ästhetisches Interesse ohne Schwierigkeiten und Verwicklungen, d. h. keine Neugierde nach Dingen, die man — weiß. Nun kann der Dichter, wie das Schicksal und Fürsten, nur über die materielle Natur auf seinem Papier gebieten, nicht über die geistige; er kann aus dem Glückshafen und der doppelten Jupiters-Tonne seines Dintenfasses Registerschiffe, Quinternen, Pestilenzen, Sonnenschein, Gewitterwolken und ganze Inseln ziehen und damit seine Leute aus Papier und Dinte beschenken oder bestrafen, aber er ist niemals im Stande, in einem Lovelace mit allem Weihwasser seines Dintenkessels den Teufel zu ersäufen, oder einen Tom Jones zum puritanischen Durchbruch und Klosterprofeß zu bringen, oder das heilige Feuer eines Agathons mit Dinte auszugießen. Der Dichter — das Widerspiel des Menschen — ändert die Form an der materiellen Welt mit Einem Schlage seines eingetunkten Zauberstabs, aber die der geistigen nur mit tausend Meißelschlägen; er kann — als sein eigner Gegenfüßler — z. B. leichter r e i c h machen als g u t. Daher bedanken wir uns auch nicht bei ihm, wenn er noch so viele Leute todt macht oder gesund — oder arm — oder elend; d. h. wenn er p h y s i s c h e Knoten zerschneidet, anstatt m o r a l i s c h e aufzuknüpfen. Daher ist den Dichtern die materielle Welt, d. h. das R e i c h d e s Z u f a l l s, nur eingeräumt als Grundierung — ferner als F o l g e und W i r k u n g moralischer Ursachen — ferner nimmt ihnen kein Mensch den Zufall, wenn dieser den geistigen Knoten v e r g r ö ß e r t, aber nicht l ö s e t* — ferner wenn der Eidotter und die ganze *materia medica* und *peccans* des Zufalls, der hinten alle Schwierigkeiten besiegt, schon vornen in der Exposizion, obwol ungesehen, verborgen lag u. s. w.

Gleichwol muß sich die moralische Ver- und Entwicklung hinter die materielle verhüllen — wie der Schöpfer der Natur hinter die Gesetze der Natur —: die innere Kausal-Kette laufe verdeckt unter der äußern fort, die Motive kleiden sich in Oerter und Zeiten ein, und die Geschichte des Geistes in die des Zufalls.

Diesen romantischen Polyklets Kanon und Dekalogus, dieses herrliche Linienblatt haben die meisten Deutschen entzwei gerissen, und sogar in den Mährchen von 1001 Nacht find' ich die Allmacht des Zufalls schöner mit moralischen Mitteltinten verschmolzen als in unsern besten Romanen, und es ist ein großes Wunder, aber auch eine eben so große Ehre, daß meine Biographien hierin ganz anders aussehen, nämlich viel besser. Meine unvergeßlichen Splitter-, Vehm- und Kunstrichter hab' ich leider durch meine D i g r e s s i o n e n irre gemacht, obgleich Digressionen die psychologische Geschichte nur v e r s c h i e b e n, nicht v e r f ä l s c h e n, indeß andere Schreiber sie durch ihre Zufälle v e r n i c h t e n und durch ihre

---

* Ohne alles Bedenken kann ein Dichter morden, rauben, krönen, heilen, wenn er dadurch die Schlingen seines Helden, kurz die moralischen Räthsel verwickelt und verdoppelt.

Episoden verdoppeln*. O, gutes Schicksal! verleihe mir einmal ein Halbjahr, um darin sowol meine biographische Kameradschaft als meine akademische Gerichte weniger satirisch anzufahren als ernsthaft!
So, nach einem solchen ästhetischen Metrum muß der von der Natur wie von einem übenden Schullehrer zerworfne Vers der äußern Geschichte zusammengeschoben werden.

4 Das Kampaner Thal (1797) = Werke, Bd. VII.

*[S. 26]* Höchstens sah er mich für einen windigen Schöngeist an, der sich blos an Gefühle hält — obgleich Gefühle der Schwamm voll atmosphärischer Luft ist, den sowol der Dichter auf seinem hohen Parnaß als der philosophische Täucher in seiner Tiefe am Munde haben muß, und obgleich die Dichtkunst über manche dunkle Stellen der Natur ein früheres Licht warf als die Philosophie, wie der düstre Neumond von der Venus Licht bekömmt.

5 Titan (1800—1803) = Werke, Bd. VIII.

*[S. 372 f.]* Ihm scheint unbekannt zu sein, daß die Malerei wie die Dichtkunst sich nur in ihrer Kindheit auf Götter und Gottesdienst bezogen, daß sie aber später, als sie höher heran wuchsen, aus diesem engen Kirchhof herausschreiten mußten, wie eine Kapelle ursprünglich eine Kirche mit Kirchenmusik war, bis man beides weg ließ und die reine Musik behielt.

*[S. 395]* Warum, wenn er nur ein Traumbild ist, erscheint er mir nie in meinen Träumen?**

---

* Eine Episode macht aus einem Kunstwerk oder Interesse Zwei, und die spätere Verbindung vergütet ja die frühere Zertrennung nicht, sondern es ist gerade so, als wenn man Nikolai's Nothanker darum an Thümmels Wilhelmine binden und löthen und beide für Ein Kunstwerk geben wollte, blos weil jener auf diese fundieret ist.
** Darum vielleicht, warum der Dichter seine so bestimmt und oft angeschaueten Geschöpfe nicht in seinen Träumen unter den Bildern des Tages gehen sieht.

Komischer Anhang zum Titan

*[S. 402]* [...] die Poesie kann ja eben als eine höhere Geschichte nur dadurch das Individuum zur Gattung der Menschheit erheben, daß sie unparteiisch vor ihm die Menschheit auseinander breitet und alle Kräfte derselben getrennt und ungeschwächt vor ihm spielen lässet.

Einladungs-Zirkulare an ein neues kritisches Unter-Fraisgericht über Philosophen und Dichter

*[S. 405 f. Art. 4]* Blos die Philosophie und die Poesie sind die beiden Brennpunkte der genialischen Ellipse; das Uebrige ist der Kreis der Gelehrsamkeit; über jene beide richtet der ähnliche Sinn, über diese die ähnliche Kenntnis. Sogar die mündlichen Richter des Gesprächs erkennen diese breite Gränzscheidung an.

*[S. 408 f. Art. 7]* Eben so gibts eine Kurrentpoesie, welche für Journalistica, Akademien und alle mystische Körper gehört, in denen meistens Kurrentseelen wohnen. Sie ist eine transszendente Beredsamkeit oder eine Prosa der zweiten Potenz; wer die Franzosen, oder einen Gellert, Alxinger, Nikolay oder andere Adelungische Dichter zu schätzen weiß und sich an — nicht von — ihnen erholt, wer als Geschäftsmann solche gelegenheitsdichterische Haberröhre gleichsam wie edlere Pfeifen ausraucht: der wird hier am meisten in mich eingehen und es gut heißen, daß ich diese Poesie durch meine Unter-Frais besonders distinguiert und weiter poussiert zu haben wünsche. Die sogenannte genialische ist so geschmacklos, öde und finster für tausend Geschäftsmänner wie Plato; aber ein Mensch verlangt doch immer seinen Vers, jeder seinen Laureaten, jedes Neujahr seinen Musenalmanach, jede platte Gegend einen entlegenen Musenberg. Warum soll sich der Kanzlist, der gegen die Lebenssäure den weißen gelöschten Kalk der Kurrentpoesie verschlucken will, blos das darauf gestrichne Freskogemälde der höhern reichen lassen? — Empor gehoben wird er doch, auch durch den niedrigsten Poeten, weil dieser, er pfeife immerhin auf dem tiefsten Aestchen, stets höher nistet als der Leser, der unten auf den Wurzeln sitzt und hinauf horcht. Das poetische Gewölke, das der Almanachs-Poet auf seinen Almanachs-Parnaß und Brocken brauet, sei noch so naßkalt und form-

los, immer schauet doch ein Prosaisten-Stab am Fuße desselben hinauf, der bei Untergang der Sonne die Wolke roth gefärbt und voll Sonnenmaterie findet; — wobei ich meine Metapher noch nicht einmal verlassen und drei oder vier zusammengefaltete Käferflügel gar noch nicht angeschrieben habe, welche aus den Flügeldecken zu ziehen sind, wenn man aus dem goldnen Almanachs-Kerbthier die Musikblätter hervorholt und so nun Flug und Gesang neben einander über alles exzellieren lässet.

*[S. 455 f.]* Imprimatur und Vorrede des Teufels zum Brockenbuch

Als Zensor hab' ich blos zu versichern, daß in dieser Reisebeschreibung von mehrern Verfassern, betitelt: das Brockenbuch, nichts vorkommt, was gegen die Ehre und das Interesse meines Obersten, Beelzebubs, laufen könnte, wenn man nicht so unbillig sein will, bloße poetische Gesinnungen für wirkliche zu nehmen. Als Privatgelehrter und Vorredner wünscht' ich einen und den andern meiner Mitteufel auf den vortheilhaftern Standpunkt für dieses Stamm- und Phrasesbuch zu setzen. Vielen von uns — und nicht eben den schlechtesten — muß es anfangs wunderlich und anstößig vorkommen, daß gerade in unserem Kirchenstaat, unserem Nonnenkloster und Altare und unserer Kanzel so nahe, de- und theistische Gesinnungen in Manuskript frei geäußert werden, Floskeln von Anbetung Gottes, Reinheit der Empfindung, Erhebung über die Welt, kurz die gesalbte Sprache jener noch immer nicht ausgerotteten Puritaner oder Katharer, die bekannter unter dem Namen Religiosisten sind. Allein der Billige erwägt, daß es doch offenbar Dichter oder poetische Prosaiker sind, welche in dieser Liederkonkordanz so sprechen. Die Poesie aber muß frei sein und bloße Form, und es muß ihr — wenn man sie nicht wie einige Teufel von mehr Herz als Kopf zum Stoff verkörpern will — jede Empfindung, auch die allersittlichste, darzustellen zugelassen sein. Ist es nicht unbillig, darum von bloßen Darstellungen auf das Herz zu schließen und den Dichter nicht von dem Menschen abzusondern, da man doch in weit schwierigern Fällen Werke wie das des Petronius (nach Lipsius) lesen und (nach Bayle) sogar schreiben kann ohne den geringsten Einfluß auf das Herz?

6 Vorschule der Aesthetik (1804; §§ 4 und 22 eingefügt 1813) = Werke, Bd. XI.

*[S. 21 f. § 1]* Über die Poesie überhaupt. Ihre Definizionen

Man kann eigentlich nichts real definieren als eine Definizion selber; und eine falsche würde in diesem Falle so viel vom Gegenstande als eine wahre lehren. Das Wesen der dichterischen Darstellung ist wie alles Leben nur durch eine zweite darzustellen; mit Farben kann man nicht das Licht abmalen, das sie selber erst entstehen lässet. Sogar bloße Gleichnisse können oft mehr als Worterklärungen aussagen, z. B.: „die Poesie ist die einzige zweite Welt in der hiesigen; — oder: wie Singen zum Reden, so verhält sich Poesie zur Prose; die Singstimme steht (nach Haller) in ihrer größten Tiefe doch höher als der höchste Sprechton; und wie der Sington schon für sich allein Musik ist, noch ohne Takt, ohne melodische Folge und ohne harmonische Verstärkung, so gibt es Poesie schon ohne Metrum, ohne dramatische oder epische Reihe, ohne lyrische Gewalt." Wenigstens würde in Bildern sich das verwandte Leben besser spiegeln als in todten Begriffen — nur aber für jeden anders; denn nichts bringt die Eigenthümlichkeit der Menschen mehr zur Sprache als die Wirkung, welche die Dichtkunst auf sie macht; und daher werden ihrer Definizionen eben so viele sein als ihrer Leser und Zuhörer.

Nur der Geist eines ganzen Buchs — der Himmel schenk' ihn diesem — kann die rechte enthalten. Will man aber eine wörtliche kurze: so ist die alte aristotelische, welche das Wesen der Poesie in einer schönen (geistigen) Nachahmung der Natur bestehen lässet, darum verneinend die beste, weil sie zwei Extreme ausschließet, nämlich den poetischen Nihilismus und den Materialismus. Bejahend aber wird sie erst durch nähere Bestimmung, was eine schöne oder geistige Nachahmung eigentlich sei.

*[S. 22—25 § 2]* Poetische Nihilisten

Es folgt aus der gesetzlosen Willkür des jetzigen Zeitgeistes — der lieber ichsüchtig die Welt und das All vernichtet, um sich nur freien Spiel-Raum im Nichts auszuleeren, und welcher den Verband seiner Wunden als eine Fessel abreißet —, daß er von der Nachahmung und dem Studium der Natur verächtlich sprechen muß. Denn wenn allmählig die Zeitgeschichte einem Geschichtschreiber gleich wird und ohne Religion und Vaterland ist: so muß die Willkür der Ichsucht sich zuletzt auch an die harten, scharfen Gebote der Wirklichkeit stoßen und daher lieber in die Oede der Phantasterei verfliegen, wo sie keine Gesetze zu befolgen findet als eigne, engere, kleinere, die des Reim- und Assonanzen-Baues. Wo einer Zeit Gott, wie die Sonne, untergehet: da tritt bald darauf auch die Welt in das Dunkel; der Verächter des All achtet nichts weiter als sich und fürchtet sich in der Nacht vor nichts weiter als vor seinen Geschöpfen. Spricht man denn nicht jetzo von der Natur, als wäre diese Schöpfung eines Schöpfers — worin ihr Maler selber nur ein Farbenkorn ist — kaum zum Bildnagel, zum Rahmen der schmalen gemalten eines Geschöpfes tauglich; als wäre nicht das Größte gerade wirklich, das Unendliche? Ist nicht die Geschichte das höchste Trauer- und Lustspiel? Wenn uns die Verächter der Wirklichkeit nur zuerst die Sternenhimmel, die Sonnenuntergänge, die Wasserfälle, die Gletscherhöhen, die Charaktere eines Christus, Epaminondas, der Katos vor die Seele bringen wollten, sogar mit den Zufälligkeiten der Kleinheit, welche uns die Wirklichkeit verwirren, wie der große Dichter die seinige durch kecke Nebenzüge: dann hätten sie ja das Gedicht der Gedichte gegeben und Gott wiederholt. Das All ist das höchste, kühnste Wort der Sprache, und der seltenste Gedanke: denn die meisten schauen im Universum nur den Marktplatz ihres engen Lebens an, in der Geschichte der Ewigkeit nur ihre eigene Stadtgeschichte.

Wer hat mehr die Wirklichkeit bis in ihre tiefsten Thäler und bis auf das Würmchen darin verfolgt und beleuchtet als das Zwillingsgestirn der Poesie, Homer und Shakespeare? Wie die bildende und zeichnende Kunst ewig in der Schule der Natur arbeitet: so waren die reichsten Dichter von jeher die anhänglichsten, fleißigsten Kinder, um das Bildnis der Mutter Natur andern Kindern mit neuen Aehnlichkeiten zu übergeben. Will man sich einen größten Dichter denken, so vergönne man einem Genius die Seelenwanderung durch alle Völker und alle Zeiten und Zustände und lasse ihn alle Küsten der Welt umschiffen: welche höhere, kühnere Zeichnungen ihrer unendlichen Gestalt würd' er entwerfen und mitbringen! Die Dichter der Alten waren früher Geschäftmänner und Krieger als Sänger; und besonders mußten sich die großen Epopöen-Dichter aller Zeiten mit dem Steuerruder in den Wellen des Lebens erst kräftig üben, ehe sie den Pinsel, der die Fahrt abzeichnet, in die Hände bekamen. So Camoens, Dante, Milton usw.; und nur Klopstock macht eine Ausnahme, aber fast mehr für als wider die Regel. Wie wurden nicht Shakespeare und noch mehr Cervantes vom Leben durchwühlt und gepflügt und gefurcht, bevor in beiden der Blumensame ihrer poetischen Flora durchbrach und aufwuchs! Die erste Dichterschule, worein Göthe geschickt wurde, war nach seiner Lebenbeschreibung aus Handwerkerstuben, Malerzimmern, Krönungsälen, Reicharchiven und aus ganz Meß-Frankfurt zusammen gebauet. So bringt Novalis — ein Seiten- und Wahlverwandter der poetischen Nihilisten, wenigstens deren Lehenvetter — uns in seinem Romane gerade dann eine gediegenste Gestalt zu Tage, wenn er uns den Bergmann aus Böhmen schildert, eben weil er selber einer gewesen.

Bei gleichen Anlagen wird sogar der unterwürfige Nachschreiber der Natur uns mehr geben (und wären es Gemälde in Anfangbuchstaben) als der regellose Maler, der den Aether in den Aether mit Aether malt. Das Genie unterscheidet sich eben dadurch, daß es die Natur reicher und vollständiger sieht, so wie der Mensch vom halbblinden und halbtauben Thiere; mit jedem Genie wird uns eine neue Natur erschaffen, indem es die alte weiter enthüllet. Alle dichterische Darstellungen, welche eine Zeit nach der andern bewundert, zeichnen sich durch neue sinnliche Individualität und Auffassung aus. Jede Sternen-, Pflanzen-, Landschaft- und andere Kunde der Wirklichkeit ist einem Dichter mit Vortheil anzusehen, und in Göthens gedichteten Landschaften wiederscheinen seine gemalten. So ist dem reinen durchsichtigen Glase des Dichters die Unterlage des dunkeln Lebens nothwendig, und dann spiegelt er die Welt ab. Es geht hier mit den geistigen Kindern, wie nach der Meinung der alten Römer mit den leiblichen, welche man die Erde berühren ließ, damit sie reden lernten.

Jünglinge finden ihrer Lage gemäß in der Nachahmung der Natur eine mißliche Aufgabe. Sobald das Studium der Natur noch nicht allseitig ist, so wird man von den einzelnen Theilen einseitig beherrscht. Allerdings ahmen sie der Natur nach, aber einem Stücke, nicht der ganzen, nicht deren freiem Geiste mit einem freien Geist. — Die Neuheit ihrer Empfindungen muß ihnen als eine Neuheit der Gegenstände vorkommen; und durch die erstern glauben sie die letzten zu geben. Daher werfen sie sich entweder ins Unbekannte und Unbenannte, in fremde Länder und Zeiten ohne Individualität, nach Griechenland und Morgenland, oder vorzüglich auf das Lyrische; denn in diesem ist keine Natur nachzuahmen als die mitgebrachte; worin ein Farbenklecks schon sich selber zeichnet und umreißet. Bei Individuen, wie bei Völkern, ist daher Abfärben früher als Abzeichnen, Bilderschrift eher als Buchstabenschrift. Daher suchen dichtende Jünglinge, diese Nachbarn der Nihilisten, z. B. eben Novalis oder auch Kunst-Romanschreiber, sich gern einen Dichter oder Maler oder anderen Künstler zum darzustellenden Helden aus, weil sie in dessen weiten, alle Darstellungen umfassenden Künstlerbusen und Künstlerraum alles, ihr eignes Herz, jede eigne Ansicht und Empfindung kunstgerecht niederlegen können; sie liefern daher lieber einen Dichter als ein Gedicht.

Kommt nun vollends zur Schwäche der Lage die Schmeichelei des Wahns, und kann der leere Jüngling seine angeborne Lyrik sich selber für eine höhere Romantik ausgeben: so wird er mit Versäumung aller Wirklichkeit — die eingeschränkte in ihm selber ausgenommen — sich immer weicher und dünner ins gesetzlose Wüste verflattern; und wie die Atmosphäre wird er sich gerade in der höchsten Höhe ins kraft- und formlose Leere verlieren.

Um deßwillen ist einem jungen Dichter nichts so nachtheilig als ein gewaltiger Dichter, den er oft lieset; das beste Epos in diesem zerschmilzt zur Lyra in jenem. Ja, ich glaube, ein Amt ist in der Jugend gesünder als ein Buch — obwol in spätern Jahren das Umgekehrte gilt. — Das Ideal vermischt sich am leichtesten mit jedem Ideal, d. h. das Allgemeine mit dem Allgemeinen. Dann holet der blühende junge Mensch die Natur aus dem Gedicht, anstatt das Gedicht aus der Natur. Die Folge davon und die Erscheinung ist die, welche jetzo aus allen Buchläden heraussieht: nämlich Farben-Schatten statt der Leiber; nicht einmal nachsprechende, sondern nachklingende Bilder von Urbildern — fremde, zerschnittene Gemälde werden zu musaischen Stiften neuer Bilder zusammengereiht — und man geht mit fremden poetischen Bildern um, wie im Mittelalter mit heiligen, von welchen man Farben loskratzte, um solche im Abendmahlwein zu nehmen.

*[S. 25—31 § 3]* Poetische Materialisten

Aber ist es denn einerlei, die oder der Natur nachzuahmen, und ist Wiederholen Nachahmen? — Eigentlich hat der Grundsatz, die Natur treu zu kopieren, kaum einen Sinn. Da es nämlich unmöglich ist, ihre Individualität durch irgend ein Nachbild zu erschöpfen; da folglich das letzte allezeit zwischen Zügen, die es wegzulassen, und solchen, die es aufzunehmen hat, auswählen muß: so geht die Frage der Nachahmung in die neue über, nach welchem Gesetze, an welcher Hand die Natur sich in das Gebiet der Poesie erhebe.

Der gemeinste Nachdrucker der Wirklichkeit bekennt doch, daß die Weltgeschichte noch keine Epopöe sei — obgleich in einem höhern Sinne wol —, daß ein wahrer guter Liebesbrief noch in keinen Roman sich schicke — und daß ein Unterschied sei zwischen den Landschaftgemälden des Dichters und zwischen den Auen- und Höhen-Vermessungen des Reisebeschreibers. — Wir führen alle bei Gelegenheit leicht unser ordentliches Gespräch mit Nebenmenschen; gleichwol ist nichts seltener als ein Schriftsteller, der einen lebendigen Dialog schreiben kann. — Warum ist ein Lager noch kein Wallensteinisches von Schiller, das doch vor einem wirklichen wenigstens nicht den Reiz der Ganzheit voraus hat?

Hermes Romane besitzen beinahe alles, was man zu einem poetischen Körper fordert, Weltkenntnis, Wahrheit, Einbildungkraft, Form, Zartsinn, Sprache; da aber ihnen der poetische Geist fehlt, so sind sie die besten Romane gegen Romane und gegen deren zufälliges Gift; man muß sehr viel Geld in Banken und im Hause haben, um die Dürftigkeit, wenn sie in seinen Werken gedruckt vorkommt, lachend auszuhalten. Allein das ist eben unpoetisch. Ungleich der Wirklichkeit, die ihre prosaische Gerechtigkeit und ihre Blumen in unendlichen Räumen und Zeiten austheilet, muß eben die Poesie in geschlossenen beglücken; sie ist die einzige Friedengöttin der Erde und der Engel, der uns, und wär' es nur auf Stunden, aus Kerkern auf Sterne führt; wie Achilles Lanze muß sie jede Wunde heilen, die sie sticht. Gäbe es denn sonst etwas Gefährlicheres als einen Poeten, wenn dieser unsere Wirklichkeit noch vollends mit seiner und uns also mit einem eingekerkerten Kerker umschlösse? Sogar der Zweck sittlicher Bildung, den sich der ebengenannte Romanprediger Hermes vorsetzt, wird, da er ihm mit einem widerdichterischen Geiste nachsetzt, nicht nur verfehlt, sondern sogar gefährdet und untergraben (z. B. im Romane für Töchter edler Herkunft und in der Foltergeschichte des widerlichen moralischen Selbst-Kerkermeisters Herr Kerker).

Gleichwol bereitet auch der falsche Nachstich der Wirklichkeit einige Lust, theils weil er belehrt, theils weil der Mensch so gern seinen Zustand zu Papier gebracht und ihn aus der verworrenen persönlichen Nähe in die deutlichere objektive Ferne geschoben sieht. Man nehme den Lebentag eines Menschen ganz treu, ohne Farbenmuscheln, nur mit dem Dintenfasse zu Protokoll und lasse ihn den Tag wieder lesen: so wird er ihn billigen und sich wie von lauen linden Wellen umkräuselt verspüren. Sogar einen fremden Lebentag heißet er eben darum gut im Gedicht. Keinen wirklichen Charakter kann der Dichter — auch der komische — aus der Natur annehmen, ohne ihn, wie der jüngste Tag die Lebendigen, zu verwandeln für Hölle oder Himmel. Gesetzt, irgend ein wild- und weltfremder Charakter existierte, als der einzige, ohne irgend eine symbolische Aehnlichkeit mit andern Menschen: so könnt' ihn kein Dichter gebrauchen und abzeichnen.

Auch die humoristischen Charaktere Shakespeare's sind allgemeine, symbolische, nur aber in die Verkröpfungen und Wülste des Humors gesteckt.

Man erlaube mir noch einige Beispiele von unpoetischen Repetierwerken der großen Weltuhr. „Brockes irdisches Vergnügen in Gott“ ist eine so treue dunkle Kammer der äußerlichen Natur, daß ein wahrer Dichter sie wie einen Reisebeschreiber der Alpen, ja wie die Natur selber benutzen kann; er kann nämlich unter den umhergeworfenen Farbenkörnern wählen und sie zu einem Gemälde verreiben. — Die dreimal aufgelegte Luciniade von Lacombe, welche die Geburthelferkunst (welch' ein Gegen- oder Widerstand für die Poesie!) besingt, so wie die meisten Lehrgedichte, welche uns ihren zerhackten Gegenstand Glied für Glied, obwol jedes in einige poetische Goldflittern gewickelt, zuzählen, zeigen, wie weit prosaische Nachäffung der Natur abstehe von poetischer Nachahmung. —

Am ekelsten aber tritt diese Geistlosigkeit im Komischen vor. Im Epos, im Trauerspiel versteckt sich wenigstens oft die Kleinheit des Dichters hinter die Höhe seines Stoffs, da große Gegenstände schon sogar in der Wirklichkeit den Zuschauer poetisch anregen — daher Jünglinge gern mit Italien, Griechenland, Ermordungen, Helden, Unsterblichkeit, fürchterlichem Jammer und dergleichen anfangen, wie Schauspieler mit Tyrannen —; aber im Komischen entblößet die Niedrigkeit des Stoffs den ganzen Zwerg von Dichter, wenn er einer ist. An den deutschen Lustspielen — man siehe die widrigen Proben, noch dazu der bessern, von Krüger, Gellert und andern in Eschenburgs Beispielsammlung — zeigt der Grundsatz der bloßen Natur-Nachäffung die ganze Kraft seiner Gemeinheit. Es ist die Frage, ob die Deutschen noch ein g a n z e s Lustspiel haben, und nicht blos einige Akte. Die Franzosen erscheinen uns daran reicher; aber hier wirkt Täuschung mit, weil f r e m d e Narren und fremder Pöbel an sich, ohne den Dichter, einige poetische Ungemeinheit vorspiegeln. — Die Britten hingegen sind reicher — obgleich derselbe ideale Trug der Auslandschaft mitwirkt; und ein einziges Buch könnte uns von der Wahrheit überführen. Nämlich Wallstaffs polite Gespräche von Swift malen bis zur Treue — die nur in Swifts parodierendem Geiste sich genial wieder spiegelt — Englands Honorazioren gerade so gemeingeistlos ab, wie in den deutschen Lustspielen unsere auftreten; da nun aber diese Langweiligen nie in den englischen erscheinen: so sind folglich über dem Meere weniger die Narren als vielmehr die Lustspielschreiber geistreicher als bei uns. Das Feld der Wirklichkeit ist eben ein in Felder geschachtes Bret, auf welchem der Autor so gut die gemeine polnische Dame als das königliche Schachspiel, sobald er in einem Falle nur Steine, und im andern Figuren und Kunst besitzt, spielen kann.

Wie wenig Dichtung ein Kopierbuch des Naturbuchs sei, ersieht man am besten an den Jünglingen, die gerade dann die Sprache der Gefühle am schlechtesten reden, wenn diese in ihnen regieren und schreien, und welchen das zu starke Wasser das poetische Mühlenwerk gerade hemmt und nicht treibt, indeß sie nach der falschen Maxime der Natur-Affen ja nichts brauchten, als nachzuschreiben, was ihnen vorgesprochen wird. Keine Hand kann den poetischen, lyrischen Pinsel fest halten und führen, in welcher der Fieberpuls der Leidenschaft schlägt. Der bloße Unwille macht zwar Verse, aber nicht die besten; selber die Satire wird durch Milde schärfer als durch Zorn, so wie Essig durch süße Rosinenstiele stärker säuert, durch bittern Hopfen aber umschlägt.

Weder der Stoff der Natur, noch weniger deren Form ist dem Dichter roh brauchbar. Die Nachahmung des erstern setzt ein höheres Prinzip voraus; denn jedem Menschen erscheint eine andere Natur; und es kommt nun darauf an, welchem die schönste erscheint. Die Natur ist für den Menschen in ewiger Menschwerdung begriffen, bis sogar auf ihre Gestalt; die Sonne hat für ihn ein Vollgesicht, der halbe Mond ein Halbgesicht, die Sterne doch Augen, alles lebt den Lebendigen; und es gibt im Universum nur Schein-Leichen, nicht Schein-Leben. Allein das ist eben der prosaische und poetische Unterschied oder die Frage, welche Seele die Natur beseele, ob ein Sklavenkapitän oder ein Homer.

In Rücksicht der nachzuahmenden Form stehen die poetischen Materialisten im ewigen Widerspruch mit sich und der Kunst und der Natur; und blos, weil sie halb nicht wissen, was sie haben wollen, wissen sie folglich halb, was sie wollen. Denn sie erlauben wirklich den Versfuß auch in größter und jeder Leidenschaft (was allein schon wieder ein Prinzip für das Nachahm-Prinzip festsetzt) — und im Sturme des Affekts höchsten Wohllaut und einigen starken Bilderglanz der Sprache (wie stark aber, kommt auf Willkür der Rezension an) — ferner die Verkürzungen der Zeiten (doch mit Vorbehalt gewisser, d. h. ungewisser Rücksicht auf nachzuahmende Natur) — dann die Götter und Wunder des Epos und der Oper — die heidnische Götterlehre mitten in der jetzigen Götterdämmerung — im Homer die langen Mordpredigten der Helden vor dem Morde — im Komischen die Parodie, obgleich bis zum Unsinn — in Don Quixotte einen romantischen

Wahnsinn, der unmöglich ist — in Sterne das kecke Eingreifen der Gegenwart in seine Selbstgespräche — in Thümmel und andern den Eintritt von Oden ins Gespräch und noch das übrige Zahllose. — Aber ist es dann nicht eben so schreiend — als mitten ins Singen zu reden —, gleichwol in solche poetische Freiheiten die prosaische Leibeigenschaft der bloßen Nachahmung einzuführen und gleichsam im Universum Fruchtsperre und Warenverbote auszuschreiben? Ich meine, widerspricht man denn nicht sich und eignen Erlaubnissen und dem Schönen, wenn man dennoch in dieses sonnentrunkne Wunder-Reich, worin Göttergestalten aufrecht und seelig gehen, über welches keine schwere Erden-Sonne scheint, wo leichtere Zeiten fliegen und andere Sprachen herrschen, wo es, wie hinter dem Leben, keinen rechten Schmerz mehr gibt, wenn in diese verklärte Welt die Wilden der Leidenschaft aussteigen sollten, mit dem rohen Schrei des Jubels und der Qual, wenn jede Blume darin so langsam und unter so vielem Grase wachsen müßte als auf der trägen Welt, wenn die Eisen-Räder und Eisen-Achse der schweren Geschicht- und Säkular-Uhr, statt der himmlischen Blumen-Uhr, die nur auf- und zuquillt und immer duftet, die Zeit länger mäße anstatt kürzer?

Denn wie das organische Reich das mechanische aufgreift, umgestaltet und beherrschet und knüpft, so übt die poetische Welt dieselbe Kraft an der wirklichen und das Geisterreich am Körperreich. Daher wundert uns in der Poesie nicht ein Wunder, sondern es gibt da keines, ausgenommen die Gemeinheit. Daher ist — bei gleichgesetzter Vortrefflichkeit — die poetische Stimmung auf derselben Höhe, ob sie ein ächtes Lustspiel oder ein ächtes Trauerspiel, sogar dieses mit romantischen Wundern aufthut; und Wallensteins Träume geben dichterisch in nichts den Visionen der Jungfrau von Orleans nach. Daher darf nie der höchste Schmerz, nie der höchste Himmel des Affekts sich so auf der Bühne äußern wie etwan in der ersten besten Loge, nämlich nie so einsylbig und arm. Ich meine dieß: immer lassen die französischen und häufig die deutschen Tragiker die Windstöße der Affekten kommen und entweder sagen: *o ciel,* oder *mon dieu,* oder *o dieux,* oder *hélas,* oder gar nichts, oder, was dasselbe ist, eine Ohnmacht fällt ein. Aber ganz unpoetisch! Der Natur und Wahrheit gemäßer ist gewiß nichts als eben diese einsylbige Ohnmacht. Nur wäre auf diese Weise nichts lustiger zu malen als gerade das Schwerste; und der Abgrund und der Gipfel des Innersten ließen sich viel heller und leichter aufdecken als die Stufen dazu.

Allein da die Poesie gerade an die einsame Seele, die wie ein geborstenes Herz sich in dunkles Blut verbirgt, näher dringen und das leise Wort vernehmen kann, womit jede ihr unendliches Weh ausspricht oder ihr Wohl: so sei sie ein Shakespeare und bringe uns das Wort. Die eigne Stimme, welche der Mensch selber im Brausen der Leidenschaft betäubt verhört, entwische der Poesie so wenig als einer höchsten Gottheit der stummste Seufzer. Gibt es denn nicht Nachrichten, welche uns nur auf Dichter-Flügeln kommen können; gibt es nicht eine Natur, welche nur dann ist, wenn der Mensch nicht ist, und die er antizipiert? Wenn z. B. der Sterbende schon in jene finstere Wüste allein hingelegt ist, um welche die Lebendigen ferne, am Horizont, wie tiefe Wölkchen, wie eingesunkne Lichter stehen, und er in der Wüste einsam lebt und stirbt: dann erfahren wir nichts von seinen letzten Gedanken und Erscheinungen — — Aber die Poesie zieht wie ein weißer Stral in die tiefe Wüste, und wir sehen in die letzte Stunde des Einsamen hinein.

*[S. 31—34 § 4]* Nähere Bestimmung der schönen Nachahmung der Natur

In dieser Ansicht liegt zugleich die Bestimmung, was schöne (geistige) Nachahmung der Natur sei. Mit einer trockenen Sacherklärung der Schönheit reicht man nicht weit. Die Kantische: „das sei schön, was allgemein ohne Begriff gefalle“ legt in das „Gefallen“, das sie vom Angenehmsein absondert, schon das hinein, was eben zu erklären war. Der Beisatz „ohne Begriff“ gilt für alle Empfindungen, so wie auf den andern „allgemein“, den noch dazu die Erfahrung oft ausstreicht, ebenfalls alle Empfindungen, ja alle geistige Zustände heimlich Anspruch machen. Kant, welcher eigensinnig genug nur der Zeichnung Schönheit, der Farbe aber blos Reiz zugestand, nimmt seine Erläuterungen dazu immer aus den zeichnenden und bildenden Künsten hervor. Was ist denn poetische Schönheit, durch welche selber

eine gemalte oder gebildete höher aufglänzen kann? Die angenommene Kluft zwischen Natur-Schönheit und zwischen Kunst-Schönheit gilt in ihrer ganzen Breite nur für die dichterische; aber Schönheiten der bildenden Künste könnten allerdings zuweilen schon von der Natur geschaffen werden, wenn auch nur so selten als die genialen Schöpfer derselben selber. Uebrigens gehört einer Poetik darum die Erklärung der Schönheit schwerlich voran, weil diese Göttin in der Dichtkunst ja auch andere Götter neben sich hat, das Erhabene, das Rührende, das Komische usw. [...]
Wir kommen zum Grundsatze der poetischen Nachahmung zurück. Wenn in dieser das Abbild mehr als das Urbild enthält, ja sogar das Widerspiel gewährt — z. B. ein gedichtetes Leiden Lust —: so entsteht dieß, weil eine doppelte Natur zugleich nachgeahmt wird, die äußere und die innere, beide ihre Wechselspiegel. Man kann dieses mit einem scharfsinnigen Kunstrichter sehr gut „Darstellung der Ideen durch Naturnachahmung" nennen. Das Bestimmtere gehört in den Artikel vom Genie. Die äußere Natur wird in jeder innern eine andere, und diese Brodverwandlung ins Göttliche ist der geistige poetische Stoff, welcher, wenn er ächt poetisch ist, wie eine *anima Stahlii* seinen Körper (die Form) selber bauet, und ihn nicht erst angemessen und zugeschnitten bekommt. Dem Nihilisten mangelt der Stoff und daher die belebte Form; dem Materialisten mangelt belebter Stoff und daher wieder die Form; kurz, beide durchschneiden sich in Unpoesie. Der Materialist hat die Erdscholle, kann ihr aber keine lebendige Seele einblasen, weil sie nur Scholle, nicht Körper ist; der Nihilist will beseelend blasen, hat aber nicht einmal Scholle. Der rechte Dichter wird in seiner Vermählung der Kunst und Natur sogar dem Parkgärtner, welcher seinem Kunstgarten die Naturumgebungen gleichsam als schrankenlose Fortsetzungen desselben anzuweben weiß, nachahmen, aber mit einem höhern Widerspiele, und er wird begränzte Natur mit der Unendlichkeit der Idee umgeben und jene wie auf einer Himmelfahrt in diese verschwinden lassen.

*[S. 34—37 § 5]* Gebrauch des Wunderbaren

Alles wahre Wunderbare ist für sich poetisch. Aber an den verschiedenen Mitteln, diesen Mondschein in ein Kunstgebäude fallen zu lassen, zeigen sich die beiden falschen Prinzipien der Poesie und das wahre am deutlichsten. Das erste oder materielle Mittel ist, das Mondlicht einige Bände später in alltägliches Taglicht zu verwandeln, d. h. das Wunder durch Wieglebs Magie zu entzaubern und aufzulösen in Prose. Dann findet freilich eine zweite Lesung an der Stelle der organischen Gestalt nur eine papierne, statt der poetischen Unendlichkeit dürftige Enge; und Ikarus liegt ohne Wachs mit den dürren Federkielen auf dem Boden. Gern hätte man z. B. Göthen das Aufsperren seines Maschinen-Kabinets und das Aufgraben der Röhren erlassen, aus welchen das durchsichtige bunte Wasserwerk aufflatterte. Ein Taschenspieler ist kein Dichter, ja sogar jener selber ist nur so lange etwas werth und poetisch, als er seine Wunder noch nicht durch Auflösung getödtet hat; kein Mensch wird erklärten Kunststücken zuschauen.

Andere Dichter nehmen den zweiten Irrweg, nämlich den, ihre Wunder nicht zu erklären, sondern nur zu erfinden, was gewiß recht leicht ist und daher an und für sich unrecht; denn allem, was ohne Begeisterung leicht wird, muß der Dichter mistrauen und entsagen, weil es die Leichtigkeit der Prose ist. Ein fortgehendes Wunder ist aber eben darum keines, sondern eine luftigere, zweite Natur, in welcher aus Regellosigkeit keine schöne Unterbrechung einer Regel machbar ist. Eigentlich ist eine solche Dichtung eine widersprechende Annahme entgegengesetzter Bedingungen, der Verwechslung des materiellen Wunderbaren mit dem idealen, eine Mischung wie auf alten Tassen, halb Wort, halb Bild.

Aber es gibt noch ein Drittes, nämlich den hohen Ausweg, daß der Dichter das Wunder weder zerstöre, wie ein exegetischer Theolog, noch in der Körperwelt unnatürlich festhalte, wie ein Taschenspieler, sondern daß er es in die Seele lege, wo allein es neben Gott wohnen kann. Das Wunder fliege weder als Tag- noch als Nachtvogel, sondern als Dämmerungschmetterling. Meisters Wunderwesen liegt nicht im hölzernen Räderwerk — es könnte polierter und stählern sein —, sondern in Mignons und des Harfenspielers usw. herrlichem geistigen Abgrund, der zum Glück so tief ist, daß die nachher hineingelassenen Leitern aus Stammbäumen viel zu kurz ausfallen. Daher ist eine Geisterfurcht besser als eine Geistererscheinung, ein Geisterseher besser als hundert Geistergeschichten; nicht das gemeine physische Wunder, sondern das Glauben daran malt das Nachtstück der Geisterwelt. Das Ich ist der fremde Geist, vor dem es schauert, der Abgrund, vor dem es zu stehen glaubt; und bei der Theaterversenkung ins unterirdische Reich sinkt eben der Zuschauer, welcher sinken sieht.

Hat indeß einmal ein Dichter die bedeutende Mitternachtstunde in einem Geiste schlagen lassen: dann ist es ihm auch erlaubt, ein mechanisches zerlegbares Räderwerk von Gaukler-Wundern in Bewegung zu setzen; denn durch den Geist erhält der Körper mimischen Sinn, und jede irdische Begebenheit wird in ihm eine überirdische.

Ja es gibt schöne innere Wunder, deren Leben der Dichter nicht mit dem psychologischen Anatomiermesser zerlegen darf, wenn er auch könnte. In Schlegels — zu wenig erkanntem — Florentin sieht eine Schwangere immer ein schönes Wunderkind, das mit ihr Nachts die Augen aufschlägt, ihr stumm entgegen läuft u. s. w. und welches unter der Entbindung auf immer verschwindet.

Die Auflösung lag nahe; aber sie wurde mit poetischem Rechte unterlassen. Ueberhaupt haben die innern Wunder den Vorzug, daß sie ihre Auflösung überleben. Denn das große unzerstörliche Wunder ist der Menschen Glaube an Wunder, und die größte Geistererscheinung ist die unsrer Geisterfurcht in einem hölzernen Leben voll Mechanik. [. . .]

Wir treten nun dem Geiste der Dichtkunst näher, dessen bloßer äußerer Nahrungsstoff in der nachgeahmten Natur noch weit von seinem innern abgeschieden bleibt.

Wenn der Nihilist das Besondere in das Allgemeine durchsichtig zerlässet — und der Materialist das Allgemeine in das Besondere versteinert und verknöchert —: so muß die lebendige Poesie eine solche Vereinigung beider verstehen und erreichen, daß jedes Individuum sich in ihr wieder findet, und folglich, da Individuen sich einander ausschließen, jedes nur sein Besonderes in einem Allgemeinen, kurz, daß sie dem Monde ähnlich wird, welcher Nachts dem einen Wanderer im Walde von Gipfel zu Gipfel nachfolgt, zu gleicher Zeit auch einem andern von Welle zu Welle, und so jedem, indeß er blos seinen großen Bogen-Gang am Himmel zieht, aber doch am Ende wirklich um die Erde und um die Wanderer auch.

*[S. 49 § 13]* Der Instinkt des Menschen

Das Mächtigste im Dichter, welches seinen Werken die gute und die böse Seele einbläset, ist gerade das Unbewußte. Daher wird ein großer wie Shakespeare Schätze öffnen und geben, welche er so wenig wie sein Körperherz selber sehen konnte, da die göttliche Weisheit immer ihr All in der schlafenden Pflanze und im Thierinstinkt a u s p r ä g t und in der beweglichen Seele a u s s p r i c h t.

*[S. 52 f. § 14]* Instinkt des Genies oder genialer Stoff

Hier ist nun der Streit, ob die Poesie Stoff bedürfe oder nur mit Form regiere, leichter zu schließen. Allerdings gibt es einen ä u ß e r n m e c h a n i s c h e n Stoff, womit uns die Wirklichkeit (die äußere und die psychologische) umgibt und oft überbauet, welcher, ohne Veredlung durch Form, der Poesie gleichgültig ist und gar nichts; so daß es einerlei bleibt, ob die leere Seele einen Christus oder dessen Verräther Judas besinge.
Aber es gibt ja etwas Höheres, als was der Tag wiederholt. Es gibt einen i n n e r n Stoff — gleichsam angeborne unwillkürliche Poesie, um welche die Form nicht die Folie, sondern nur die Fassung legt. Wie der sogenannte kategorische Imperativ (das Bild der Form, so wie die äußere Handlung das Bild des äußern Stoffs) der Psyche nur den Scheideweg zeigt, ihr aber nicht das weiße Roß vorspannen kann, das ihn geht und das schwarze überzieht; und wie die Psyche das weiße zwar lenken und pflegen, aber nicht erschaffen kann: eben so ists mit dem Musenpferd, das am Ende jenes weiße ist, nur mit Flügeln. Dieser Stoff macht die geniale Originalität, welche der Nachahmer blos in der Form und Manier sucht; so wie er zugleich die geniale Gleichheit erzeugt; denn es gibt nur Ein Göttliches, obwol vielerlei Menschliches. Wie Jacobi den philosophischen Tiefsinn aller Zeiten k o n z e n t r i s c h findet, aber nicht den philosophischen Scharfsinn: so stehen die dichterischen Genies zwar wie Sterne bei ihrem Aufgange anfangs scheinbar weiter auseinander, aber in der Höhe, im Scheitelpunkt der Zeit, rücken sie wie die Sterne zusammen. Hundert Lichter

in Einem Zimmer geben nur Ein zusammengeflossenes Licht, obwol hundert Schatten (Nachahmer).

*[S. 66 § 19]* Ruhe und Heiterkeit der Poesie

[...] Poesie soll, wie sie auch in Spanien sonst hieß, die fröhliche Wissenschaft sein und wie ein Tod zu Göttern und Seeligen machen. Aus poetischen Wunden soll nur Ichor fließen, und wie die Perlenmuschel muß sie jedes ins Leben geworfene scharfe oder rohe Sandkorn mit Perlenmaterie überziehen. Ihre Welt muß eben die beste sein, worin jeder Schmerz sich in eine größere Freude auflöset und wo wir Menschen auf Bergen gleichen, um welche das, was unten im wirklichen Leben mit schweren Tropfen auffällt, oben nur als Staubregen spielet. Daher ist ein jedes Gedicht unpoetisch, wie eine Musik unrichtig, die mit Dissonanzen schließet.

*[S. 77 § 22]* Wesen der romantischen Dichtkunst

[...] Ist Dichten Weissagen: so ist romantisches das Ahnen einer größern Zukunft, als hinieden Raum hat; die romantischen Blüten schwimmen um uns, wie nie gesehene Samenarten durch das allverbindende Meer aus der neuen Welt, noch ehe sie gefunden war, an Norwegens Strand anschwammen.

*[S. 81 f. § 23]* Quelle der romantischen Poesie

Ursprung und Charakter der ganzen neueren Poesie läßt sich so leicht aus dem Christenthume ableiten, daß man die romantische eben so gut die christliche nennen könnte. Das Christenthum vertilgte, wie ein jüngster Tag, die ganze Sinnenwelt mit allen ihren Reizen, drückte sie zu einem Grabeshügel, zu einer Himmels-Staffel zusammen und setzte eine neue Geister-Welt an die Stelle. Die Dämonologie wurde die eigentliche Mythologie der Körperwelt, und Teufel als Verführer zogen in Menschen und Götterstatuen; alle Erden-Gegenwart war zu Himmels-Zukunft verflüchtigt. Was blieb nun dem poetischen Geiste nach diesem Einsturze der äußern Welt noch übrig? — Die, worin sie einstürzte, die innere. Der Geist stieg in sich und seine Nacht und sah Geister. Da aber die Endlichkeit nur an Körpern haftet und da in Geistern alles unendlich ist oder ungeendigt: so blühte in der

Poesie das Reich des Unendlichen über der Brandstätte der Endlichkeit auf. Engel, Teufel, Heilige, Seelige und der Unendliche hatten keine Körper-Formen und Götter-Leiber; dafür öffnete das Ungeheuere und Unermeßliche seine Tiefe; statt der griechischen heitern Freude erschien entweder unendliche Sehnsucht oder die unaussprechliche Seeligkeit — die zeit- und schrankenlose Verdammnis — die Geisterfurcht, welche vor sich selber schaudert — die schwärmerische beschauliche Liebe — die gränzenlose Mönchs-Entsagung — die platonische und neuplatonische Philosophie.

In der weiten Nacht des Unendlichen war der Mensch öfter fürchtend als hoffend. Schon an und für sich ist Furcht gewaltiger und reicher als Hoffnung (so wie am Himmel eine weiße Wolke die schwarze hebt, nicht diese jene), weil für die Furcht die Phantasie viel mehr Bilder findet als für die Hoffnung; und dieß wieder darum, weil der Sinn und die Handhabe des Schmerzes, das körperliche Gefühl, uns in jedem Haut-Punkte die Quelle eines Höllenflusses werden kann, indeß die Sinnen für die Freude einen so magern und engen Boden bescheeren. Die Hölle wurde mit Flammen gemalt, der Himmel höchstens durch Musik bestimmt, die selber wieder unbestimmtes Sehnen gibt. So war die Astrologie voll gefährlicher Mächte. So war der Aberglaube öfter drohend als verheißend. Als Mitteltinten der dunkeln Farbengebung mögen noch das Durcheinanderwerfen der Völker, die Kriege, die Pesten, die Gewalt-Taufen, die düstere Polar-Mythologie in Bund mit der orientalischen Sprach-Gluth dazu kommen und gelten.

*[S. 89 § 25]* Beispiele der Romantik

[...] Wendet man das Romantische auf die Dichtungarten an: so wird das Lyrische dadurch sentimental — das Epische phantastisch, wie das Mährchen, der Traum, der Roman — das Drama beides, weil es eigentlich die Vereinigung beider Dichtungarten ist.

*[S. 113 f. § 32]* Humoristische Totalität

[...] Wenn Schlegel mit Recht behauptet, daß das Romantische nicht eine Gattung der Poesie, sondern diese selber immer jenes sein müsse: so gilt dasselbe noch mehr vom Komischen; nämlich alles muß romantisch, d. h. humoristisch werden.

*[S. 195 § 57]* Entstehung poetischer Charaktere

[...] Freilich ist Erfahrung und Menschenkenntnis dem Dichter unschätzbar; aber nur zur Farbengebung des schon erschaffenen und gezeichneten Charakters, welcher diese Erfahrungen sich zueignet und einverleibt, durch sie aber so wenig entsteht als ein Mensch durch Essen.

*[S. 197]* Aber was gibt denn den Luft- und Aetherwesen des Dichtens wie des Träumens diese Redekunst? Dasselbe, was sie im Traume mit lebendigen Wangen und Augen und mit freier Anrede vor uns stellet: aus einer plastischen Form der Menschheit hat sich eine plastische Figur aufgerichtet an der Hand der Phantasie und redet an, indem wir sie anschauen, und wie der Wille die Gedanken macht, nicht die Gedanken den Willen, so zeichnet diese phantastische Willens-Gestalt unsern Gedanken, d. h. Worten die Gesetze und Reihen vor.
Die bestimmtesten besten Charaktere eines Dichters sind daher zwei alte, lang gepflegte, mit seinem Ich geborne Ideale, die beiden idealen Pole seiner wollenden Natur, die vertiefte und die erhabne Seite seiner Menschheit. Jeder Dichter gebiert seinen besondern Engel und seinen besondern Teufel; der dazwischen fallende Reichthum von Geschöpfen oder die Armuth daran sprechen ihm seine Größe entweder zu oder ab. Jene Pole aber, womit er das Leben wechselnd abstößet und anzieht, bilden sich nicht durch ihre Gegenstände und Anhängsel, sondern diese bilden sich jenen an. [...]
Der ideale Prototyp-Charakter in des Dichters Seele, der ungefallne Adam, der nachher der Vater der Sünder wird, ist gleichsam das ideale Ich des dichterischen Ich; und wie nach Aristoteles sich die Menschen aus ihren Göttern errathen lassen, so der Dichter sich aus seinen Helden, die ja eben die von ihm selber geschaffnen Götter sind.

*[S. 205 f. § 59]* Form der Charaktere

Die Form des Charakters ist die Allgemeinheit im Besondern, allegorische oder symbolische Individualität. Die Dichtkunst, welche ins geistige Reich Nothwendigkeit und nur ins körperliche Freiheit einführt, muß die geistigen Zufälligkeiten eines Porträts, d. h. jedes Individuums, verschmähen und dieses zu einer Gattung erheben, in welcher sich die Menschheit wiederspiegelt. Das gemalte Einzelwesen fället, sobald es aus dem Ringe der Wirklichkeit gehoben wird, in lauter lose Theile auseinander, z. B. die Porträts in Foote's trefflichen Lustspielen, wo sich indeß das Zufällige der Charaktere schön in den Zufall der Begebenheiten einspielt.

Je höher die Dichtung steht, desto mehr ist die Charakteristik eine Seelen-Mythologie, desto mehr kann sie nur die Seele der Seele gebrauchen, bis sie sich in wenige Wesen, wie Mann, Weib und Kind, und darauf in den Menschen verliert. So wie sie aus dem heroischen Epos heruntersteigt ins komische, aus dem Aether durch die Luft, aus dieser durch die Wolken auf die Erde, so schießet ihr Körper in jedem Medium dichter und bestimmter an, bis er zuletzt entweder zum Natur-Mechanismus oder in eine Eigenschaft übergeht.

*[S. 230 § 68]* Motivieren

[...] Je niedriger der Boden und die Menschen eines Kunstwerks und je näher der Prose: desto mehr stehen sie unter dem Satze des Grundes.

Glänzt aber die Dichtung von Gipfeln herab; stehen die Helden derselben wie Berge in großem Licht und haben Glieder und Kräfte des Himmels: um desto weniger gehen sie an der schweren Kette der Ursächlichkeit — wie in Göttern ist ihre Freiheit eine Nothwendigkeit, sie reißen uns gewaltig ins Feuer ihrer Entschlüsse hinauf; und eben so bewegen sich die Begebenheiten der Außenwelt in Eintracht mit ihren Seelen. Die Poesie soll überhaupt uns nicht den Frühling erbärmlich und mühsam aus Schollen und Stämmen vorpressen, indem sie eine Schneekruste nach der andern wegleckt und Gras nach Gras endlich vorzerret; sondern sie soll ein fliegendes Schiff sein, das uns aus einem finstern Winter plötzlich über ein glattes Meer vor eine in voller Blüte stehende Küste führt. Für das luftige ätherische Geisterreich der Poesie ist der Prozeßgang der Reichgerichte der Wirklichkeit viel zu langsam: die Sylphide will auf keiner Musen-Schnecke reiten.

*[S. 233 § 69]* Ueber den Roman. Ueber dessen poetischen Werth

[...] Auf der andern Seite kann unter einer rechten Hand der Roman, diese einzige erlaubte poetische Prose, so sehr wuchern als verarmen. Warum soll es nicht eine poetische Enzyklopädie, eine poetische Freiheit aller poetischen Freiheiten geben? Die Poesie komme zu uns, wie und wo sie will, sie kleide sich wie der Teufel der Eremiten oder wie der Jupiter der Heiden in welchen prosaischen engen dürftigen Leib; sobald sie nur wirklich darin wohnt: so sei uns dieser Maskenball willkommen. Sobald ein Geist da ist, soll er auf der Welt, gleich dem Weltgeiste, jede Form annehmen, die er allein gebrauchen und tragen kann.

*[S. 234]* Darum ist eben die Poesie so unentbehrlich, weil sie dem Geiste nur die geistig wiedergeborne Welt übergibt und keinen zufälligen Schluß aufdringt. Im Dichter spricht blos die Menschheit nur die Menschheit an, aber nicht dieser Mensch jenen Menschen.

7 Flegeljahre (1804—1805) = Werke, Bd. X.

*[S. 99]* [...] sagte Vult. „O, reiner starker Freund, die Poesie ist ja doch ein Paar Schlittschuh, womit man auf dem glatten reinen krystallenen Boden des Ideals leicht fliegt, aber miserabel forthumpelt auf gemeiner Gasse."

*[S. 101]* So rückt die Bergluft der eignen Dichtung alle Wesen näher an das Herz des Dichters, und ihm, erhoben über das Leben, nähern die Lebendigen sich mehr, und das Größte in seiner Brust befreundet ihn mit dem Kleinsten in der fremden. Fremde Dichtungen hingegen erheben den Leser allein, aber den Boden und die Nachbarschaft nicht mit.

*[S. 115]* [Klothar: „...] Der Staat macht den Menschen nur einseitig und folglich einförmig. Der Dichter sollte also, wenn er könnte, alle Wissenschaften, d. h. alle Einseitigkeiten in sich senden; alle sind dann Vielseitigkeit; denn er allein ist ja der einzige im Staat, der die Einseitigkeiten unter Einen Gesichtspunkt zu fassen Ruf und Kräfte hat und sie höher verknüpfen und durch loses Schweben alles überblicken kann."

*[S. 143]* Die Täuschungen des Dichters

Schön sind und reizend die Irrthümer des Dichters alle, sie erleuchten die Welt, die die gemeinen verfinstern. So steht Phöbus am Himmel; dunkel wird die Erde unter ihrem kalten Gewölke, aber verherrlicht wird der Sonnengott durch seine Wolken, sie reichen allein das Licht herab und wärmen die kalten Welten; und ohne Wolken ist er auch Erde.

*[S. 161]* [...] „auch im Weltall", hob er [Walt] an, „war Poesie früher als Prosa, und der Unendliche müßte vielen engen prosaischen Menschen, wenn sie es sagen wollten, nicht prosaisch genug denken."

*[S. 164 f.]* [Walt: „...] Wahrhaftig man sollte die Poesie verehren, auch bis ins Streben darnach. Freilich wird nur die höchste, die griechische, gleich den Schachten der Erdkugel immer wärmer, je tiefer man dringt, ob sie gleich auf der Fläche kalt erscheint; indeß andere Gedichte nur oben wärmen."

*[S. 466]* [Walt: „...] Ein Ball *en masque* ist vielleicht das Höchste, was der spielenden Poesie das Leben nachzuspielen vermag. Wie vor dem Dichter alle Stände und Zeiten gleich sind und alles Aeußere nur Kleid ist, alles Innere aber Lust und Klang: so dichten hier die Menschen sich selber und das Leben nach [..."]
Wina antwortet leise und eilig: „Ihre Ansicht ist selber Dichtkunst. So mag wol einem höhern Wesen die Geschichte des Menschengeschlechts nur als eine längere Ball-Verkleidung erscheinen."

8 Levana oder Erziehungslehre (1807) = Werke, Bd. XII.

*[S. 390 f. § 146]* [...] Eine große dichterische *volière* oder ein Apollosaal von lauter zum Dichten zusammen gesperrten Lehrlingen könnte höchstens Gedichte über Dichten und Dichter liefern, kurz, lauter scheinheilige Nachdichter; eine Einbuße, welche der Gewinn des Technischen, der die Schule nur für die bildenden Künste wichtiger macht, nicht vergütet. Den Dichter muß das Leben, wie einen Cervantes und Shakespeare, gerade mit prosaischen Verhältnissen recht durchgenommen und überarbeitet haben: dann

nehm' er Farben und male damit nicht Farben ab, sondern sein Innen auf sein Außen hin. Bildete bloßer Umgang mit Gedichten mehr zum Dichter hin als von ihm weg: so müßten die Schauspieler von jeher die besten Schauspiele gedichtet haben.

*[S. 391 § 147]* Wenn man (und mit Recht) die Dichtkunst für das Zusammenfassen des ganzen Menschen, für den Venusgürtel erklärte, der die widerspenstigen Kräfte reizend verknüpft — für die heiterste wechselseitige Umkleidung der Form in Stoff, dieses in jene, dem Lichte gleich, dessen Flamme Gestalt annimmt, und doch durch diese hindurch ihren Stoff und Docht durchzeigt: so hat man sich zu verwundern, daß man das Studium einer solchen Einheit im Mannigfaltigen schon in die Jahre verlegt, worin das Mannigfaltige ärmlich und die Kraft, es zu vereinen, schwächlich oder irrig ist. Kann es bei Kindern anders sein als bei Völkern, wo erst über die Windstille des Bedarfs die Sonne der Schönheit aufging? Und fodert die Dichtkunst, als Brautschmuck der Psyche, nicht eine volljährige und eine Braut? Vor dem dreizehnten und vierzehnten Jahre, also vor der knospenden Mannbarkeit, welcher erst Sonne und Mond und Frühling und Geschlecht und Dichtkunst im romantischen Glanze aufgehen, sind dem Kinde die poetischen Blumen so sehr getrocknete Arzneipflanzen, daß der Irrthum des Voreilens nur aus dem ästhetischen Irrsinn kommen könnte, welcher, den Dichtergeist weniger ins Ganze als in die ausgestreueten blinkenden Reize der Klänge, Bilder, Einfälle, Empfindungen legend, für letzte natürlicher Weise schon offne Kinderohren annimmt.

9 K. A. Varnhagen von Ense, Besuch bei Jean Paul Friedrich Richter (1808) = Varnhagen, Denkwürdigkeiten, Bd. III.

*[S. 74]* Endlich sagte Jean Paul sehr sinnvoll, um eine Gegend dichterisch aufzufassen, dürfe der Dichter nicht bei ihr anfangen, sondern er müsse die Brust eines Menschen zur *camera obscura* machen, und in dieser die Gegend anschauen, dann werde sie gewiß von lebendiger Wirkung sein; nichts aber sei todter, als wenn der sich neugierig umsehende Reisende nur den sinnlichen Stoff als solchen erzähle und beschreibe. Jean Paul verlangte, der Dichter

solle auch wirkliche Gegenden doch immer nur aus der Phantasie beschreiben, die allein könne das Richtige und Wahre liefern. So habe er selber schweizerische und italiänische Gegenden, letztere z. B. im „Titan," sehr richtig — wenigstens die bewährtesten Kenner sagten es — geschildert, ohne sie je gesehen zu haben, und auch in Nürnberg, dessen Örtlichkeit in den „Palingenesien" bis zum kleinsten Einzelnen vorkomme, sei er erst lange nachher, und auch da nur auf einen halben Vormittag, gewesen.

10 Dr. Katzenbergers Badereise (1809) = Werke, Bd. XIII.

*[S. 341]* Der Dichter

Der Dichter gleicht der Saite: er selber macht sich unsichtbar, wenn er sich schwingt und Wohllaut gibt.

*[S. 342]* Die Freuden des Dichters

Gönnt und gebt dem Dichter Freuden; er bringt sie euch verklärt als Gedichte zurück, und er genießt die Blumen, um sie fortzupflanzen; denn er ist der Biene ähnlich, die von den Blumen, aus denen sie Süßigkeit trinkt, den Blumenstaub weiter trägt und zu neuen jungen Blumen aussäet. Laßt ihn nach Italien fliegen, denn er bringt es auf seinen Flügeln als hängenden Garten der Dichtkunst mit.

11 Kleine Nachschule zur aesthetischen Vorschule (1825) = Werke, Bd. XVI.

*[S. 424 f. § 3]* Allgemeine Ausgießung des heiligen Geistes der Poesie

Irgend eine Zeit lang hat jeder Mensch Poesie. Eigentlich ist ein Affekt schon eine kurze; und besonders ist die Liebe, wenigstens die erste, gleich der Malerei eine stumme Dichtkunst. So fängt denn das Leben, wie eine Schule und Kirche, mit Singen an; und später kommen die Schulübungen und Bußpredigten. Der Musensohn betritt später seine Amtstelle und sein Ehebett; dann singt er wie ein Nachtigallenmännchen, das sich nach der Begattung aus seinem Busche weniger als Flöte denn als Kröte hören läßt.

Eine schöne, aber entgegengesetzte Erscheinung ist, daß große, aber vielseitige Kräfte, welche in der Jugend noch das Aegypten

der Wirklichkeit bearbeiteten und bekämpften, im Alter auf den Höhen ihrer Gesetzgebung den Glanz der Dichtkunst warfen; so glänzte Lessings bejahrtes Angesicht in seinem Nathan und in seinem Faustkampfe gegen Theologen poetisch; in seinen jugendlichen Versuchen dichtete mehr die Prose. — Es gibt überhaupt Menschen, die ihre Jugend erst im Alter erleben.
Sobald der Jüngling nur nicht sein dichterisches Empfangen für Erzeugen hält und die geistigen Geschlechter verwechselt und mit einem eingebildeten in der Büchermesse erscheint: so ist nichts zu tadeln, ja sogar wenn ers thut; sondern man erfreue sich, daß eben dem Jugendalter der Dichter, wie der hohe Tugendlehrer, die heiligsten Dienste thut, und daß beide viel heißer und mehr senkrecht in dasselbe eingreifen als in das Spätalter, auf welches ihre Stralen schon seitwärts und schief auffallen mit geschwächter Wärme. Die selberschaffende Poesie verwelkt im Manne, aber genug, wenn sie früher den Boden für die Wurzeln jeder fremden aufgelockert hat.

*[S. 428—430 § 7]* Das Romantische außerhalb der Poesie

Jede Dichtart hat unter den Körpern ihre Ebenbilder, die uns anregen. So ist z. B. die Musik romantische Poesie durch das Ohr. Diese als das Schöne ohne Begränzung wird weniger von dem Auge vorgespiegelt, dessen Gränzen sich nicht so unbestimmbar wie die eines sterbenden Tons verlieren. Keine Farbe ist so romantisch als ein Ton, schon weil man nur bei dem Sterben des letztern, nicht der erstern gegenwärtig ist, und weil ein Ton nie allein, sondern immer dreifaltig tönt, gleichsam die Romantik der Zukunft und der Vergangenheit mit der Gegenwart verschmelzend. [...]
Das Reich des Romantischen theilt sich eigentlich in das Morgenreich des Auges und in das Abendreich des Ohrs und gleicht darin seinem Verwandten, dem Traum. [...]
Die romantische Poesie wird folglich von Auge und Ohr bevölkert. Indeß wird ihr Himmel mit seinem Blau doch eine schwächere Farbe tragen als ihre Hölle mit ihrem Gelb; denn jener ist voll Sehnsucht, weil er die Seeligkeit an tiefe Fernen malt, und diese enthält die kalten Geisterschauer, welche hinter den hellen Freu-

den unten am Horizonte von etwas Wolkigen heraufwehen, das unter ihm sich ungemessen versenkt.

*[S. 473 f.]* Himmelfahrt-Woche. Vorlesung an und für mich

Ueber die Dichtkunst

Jetzo aber hab' ich dich wach vor mir, mein theurer Leser, und ich kann mit mir wol vor dir an dem schönen Himmelfahrttage von der Dichtkunst reden, dieser menschlichern Himmelfahrt, wo der Himmel selber zu uns herunter fährt, nicht wir später in ihn hinauf. Es wohnt eine Kraft in uns, deren Allmacht uns eben so wol Himmel als Höllen bauen kann, es ist die Phantasie. Im Leben kann uns diese Phantasie die heitersten Tage durch zurückgeworfene Schatten der Vergangenheit und nah gerückte Schatten der Zukunft verdunkeln, sie kann die Freuden dünn und durchsichtig machen, und die Schmerzen dick und undurchsichtig — o! so gebt doch dieser gewaltigen Göttin das Reich der Dichtkunst zu verwalten, wo sie gerade die Gegenfüßlerin des Lebens werden kann und soll und nicht nur die Freuden vergrößern und die Schmerzen verkleinern, sondern auch beide verklären. Aber desto verwerflicher ist es, wenn sie auch in diesen Höhen ihre Entzauberkräfte in den Tiefen wiederholen wollte, und wenn sie, da unten der Erdboden knochige, scharfgezähnte Ungeheuer und lange Geiferschlangen genug trägt und entgegenführt, oben die zarten beweglichen Wolken des poetischen Himmels noch zu breiten und hohen Ungestalten und riesenhaften Furienmasken verdreht und formt anstatt zu weißen friedlichen Lämmerwolken und leichten hellen Gebirgketten, über die schweren finstern Bergrücken der Erde hinfliegend.

# IX Friedrich Hölderlin (1770—1843)

Werke = Sämtliche Werke. Große Stuttgarter Ausgabe. Hg. von F. Beißner. Stuttgart: Cotta und Kohlhammer 1943 ff.

1 Hyperion (1797—1799) = Werke, Bd. III.

*[S. 81]* Gut! unterbrach mich einer, das begreif ich, aber, wie diß dichterische religiöse Volk nun auch ein philosophisch Volk seyn soll, das seh' ich nicht.
Sie wären sogar, sagt' ich, ohne Dichtung nie ein philosophisch Volk gewesen!
Was hat die Philosophie, erwiedert' er, was hat die kalte Erhabenheit dieser Wissenschaft mit Dichtung zu thun?
Die Dichtung, sagt' ich, meiner Sache gewiß, ist der Anfang und das Ende dieser Wissenschaft. Wie Minerva aus Jupiters Haupt, entspringt sie aus der Dichtung eines unendlichen göttlichen Seyns. Und so läuft am End' auch wieder in ihr das Unvereinbare in der geheimnißvollen Quelle der Dichtung zusammen.

2 Brief an Christian Ludwig Neuffer vom 12. November 1798 = Werke, Bd. VI/1.

*[S. 289]* Das Lebendige in der Poësie ist jezt dasjenige, was am meisten meine Gedanken und Sinne beschäfftiget. Ich fühle so tief, wie weit ich noch davon bin, es zu treffen, und dennoch ringt meine ganze Seele danach und es ergreift mich oft, daß ich weinen muß, wie ein Kind, wenn ich um und um fühle, wie es meinen Darstellungen an einem und dem andern fehlt, und ich doch aus den poëtischen Irren, in denen ich herumwandele, mich nicht herauswinden kan. Ach! die Welt hat meinen Geist von früher Jugend an in sich zurükgescheucht, und daran leid' ich noch immer. Es giebt zwar einen Hospital, wohin sich jeder auf meine Art verunglükte Poët mit Ehren flüchten kann — die Philosophie. Aber ich kann von meiner ersten Liebe, von den Hofnungen meiner Jugend nicht lassen, und ich will lieber verdienstlos untergehen, als mich trennen von der süßen Heimath der Musen, aus der mich blos der Zufall verschlagen hat.

3 Brief an den Bruder vom 31. Dezember 1798/1. Januar 1799 = Werke, Bd. VI/1.

*[S. 305 f.]* Übrigens ist das Interesse für Philosophie und Politik, wenn es auch noch allgemeiner und ernster wäre, als es ist, nichts weniger als hinreichend für die Bildung unserer Nation, und es wäre zu wünschen, daß der gränzenlose Misverstand einmal aufhörte, womit die Kunst, und besonders die Poësie, bei denen, die sie treiben und denen, die sie genießen wollen, herabgewürdigt wird. Man hat schon so viel gesagt über den Einfluß der schönen Künste auf die Bildung der Menschen, aber es kam immer heraus, als wär' es keinem Ernst damit, und das war natürlich, denn sie dachten nicht, was die Kunst, und besonders die Poësie, ihrer Natur nach, ist. Man hielt sich blos an ihre anspruchlose Außenseite, die freilich von ihrem Wesen unzertrennlich ist, aber nichts weniger, als den ganzen Karakter derselben ausmacht; man nahm sie für Spiel, weil sie in der bescheidenen Gestalt des Spiels erscheint, und so konnte sich auch vernünftiger weise keine andere Wirkung von ihr ergeben, als die des Spiels, nemlich Zerstreuung, beinahe das gerade Gegentheil von dem, was sie wirket, wo sie in ihrer wahren Natur vorhanden ist. Denn alsdann sammelt sich der Mensch bei ihr, und sie giebt ihm Ruhe, nicht die leere, sondern die lebendige Ruhe, wo alle Kräfte regsam sind, und nur wegen ihrer innigen Harmonie nicht als thätig erkannt werden. Sie nähert die Menschen, und bringt sie zusammen, nicht wie das Spiel, wo sie nur dadurch vereiniget sind, daß jeder sich vergißt und die lebendige Eigentümlichkeit von keinem zum Vorschein kömmt. [. . .]
Ich will nun sehen, ob ich noch etwas von dem, was ich Dir neulich über Poësie sagen wollte, herausbringen kann. Nicht, wie das Spiel, vereinige die Poësie die Menschen, sagt' ich; sie vereinigt sie nemlich, wenn sie ächt ist und ächt wirkt, mit all dem mannigfachen Laid und Glük und Streben und Hoffen und Fürchten, mit all ihren Meinungen und Fehlern, all ihren Tugenden und Ideen, mit allem Großen und Kleinen, das unter ihnen ist, immer mehr, zu einem lebendigen tausendfach gegliederten innigen Ganzen, denn eben diß soll die Poësie selber seyn, und wie die Ursache, so die Wirkung.

4 Brief an Friedrich Steinkopf vom 18. Juni 1799 = Werke, Bd. VI/1.

*[S. 335]* Die Poesie soll nicht blos leidenschaftliche, schwärmerische, launische Explosion, nicht erzwungenes, kaltes Kunststück sein, sondern zugleich aus dem Leben und dem ordnenden Verstande, aus Empfindung und Überzeugung hervorgehen.

5 An unsre großen Dichter (1799) = Werke, Bd. I.

*[S. 261]* Des Ganges Ufer hörten des Freudengotts
Triumph, als allerobernd vom Indus her
Der junge Bacchus kam, mit heilgem
Weine vom Schlafe die Völker wekend.

O wekt, ihr Dichter! wekt sie vom Schlummer auch,
Die jezt noch schlafen, gebt die Geseze, gebt
Uns Leben, siegt, Heroën! ihr nur
Habt der Eroberung Recht, wie Bacchus.

6 Der zürnende Dichter (um 1799, Erstdruck 1826) = Werke, Bd. I.

*[S. 305]* Fürchtet den Dichter nicht, wenn er edel zürnet, sein
Tödtet, aber es macht Geister lebendig der Geist. [Buchstab

7 Die scheinheiligen Dichter (1800) = Werke, Bd. I.

*[S. 257]* Ihr kalten Heuchler, sprecht von den Göttern nicht!
Ihr habt Verstand! ihr glaubt nicht an Helios,
Noch an den Donnerer und Meergott;
Todt ist die Erde, wer mag ihr danken? —

Getrost ihr Götter! zieret ihr doch das Lied,
Wenn schon aus euren Nahmen die Seele schwand,
Und ist ein großes Wort vonnöthen,
Mutter Natur! so gedenkt man deiner.

8 Brief an Friedrich Emerich vom Frühjahr 1800 = Werke, Bd. VI/1.

*[S. 389]* Du scheinst mir die poëtische Dreieinigkeit, den zarten Sinn und die Kraft und den Geist, himmlisches und irrdisches Ele-

ment genug in Deiner Natur zu haben, um dieses edle Leben, in einer so edlen Kunst, zu fixiren und der Nachwelt wohlbehalten zu überliefern. Und darum ehr' ich den freien, vorurtheillosen, gründlichern Kunstverstand immer mehr, weil ich ihn für die heilige Aegide halte, die den Genius vor der Vergänglichkeit bewahrt.

9 Reflexion (Nachlaß) = Werke, Bd. IV/1.

*[S. 233—235]* Das ist das Maas Begeisterung, das jedem Einzelnen gegeben ist, daß er eine bei größerem, der andere nur bei schwächerem Feuer die Besinnung noch im nöthigen Grade behält. Da wo die Nüchternheit dich verläßt, da ist die Gränze deiner Begeisterung. Der große Dichter ist niemals von sich selbst verlassen, er mag sich so weit über sich selbst erheben als er will. Man kann auch in die Höhe fallen, so wie in die Tiefe. Das leztere verhindert der elastische Geist, das erstere die Schwerkraft, die in nüchternem Besinnen liegt. Das Gefühl ist aber wohl die beste Nüchternheit und Besinnung des Dichters, wenn es richtig und warm und klar und kräftig ist. Es ist Zügel und Sporn dem Geist. Durch Wärme treibt es den Geist weiter, durch Zartheit und Richtigkeit und Klarheit schreibt es ihm die Gränze vor und hält ihn, daß er sich nicht verliert; und so ist es Verstand und Wille zugleich. Ist es aber zu zart und weichlich, so wird es tödtend, ein nagender Wurm. Begränzt sich der Geist, so fühlt es zu ängstlich die augenblikliche Schranke, wird zu warm, verliert die Klarheit, und treibt den Geist mit einer unverständlichen Unruhe ins Gränzenlose; ist der Geist freier, und hebt er sich augenbliklich über Regel und Stoff, so fürchtet es eben so ängstlich die Gefahr, daß er sich verliere, so wie es zuvor die Eingeschränktheit fürchtete, es wird frostig und dumpf, und ermattet den Geist, daß er sinkt und stokt, und an überflüssigem Zweifel sich abarbeitet. Ist einmal das Gefühl so krank, so kann der Dichter nichts bessers, als daß er, weil er es kennt, sich, in keinem Falle, gleich schreken läßt von ihm, und es nur so weit achtet, daß er etwas gehaltner fortfährt, und so leicht wie möglich sich des Verstands bedient, um das Gefühl, es seie beschränkend oder befreiend, augenbliklich zu berichtigen, und wenn er so sich mehrmal durchgeholfen hat, dem Gefühle die

natürliche Sicherheit und Consistenz wiederzugeben. Überhaupt muß er sich gewöhnen, nicht in den einzelnen Momenten das Ganze, das er vorhat, erreichen zu wollen, und das augenbliklich unvollständige zu ertragen; seine Lust muß seyn, daß er sich von einem Augenblike zum andern selber übertrifft, in dem Maße und in der Art, wie es die Sache erfordert, bis am Ende der Hauptton seines Ganzen gewinnt. Er muß aber ja nicht denken, daß er nur im *crescendo* vom Schwächern zum Stärkern sich selber übertreffen könne, so wird er unwahr werden, und sich überspannen; er muß fühlen, daß er an Leichtigkeit gewinnt, was er an Bedeutsamkeit verliert, daß Stille die Heftigkeit, und das Sinnige den Schwung gar schön ersezt, und so wird es im Fortgang seines Werks nicht einen nothwendigen Ton geben, der nicht den vorhergehenden gewissermaßen überträffe, und der herrschende Ton wird es nur darum seyn, weil das Ganze auf diese und keine andere Art komponirt ist.

Nur das ist die wahrste Wahrheit, in der auch der Irrtum, weil sie ihn im ganzen ihres Systems, in seine Zeit und seine Stelle sezt, zur Wahrheit wird. Sie ist das Licht, das sich selber und auch die Nacht erleuchtet. Diß ist auch die höchste Poësie, in der auch das unpoëtische, weil es zu rechter Zeit und am rechten Orte im Ganzen des Kunstwerks gesagt ist, poëtisch wird. Aber hiezu ist schneller Begriff am nöthigsten. Wie kanst du die Sache am rechten Ort brauchen, wenn du noch scheu darüber verweilst, und nicht weist, wie viel an ihr ist, wie viel oder wenig daraus zu machen. Das ist ewige Heiterkeit, ist Gottesfreude, daß man alles Einzelne in die Stelle des Ganzen sezt, wohin es gehört; deswegen ohne Verstand, oder ohne ein durch und durch organisirtes Gefühl keine Vortreflichkeit, kein Leben.

10 Mischung der Dichtarten (Nachlaß) = Werke, Bd. IV/1.

*[S. 273]* Der tragische Dichter thut wohl, den lyrischen, der lyrische den epischen, der epische den tragischen zu studiren. Denn im tragischen liegt die Vollendung des epischen, im lyrischen die Vollendung des tragischen, im epischen die Vollendung des lyrischen. Denn wenn schon die Vollendung von allen ein vermischter Aus-

druk von allen ist, so ist doch eine der drei Seiten in jedem die hervorstechendste.

11 Über die Verfahrungsweise des poëtischen Geistes (Nachlaß) = Werke, Bd. IV/1.

*[S. 241—255]* Wenn der Dichter einmal des Geistes mächtig ist, wenn er die gemeinschaftliche Seele, die allem gemein und jedem eigen ist, gefühlt und sich zugeeignet, sie vestgehalten, sich ihrer versichert hat, wenn er ferner der freien Bewegung, des harmonischen Wechsels und Fortstrebens, worinn der Geist sich in sich selber und in anderen zu reproduciren geneigt ist, wenn er des schönen im Ideale des Geistes vorgezeichneten Progresses und seiner poëtischen Folgerungsweise gewiß ist, wenn er eingesehen hat, daß ein nothwendiger Widerstreit entstehe zwischen der ursprünglichsten Forderung des Geistes, die auf Gemeinschaft und einiges Zugleichseyn aller Theile geht, und zwischen der anderen Forderung, welche ihm gebietet, aus sich heraus zu gehen, und in einem schönen Fortschritt und Wechsel sich in sich selbst und in anderen zu reproduciren, wenn dieser Widerstreit ihn immer vesthält und fortzieht, auf dem Wege zur Ausführung, wenn er ferner eingesehen hat, daß einmal jene Gemeinschaft und Verwandtschaft aller Theile, jener geistige Gehalt gar nicht fühlbar wäre, wenn diese nicht dem sinnlichen Gehalte, dem Grade nach, auch den harmonischen Wechsel abgerechnet, auch bei der Gleichheit der geistigen Form (des Zugleich- und Beisammenseyns), verschieden wären, daß ferner jener harmonische Wechsel, jenes Fortstreben, wieder nicht fühlbar und ein leeres leichtes Schattenspiel wäre, wenn die wechselnden Theile, auch bei der Verschiedenheit des sinnlichen Gehalts, nicht in der sinnlichen Form sich unter dem Wechsel und Fortstreben gleich bleiben, wenn er eingesehen hat, daß jener Widerstreit zwischen geistigem Gehalt (zwischen der Verwandtschaft aller Theile) und geistiger Form (dem Wechsel aller Theile), zwischen dem Verweilen und Fortstreben des Geistes, sich dadurch löse, daß eben beim Fortstreben des Geistes, beim Wechsel der geistigen Form die Form des Stoffes in allen Theilen identisch bleibe, und daß sie eben so viel erseze, als von ursprünglicher Verwandt-

schaft und Einigkeit der Theile verloren werden muß im harmonischen Wechsel, daß sie den objectiven Gehalt ausmache im Gegensaze gegen die geistige Form, und dieser ihre völlige Bedeutung gebe, daß auf der anderen Seite der materielle Wechsel des Stoffes, der das Ewige des geistigen Gehalts begleitet, die Mannigfaltigkeit desselben die Forderungen des Geistes, die er in seinem Fortschritt macht, und die durch die Forderung der Einigkeit und Ewigkeit in jedem Momente aufgehalten sind, befriedige, daß eben dieser materielle Wechsel die objective Form, die Gestalt ausmache im Gegensaze gegen den geistigen Gehalt; wenn er eingesehen hat, daß andererseits der Widerstreit zwischen dem materiellen Wechsel, und der materiellen Identität, dadurch gelöst werde, daß der Verlust von materieller Identität*), von leiden-

*) materielle Identität? sie muß ursprünglich das im Stoffe seyn, vor dem materiellen Wechsel, was im Geiste die Einigkeit vor dem idealischen Wechsel ist, sie muß der sinnliche Berührungspunkt aller Theile seyn. Der Stoff muß nemlich auch, wie der Geist, vom Dichter zu eigen gemacht, und vestgehalten werden, mit freiem Interesse, wenn er einmal in seiner ganzen Anlage gegenwärtig ist, wenn der Eindruk den er auf den Dichter gemacht, das erste Wohlgefallen, das auch zufällig seyn könnte, untersucht, und als receptiv für die Behandlung des Geistes und wirksam, angemessen gefunden worden ist, für den Zwek, daß der Geist sich in sich selber und in anderen reproducire, wenn er nach dieser Untersuchung wieder empfunden, und in allen seinen Theilen wieder hervorgerufen, und in einer noch unausgesprochenen gefühlten Wirkung begriffen ist. Und diese Wirkung ist eigentlich die Identität des Stoffs, weil in ihr sich alle Theile concentriren. Aber sie ist unbestimmt gelassen, der Stoff ist noch unentwikelt. Er muß in allen seinen Theilen deutlich ausgesprochen, und eben hiedurch in der Lebhaftigkeit seines Totaleindruks geschwächt werden. Er muß diß, denn in der unausgesprochenen Wirkung ist er wohl dem Dichter aber nicht anderen gegenwärtig, überdiß hat diß in der unausgesprochenen Wirkung der Geist noch nicht wirklich reproducirt, sie giebt ihm nur die Fähigkeit, die im Stoffe dazu liegt zu erkennen, und ein Streben, die Reproduction zu realisiren Der Stoff muß also vertheilt, der Totaleindruk muß aufgehalten, und die Identität ein Fortstreben von einem Puncte zum andern werden, wo denn der Totaleindruk sich wohl also findet, daß der Anfangspunct und Mittelpunct und Endpunct in der innigsten Beziehung stehen, so daß beim Beschlusse der Endpunct auf den Anfangspunct und dieser auf den Mittelpunct zurückkehrt.

schaftlichem, die Unterbrechung fliehendem Fortschritt ersezt wird durch den immerforttönenden allesausgleichenden geistigen Gehalt, und der Verlust an materieller Mannigfaltigkeit, der durch das schnellere Fortstreben zum Hauptpunct und Eindruk, durch diese materielle Identität entsteht, ersezt wird, durch die immerwechselnde idealische geistige Form; wenn er eingesehen hat, wie umgekehrter weise eben der Widerstreit zwischen geistigem ruhigem Gehalt und geistiger wechselnder Form, so viel sie unvereinbar sind, so auch der Widerstreit zwischen materiellem Wechsel und materiellem identischem Fortstreben zum Hauptmoment, so viel sie unvereinbar sind, das eine wie das andere fühlbar macht, wenn er endlich eingesehen hat, wie der Widerstreit des geistigen Gehalts und der idealischen Form einerseits, und des materiellen Wechsels und identischen Fortstrebens andererseits sich vereinigen in den Ruhepuncten und Hauptmomenten, und so viel sie in diesen nicht vereinbar sind, eben in diesen auch und ebendeßwegen fühlbar und gefühlt werden, wenn er dieses eingesehen hat, so komt ihm alles an auf die Receptivität des Stoffs zum idealischen Gehalt und zur idealischen Form. Ist er des einen gewiß und mächtig wie des andern, der Receptivität des Stoffs, wie des Geistes, so kann es im Hauptmomente nicht fehlen.

Wie muß nun der Stoff beschaffen seyn, der für das Idealische, für seinen Gehalt, für die Metapher, und seine Form, den Übergang, vorzüglich receptiv ist?

Der Stoff ist entweder eine Reihe von Begebenheiten, oder Anschauungen Wirklichkeiten subjectiv oder objectiv zu beschreiben, zu mahlen oder er ist eine Reihe von Bestrebungen Vorstellungen Gedanken, oder Leidenschaften Nothwendigkeiten subjectiv oder objectiv zu bezeichnen oder eine Reihe von Phantasien Möglichkeiten subjectiv oder objectiv zu bilden.*) In allen drei Fällen

---

*) Ist die Empfindung Bedeutung, so ist die Darstellung bildlich, und die geistige Behandlung zeigt sich episodisch.

Ist die intellectuelle Anschauung Bedeutung, so ist der Ausdruk, das materielle, leidenschaftlich, die geistige Behandlung zeigt sich mehr im Styl.

Ist die Bedeutung ein eigentlicherer Zwek, so ist der Ausdruk sinnlich, die freie Behandlung metaphorisch.

muß er der idealischen Behandlung fähig seyn, wenn nemlich ein ächter Grund zu den Begebenheiten, zu den Anschauungen, die erzählt, beschrieben, oder zu den Gedanken und Leidenschaften, welche gezeichnet, oder zu den Phantasien, welche gebildet werden sollen, vorhanden ist, wenn die Begebenheiten oder Anschauungen hervorgehn aus rechten Bestrebungen, die Gedanken und Leidenschaften aus einer rechten Sache, die Phantasien aus schöner Empfindung. Dieser Grund des Gedichts, seine Bedeutung, soll den Übergang bilden zwischen dem Ausdruk, dem Dargestellten, dem sinnlichen Stoffe, dem eigentlich ausgesprochenen im Gedichte, und zwischen dem Geiste, der idealischen Behandlung. Die Bedeutung des Gedichts kann zweierlei heißen, so wie auch der Geist, das idealische, wie auch der Stoff, die Darstellung, zweierlei heißen, nemlich in so fern es angewandt oder unangewandt verstanden wird. Unangewandt sagen diese Worte nichts aus, als die poëtische Verfahrungsweise, wie sie genialisch und vom Urtheile geleitet in jedem ächtpoëtischen Geschäffte bemerkbar ist; angewandt bezeichnen jene Worte die Angemessenheit des jedesmaligen poetischen Wirkungskreises zu jener Verfahrungsweise, die Möglichkeit, die im Elemente liegt, jene Verfahrungsweise zu realisiren, so daß man sagen kann, im jedesmaligen Elemente liege objectiv und reell Idealisches dem Idealischen, lebendiges dem Lebendigen, individuelles dem Individuellen gegenüber, und es fragt sich nur, was unter diesem Wirkungskreise zu verstehen sei. Er ist das, worinn und woran das jedesmalige poëtische Geschäfft und Verfahren sich realisirt, das Vehikel des Geistes, wodurch er sich in sich selbst und in andern reproducirt. An sich ist der Wirkungskreis größer als der poëtische Geist, aber nicht für sich selber. Insofern er im Zusammenhange der Welt betrachtet wird, ist er größer; insofern er vom Dichter vestgehalten, und zugeeignet ist, ist er subordinirt. Er ist der Tendenz nach, dem Gehalte seines Strebens nach dem poëtischen Geschäffte entgegen, und der Dichter wird nur zu leicht durch seinen Stoff irre geführt, indem dieser aus dem Zusammenhange der lebendigen Welt genommen der poëtischen Beschränkung widerstrebt, indem er dem Geiste nicht blos als Vehikel dienen will; indem, wenn er auch recht gewählt ist, sein nächster und erster Fortschritt in Rüksicht auf ihn Gegensaz und Sporn ist in Rüksicht auf die dichterische Erfüllung, so daß sein zweiter Fortschritt zum Theil unerfüllt, zum Theil erfüllt werden muß. p. p.

Es muß sich aber zeigen, wie dieses Widerstreits ungeachtet, in dem der poetische Geist bei seinem Geschäffte mit dem jedesmaligen Elemente und Wirkungskreise steht, dieser dennoch jenen begünstige, und wie sich jener Widerstreit auflöse, wie in dem Elemente das sich der Dichter zum Vehikel wählt, dennoch eine Receptivität für das poëtische Geschäfft liege, und wie er alle Forderungen, die ganze poëtische Verfahrungsweise in ihrem Metaphorischen, ihrem Hyperbolischen, und ihrem Karakter in sich realisire in Wechselwirkung mit dem Elemente, das zwar in seiner anfänglichen Tendenz widerstrebt, und gerade entgegengesezt ist, aber im Mittelpuncte sich mit jenen vereiniget.

Zwischen dem Ausdruke (der Darstellung) und der freien idealischen Behandlung liegt die Begründung und Bedeutung des Gedichts. Sie ists, die dem Gedichte seinen Ernst, seine Vestigkeit, seine Wahrheit giebt, sie sichert das Gedicht davor, daß die freie idealische Behandlung nicht zur leeren Manier, und Darstellung nicht zur Eitelkeit werde. Sie ist das geistigsinnliche, das formalmaterielle, des Gedichts; und wenn die idealische Behandlung in ihrer Metapher, ihrem Übergang, ihren Episoden, mehr vereinigend ist, hingegen der Ausdruk, die Darstellung in ihren Karakteren, ihrer Leidenschaft, ihren Individualitäten, mehr trennend, so stehet die Bedeutung zwischen beiden, sie zeichnet sich aus dadurch, daß sie sich selber überall entgegengesezt ist: daß sie, statt daß der Geist alles der Form nach entgegengesezte vergleicht, alles einige trennt, alles freie festsezt, alles besondere verallgemeinert, weil nach ihr das Behandelte nicht blos ein individuelles Ganze, noch ein mit seinem harmonischentgegengesezten zum Ganzen verbundenes Ganze, sondern ein Ganzes überhaupt ist und die Verbindung mit dem Harmonischentgegengesezten auch möglich ist durch ein der individuellen Tendenz nach, aber nicht der Form nach entgegengeseztes; daß sie durch Entgegensezung, durch das Berühren der Extreme vereiniget, indem diese sich nicht dem Gehalte nach, aber in der Richtung und dem Grade der Entgegensezung vergleichbar sind, so daß sie auch das W i d e r s p r echendste vergleicht, und durchaus hyperbolisch ist, daß sie nicht fortschreitet durch Entgegensezung in der Form, wo aber das erste dem zweiten dem Gehalte nach verwandt ist, sondern durch Entgegensezung im Gehalt, wo aber das erste dem zweiten der Form nach gleich ist, so daß naive und heroische und idealische Tendenz, im Object ihrer Tendenz, sich widersprechen, aber in der Form des Widerstreits und Strebens vergleichbar sind, und einig nach dem Geseze der Thätigkeit, also einig im Allgemeinsten, im Leben.

Eben dadurch, durch dieses hyperbolische Verfahren, nach welchem das idealische, harmonisch entgegengesezte und verbundene, nicht blos als dieses, als schönes Leben, sondern auch als Leben überhaupt betrachtet, also auch als eines andern Zustandes fähig betrachtet wird, und zwar nicht eines andern harmonischentgegengesezten, sondern eines geradentgegengesezten, eines Äußersten, so daß dieser neue Zustand mit dem vorigen nur vergleichbar ist durch die Idee des Lebens überhaupt, — eben dadurch giebt der Dichter dem Idealischen einen Anfang, eine Richtung, eine Bedeutung. Das idealische in dieser Gestalt ist der subjective Grund des Gedichts, von dem aus, auf den zurükgegangen wird, und da das innere idealische Leben in verschiedenen Stimmungen aufgefaßt, als Leben überhaupt, als ein verallgemeinbares, als ein vestsezbares, als ein trennbares betrachtet werden kann, so giebt es auch verschiedene Arten des subjectiven Begründens; entweder wird die idealische Stimmung als Empfindung aufgefaßt, dann ist sie der subjective Grund des Gedichts, die Hauptstimmung des Dichters beim ganzen Geschäffte, und eben weil sie als Empfindung vestgehalten ist, wird sie durch das Begründen als ein verallgemeinbares betrachtet, — oder sie wird als Streben vestgesezt, dann wird sie die Hauptstimmung des Dichters beim ganzen Geschäffte, und daß sie als Streben festgesezt ist, macht daß sie als erfüllbares durch das Begründen betrachtet wird, oder wird sie als intellectuale Anschauung vestgehalten, dann ist diese die Grundstimmung des Dichters beim ganzen Geschäffte, und eben daß sie als diese vestgehalten worden ist, macht daß sie als realisirbares betrachtet wird. Und so fordert und bestimmt die subjective Begründung eine objective, und bereitet sie vor. Im ersten

Fall wird also der Stoff als allgemeines zuerst, im zweiten als erfüllendes, im dritten als geschehendes, aufgefaßt werden.
Ist das freie idealische poetische Leben einmal so fixirt, und ist ihm, je nachdem es fixirt war, seine Bedeutsamkeit gegeben, als verallgemeinbares, als erfüllbares, als realisirbares, ist es, auf diese Art, durch die Idee des Lebens überhaupt, mit seinem direct entgegengesezten verbunden, und hyperbolischgenommen, so fehlt in der Verfahrungsweise des poëtischen Geistes noch ein wichtiger Punct, wodurch er seinem Geschäffte nicht die Stimmung, den Ton, auch nicht die Bedeutung und Richtung, aber die Wirklichkeit giebt.
Als reines poëtisches Leben betrachtet, bleibt nemlich seinem Gehalte nach, als vermöge des Harmonischen überhaupt und des zeitlichen Mangels ein mit harmonischentgegengesezten verbundenes, das poëtische Leben sich durchaus einig, und nur im Wechsel der Formen ist es entgegengesezt, nur in der Art, nicht im Grunde seines Fortstrebens, es ist nur geschwungner oder zielender oder geworfner, nur zufällig mehr oder weniger unterbrochen; als durch die poetische Reflexion vermöge der Idee des Lebens überhaupt und des Mangels in der Einigkeit bestimmtes und begründetes Leben betrachtet, fängt es mit einer idealisch karakteristischen Stimmung an, es ist nun nicht mehr ein mit harmonischentgegengesezten Verbundenes überhaupt, es ist als solches in bestimmter Form vorhanden, und schreitet fort im Wechsel der Stimmungen, wo jedesmal die nachfolgende durch die vorhergehende bestimmt, und ihr dem Gehalt nach, das heißt, den Organen nach, in denen sie begriffen, entgegengesezt und insofern individueller allgemeiner voller ist, so daß die verschiedenen Stimmungen nur in dem worinn das reine seine Entgegensezung findet, nemlich in der Art des Fortstrebens, verbunden sind, als Leben überhaupt, so daß das rein poëtische Leben nicht mehr zu finden ist, denn in jeder der wechselnden Stimmungen ist es in besonderer Form also mit seinem geradentgegengesezten verbunden, also nicht mehr rein, im Ganzen ist es nur als fortstrebendes und nach dem Geseze des Fortstrebens nur als Leben überhaupt vorhanden, und es herrscht auf diesem Gesichtspuncte durchaus ein Widerstreit von Individuellem (Materialem), Allgemeinem (Formalem) und Reinem.

Das Reine in jeder besondern Stimmung begriffenes widerstreitet dem Organ in dem es begriffen, es widerstreitet dem Reinen des andern Organs, es widerstreitet dem Wechsel.
Das Allgemeine widerstreitet als besonderes Organ (Form), als karakteristische Stimmung dem Reinen, welches es in dieser Stimmung begreift, es widerstreitet als Fortstreben im Ganzen dem Reinen, welches in ihm begriffen ist, es widerstreitet als karakteristische Stimmung der zunächst liegenden.
Das Individuelle widerstreitet dem Reinen welches es begreift, es widerstreitet der zunächst liegenden Form, es widerstreitet als Individuelles dem Allgemeinen des Wechsels.
Die Verfahrungsweise des poëtischen Geistes bei seinem Geschäffte kann also unmöglich hiemit enden. Wenn sie die wahre ist, so muß noch etwas anders in ihr aufzufinden seyn, und es muß sich zeigen, daß die Verfahrungsart, welche dem Gedichte seine Bedeutung giebt, nur der Übergang vom Reinen zu diesem Aufzufindenden, so wie rükwärts von diesem zum Reinen ist. (Verbindungsmittel zwischen Geist und Zeichen.)
Wenn nun das dem Geiste direct entgegengesezte, das Organ, worinn er enthalten und wodurch alle Entgegensezung möglich ist, könnte betrachtet und begriffen werden, nicht nur als das, wodurch das harmonischverbundene formal entgegengesezt, sondern, wodurch es auch formal verbunden ist, wenn es könnte betrachtet und begriffen werden, nicht nur als das, wodurch die verschiedenen unharmonischen Stimmungen materiell entgegengesezt und formal verbunden, sondern wodurch sie auch materiell verbunden und formal entgegengesezt sind, wenn es könnte betrachtet und begriffen werden nicht nur als das, was als verbindendes blos formales Leben überhaupt, und als besonderes und materielles nicht verbindend, nur entgegensezend und trennend, ist, wenn es als materielles als verbindend, wenn das Organ des Geistes könnte betrachtet werden als dasjenige, welches, um das harmonischentgegengesezte möglich zu machen, *receptiv* seyn muß so wohl für das eine, wie für das andre harmonischentgegengesezte, daß es also, insofern es für das rein poëtische Leben formale Entgegensezung ist, auch formale Verbindung seyn muß, daß es, insofern es

für das bestimmte poetische Leben und seine Stimmungen material entgegensezend ist, auch material verbindend seyn muß, daß das begränzende und bestimmende nicht blos negativ, daß es auch positiv ist, daß es zwar bei harmonisch verbundenem abgesondert betrachtet dem einen wie dem andern entgegengesezt ist, aber beide zusammengedacht die Vereinigung von beiden ist, dann wird derjenige Act des Geistes, welcher in Rüksicht auf die Bedeutung nur einen durchgängigen Widerstreit zur Folge hatte, ein ebenso vereinigender seyn, als er entgegensezend war.
Wie wird er aber in dieser Qualität begriffen? als möglich und als Nothwendig? Nicht blos durch das Leben überhaupt, denn so ist er es, in so fern er blos als material entgegensezend und formal verbindend, das Leben direkt bestimmend, betrachtet wird. Auch nicht blos durch die Einigkeit überhaupt, denn so ist er es, insofern er blos als formal entgegensezend betrachtet wird, aber im Begriffe der Einheit des Einigen, so daß von harmonischverbundenem eines wie das andere im Puncte der Entgegensezung und Vereinigung vorhanden ist, und daß *in diesem Puncte der Geist in seiner Unendlichkeit fühlbar* ist, der durch die Entgegensezung als Endliches erschien, daß das Reine, das dem Organ an sich widerstritt, in eben diesem Organ sich selber gegenwärtig und so erst ein Lebendiges ist, daß, wo es in verschiedenen Stimmungen vorhanden ist, die unmittelbar auf die Grundstimmung folgende nur der verlängerte Punct ist, der dahin, nemlich zum Mittelpuncte führt, wo sich die harmonisch entgegengesezten Stimmungen begegnen, daß also gerade im stärksten Gegensaz, im Gegensaz der ersten idealischen und zweiten künstlich reflectirten Stimmung, in der materiellsten Entgegensezung (die zwischen harmonisch verbundenem im Mittelpuncte zusammentreffendem, im Mittelpuncte gegenwärtigem Geist und Leben liegt), daß gerade in dieser materiellsten Entgegensezung welche sich selbst entgegengesezt ist (in Beziehung auf den Vereinigungspunct wohin sie strebt), in den widerstreitenden fortstrebenden Acten des Geistes, wenn sie nur aus dem wechselseitigen Karakter der harmonischentgegengesezten Stimmungen entstehen, daß gerade da das Unendlichste sich am fühlbarsten,

am negativpositivsten und hyperbolisch darstellt, daß durch diesen Gegensaz der Darstellung des Unendlichen im widerstreitenden Fortstreben zum Punct, und seines Zusammentreffens im Punct die simultane Innigkeit und Unterscheidung der harmonischentgegengesezten lebendigen zum Grunde liegenden Empfindung ersezt und zugleich klarer von dem freien Bewußtseyn und gebildeter, allgemeiner, als eigene Welt der Form nach, als Welt in der Welt, und so als Stimme des Ewigen zum Ewigen dargestellt wird.
Der Poëtische Geist kann also in der Verfahrungsweise, die er bei seinem Geschäffte beobachtet, sich nicht begnügen, in einem harmonischentgegengesezten Leben, auch nicht bei dem Auffassen und Vesthalten desselben durch hyperbolische Entgegensezung, wenn er so weit ist, wenn es seinem Geschäffte weder an harmonischer Einigkeit noch an Bedeutung und Energie gebricht, weder an harmonischem Geiste überhaupt, noch an harmonischem Wechsel gebricht, so ist nothwendig, wenn das Einige nicht entweder (sofern es an sich selbst betrachtet werden kan) als ein Ununterscheidbares sich selbst aufheben und zur l e e r e n Unendlichkeit werden soll, oder wenn es nicht in einem Wechsel von Gegensäzen, seien diese auch noch so harmonisch, seine Identität verlieren, also nichts Ganzes und Einiges mehr seyn, sondern in eine Unendlichkeit isolirter Momente (gleichsam eine Atomenreihe) zerfallen soll, — ich sage: so ist nothwendig, daß der poëtische Geist bei seiner Einigkeit, und harmonischem Progreß auch einen unendlichen Gesichtspunct sich gebe, beim Geschäffte, eine Einheit, wo im harmonischen Progreß und Wechsel alles vor und rükwärts gehe, und durch seine d u r c h g ä n g i g e k a r a k t e r i s t i s c h e B e z i e h u n g auf diese Einheit nicht blos objectiven Zusammenhang, für den Betrachter, auch gefühlten und fühlbaren Zusammenhang und Identität im Wechsel der Gegensäze gewinne, und es ist seine lezte Aufgabe, beim harmonischen Wechsel einen Faden, eine Erinnerung zu haben, damit der Geist nie im einzelnen Momente, und wieder einem einzelnen Momente, sondern in einem Momente wie im andern fortdauernd, und in den verschiedenen Stimmungen sich gegenwärtig bleibe, so wie er sich ganz gegenwärtig ist, *in der unendlichen Einheit,* welche einmal Scheidepunct des Einigen als Einigen, dann aber auch Vereinigungspunct des Einigen als Entgegengesezten,

endlich auch beedes zugleich ist, so daß in ihr das Harmonischentgegengesezte weder als Einiges entgegengesezt, noch als Entgegengeseztes vereinigt, sondern als beedes in E i n e m als einig entgegengeseztes unzertrennlich gefühlt, und als gefühltes erfunden wird. Dieser Sinn ist eigentlich poëtischer Karakter, weder Genie noch Kunst, poëtische Individualität, und dieser allein ist die Identität der Begeisterung, ihr die Vollendung des Genie und der Kunst, die Vergegenwärtigung des Unendlichen, der göttliche Moment gegeben.

Sie ist also nie blos Entgegensezung des Einigen, auch nie blos Beziehung Vereinigung des Entgegengesezten und Wechselnden, Entgegengeseztes und Einiges ist in ihr unzertrennlich. Wenn diß ist, so kann sie in ihrer Reinheit und subjectiven Ganzheit, als ursprünglicher Sinn, zwar in den Acten des Entgegensezens und Vereinigens, womit sie in harmonischentgegengeseztem Leben wirksam ist, passiv seyn, aber in ihrem lezten Act, wo das Harmonischentgegengesezte als Harmonisches entgegengeseztes, das Einige als Wechselwirkung in ihr als Eines begriffen ist, in diesem Acte kann und darf sie schlechterdings nicht durch sich selbst begriffen, sich selber zum Objecte werden, wenn sie nicht statt einer unendlich einigen und lebendigen Einheit, eine todte und tödtende Einheit ein unendlich positives gewordenes seyn soll; denn wenn Einigkeit und Entgegensezung in ihr unzertrennlich verbunden und Eines ist, so kann sie der Reflexion weder als entgegensezbares Einiges, noch als vereinbares Entgegengeseztes erscheinen, sie kann also gar nicht erscheinen, oder nur im Karakter eines positiven Nichts, eines unendlichen Stillstands, und es ist die Hyperbel aller Hyperbeln der kühnste und lezte Versuch des poëtischen Geistes, wenn er in seiner Verfahrungsweise ihn je macht, die ursprüngliche poëtische Individualität, das poëtische Ich aufzufassen, ein Versuch, wodurch er diese Individualität und ihr reines Object, das Einige, und Lebendige, harmonische, wechselseitig wirksame Leben aufhöbe, und doch muß er es, denn da er alles, was er in seinem Geschäffte ist, mit F r e i h e i t seyn soll, und muß, indem er eine eigene Welt schafft, und der Instinkt natürlicher weise zur eigentlichen Welt, in der er da ist, gehört, da er also alles mit Freiheit seyn soll, so muß er auch dieser seiner Individualität sich versichern. Da er aber sie nicht durch sich selbst und an sich selbst erkennen kann, so ist ein äußeres Object nothwendig und zwar ein solches, wodurch die reine Individualität, unter mehreren besondern weder blos entgegensezenden, noch blos beziehenden sondern poëtischen Karakteren, die sie annehmen kann, irgend Einen anzunehmen bestimmt werde, so daß also sowohl an der reinen Individualität, als an den andern Karakteren, die jezt gewählte Individualität und ihr durch den jezt gewählten Stoff bestimmter Karakter erkennbar und mit Freiheit vestzuhalten ist.

(Innerhalb der subjectiven Natur kann das Ich nur als Entgegensezendes, oder als Beziehendes, innerhalb der subjectiven Natur kann es sich aber nicht als poëtisches Ich in dreifacher Eigenschaft erkennen, denn so wie es innerhalb der subjectiven Natur erscheint, und von sich selber unterschieden wird, und an und durch sich selber unterschieden, so muß das erkannte immer nur mit dem Erkennenden und der Erkentniß beeder zusammengenommen jene dreifache Natur des poëtischen Ich ausmachen, und weder als Erkanntes aufgefaßt vom Erkennenden, noch als Erkennendes aufgefaßt vom Erkennenden, noch als Erkanntes und Erkennendes aufgefaßt, von der Erkenntniß, noch als Erkenntniß aufgefaßt vom Erkennenden, in keiner dieser drei abgesondert gedachten Qualitäten, wird es als reines poëtisches Ich in seiner dreifachen Natur, als entgegensezend das harmonischentgegengesezte, als (formal) vereinigend das harmonischentgegengesezte, als in Einem begreiffend das harmonischentgegengesezte, die Entgegensezung und Vereinigung, erfunden, im Gegentheile bleibt es mit und für sich selbst im realen Widerspruche*) — Also nur, insofern es nicht von sich selber und an und durch sich selber unterschieden wird, wenn es durch ein drittes bestimmt unterscheidbar gemacht wird, und wenn dieses dritte, in so ferne es mit Freiheit erwählt war, in so

---

*) Es ist sich als material Entgegen g e s e z t e s hiemit (für ein drittes aber nicht für sich selbst) f o r m a l Vereinendes (als Erkanntes), als Entgegens e z e n d e s hiemit (für ein drittes) f o r m a l Vereinigtes, als Erkennendes schlechterdings nicht begreiflich in seinem realen Widerstreit; als Entgegengeseztes, formal Vereinendes, als Entgegensezendes, formal Vereinigtes in der Erkenntniß, im material Vereinigten und Entgegengesezten entgegengesezt, also [...]

fern auch in seinen Einflüssen und Bestimmungen die reine Individualität nicht aufhebt, sondern von dieser betrachtet werden kann, wo sie dann zugleich sich selbst als ein durch eine Wahl bestimmtes, empirisch individualisirtes und karakterisirtes betrachtet, nur dann ist es möglich, daß das Ich im harmonischentgegengesezten Leben als Einheit, und umgekehrt das harmonisch-entgegengesezte, als Einheit im Ich erscheine und in schöner Individualität zum Objecte werde.)

a) Wie ist es aber möglich? im Allgemeinen?

b) Wenn es auf solche Art möglich wird, daß das Ich sich in poëtischer Individualität erkenne und verhalte, welches Resultat entspringt daraus für die poëtische Darstellung? (Es erkennt in den dreierlei subjectiven und objectiven Versuchen das Streben zu reiner Einheit.)

*[S. 260—265]* Wink für die Darstellung und Sprache

Ist die Sprache nicht, wie die Erkentniß von der die Rede war, und von der gesagt wurde daß in ihr, als Einheit das Einige enthalten seie, und umgekehrt? und daß sie dreifacher Art sei p. p.

Muß nicht für das eine wie für das andere der schönste Moment da liegen, wo der eigentliche Ausdruk, die geistigste Sprache, das lebendigste Bewußtseyn, wo der Übergang von einer bestimmten Unendlichkeit zur allgemeineren liegt?

Liegt nicht eben hierin der veste Punct, wodurch der Folge der Zeichnung, ihre Verhältnißart, und den Lokalfarben wie der Beleuchtung ihr Karakter und Grad bestimmt wird?

Wird nicht alle Beurtheilung der Sprache sich darauf reduciren, daß man nach *den sichersten und möglich untrüglichsten Kennzeichen* sie prüft, ob sie die Sprache einer ächten schön beschriebenen Empfindung sei?

So wie die Erkentniß die Sprache ahndet, so erinnert sich die Sprache der Erkenntniß.

Die Erkentniß ahndet die Sprache, nachdem sie 1) noch unreflectirte reine Empfindung des Lebens war, der bestimmten Unendlichkeit worinn sie enthalten ist, 2) nachdem sie sich in den Dissonanzen des innerlichen Reflectirens und Strebens und Dichtens wiederhohlt hatte, und nun, nach diesen vergebenen Versuchen, sich innerlich wiederzufinden und zu reproduciren, nach diesen verschwiegenen Ahndungen, die auch ihre Zeit haben müssen, über sich selbst hinausgeht, und in der ganzen Unendlichkeit sich wiederfindet, d. h. durch die stofflose reine Stimmung gleichsam durch den Wiederklang der ursprünglichen lebendigen Empfindung, den sie gewann und gewinnen konnte durch die gesammte Wirkung aller innerlichen Versuche, durch diese höhere göttliche Empfänglichkeit ihres ganzen innern und äußern Lebens mächtig und inne wird. In eben diesem Augenblike, wo sich die ursprüngliche lebendige, nun zur reinen eines Unendlichen empfänglichen Stimmung geläuterte Empfindung, als Unendliches im Unendlichen, als geistiges Ganze im lebendigen Ganzen befindet, in diesem Augenblike ist es, wo man sagen kann, daß die Sprache geahndet wird, und wenn nun wie in der ursprünglichen Empfindung eine Reflexion erfolgt, so ist sie nicht mehr auflösend und verallgemeinernd, vertheilend, und ausbildend, bis zur blosen Stimmung, sie giebt dem Herzen alles wieder, was sie ihm nahm, sie ist belebende Kunst, wie sie zuvor vergeistigende Kunst war, und mit einem Zauberschlage um den andern ruft sie das verlorene Leben schöner hervor, bis es wieder so ganz sich fühlt, wie es sich ursprünglich fühlte. Und wenn es der Gang und die Bestimmung des Lebens überhaupt ist, aus der ursprünglichen Einfalt sich zur höchsten Form zu bilden, wo dem Menschen ebendeswegen das unendliche Leben gegenwärtig ist, und wo er als das abstrakteste alles nur um so inniger aufnimmt, dann aus dieser höchsten Entgegensezung und Vereinigung des Lebendigen und Geistigen, des formalen und des materialen Subject-Objects, dem Geistigen sein Leben, dem Lebendigen seine Gestalt, dem Menschen seine Liebe und sein Herz und seiner Welt den Dank wiederzubringen, und endlich nach erfüllter Ahndung, und Hoffnung, wenn nemlich in der Äußerung jener höchste Punct der Bildung, die höchste Form im höchsten Leben vorhanden war, und nicht blos an sich selbst, wie im Anfang der eigentlichen Äußerung, noch im Streben, wie im Fortgang derselben, wo die Äußerung das Leben aus dem Geiste und aus dem Leben den Geist hervorruft, sondern wo sie das ursprüngliche Leben in der höchsten Form gefunden hat, wo Geist

und Leben auf beiden Seiten gleich ist, und ihren Fund, das Unendliche im Unendlichen, erkennt, nach dieser lezten und dritten Vollendung, die nicht blos ursprüngliche Einfalt, des Herzens und Lebens, wo sich der Mensch unbefangen als in einer beschränkten Unendlichkeit fühlt, auch nicht blos errungene Einfalt des Geistes, wo eben jene Empfindung, zur reinen formalen Stimmung geläutert, die ganze Unendlichkeit des Lebens aufnimmt (und Ideal ist), sondern die aus dem unendlichen Leben wiederbelebter Geist, nicht Glük, nicht Ideal, sondern gelungenes Werk, und Schöpfung ist, und nur in der Äußerung gefunden werden und außerhalb der Äußerung nur in dem aus ihrer bestimmten ursprünglichen Empfindung hervorgegangenen Ideale gehofft werden kann, wie endlich nach dieser dritten Vollendung, wo die bestimmte Unendlichkeit so weit ins Leben gerufen, die unendliche so weit vergeistigt ist, daß eines an Geist und Leben dem andern gleich ist, wie nach dieser dritten Vollendung das Bestimmte immer mehr belebt, das Unendliche immer mehr vergeistigt wird, bis die ursprüngliche Empfindung eben so als Leben endigt, wie sie in der Äußerung als Geist anfieng, und sich die höhere Unendlichkeit aus der sie ihr Leben nahm eben so vergeistigt, wie sie in der Äußerung als Lebendiges vorhanden war, —
also wenn diß der Gang und die Bestimmung des Menschen überhaupt zu seyn scheint, so ist ebendasselbe der Gang und die Bestimmung aller und jeder Poësie, und wie auf jener Stuffe der Bildung, wo der Mensch aus ursprünglicher Kindheit hervorgegangen in entgegengesezten Versuchen zur höchsten Form, zum reinen Wiederklang des ersten Lebens emporgerungen hat, und so als unendlicher Geist im unendlichen Leben sich fühlt, wie der Mensch auf dieser Stuffe der Bildung erst eigentlich das Leben antritt und sein Wirken und seine Bestimmung ahndet, so ahndet der Dichter, auf jener Stuffe, wo er auch aus einer ursprünglichen Empfindung, durch entgegengesezte Versuche, sich zum Ton, zur höchsten reinen Form derselben Empfindung emporgerungen hat und ganz in seinem ganzen inneren und äußeren Leben mit jenem Tone sich begriffen sieht, auf dieser Stuffe ahndet er seine Sprache, und mit ihr die eigentliche Vollendung für die jezige und zugleich für alle Poësie.

Es ist schon gesagt worden, daß auf jener Stuffe eine neue Reflexion eintrete, welche dem Herzen alles wieder gebe, was sie ihm genommen habe, welche für den Geist des Dichters und seines zukünftigen Gedichts belebende Kunst sei, wie sie für die ursprüngliche Empfindung des Dichters und seines Gedichts seie vergeistigende Kunst gewesen. Das Product dieser schöpferischen Reflexion ist die Sprache. Indem sich nemlich der Dichter mit dem reinen Tone seiner ursprünglichen Empfindung in seinem ganzen innern und äußern Leben begriffen fühlt, und sich umsieht in seiner Welt, ist ihm diese eben so neu und unbekannt, die Summe aller seiner Erfahrungen, seines Wissens, seines Anschauens, seines Denkens, Kunst und Natur wie sie in ihm und außer ihm sich darstellt, alles ist wie zum erstenmale, eben deßwegen unbegriffen, unbestimmt, in lauter Stoff und Leben aufgelöst, ihm gegenwärtig, und es ist vorzüglich wichtig, daß er in diesem Augenblike nichts als gegeben annehme, von nichts positivem ausgehe, daß die Natur und Kunst, so wie er sie kennen gelernt hat und sieht, nicht eher spreche, ehe für ihn eine Sprache da ist, d. h. ehe das jezt Unbekannte und Ungenannte in seiner Welt eben dadurch für ihn bekannt und nahmhaft wird, daß es mit seiner Stimmung verglichen und als übereinstimmend erfunden worden ist, denn wäre vor der Reflexion auf den unendlichen Stoff und die unendliche Form irgend eine Sprache der Natur und Kunst für ihn in bestimmter Gestalt da, so wäre er insofern nicht innerhalb seines Wirkungskreises, er träte aus seiner Schöpfung heraus, und die Sprache der Natur oder der Kunst, jeder *modus exprimendi* der einen oder der andern wäre erstlich, insofern sie nicht seine Sprache, nicht aus seinem Leben und aus seinem Geiste hervor gegangenes Product, sondern als Sprache der Kunst, so bald sie in bestimmter Gestalt mir gegenwärtig ist, schon zuvor ein bestimmender Act der schöpferischen Reflexion des Künstlers, welcher darinn bestand, daß er aus seiner Welt, aus der Summe seines äußern und innern Lebens, das mehr oder weniger auch das meinige ist, daß er aus dieser Welt den Stoff nahm, um die Töne seines Geistes zu bezeichnen, aus seiner Stimmung das zum Grunde liegende Leben durch diß verwandte Zeichen hervorzurufen, daß er also, in so fern er mir dieses Zeichen nennt, aus meiner Welt den

Stoff entlehnt, mich veranlaßt, diesen Stoff in das Zeichen überzutragen, wo dann derjenige wichtige Unterschied zwischen mir als bestimmtem und ihm als bestimmendem ist, daß er, indem er sich verständlich und faßlich macht, von der leblosen, immateriellen, ebendeßwegen weniger entgegensezbaren und bewußtloseren Stimmung fortschreitet, ebendadurch, daß er sie erklärt 1) in ihrer Unendlichkeit der Zusammenstimmung durch eine so wohl der Form als Materie nach verhältnißmäßige Totalität verwandten Stoffs, und durch idealisch wechselnde Welt, 2) in ihrer Bestimmtheit und eigentlichen Endlichkeit durch die Darstellung und Aufzählung ihres eigenen Stoffs, 3) in ihrer Tendenz, ihrer Allgemeinheit im Besondern, durch den Gegensaz ihres eigenen Stoffs zum unendlichen Stoff, 4) in ihrem Maas, in der schönen Bestimmtheit und Einheit und Vestigkeit ihrer unendlichen Zusammenstimmung, in ihrer unendlichen Identität und Individualität, und Haltung, in ihrer poetischen Prosa eines allbegränzenden Moments, wohin und worinn sich negativ und eben deswegen ausdrüklich und sinnlich alle genannten Stüke beziehen und vereinigen, nemlich die unendliche Form mit dem unendlichen Stoffe dadurch, daß durch j e n e n M o m e n t die unendliche Form ein Gebild, den Wechsel des Schwächern und Stärkern, der unendliche Stoff einen Wohlklang annimmt, einen Wechsel des Hellern und Leisern, und sich beede in der Langsamkeit und Schnelligkeit endlich im Stillstande der Bewegung negativ vereinigen, immer durch ihn und die ihm zum Grunde liegende Thätigkeit, die u n e n d l i c h e schöne Reflexion, welche in der durchgängigen Begränzung zugleich durchgängig beziehend und vereinigend ist.

## X Franz Xaver von Baader (1765—1841)

Werke = Sämtliche Werke. 16 Bde. Hg. von F. Hoffmann, J. Hamberger u. a. Leipzig: Bethmann 1851—60. (Neudruck Aalen: Scientia 1963).
Briefe = Lettres inédites. 2 Bde. Hg. von E. Susini. Paris: Vrin 1942.

1 Brief an Friedrich Heinrich Jacobi vom 8. Februar 1798 = Werke, Bd. XV.

*[S. 183]* Aber dies dermalige Aeussere, die dermalige Offenbarung ist Offenbarung eines Innern, welches Nicht - Gott ist, und dieses Innere ist das Unständige, Unwahre, Zeitreale etc. im Gegensatz des Wahren, Ständigen etc. Das Wesen dieser Welt vergehet, und wir harren eines andern Wesens, einer andern Welt, welches (welche) nicht vergehet etc. — Diese Hoffnung geht von der Belebung eines zweiten Innern (in uns) aus, welches zwar als todt in uns allen ist, und sich so lange bloss negativ äussert, welches aber belebbar in uns ist, und sodann als ein Streben nach einer anderen Offenbarung, als diese dermalige, sich weiset. Gott ist dermalen nicht alles *in* allem, soll und muss und wird es aber — durch völlige Zerstörung jenes Innern, welches nur ausser ihm bestehen mag. Jenes Streben nach einer Offenbarung des Ewigen äussert sich nun zuerst in der Symbolisirung oder Dichtung — in uns und in der Natur etc.

2 Fermenta Cognitionis (1822) = Werke, Bd. II.

*[S. 141 f.]* Wie nämlich der Begriff aus Gefühl und Vorstellung sich erzeugt, und zwar aus vorerst nur vorübergehenden [. . .], so öffnet er sich eine nun bleibende Quelle derselben in sich, und wenn es eine Poesie gibt, die nur im Träumen und Ahnen des Begriffs, d. i. in seiner Abwesenheit, ihr Wesen treibt, so gibt es eine andere, welche nur mit der Vollendung des Begriffs, als Zeugin und Verkündigerin dieses Begriffs, auftritt, und deren Abwesenheit sohin die Impotenz und Unwahrheit des letzteren be-

weiset. Zu einem gewordenen Begriff die ihm entsprechende Vorstellung und Gefühl zu finden ist sohin umgekehrt dasselbe Problem: als zu einem gegebenen Gefühl und Vorstellung den entsprechenden Begriff zu finden, welcher eben als ihr Begriff ihre lebendige Identität ist.

3 Brief an D. J. Windischmann vom 6. April 1824 = Briefe, Bd. I.

*[S. 374]* N. S. In Bezug obiger Stelle über Hegel muss ich noch bemerken, dass die Schüler Hegels mich damit zu bezeichnen meinten, dass meine philosophischen Ansichten noch durchaus in der Region der (begrifflosen) *Vorstellung* schwebten; — sie wissen nicht, dass es eine Vorstellung (Bild, Poesie) *vor* dem Begriff und Eine auch nach und mit dessen Eintritt giebt und meinen, die Impotenz der Begriffe damit entschuldigen zu können, dass jeder Begriff als solcher poesielos seyn müsse. Es ist ein schlechter Begriff, der unpoetisch, eine schlechte Poesie, die begriffleer ist.

4 Rezension: J. Ch. Aug. Heinroth, Ueber die Wahrheit (1824) = Werke, Bd. I.

*[S. 121]* Endlich stimmt der Recens. auch darin mit dem Verf. überein, dass ohne solche höhere Offenbarungen oder Verklärungen des Sinnlich-materiellen durch das Geistig-sinnliche (sensibilisation de l'Esprit) selbst der Urstand der bildenden Kunst (Poësie etc.) unbegreiflich sein würde, d. h. dass alle Kunst religiösen Ursprungs ist und somit auch religiösen Zweck hat oder haben soll.

5 Rezension: M. Bonald, Recherches philosophiques sur les premiers objets des connoissances morales (1825) = Werke, Bd. V.

*[S. 83 Anm.]* Denn wie ich keinen lebendigen Gedanken ohne Bild empfange, so bietet sich, so wie ein Gedanke in mir lebendig wird, sofort ein ihm entsprechendes Bild als organische Form von selbst dar, und d i e s e Poesie, welche nur mit der Vollendung des Begriffs auftritt, muß man ja von jener unterscheiden, welche nur im Träumen und Ahnen des Begriffs ihr Wesen treibt, d. h. in seiner Abwesenheit.

6 Unterscheidung einer centralen Sensation von einer bloss peripherischen und excentrischen (1828) = Werke, Bd. IV.

*[S. 138 Anm.]* In den Momenten der genialen Begeisterung des Dichters und Künstlers ist es eben diese von Innen heraustretende, von Innen heraus bildende oder inbildende Sinnlichkeit, welche ihnen vorleuchtet, nicht die von Aussen copirende, und jeder wahrhafte Dichter und Künstler ist in diesem Sinne Seher oder Visionär, so wie jedes ächte Gedicht und Kunstwerk das Denkmal einer Vision ist, folglich einer Inspiration, gleichviel hier von welcher Art.

7 Vorlesungen über Speculative Dogmatik (1828) = Werke, Bd. VIII.

*[S. 175]* Wäre im Himmlischen nicht die Attraction, die Lust, die Poesie, so könnten wir nicht die irdische und die teuflische Poesie überwinden. Es ist ein satanischer Plan der Aufklärung gewesen, alle Poesie und alle Lust dem Himmlischen zu rauben, damit sie ja der Weltlust und der Hölle anheimfalle. Die Sünde ist nicht Prosa. Der himmlischen Poesie setzt sich die irdische und die teuflische entgegen. Das Irdische, Zeitlich-Räumliche für sich ist freilich nur Prosa, aber sie leiht ihre Poesie von der Hölle. Die Poesie des Himmels verlierend, konnten wir nur durch die Prosa des Zeitlebens vor der Poesie der Hölle gesichert werden.

*[S. 176]* Wenn man sagt, dass der Mensch versucht worden sei vom Princip der falschen Selbheit und dem der falschen Selbstlosigkeit, so ist es doch nicht eigentlich der Mensch, den sie befehdeten, sondern durch den Menschen war ihre Feindlichkeit auf die Idea gerichtet. Der Mensch hat also diesen Streit zu beschwichtigen und diese Idea ist der Focus der ganzen romantischen und Ritterpoesie. Der Mensch ist nemlich der Ritter, der seiner Jungfrau die besiegten Feinde zu Füssen legt.

8 Aus Privatvorlesungen über J. Böhme's Lehre mit besonderer Beziehung auf dessen Schrift: Von der Gnadenwahl (1829) = Werke, Bd. XIII.

*[S. 72 f.]* Jeder gelungenen Production folgt Beseligung. Die

Pein ist die Qual des Erzeugenwollens und Nichterzeugenkönnens. Dieses ist so wahr, dass es selbst in der physischen Zeugung gilt. Man hat die Erfahrung gemacht, dass die gehemmte Zeugung Wuth hervorruft. Der Böse will ewig produciren und ist ewig gehemmt, und er kann doch die fortgehende Production des Guten nicht hemmen. „Besser wär's, dass Nichts entstünde," sagt Mephistopheles in Göthe's Faust, weil er eben die Production des Guten vor sich gehen sieht, ohne sie hemmen zu können. Wogegen Göthe Unrecht hat, wenn er den Teufel als absoluten Verneiner auftreten lässt. Den gibts nicht; der Teufel will ewig poniren, kann aber nicht: sein Streben bleibt ewig subjectiv, kann sich nicht objectiviren. Er verneint nicht, um zu verneinen, sondern, um sich zu poniren. Das Böse ist darum nichts Gemeines, sondern allerdings etwas Ungeheures. Der Teufel war der erste Poët und ist immer im Bilden, Schaffen, Organisiren begriffen, und zerstört doch immerfort. Das Böse ist trennend. Jeder Egoist ist ein Phantast. Er bildet sich ein, es sei Alles für ihn da, und er könne durch sich bestehen.

Darin unterscheidet sich J. Böhme von allen Naturphilosophen, dass er den stillen, esoterischen Gott (den auch jene annehmen) nicht wie jene durch die Creatur, sondern durch die ewige Natur in sich sich selbst offenbar werden lässt. So wie man vom esoterischen Gott unmittelbar in die Creatur übergeht, so ist auch die Creatur ewig.

Jeder Gedanke ist eine Umblickung, ein Bewusstsein der Fülle des noch unentwickelten Gedankens.

Das Böse ist Phantasei; Phantasei ist Idee, also ist das Böse Idee. Das Böse hat nicht bloss den Trieb, sich darzustellen, sondern es hat in sich auch ein Ideelles. Wenn das, was bloss Werkzeug sein sollte, nicht mehr dienen will, so fasst es einen Gedanken, eine Idee in sich, und hierin urständet sich das Böse. Die Alten unterscheiden immer die Schlange von der Creatur. Sie ist jener Gedanke, der, einmal gefasst, dem Fassenden wie ein Bandwurm anhaftet. Das Böse ist nicht die Creatur, sondern der Gedanke (die Idee) in der Creatur, welchem die Creatur anheimgegeben ist, wie jeder genitor unter dem genitus steht. Diese böse Idee kann aber nur in der Creatur entstehen, und bleibt ewig subjectiv.

9 Erläuternde Anmerkungen zu J. Böhme's Abhandlung über die Gnadenwahl (1829) = Werke, Bd. XIII.

*[S. 253]* ... Phantasei ... steht entgegen der Idea als göttlicher Imagination.

*[S. 271]* ... Phantasei ... Der Teufel ward zum Phantasten, nicht dass er diese Phantasei erfunden, sondern sie zuerst in sich erweckte und zu creatürlichem Wirken brachte.
[...] ... Phantasei ... Finstere Selbheitspoesie.

10 Vorlesungen über die Lehre J. Böhme's mit besonderer Beziehung auf dessen Schrift: Mysterium Magnum (1833) = Werke, Bd. XIII.

*[S. 197]* Man hat z. B. nicht eingesehen, dass der leibfreie Geist alle Sinnenkräfte des Leibes in ihrer höchsten Freiheit, Concentration und Einheit besitzt, und dass es folglich eine unsinnige Lehre ist, wenn man, wie unsere Rationalisten, von einem unsinnlichen Geist als einem sinnenlosen spricht und folglich die von der irdischen Materialisation freie, hiemit eben integrirte Sinnlichkeit und Sinnigkeit dem Geiste abspricht. Unter den protestantischen Theologen hat sich nur zuletzt am Ende des vergangenen Jahrhunderts der verständige Oetinger gegen diesen Cerinthianismus oder Rationalismus mit Nachdruck erklärt, welcher Rationalismus in der That der ächten Poesie nicht minder als der Religion in jedem Volke und zu jeder Zeit den Garaus machen muss, weil doch Poesie wie Religion nichts wollen, als den Menschen von dem Prosaismus, von der Noth und Dürftigkeit und von der Zwietracht des Zeitlebens befreien, ihm die Aussicht, sowie den Eingang und die Ergreifbarkeit eines anderen Lebens und Seins öffnend, in welchem der Geist, als Uebernatur und naturfrei, von dieser Natur als seinem Leibe weder getrennt und abgeschieden sich befindet, noch von ihm verschlungen und begraben, noch mit ihm in Conflict seiend oder eine Composition mit ihm machend, sondern in welchem Leben selber wahrhaft frei sich zwar über den Leib erhebt, aber nicht, wie Hegel meint, um ihn fallen zu lassen, sondern im Gegentheil, um ihn zu sich zu erheben, oder, wie die Schrift sagt, zu verklären, nemlich um diese

Natur oder diesen Leib von jenem finsteren Binder als Ungeist zu erlösen, welcher ihn in Banden hält, sowie er, dieser Ungeist, durch diesen Leib hinwieder gebunden ist; durch welche Befreiung der Leib oder die Natur, selber leicht und licht werdend, dem guten, wahrhaften Geist wieder hörig und gehörig sich erweiset.

11 Ueber eine bleibende und universelle Geisterscheinung hienieden (1833) = Werke, Bd. IV.

*[S. 213—215]* Man erzählt, dass die Entfernung oder Trennung der Geliebten vom Liebhaber diesen zuerst zum Dichter und Bildner gemacht habe, und dass auf solche Weise Poesie und Bildnerei von den Menschen erfunden worden seien. In der That gibt uns aber diese Fabel den Schlüssel zum Verständnisse der wahrhaften Bedeutung jener beiden, ja zum Verständnisse unseres gesammten Zeitlebens und Wirkens zur Hand. Wenn nemlich die durch unsere Schuld von uns gewichene Idea (Sophia) gleich einem abgeschiedenen, entleibten oder unbeleibt gebliebenen, somit unleibhaften Geist in der Nacht unseres Erdelebens uns wieder als ein himmlisches Gestirn, wenn schon zuerst in unerreichbarer Ferne oder Höhe, als Ideal aufgeht, und gleichsam als Revenant (des verblichenen Gottesbildes) uns wieder erscheint, so ist diese wahrhafte nicht Geister- sondern Geisterscheinung (das Wort: Geist hier als die Sophia oder Idea bedeutend genommen und zwar in ihrem bezüglich auf uns noch unleibhaften, ihre Leibhaftigkeit nur anstrebenden Zustande), eine freie Gabe an uns (indem wir dieses Wiederheimsuchen des Ausgangs aus der Höhe verwirkt und nicht verdient haben), zugleich aber eine Aufgabe, nemlich durch thätige Auswirkung oder Formation ihres Leibes als ihrer (der Idea) Peripherie oder Brautkleides, ihr Niedersteigen in uns und ihre Beiwohnung zu verwirklichen; denn das Centrum realisirt sich durch Inwohnung seiner Peripherie, oder vielmehr beide gehen nur zusammen in ihre Realität oder Concretheit ein, und die vollendete Peripherie zieht gleichsam als magischer Kreis das Centrum in sich. Diesen Morgenstern in Aug und Herzen fassend und haltend soll aber ja all unser Bilden und Wirken in der Zeit keinen anderen als den eben ausgesprochenen Zweck haben oder der Imperativ wie der Optativ

in der Zeit ist eben kein anderer, als: „der Realisirung eines Ideals in diesem Sinne zu dienen, aus ganzer Seele, von ganzem Herzen und mit allen Kräften“.

Aber jeder Stich, darf man sagen, den wir zur Fertigung dieses Brautkleides oder Brautschleiers machen, wird uns darum empfindlich und schmerzlich, weil wir ja mit ihm zugleich jenes Lügenkleid durchstechen müssen oder wieder zerstechen, dessen Zerstörung uns (als unseres eigenen Products) folglich mit der Herstellung jenes Lichtkleides oder Lichtleibes zugleich aufgegeben ist: Destructio unius generatio alterius, oder, wie Paulus sagt: das Entstehen und Wachsen des neuen Lichtmenschen fällt mit dem Sterben und Vergehen des alten finsteren Menschen zusammen.

Aus dem Gesagten folgt nun, dass nur jener, aber auch jeder ein Christ wirklich ist, in welchem diese innere, vorerst auf sich beschränkte Gestaltung oder Inbildung jener Sophia begonnen hat, oder, wie der Apostel sagt, in welchem Christus (in dem allein und zuerst jener Lichtgeist wieder leibhaft worden) innerlich eine Gestalt zu gewinnen anfing, „und wir müssen diese immanente oder Inbildung nicht nur selber als die höchste Poesie und Bildnerei ansprechen, sondern sie als den Heerd oder Brennpunct betrachten, von welchem alles nach aussen gehende Dichten und Bilden ausgehen, und auf welchen dieses wieder zurück weisen und führen soll“.

*[S. 218 f.]* Aus dem Gesagten begreift man übrigens sowohl warum jeden ächten Dichter und Bildner ein doppelter Affect nie verlässt — jener der Sehnsucht nach der Verwirklichung oder Leibhaftwerdung der Idea, so wie jener des Schmerzes ja des Zornes gegen den widerspenstigen Stoff — als man hieraus auch die dreifache Weise begreift, nach welcher die Menschen Poesie und Bildnerei würdigen und treiben. Die Einen nemlich als blossen Zeitvertreib oder, wenn sie schon vorgeben zu ihrer Bildung und Erbauung, doch nur zu ihrer Ergötzlichkeit, gleichviel ob sie in dieser Absicht in die Kirche oder in's Theater gehen. Die Anderen (Wenigen) im oben angedeuteten ernsten, wahrhaft religiösen Sinn, nemlich um — nicht ohne Geburtswehen — das Brautkleid der himmlischen Sophia ihrerseits auszuwirken; wieder Andere

endlich und gleichfalls Wenige — um den schwarzen Schleier der Hekate auszuwirken. Denn nicht die bloss frivole Poesie und Bildnerei steht der religiösen direct entgegen, sondern eine wahrhaft infernale oder dämonische.

12 Ueber den verderblichen Einfluss, welchen die rationalistisch-materialistischen Vorstellungen auf die höhere Physik, so wie auf die höhere Dichtkunst und die bildende Kunst noch ausüben (1834) = Werke, Bd. III.

*[S. 297—299]* Wir wenden uns nun zum zweiten Gegenstand unserer Abhandlung, nemlich zur Dichtkunst und zur bildenden Kunst, und wollen zeigen, wie auch diese von demselben Materialismus noch niedergehalten und an ihrem höheren Aufschwung gehindert werden.
Da nemlich die sensible und productive (nichtintelligente), von den Banden ihrer Materialisation befreite Natur, poetisch, ja der Poet, d. h. der die Idee auswirkende Künstler und Werkmeister oder Schaffer selber ist (natura simia Ideae et opifex), so begreift man, warum es jenen Dichtern und Künstlern, welche nur mehr von Materie wissen und an ein immaterielles (magisches) Sein und Wirken der Natur, welches nicht Taschenspielerei ist, nicht glauben, — warum es, sage ich, solchen Dichtern und Künstlern so schlecht gelingt, wenn sie sogar an die Darstellung übernatürlicher Gegenstände (für welche sie bereits alle übermateriellen nehmen) sich wagen, und dass jede, in einem solchen Unbegriff und Unglauben erzeugte, poetische oder bildende Darstellung gerade das Gegentheil dessen bewirken muss, was sie wollte und sollte. Wenn z. B. Moses sagt: „Er sprach und es ward“, so ist eben mit dieser, wie man meint, negativen Darstellung das positive, materiell freilich unbegreifliche weil nicht von aussen, sondern von innen heraus, somit, wie man sagt, magische Geschehen d. i. die Macht des Wortes ausgesprochen. Wenn aber dagegen Milton und Klopstock uns erzählen, dass ein Engel vom Himmel zur Erde gesendet wird, nicht aber seine sofort erfolgte Erscheinung auf letzterer anzeigen, (sondern mit homerischem Detail) uns beschreiben, wie dieser Engel seine Equipage zurecht bringt, und wie er den Weg vom Himmel zur Erde durch alle Stationen hindurch mit mancherlei

Accidenzen zurückgelegt; so muss man nur bedauern, dass selbst mit Imagination begabte Geister an keine Magie, d. h. an keine immaterielle Natur und an kein primitives, nicht maschinistisch vermitteltes Wirken derselben, d. h., an keine immaterielle Leiblichkeit und Substantialität, an keine Lebendigkeit der Natur mehr glauben, weil sie von solchen nicht mehr wissen. Noch mehr muss man aber den erhabenen Gegenstand bedauern, welcher durch eine solche Theatermaschinerie der Profanation und dem Gespötte preisgegeben wird! Wo ist, kann man fragen, in dieser modernen religiösen Poesie noch eine Spur jener Poesie, welche uns die ältesten Völker als die Ursprache (weil die Sprache Gottes zum Menschen) schilderten? Von jener Poesie, sage ich, welche in demselben Verhältniss als Macht (Potestas) sich erweiset, in welchem sie sich in ihrer heimathlichen Region erhält, dagegen kraftlos und matt, dabei allerdings handgreiflich und dem irdischen Verstande verständlich oder rationell wird, wenn sie zum Staube herabsinkt und sich materialisirt, von jener Poesie endlich, von welcher die Alten behaupteten, dass es Ehebruch und Entweihung sei, falls man dieselbe auch nur zum Lobe der Menschen verwende, und Götzendienst und Kirchenraub, falls man durch sie der Leidenschaft schmeichele und fröhne.

Wenn aber dem Dichter es leicht gemacht ist, sich in seinen Darstellungen höherer Gegenstände von den Banden des Materialismus frei zu machen und zu halten, so haben es freilich Maler und Bildner hierin um so schwerer, da sie mit materiellem Stoff arbeiten, und man denn doch von ihnen verlangt, dass sie mit materiellen Farben Flammen malen sollten.

13 Erläuterungen zu St. Martin: Des Erreurs et de la Vérité (undatiert) = Werke, Bd. XII.

*[S. 159 P. 492. Z. 402. Z. 11—16]* Gott ist der erste Dichter. Nach ihm die thätige Ursache im Universum.

# XI Dorothea Schlegel (1763—1839)

Briefwechsel = Dorothea Schlegel und deren Söhne Johannes und Philipp Veit. Briefwechsel, im Auftrage der Familie Veit hg. von J. M. Raich. 2 Bde. Mainz: Kirchheim 1881.

Europa = Europa. Eine Zeitschrift. Hg. von F. Schlegel. 2 Bde. Frankfurt a. M.: Wilmans 1803—05 (Fotomechanischer Nachdruck Stuttgart: Cotta 1963).

1 Tagebuchnotiz (1798?) = Briefwechsel, Bd. I.

*[S. 88 f. Nr. 19]* In den alten Romanen blieben die Helden treu und sich selber in ihrer einmal beigelegten Gestalt gleich, während die Begebenheiten unaufhörlich um sie wechselten, und das Schicksal gewaltig mit ihnen spielte. Tausend Gefahren, in die bald ihr Leben, bald ihre Tugend gerieth, überwanden sie durch Hülfe eines wohlthätigen Zauberers oder der unmittelbaren göttlichen Einmischung mit grosser Standhaftigkeit: Schiffbruch, Gefangenschaft, Sturm, Noth und Trennung; sie überstanden heldenmüthig jede Prüfung, und am Ende ward die Tugend glänzend belohnt, das Laster kräftig bestraft. In den beliebten Romanen unsrer Zeit sind die Begebenheiten einfach, ja man dürfte es kaum Begebenheiten nennen — es ist das Leben jedes Standes, mit seinen Mühseligkeiten und seinen Freuden, von denen die Helden jedesmal das Gepräge tragen. Weder Zufall, noch die Vorsehung führt sie in Noth; ihre Verwirrungen entstehen durch den Wechsel in ihrem Innern, sie haben keinen andern Kampf zu kämpfen, als den mit ihren eignen Wünschen, Vorurtheilen, Grundsätzen und Entsagungen und mit den kleinlichen verwirrten Verhältnissen der verfeinerten Welt. Jene waren Dichtungen einer starken Phantasie, diese sind mehr Raisonnement, spitze Ausbildung ihres Gefühls und des Grundsatzes, sich und andre unaufhörlich zu beobachten und jede Handlung bis in ihrem Innersten so lange zu verfolgen, bis die Motive derselben ausgespähet worden. Rousseau und Robertson [!] sind wohl die Schöpfer dieser Gattung; jedes Urbild aber muss übertroffen werden, wenn es nicht sinken soll. So sind denn auch

die meisten nur Abarten von ‚der neuen Heloise,' vom ‚Grandison,' und der ‚Clarissa.' Die Menschenkenntniss ist so tief, so mannichfach und so unausweichbar in ihnen, dass es gar nicht fehlen kann: jeder gebildete oder sich bildende Mensch muss irgendwo in einer dieser Darstellungen der unendlich tiefen und feinen Psychologie sein Inneres aufgedeckt finden und kann sich allda wie in einem Spiegel vollkommen anschauen, ohne die Selbstkenntniss mit eigener Erfahrung erkaufen zu dürfen. Welch ein Vortheil, sein innerstes Gemüth vor dem Richterstuhl der Poesie prüfen zu lassen, anstatt es wie ehemals der strengen Kirche zu eröffnen!

2 Gespräch über die neuesten Romane der Französinnen (1803) = Europa, Bd. I (2. Heft).

*[S. 97 f.]* [...] wie muß denn ein Roman seyn? — Er muß romantisch seyn. — Wie? fragte Adelheid, ist Delphine nicht voll der zartesten Schwärmerei, voll von romantischen Situationen? — Du, Albert, hast mich verstanden, und billigst mich. Nicht dergleichen meine ich, liebe Adelheid, sondern den Geist der Poesie, der die Schilderungen der Natur, der Charaktere und Begebenheiten, in einem gewissen Sinne beleben und durchwehen muß, um sie zu einem romantischen Gedicht, oder Roman zu bilden; an Poesie fehlt es der Delphine, deßhalb steht alles hart und einzeln da. — Aber wandte Adelheid wieder ein, wenn nun einmal die Poesie nicht die Absicht dieses Werks war, sondern vielmehr die Charakteristik gewisser Menschen, die Grundsätze ihrer Moralität und ihres Lebens, und ihre mannichfache Stimmungen auszumahlen? — Jede Ansicht des Lebens, erwiederte Felizia im Ganzen und Großen kann in einem Roman entwickelt werden, nur muß ein poetisches Gemüth dieselben auffassen und darstellen, und nur dann kann diese Ansicht auch des gewöhnlichsten Lebens harmonisch werden; wollt ihr aber jede Unterabtheilung der gesellschaftlichen Zwecke zu dem Gegenstand eines Romans machen, so seh' ich nicht ein, warum es nicht eben so gut juristische, oekonomische, politische Romane geben sollte, als moralische, oder theologische, oder psychologische. — Doch dünkt mich, sagte Constanze, daß allerdings die Moralität im Roman, so wie im

Leben ehrwürdig und nothwendig sey. — Sicher ist sie das. Aber ein Roman muß ein Kunstwerk, muß Poesie seyn; und hier ist von keiner andern als von der höhern Moralität die Rede, die auch die einzig wahre ist. Das andre ist conventionelle nothwendig gewordene Lebensregel, und findet nicht Statt in einem Kunstwerke; die Poesie ist an sich Moral, denn alle Gesetze der ewigen Güte sind Inspiration, Poesie.

3 Brief an Caroline Paulus vom 23. Februar 1806 = Briefwechsel, Bd. I.

*[S. 164 f.]* Eine neue Religion hätte Friedrich stiften wollen, meinst Du? Das kann er nicht gewollt haben. Man macht keine neue Religion. Hat er von Religion gesprochen und von Poesie, so war es immer die alte und zwar die allerälteste, die uralte, die vor Alter ganz vergessene und deswegen für die ganze Welt wieder neue. Du kannst mir freilich den Einwurf machen: Warum existiren denn jetzt nicht noch grosse Dichter unter den Katholiken, wenn es blos diese Religion macht? Es ist wahr, das Zeitalter der Poesie und aller Künste scheint erloschen; aber es ist erst seit dem fürchterlichen Aufruhr der Reformation erloschen. Allenthalben hat dieser Aufruhr zerstört. ... Ist nicht Klopstock's grosses Werk kalt und hat seine Absicht, Volkspoesie zu werden, verfehlt, weil es protestantisch ist?

4 Tagebuchnotiz (1806) = Briefwechsel, Bd. I.

*[S. 257 Nr. 23]* Alles Denken muss ein beständiges Gebet sein, das äussere Gebet nur eine nicht länger zurückgehaltene Exclamation des ewigen innerlichen Gebets oder Gedankens; so wie ein Gedicht machen blos eine Aeusserung des innerlichen Dichtens, nicht das Dichten selber.

5 Brief an Friedrich Schlegel vom 8. März 1807 = Briefwechsel, Bd. I.

*[S. 220]* Du sagst ganz recht, Deine Philosophie wäre der Uebergang zur Religion aus dem blos Poetischen. Sie ist noch mehr: sie ist der Puls, der Othem, das Element, die lebendig wirkende Kraft,

die Deine Poesie belebt, durch welche sie hernach selber wieder neues Leben schöpft.

6 Brief an Johannes Veit vom 4. Juni 1812 = Briefwechsel, Bd. II.

*[S. 84]* Die erste Idee, der Plan, gleichsam die Poesie eines jeden Werks, das ist wie ein Blitz und dann wie ein Traum der Begeisterung; ohne diesen Blitz kann überhaupt von gar keinem Kunstwerke die Rede sein.

# XII Caroline Schelling (1763—1809)

Briefe = Caroline. Briefe aus der Frühromantik. Hg. von E. Schmidt. 2 Bde. Leipzig: Insel 1913.

Rezensionen = E. Frank: Rezensionen über schöne Literatur von Schelling und Caroline in der Neuen Jenaischen Literatur-Zeitung. In: Sitzungsberichte der Heidelberger Akademie der Wissenschaften, Phil.-hist. Klasse. Jg. 1912. Heidelberg: Winter 1912.

1 Brief an Johann Diederich Gries vom 9. Juni 1799 = Briefe, Bd. I.

*[S. 550]* Was wollen Sie damit, daß ein Dichter den Glauben an Gott braucht? — er braucht nicht einmal den an die Menschen. Die Religion des Dichters ist wieder etwas ganz anders, der Glaube nicht, die guten Werke. Was hat denn Goethe für einen eurer Glauben, und er wird doch zur ewigen Herrlichkeit gelangen. Was vortreflich ist, enthält Göttliches, [...]

2 Brief an Friedrich Wilhelm Joseph Schelling vom 1. März 1801 = Briefe, Bd. II.

*[S. 58]* Das willst Du wohl nicht von mir erfahren, mein allerliebster Freund, ob Du Dich schon beynahe so ausgedrückt hast — wie weit Fichtens Geist reicht. Mir ist es immer so vorgekommen, bey aller seiner unvergleichlichen Denkkraft, seiner fest in einandergefugten Schlußweise, Klarheit, Genauigkeit, unmittelbaren Anschauung des Ichs und Begeisterung des Entdeckers, daß er doch begränzt wäre, nur dachte ich, es käme daher, daß ihm die göttliche Eingebung abgehe, und wenn Du einen Kreis durchbrochen hast, aus dem er noch nicht heraus konnte, so würde ich glauben, Du habest das doch nicht sowohl als Philosoph — wenn die Benennung hier falsch gebraucht seyn sollte, so mußt Du mich nicht darüber schelten — als vielmehr in so fern Du Poesie hast, und er keine. Sie leitete Dich unmittelbar auf den Stand der Produktion, wie ihn die Schärfe seiner Wahrnehmung zum Bewustseyn. Er hat das Licht in seiner hellesten Helle, aber Du auch die Wärme, und jenes kann nur beleuchten, diese aber p r o d u c i r t. —

Und ist das nun nicht artig von mir gesehn? Recht wie durch ein Schlüßelloch eine unermeßliche Landschaft. — Nach meiner Vorstellung muß Spinosa doch weit mehr Poesie gehabt haben wie Fichte — wenn das Denken gar nicht damit tingirt ist, bleibt denn nicht etwas Lebloses darinn?
Das Geheimniß fehlt — sieh, ich ahnde das recht gut, wer fähig ist Geometrie zu fassen, der wird auch die Wissenschaftslehre lernen können, aber das ist eben die Begränzung, daß sie so rein aufgeht.

3 Brief an August Wilhelm Schlegel vom 7. und 8. Mai 1801 = Briefe, Bd. II.

*[S. 121]* [...] Du, mein Schatz, hast eine schlechte Sache zu vertheidigen gehabt, wie Du gegen Tiek über Maria Stuart strittest. Es ist wahrlich nicht besser wie der Wallenstein — ja der gesammte schlechtere Wallenstein spricht einem daraus an. Die wenigen lyrischen Stellen sind hübsch — o ja — aber mit dem Ganzen schlecht verbunden. Das Interesse für Maria ist durchgehends zu sehr geschwächt, es sieht aus, als sollte das objektiv gemeint seyn, aber ist nichts ächtes damit, blos nachgemachte Patent-Objektivität. Denken kann ich mir wohl, daß es sich auf dem Theater ganz gut macht. Die Szene, wo Melvil sein priesterlich Haupt entblößt, ist eine der vorzüglichsten und eine sehr gute Schlußerscheinung der Maria. Der lezte Auftritt endet genau wie beym Wallenstein mit einem Epigramm — Fürst Piccolomini! „Lord Lester schift nach England". — Das Politische darinn hat auch die Deutlichkeit einer Deduktion nicht los werden können, und ich versichre Dich, ich habe bey dieser ersten Lektüre, wo die Neugierde mit geschäftig war, nicht einiger Langeweile entgehn können. — Wie fällt Mortimer mit seiner Catholizität wie mit der Thür ins Haus! Er müßte durchaus nicht psychologisch darthun, wie er katholisch geworden ist, sondern blos mit Eifer aussprechen: ich bins. Ja, mein Freund, mir ist es ganz klar, daß alles poetische Drum und Dran dieses Stückes in der Summe keine Poesie macht.

4 Brief an August Wilhelm Schlegel vom 18. Mai 1801 = Briefe, Bd. II.

*[S. 147]* [...] ich möchte wissen, ob es wohl eine andre Form als die mathematische gäbe für die Speculation — Poesie ist = Offenbarung.

5 Brief an August Wilhelm Schlegel vom 20. Juli 1801 = Briefe, Bd. II.

*[S. 201]* [...] anhebe Dir zu melden, daß ich Hexameter zu machen gelernt habe, formale nehmlich. Werde nur nicht böse und sprich, das hätte ich nie von Dir lernen können, wie Du wohl zu thun pflegst — Du dummer Freund, warum hast Du es nicht recht angefangen? Schelling hat mich hingesezt und mir es auf dem Papiere mit — und ∪ vorgemahlt, nun hab ich es begriffen. Wenn sich nun wolten Gedanken, Bilder, Schwung und Form in Eins schmelzen, so könt ich dichten, [...]

6 Rezension: Musenalmanach auf das Jahr 1805. Hg. von C. A. v. Chamisso und K. A. Varnhagen (1805) = Rezensionen.

*[S. 26]* Wenn doch besonders unsere schreibende Jugend die Kräfte des Himmels und der Erden ruhen ließe, bis sie durch stilles fleißiges Forschen sie im eigenen Wahrnehmen erkennen lernte, statt sie bloß auswendig zu wissen, und dann mit ihren wundervollen Beziehungen wie mit den Reimen zu spielen. Legen sie wohl einen tieferen Sinn hinein, als daß sie ihnen, wie diese, dazu dienen, Gedichte zu verfertigen? Der Taschenspieler aber, der die Eigenschaften der Dinge zu seinen Künsten gebraucht, ist respectabler, als wer in Worten und Bildern sie mißbraucht.

*[S. 28]* [...] dennoch kann man nicht läugnen, daß sich manches aufdrängt, als ob es Etwas wäre. Das aber bringt gerade den treuen Freund der Poesie zur Verzweiflung, weil es dann doch Nichts ist, indem allenthalben die Tiefe und der Hintergrund fehlt, worüber sich nur derjenige lange täuschen kann, der selbst flach ist. Es ist hier insbesondere von einer speciellen Gestaltung der lyrischen Poesie die Rede, deren Formen gediegen auszufüllen Gediegenheit im Subject und eine bedeutende Eigenthümlichkeit um so mehr

erfodert, da die Formen zugleich hervorstechend genug sind, um für sich allein zu fesseln und die Leerheit zu begünstigen. Diese sinnvollen Töne haben neuerdings mit dazu gedient, den erstorbenen Sinn für Poesie, als Kunst, allgemeiner wiederum hervorzulocken. Indem aber die Jünger eine gebildete Technik allein für sich eintreten lassen, trägt man nur eine um so schlimmere Empfindung davon, daß die Kunst auf einer höheren Stufe sich wieder in ein Fantom verkehrt. Es ist das ächte Verdienst der Vorgänger, wenn Nachahmer ohne wahres Verdienst dennoch so viel leisten können; ein Memento könnte es indessen für jene seyn, dem Streben nach der Form eine weniger formelle Richtung zu geben, worin einige fast zu viel gethan haben und eben an der äußersten Grenze still gestanden sind. Für unsere Poëten gesellen sich nun zu dem bloß äußerlich Gegebenen noch gewisse innerliche Hülfsformen die sie eben aus den immer mehr sich verbreitenden Ideen, den Entdeckungen der Philosophie und Physik nehmen, und die schwächsten unter ihnen an Crucifixen, Marien- und Heiligenbildern u. s. w. finden, welche die Venus und den Amor, die Grazien und Nymphen als altmodig bey ihnen verdrängt haben, aber unter ihren Händen eben so nichtssagende abentheuerliche Zeichen und Puppen werden, als sie es gewöhnlich in den deutschen Klosterkirchen sind.

## XIII Friedrich Wilhelm Joseph Schelling (1775—1854)

Werke = Werke. Nach der Originalausgabe in neuer Anordnung hg. von M. Schröter. 12 Bde. München: Beck-Oldenbourg 1927—59.

1 System des transzendentalen Idealismus (1800) = Werke, Bd. II.

*[S. 349]* Es wird also postulirt, daß im Subjektiven, im Bewußtseyn selbst, jene zugleich bewußte und bewußtlose Thätigkeit aufgezeigt werde.
Eine solche Thätigkeit ist allein die ästhetische, und jedes Kunstwerk ist nur zu begreifen als Produkt einer solchen. Die idealische Welt der Kunst und die reelle der Objekte sind also Produkte einer und derselben Thätigkeit; das Zusammentreffen beider (der bewußten und der bewußtlosen) ohne Bewußtseyn gibt die wirkliche, mit Bewußtseyn die ästhetische Welt.
Die objektive Welt ist nur die ursprüngliche, noch bewußtlose Poesie des Geistes; das allgemeine Organon der Philosophie — und der Schlußstein ihres ganzen Gewölbes — die Philosophie der Kunst.

*[S. 618]* Wenn nun ferner die Kunst durch zwei voneinander völlig verschiedene Thätigkeiten vollendet wird, so ist das Genie weder die eine noch die andere, sondern das, was über beiden ist. Wenn wir in der einen jener beiden Thätigkeiten, der bewußten nämlich, das suchen müssen, was insgemein Kunst genannt wird, was aber nur der eine Theil derselben ist, nämlich dasjenige an ihr, was mit Bewußtseyn, Ueberlegung und Reflexion ausgeübt wird, was auch gelehrt und gelernt, durch Ueberlieferung und durch eigne Uebung erreicht werden kann, so werden wir dagegen in dem Bewußtlosen, was in die Kunst mit eingeht, dasjenige suchen müssen, was an ihr nicht gelernt, nicht durch Uebung, noch auf andere Art erlangt werden, sondern allein durch freie Gunst der Natur angeboren seyn kann, und welches dasjenige ist, was wir mit Einem Wort die Poesie in der Kunst nennen können.

*[S. 626]* Was ist denn nun jenes wunderbare Vermögen, durch welches nach der Behauptung des Philosophen in der produktiven Anschauung ein unendlicher Gegensatz sich aufhebt? Wir haben diesen Mechanismus bisher nicht vollständig begreiflich machen können, weil es nur das Kunstvermögen ist, was ihn ganz enthüllen kann. Jenes produktive Vermögen ist dasselbe, durch welches auch der Kunst das Unmögliche gelingt, nämlich einen unendlichen Gegensatz in einem endlichen Produkt aufzuheben. Es ist das Dichtungsvermögen, was in der ersten Potenz die ursprüngliche Anschauung ist, und umgekehrt, es ist nur die in der höchsten Potenz sich wiederholende produktive Anschauung, was wir Dichtungsvermögen nennen. Es ist ein und dasselbe, was in beiden thätig ist, das Einzige, wodurch wir fähig sind auch das Widersprechende zu denken und zusammenzufassen, — die Einbildungskraft.

*[S. 629]* Wenn es nun aber die Kunst allein ist, welcher das, was der Philosoph nur subjektiv darzustellen vermag, mit allgemeiner Gültigkeit objektiv zu machen gelingen kann, so ist, um noch diesen Schluß daraus zu ziehen, zu erwarten, daß die Philosophie, so wie sie in der Kindheit der Wissenschaft von der Poesie geboren und genährt worden ist, und mit ihr alle diejenigen Wissenschaften, welche durch sie der Vollkommenheit entgegengeführt werden, nach ihrer Vollendung als ebenso viel einzelne Ströme in den allgemeinen Ocean der Poesie zurückfließen, von welchem sie ausgegangen waren. Welches aber das Mittelglied der Rückkehr der Wissenschaft zur Poesie seyn werde, ist im Allgemeinen nicht schwer zu sagen, da ein solches Mittelglied in der Mythologie existirt hat, ehe diese, wie es jetzt scheint, unauflösliche Trennung geschehen ist. Wie aber eine neue Mythologie, welche nicht Erfindung des einzelnen Dichters, sondern eines neuen, nur Einen Dichter gleichsam vorstellenden Geschlechts seyn kann, selbst entstehen könne, dieß ist ein Problem, dessen Auflösung allein von den künftigen Schicksalen der Welt und dem weiteren Verlauf der Geschichte zu erwarten ist.

2 Vorlesungen über die Methode des akademischen Studiums (1802) = Werke, Bd. III.

*[S. 368 f.]* Es ist wesentlich, den bestimmten Standpunkt zu er-

kennen, aus welchem Plato jenes Urtheil über die Dichter spricht; denn wenn irgend ein Philosoph die Absonderung der Standpunkte beobachtet hat, ist es dieser, und ohne jene Unterscheidung würde es, wie überall, so hier insbesondere, unmöglich seyn, seinen beziehungsreichen Sinn zu fassen, oder die Widersprüche seiner Werke über denselbigen Gegenstand zu vereinigen. Wir müssen uns vorerst entschließen, die höhere Philosophie und die des Plato insbesondere als den entschiedenen Gegensatz in der griechischen Bildung, nicht nur in Beziehung auf die sinnlichen Vorstellungen der Religion, sondern auch auf die objektiven und durchaus realen Formen des Staates, zu denken. Ob nun in einem ganz idealen und gleichsam innerlichen Staat, wie der Platonische, von der Poesie auf andere Weise die Rede seyn könne, und jene Beschränkung, die er ihr auferlegt, nicht eine nothwendige sey, die Beantwortung dieser Frage würde uns hier zu weit führen. Jener Gegensatz aller öffentlichen Formen gegen die Philosophie mußte nothwendig eine gleiche Entgegensetzung der letzteren gegen die erstere hervorbringen, wovon Plato weder das früheste noch das einzige Beispiel ist. Von Pythagoras an und noch weiter zurück bis auf Plato herab erkennt sich die Philosophie selbst als eine exotische Pflanze im griechischen Boden, ein Gefühl, das schon in dem allgemeinen Trieb sich ausdrückte, welcher diejenigen, die entweder durch die Weisheit früherer Philosophen oder die Mysterien in höhere Lehren eingeweiht waren, nach dem Mutterland der Ideen, dem Orient, führte.
Aber auch abgesehen von dieser bloß historischen, nicht philosophischen, Entgegensetzung, die letztere vielmehr zugegeben, was ist Platos Verwerfung der Dichtkunst, verglichen insbesondere mit dem, was er in andern Werken zum Lob der enthusiastischen Poesie sagt, anders als Polemik gegen den poetischen Realismus, eine Vorahndung der späteren Richtung des Geistes überhaupt und der Poesie insbesondere? Am wenigsten könnte jenes Urtheil gegen die christliche Poesie geltend gemacht werden, welche im Ganzen ebenso bestimmt den Charakter des Unendlichen trägt, wie die antike im Ganzen den des Endlichen. Daß wir die Grenzen, welche die letztere hat, genauer bestimmen können als Plato, der ihren Gegensatz nicht kannte, daß wir eben deßwegen uns zu einer um-

fassenderen Idee und Construktion der Poesie als er erheben, und das, was er als das Verwerfliche der Poesie seiner Zeit betrachtete, nur als die schöne Schranke derselben bezeichnen, verdanken wir der Erfahrung der späteren Zeit, und sehen als Erfüllung, was Plato weissagend vermißte. Die christliche Religion und mit ihr der aufs Intellektuelle gerichtete Sinn, der in der alten Poesie weder seine vollkommene Befriedigung noch selbst die Mittel der Darstellung finden konnte, hat sich eine eigne Poesie und Kunst geschaffen, in der er sie findet: dadurch sind die Bedingungen der vollständigen und ganz objektiven Ansicht der Kunst, auch der antiken, gegeben.

3 Philosophie der Kunst. Einleitung und Allgemeiner Teil (1802) = Werke, Bd. III.

*[S. 382 f.]* Das System der Philosophie der Kunst, welches ich vorzutragen denke, wird sich also von den bisher vorhandenen wesentlich und sowohl der Form als dem Gehalt nach unterscheiden, indem ich selbst in den Principien weiter zurückgehe, als bisher geschehen ist. Dieselbe Methode, durch die es mir, wenn ich mich nicht irre, in der Naturphilosophie bis zu einem gewissen Punkte möglich geworden ist, das vielfach verschlungene Gewebe der Natur zu entwirren und das Chaos seiner Erscheinungen zu sondern, dieselbe Methode wird uns auch durch die noch labyrinthischeren Verwicklungen der Kunstwelt hindurchleiten und über die Gegenstände derselben ein neues Licht verbreiten lassen.

*[S. 388]* Ich construire demnach in der Philosophie der Kunst zunächst nicht die Kunst als Kunst, als dieses Besondere, sondern ich construire das Universum in der Gestalt der Kunst, und Philosophie der Kunst ist Wissenschaft des All in der Form oder Potenz der Kunst. Erst mit diesem Schritt erheben wir uns in Ansehung dieser Wissenschaft auf das Gebiet einer absoluten Wissenschaft der Kunst.

*[S. 391]* Die bildende und die redende Kunst = der realen und idealen Reihe der Philosophie. Jener steht diejenige Einheit vor, in welcher das Unendliche ins Endliche aufgenommen wird —

die Construktion dieser Reihe entspricht der Naturphilosophie —, dieser steht die andere Einheit vor, in welcher das Endliche ins Unendliche gebildet wird, die Construktion dieser Reihe entspricht dem Idealismus in dem allgemeinen System der Philosophie. Die erste Einheit werde ich die reale, die andere die ideale nennen, die, welche beide begreift, die Indifferenz.
Fixiren wir nun jede dieser Einheiten für sich, so müssen, weil jede derselben für sich absolut ist, in jeder wieder dieselben Einheiten wiederkehren, in der realen also wiederum die reale, ideale, und die, worin beide eins sind. Ebenso in der idealen.
Jeder dieser Formen, insofern sie entweder in der realen oder idealen Einheit begriffen sind, entspricht eine besondere Form der Kunst, der realen, sofern in der realen, entspricht die Musik, der idealen die Malerei, der welche innerhalb der realen wieder beide Einheiten in-eins-gebildet darstellt, die Plastik.
Dasselbe ist der Fall in Ansehung der idealen Einheit, welche wieder die drei Formen der lyrischen, epischen und dramatischen Dichtkunst in sich begreift. Lyrik = Einbildung des Unendlichen ins Endliche = Besonderem. Epos = Darstellung (Subsumtion) des Endlichen im Unendlichen = Allgemeinem. Drama = Synthese des Allgemeinen und Besonderen. Nach diesen Grundformen ist also die gesammte Kunst sowohl in ihrer realen als idealen Erscheinung zu construiren.

*[S. 425—427 § 38]* Mythologie ist die nothwendige Bedingung und der erste Stoff aller Kunst.
Alles Bisherige der Beweis. Der nervus probandi liegt in der Idee der Kunst als Darstellung des absolut, des an sich Schönen durch besondere schöne Dinge; also Darstellung des Absoluten in Begrenzung ohne Aufhebung des Absoluten. Dieser Widerspruch ist nur in den Ideen der Götter gelöst, die selbst wieder keine unabhängige, wahrhaft objektive Existenz haben können als in der vollkommenen Ausbildung zu einer eignen Welt und zu einem Ganzen der Dichtung, welches Mythologie heißt.
Zur weiteren Erläuterung. — Die Mythologie ist nichts anderes als das Universum im höheren Gewand, in seiner absoluten Gestalt, das wahre Universum an sich, Bild des Lebens und des

wundervollen Chaos in der göttlichen Imagination, selbst schon Poesie und doch für sich wieder Stoff und Element der Poesie. Sie (die Mythologie) ist die Welt und gleichsam der Boden, worin allein die Gewächse der Kunst aufblühen und bestehen können. Nur innerhalb einer solchen Welt sind bleibende und bestimmte Gestalten möglich, durch die allein ewige Begriffe ausgedrückt werden können. Die Schöpfungen der Kunst müssen dieselbe, ja noch eine höhere Realität haben als die der Natur, die Götterformen, die so nothwendig und ewig fortdauern, als das Geschlecht der Menschen oder das der Pflanzen, zugleich Individuen und Gattungen und unsterblich wie diese.

Inwiefern Poesie das Bildende des Stoffes, wie Kunst im engeren Sinn der Form ist, so ist die Mythologie die absolute Poesie, gleichsam die Poesie in Masse. Sie ist die ewige Materie, aus der alle Formen so wundervoll, mannichfaltig hervorgehen.

*[§ 39]* Darstellung des Absoluten mit absoluter Indifferenz des Allgemeinen und Besonderen im Besonderen ist nur symbolisch möglich.

Erläuterung. Darstellung des Absoluten mit absoluter Indifferenz des Allgemeinen und Besonderen im Allgemeinen = Philosophie — Idee —. Darstellung des Absoluten mit absoluter Indifferenz des Allgemeinen und Besonderen im Besonderen = Kunst. Der allgemeine Stoff dieser Darstellung = Mythologie. In dieser also ist schon die zweite Synthese, die der Indifferenz des Allgemeinen und Besonderen mit dem Besonderen gemacht. Der aufgestellte Satz ist demnach Princip der Construktion der Mythologie überhaupt.

Um den Beweis dieses Satzes führen zu können, ist es nöthig, daß wir eine Erklärung des Symbolischen geben; und da diese Darstellungsart wieder die Synthesis zweier entgegengesetzter ist, der schematischen und der allegorischen, so werde ich also bei dieser Gelegenheit erklären, was Schematismus und was Allegorie ist.

Erläuterungssätze.

Diejenige Darstellung, in welcher das Allgemeine das Besondere bedeutet, oder in welcher das Besondere durch das Allgemeine angeschaut wird, ist Schematismus.

Diejenige Darstellung aber, in welcher das Besondere das Allgemeine bedeutet, oder in welcher das Allgemeine durch das Besondere angeschaut wird, ist allegorisch.
Die Synthesis dieser beiden, wo weder das Allgemeine das Besondere, noch das Besondere das Allgemeine bedeutet, sondern wo beide absolut eins sind, ist das Symbolische.

*[S. 431]* [(...] Die Musik ist eine allegorisirende Kunst, die Malerei schematisirend, die Plastik symbolisch. Ebenso in der Poesie die Lyrik allegorisch, die epische Poesie hat die nothwendige Hinneigung zum Schematisiren, die Dramatik ist symbolisch).

*[S. 480 f. § 63]* Dieser ewige Begriff des Menschen in Gott als der unmittelbaren Ursache seiner Produktionen ist das, was man Genie, gleichsam den Genius, das inwohnende Göttliche des Menschen, nennt. Es ist so zu sagen ein Stück aus der Absolutheit Gottes. Jeder Künstler kann daher auch nur so viel produciren, als mit dem ewigen Begriff seines eignen Wesens in Gott verbunden ist. Je mehr nun in diesem für sich schon das Universum angeschaut wird, je organischer er ist, je mehr er die Endlichkeit der Unendlichkeit verknüpft, desto produktiver.
Erläuterungen. 1) Gott producirt aus sich nichts, als worin wieder sein ganzes Wesen ausgedrückt ist, nichts also, das nicht wieder producirte, wieder Universum wäre. So verhält es sich in dem An-sich. Daß nun aber das Produciren Gottes, d. h. die Idee als Idee, auch in der erscheinenden Welt hervortrete, dieß hängt von Bedingungen ab, die in dieser liegen, und die uns insofern als zufällig erscheinen, obgleich, von einem höheren Gesichtspunkt aus betrachtet, auch die Erscheinung des Genies immer wieder eine nothwendige ist.
2) Das Produciren Gottes ist ein ewiger, d. h. überhaupt kein Verhältniß zur Zeit habender Akt der Selbstaffirmation, worin eine reale und ideale Seite. In jener gebiert er seine Unendlichkeit in die Endlichkeit und ist Natur, in dieser nimmt er die Endlichkeit wieder zurück in seine Unendlichkeit. Aber eben dieß wird auch in der Idee des Genies gedacht, daß es nämlich von der einen Seite ebenso als natürliches wie von der andern als ideelles

Princip gedacht wird. Es ist demnach die ganze absolute Idee, angeschaut in der Erscheinung oder Beziehung auf Besonderes. Es ist ein und dasselbe Verhältniß, durch welches in dem ursprünglichen Erkenntnißakt die Welt an sich, und durch welches in dem Akt des Genies die Kunstwelt, als dieselbe Welt an sich nur in der Erscheinung producirt wird. (Das Genie unterscheidet sich von allem, was bloß Talent, dadurch, daß dieses eine bloß empirische Nothwendigkeit, die selbst wieder Zufälligkeit, hat, jenes absolute Nothwendigkeit. Jedes wahre Kunstwerk ist ein absolut nothwendiges; ein solches, das gleicherweise seyn und nicht seyn konnte, verdient diesen Namen nicht).

*[S. 481 § 64]* Erklärung. Die reale Seite des Genies oder diejenige Einheit, welche Einbildung des Unendlichen ins Endliche ist, kann im engern Sinn die Poesie, die ideale Seite oder diejenige Einheit, welche Einbildung des Endlichen ins Unendliche ist, kann die Kunst in der Kunst heißen.

Erläuterung. Unter Poesie im engern Sinne wird, wenn wir uns auch bloß an die Sprachbedeutung halten, das unmittelbare Hervorbringen oder Schaffen eines Realen verstanden, die Invention an und für sich selbst. Alles unmittelbare Hervorbringen oder Schaffen ist aber immer und nothwendig Darstellung eines Unendlichen, eines Begriffs in einem Endlichen oder Realen. Die Idee der Kunst beziehen wir alle mehr auf die entgegengesetzte Einheit, die der Einbildung des Besonderen ins Allgemeine. In der Invention expandirt oder ergießt sich das Genie in das Besondere; in der Form nimmt es das Besondere zurück in das Unendliche. — Nur in der vollendeten Einbildung des Unendlichen in das Endliche wird dieses etwas für sich Bestehendes, ein Wesen an sich selbst, das nicht bloß ein anderes bedeutet. So gibt das Absolute den Ideen der Dinge, die in ihm sind, ein unabhängiges Leben, indem es sie in die Endlichkeit auf ewige Weise einbildet; dadurch bekommen sie ein Leben in sich selbst, und nur sofern in sich absolut, sind sie im Absoluten. Poesie und Kunst also sind wie die zwei Einheiten: Poesie das, wodurch ein Ding Leben und Realität in sich selbst hat, Kunst das, wodurch es in dem Hervorbringenden ist.

*[S. 498]* Diese Gegensätze gehören alle zu einer und derselben Familie und gehen sämmtlich aus dem ersten Verhältniß der Kunst als absoluter Form zu der besondern Form hervor, die durch die Individuen gesetzt ist, durch welche sie sich äußert. Sie mußten daher gerade hier hervortreten.
Gleich der erste — für die Reflexion zu machende — Gegensatz der Poesie und der Kunst zeigt uns jene als absolute, diese als besondere Form; das was in dem Genie an sich absolut-eins ist, zerlegt sich in diese beiden Erscheinungsweisen, die übrigens in ihrer Absolutheit wieder eins und dasselbe sind.

4 Philosophie der Kunst. Besonderer Teil (1802—1803) = Werke, Erg.-Bd. III.

*[S. 282 f.]* Alle Kunst ist unmittelbares Nachbild der absoluten Produktion oder der absoluten Selbstaffirmation; die bildende nur läßt sie nicht als ein Ideales erscheinen, sondern durch ein anderes, und demnach als ein Reales. Die Poesie dagegen, indem sie dem Wesen nach dasselbe ist, was die bildende Kunst ist, läßt jenen absoluten Erkenntnißakt unmittelbar als Erkenntnißakt erscheinen, und ist insofern die höhere Potenz der bildenden Kunst, als sie in dem Gegenbild selbst noch die Natur und den Charakter des Idealen, des Wesens, des Allgemeinen beibehält. Das, wodurch die bildende Kunst ihre Ideen ausdrückt, ist ein an sich Concretes; das, wodurch die redende, ein an sich Allgemeines, nämlich die Sprache. Deßwegen hat die Poesie vorzugsweise den Namen der Poesie, d. h. der Erschaffung behalten, weil ihre Werke nicht als ein Seyn, sondern als Produciren erscheinen. Daher kommt es, daß die Poesie wieder als das Wesen aller Kunst kann angesehen werden, ungefähr so wie die Seele als das Wesen des Leibes. Allein in der Beziehung, inwiefern nämlich Poesie das Erschaffende der Ideen, und dadurch das Princip aller Kunst ist, war von ihr schon in der Construktion der Mythologie die Rede. Nach der von uns genommenen Methode kann also hier — im Gegensatz mit der bildenden Kunst — von

Poesie nur die Rede seyn, inwiefern sie selbst besondere Kunstform, und also von der Poesie, die von dem An-sich aller Kunst die Erscheinung ist. Allein selbst innerhalb dieser Beschränkung ist die Poesie ein gänzlich unbegrenzter Gegenstand und unterscheidet auch dadurch sich von der bildenden Kunst. Z. B. um nur eines anzuführen: ein Gegensatz von Antikem und Modernem hat in der Plastik gar nicht statt, dagegen in allen Gattungen der Poesie. Die Poesie der Alten ist ebenso rational begrenzt, sich selbst gleich, als ihre Kunst. Dagegen die der Neueren nach allen Seiten hin und in allen Theilen so mannichfaltig unbegrenzt und zum Theil irrational als es ihre Kunst überhaupt ist. Auch dieser Charakter der Unbegrenztheit beruht darauf, daß die Poesie die ideale Seite der Kunst, wie die Plastik die reale ist. Denn das Ideale = das Unendliche.

*[S. 284 f.]* Wenn man die gewöhnlichen Theoretiker der schönen Künste nachsieht, findet man sie in nicht geringer Verlegenheit, einen Begriff oder eine sogenannte Definiton von der Dichtkunst zu geben, und in denjenigen, welche sie geben, ist nicht einmal die Form der Poesie, geschweige das Wesen derselben ausgedrückt. Das Erste aber zur Erkenntniß der Poesie ist ohne Zweifel, ihr Wesen zu erkennen, denn die Form folgt erst aus diesem, weil nämlich nur eine solche Form diesem, dem Wesen, angemessen seyn kann.

Das An-sich der Poesie ist nun das aller Kunst: es ist Darstellung des Absoluten oder des Universum in einem Besonderen. Wenn von manchen besondern Dichtarten eine Einwendung dagegen hergenommen werden könnte, so würde diese nur beweisen, daß diese sogenannten Dichtarten selbst keine poetische Realität haben. Sowie nichts Kunstwerk überhaupt ist, das nicht mittelbar oder unmittelbar Reflex des Unendlichen ist, so kann insbesondere nichts Gedicht oder poetisch seyn, was nicht irgend etwas Absolutes, d. h. eben das Absolute in der Beziehung auf irgend eine Besonderheit darstellt. Welcher Art übrigens diese Besonderheit sey, ist dadurch nicht bestimmt. Der poetische Sinn besteht eben darin, zu der Wirklichkeit, der Realität, außer der Möglichkeit nichts zu bedürfen. Was poetisch möglich ist, ist eben deß-

wegen schlechthin wirklich, wie in der Philosophie, was ideal — real. Das Princip der Unpoesie wie das der Unphilosophie ist der Empirismus oder die Unmöglichkeit, etwas anderes als wahr und real zu erkennen, als was in der Erfahrung liegt.
Ueber die großen Gegenstände der Poesie, die Ideenwelt, die für die Kunst die Welt der Götter ist, das Universum, die Natur, war schon in der Lehre von der Mythologie die Rede. Mit der Nothwendigkeit der Mythologie für alle Kunst, die dort bewiesen ist, ist diese Nothwendigkeit vorzüglich für die Poesie dargethan.

*[S. 289]* Die Prosa überhaupt, um diese Erklärung hier einzuschalten, ist die von dem Verstand in Besitz genommene und nach seinen Zwecken geformte Sprache. In der Poesie ist alles Begrenzung, strenge Absonderung der Formen. Die Prosa ist insofern wieder die Indifferenz und ihr vorzüglichster Fehler der, daraus heraustreten zu wollen, woher die Aftergeburt der poetischen Prosa entsteht. Die Poesie unterscheidet sich von ihr nicht allein durch Rhythmus, sondern auch durch theils einfältigere theils schönere Sprache. Es ist damit nicht ein wildes, in der leeren Ueberspanntheit der Sprache sich ausdrückendes Feuer gemeint, welches die Alten Parenthyrsos genannt haben. Zwar es gibt Kunstrichter, die sogar von dem wilden Feuer des Homer reden. Die Einfalt ist auch in der Poesie wie in der bildenden Kunst das Höchste, [. . .]

*[S. 290]* Construktion der einzelnen Dichtarten
Das Wesen aller Kunst als Darstellung des Absoluten im Besonderen ist reine Begrenzung von der einen und ungetheilte Absolutheit von der andern Seite. Schon in der Naturpoesie müssen die Elemente sich scheiden, und die vollendet eintretende Kunst ist erst mit der strengen Scheidung gesetzt. Am strengsten begrenzt in allen Formen ist auch hier wieder die antike Poesie, ineinanderfließender, mischender die moderne: daher durch diese eine Menge Mittelgattungen entstanden sind.
Wenn wir in der Abhandlung der verschiedenen Dichtungen der natürlichen oder historischen Ordnung folgen wollten, so würden wir von dem Epos als der Identität ausgehen und von da zur lyrischen und dramatischen Poesie fortgehen müssen. Allein da

wir uns hier ganz nach der wissenschaftlichen Ordnung zu richten haben, und da nach der bereits vorgezeichneten Stufenfolge der Potenzen die der Besonderheit oder Differenz die erste, die der Identität die zweite, und das, worin Einheit und Differenz, Allgemeines und Besonderes selbst eins sind, die dritte ist, so werden wir auch hier dieser Stufenfolge getreu bleiben und machen demnach den Anfang mit der lyrischen Kunst.

*[S. 291]* Da die lyrische Poesie die subjektivste Dichtart, so ist nothwendig auch die Freiheit in ihr das Herrschende. Keine Dichtart ist weniger einem Zwang unterworfen. Die kühnsten Absprünge von der gewohnten Gedankenfolge sind ihr erlaubt, indem alles nur darauf ankommt, daß ein Zusammenhang im Gemüth des Dichters oder Hörers sey, nicht objektiv oder außer ihm.

*[S. 296 f.]* Das lyrische Gedicht bezeichnet überhaupt die erste Potenz der idealen Reihe, also die der Reflexion, des Wissens, des Bewußtseyns. Es steht eben deßwegen ganz unter Herrschaft der Reflexion. Die zweite Potenz der idealen Welt überhaupt ist die des Handelns, des an sich Objektiven, wie das Wissen des Subjektiven. Gleichwie aber die Formen der Kunst überhaupt die Formen der Dinge an sich sind, so muß diejenige Dichtart, welche der idealen Einheit entspricht, nicht überhaupt nur das erscheinende Handeln, sondern das Handeln absolut betrachtet, und wie es in seinem An-sich ist, darstellen.
Handeln, absolut oder objektiv betrachtet, ist Geschichte. Die Aufgabe der zweiten Art ist also: ein Bild der Geschichte zu seyn, wie sie an sich oder im Absoluten ist.
Daß diese Dichtart das Epos ist, wird sich am bestimmtesten daraus ergeben, daß alle aus dem angegebenen Charakter abzuleitenden Bestimmungen sich in dem Epos vereinigen und zusammentreffen.

*[S. 297]* Die erste Bestimmung des Epos also ist so zu fassen: es stellt die Handlung in der Identität der Freiheit und Nothwendigkeit dar, ohne Gegensatz des Unendlichen und Endlichen, ohne Streit und eben deßwegen ohne Schicksal.

*[S. 321 f.]* Der Begriff des Wunderbaren ist, wie ich schon bemerkt habe, eine neue Zuthat des Epos, denn wenn auch Aristoteles schon vom θαυμαζόν des homerischen Epos spricht, hat es doch bei ihm eine ganz andere Bedeutung als das moderne Wunderbare, nämlich überhaupt nur das Außerordentliche (mehr davon beim Drama). Homer hat kein Wunderbares, sondern lauter Natürliches, weil auch seine Götter natürlich sind. Im Wunderbaren zeigt sich Poesie und Prosa im Kampf; das Wunderbare ist es nur gegenüber von der Prosa und in einer getheilten Welt. Im Homer ist, wenn man will, alles, aber eben deßwegen nichts wunderbar.

*[S. 324 f.]* Das romantische Epos hat in der Gattung, zu der es gehört, selbst wieder einen Gegensatz. Wenn es nämlich überhaupt zwar dem Stoff nach universell, der Form nach aber individuell ist, so läßt sich zum voraus eine andere entsprechende Gattung erwarten, in welcher an einem partiellen oder beschränkteren Stoff sich die allgemein gültigere und gleichsam indifferentere Darstellung versucht. Diese Gattung ist der Roman, und wir haben mit dieser Stelle, die wir ihm geben, zugleich auch seine Natur bestimmt.
Man kann allerdings auch den Stoff des romantischen Epos nur relativ-universell nennen, weil er nämlich immer den Anspruch an das Subjekt macht, sich überhaupt auf einen phantastischen Boden zu versetzen, welches das alte Epos nicht thut. Aber eben deßwegen auch, weil der Stoff vom Subjekt etwas fordert — Glauben, Lust, phantastische Stimmung — so muß der Dichter von der seinigen etwas hinzuthun, und so dem Stoff, was er in der einen Rücksicht an Universalität voraus haben kann, von der andern Seite wieder durch die Darstellung nehmen. Um sich dieser Nothwendigkeit zu überheben, und der objektiven Darstellung sich mehr zu nähern, bleibt demnach nichts übrig als auf die Universalität des Stoffs Verzicht zu thun und sie in der Form zu suchen.
Die ganze Mythologie des Rittergedichts gründet sich auf das Wunderbare, d. h. auf eine getheilte Welt. Diese Getheiltheit geht nothwendig in die Darstellung über, da der Dichter, um das

Wunderbare als solches erscheinen zu lassen, selbst für sich in derjenigen Welt seyn muß, wo das Wunderbare als Wunderbares erscheint. Will also der Dichter mit seinem Stoff wahrhaft identisch werden und sich ihm selbst ungetheilt hingeben, so ist kein Mittel dazu, als daß das Individuum, wie überhaupt in der modernen Welt, so auch hier ins Mittel trete und den Ertrag Eines Lebens und Geistes in Erfindungen niederlege, die, je höher sie stehen, desto mehr die Gewalt einer Mythologie gewinnen. So entsteht der Roman, und ich trage kein Bedenken, ihn in dieser Rücksicht über das Rittergedicht zu setzen, obgleich freilich von dem, was unter diesen Namen geht, das Wenigste nur jene Objektivität der Form erreicht hat, bei welcher es näher noch als das Rittergedicht dem eigentlichen Epos steht.

Schon durch die ausdrückliche Beschränkung, daß der Roman bloß durch die Form der Darstellung objektiv, allgemein gültig sey, ist angedeutet, innerhalb welcher Grenzen allein er dem Epos sich nähern könne. Das Epos ist eine ihrer Natur nach unbeschränkte Handlung: sie fängt eigentlich nicht an und könnte ins Endlose gehen. Der Roman ist, wie gesagt, durch den Gegenstand beschränkt, er nähert sich dadurch mehr dem Drama, welches eine beschränkte und in sich abgeschlossene Handlung ist. In dieser Beziehung könnte man den Roman auch als eine Mischung des Epos und des Drama beschreiben, so nämlich, daß er die Eigenschaften beider Gattungen theilte.

*[S. 338]* Von dem epischen Gedicht, welches wir bisher sowohl an sich selbst als in den Gattungen, die es durch Mischung mit andern Formen bildet, betrachtet haben — von dem epischen Gedicht als der Identität ging die Poesie aus, gleichsam als von einem Stande der Unschuld, wo alles noch beisammen und eins ist, was später nur zerstreut existirt, oder nur aus der Zerstreuung wieder zur Einheit kommt. Diese Identität entzündete sich im Fortgang der Bildung im lyrischen Gedicht zum Widerstreit, und erst die reifste Frucht der späteren Bildung war es, wodurch, auf einer höheren Stufe, die Einheit selbst mit dem Widerstreit sich versöhnte, und beide wieder in einer vollkommneren Bildung eins wurden. Diese höhere Identität ist das Drama,

welches, die Naturen beider entgegengesetzten Gattungen in sich begreifend, die höchste Erscheinung des An-sich und des Wesens aller Kunst ist.

*[S. 343]* Es ist also nur Eine mögliche Darstellung, bei welcher das Darzustellende ebenso objektiv als im epischen Gedicht, und doch das Subjekt ebenso bewegt ist als im lyrischen Gedicht: es ist nämlich die, wo die Handlung nicht in der Erzählung, sondern selbst und wirklich vorgestellt wird (das Subjektive objektiv dargestellt wird). Die vorausgesetzte Gattung, welche die letzte Synthese aller Poesie seyn sollte, ist also das Drama.

5 System der gesamten Philosophie und der Naturphilosophie insbesondere (1804) = Werke, Erg.-Bd. II.

*[S. 501 f.]* Wenn in einem Zeitalter wie das unsrige mit einer Art von Hunger nach dem Stoff gesucht wird, so muß dieß ebenso sehr als ein Mangel der wahren Kunst wie der wahren Poesie betrachtet werden. Fast möchte man auf die Poesie in dieser Beziehung anwenden, was ein uraltes Gedicht von der Weisheit sagt: Wie will man aber Poesie finden, und welches ist ihre Stätte? — Die Kunst, als solche, bedarf eines Stoffes, der schon aufgehört hat bloß elementarisch und roh zu seyn, der selbst schon organisch ist. Ein solcher ist nur der symbolische Stoff. Wo es an der allgemeinen Symbolik fehlt, wird sich die Poesie nothwendig zu zwei Extremen hinneigen müssen; nach dem einen hin wird sie der Rohheit des Stoffs unterliegen, nach dem andern, wo sie sich bestrebt ideal zu seyn, wird sie die Ideen selbst und unmittelbar als solche, nicht aber durch existirende Dinge darstellen. Mehr oder weniger sind dieß die zwei Pole unserer Dichtkunst. Die große Masse ihrer Hervorbringungen gleicht jenen schlecht gearbeiteten Statuen in der arabischen Sandwüste, von denen die Einwohner sagen, sie werden am jüngsten Gericht von ihren Urhebern die Seelen fordern, womit diese sie zu begaben vergessen haben; die Gedichte der andern Gattungen möchten wohl ihre Urheber um Leiber bitten müssen. Denn wie die Begriffe in Gott nur dadurch objektiv werden, daß sie als die Seelen wirklicher Dinge existiren, so die Begriffe der Menschen in der Kunst, welche

daher nur Wiederholung der ersten Symbolik Gottes in der Natur ist.

Ich will es kurz sagen, worauf offenbar der Mangel einer eigentlichen Symbolik in der neueren Welt beruht.

Alle Symbolik muß von der Natur aus- und zurückgehen. Die Dinge der Natur bedeuten zugleich und sind. Die Schöpfungen des Genies müssen ebenso wirklich, ja noch wirklicher seyn, als die sogenannten wirklichen Dinge, ewige Formen, die so nothwendig fortdauern als die Geschlechter der Pflanzen und der Menschen. Ein wahrer symbolischer Stoff ist nur in der Mythologie, die Mythologie selbst aber ursprünglich nur durch die Beziehung ihrer Gestaltungen auf die Natur möglich. Das ist das Herrliche der Götter in der alten Mythologie, daß sie nicht bloß Individuen sind, historische Wesen, wie die Personen der neueren Poesie — vorübergehende Erscheinungen, sondern ewige Naturwesen, die, indem sie in die Geschichte eingreifen und in ihr wirken, zugleich ihren ewigen Grund in der Natur haben, als Individuen zugleich Gattungen sind.

Die Wiedergeburt einer symbolischen Ansicht der Natur wäre daher der erste Schritt zur Wiederherstellung einer wahren Mythologie. Aber, wie soll diese sich bilden, wenn nicht zuvörderst eine sittliche Totalität, ein Volk sich selbst wieder als Individuum constituirt hat? denn die Mythologie ist nicht Sache des Individuums oder eines Geschlechts, das zerstreut wirkt, sondern nur eines Geschlechts, das von Einem Kunsttrieb ergriffen und beseelt ist. Also weist uns die Möglichkeit einer Mythologie selbst auf etwas Höheres hinaus, auf das Wiedereinswerden der Menschheit, es sey im Ganzen oder im Einzelnen.

# XIV Ernst August Friedrich Klingemann (1777—1831)

Memnon. Eine Zeitschrift. Hg. von A. Klingemann. I. Bd. Leipzig: Rein 1800.

Poesie. Fragmente. An Louise (1800).

*[S. 39—42]* Ich habe bisher mit Vorbedacht in allem, was ich über die Poesie mit Dir geredet habe, sie selbst schon vorausgesetzt, ohne vorher ihren Begriff bestimmt anzugeben und zu entwickeln. Dies aber ist auch allein der einzige Weg, zu ihr zu gelangen; da hingegen wir bei der entgegengesetzten Weise sie zuvor aufheben müssen, wenn wir über sie uns verständlichen wollen. — Mit dem Universum zugleich ist die Poesie entstanden, und nur aus diesem unendlichen Ganzen strahlt sie uns wieder, und ist die Sonne, die es erleuchtet; alle Wissenschaft ist hier unvollkommen, und ein Aggregat von einzelnen Bruchstücken, ohne den geheimen Geist, der das Ganze erst zusammenhält, und wie die innere Seele es durchweht. Sie offenbahrt sich uns, und begeistert unser Gemüth, und, gleich der Pythischen Priesterinn, ergreift uns der heilige Wahnsinn, und die Weihe des Gottes.

Die Poesie hat gleichen Ursprung mit der Religion, und beide berühren sich auch in ihrer Aeußerung wechselseitig, und sind die zwei Schwestern, die in schöner Eintracht uns durch das Leben geleiten. Jede für sich allein ist nicht vollendet, und nur, indem die eine in der andern ihre ergänzende Hälfte findet, bilden sie das Ganze, und der Kreis ist geschlossen. Die Poesie ist irdischer als ihre Schwester, und schließt sich vertraulich an den Menschen, und die Welt ist ihre Heimath; aber ihre Begeisterung erhält sie erst von der Religion, und diese weihet sie für die Unsterblichkeit. Die Religion ist dagegen verwandter mit dem Himmel, und mit allem, was göttlich ist; aber ihre Sehnsucht ist nie völlig gelöset, und nur, indem sie sich mit der Poesie verbindet, bildet sich eine schöne Welt um sie her, und beide, vereint, umfassen den Himmel und die Erde.

Schon der alte Mythus ahnt dieses, und spricht es in einem schönen Bilde aus. Die Griechen verehrten die Liebe nicht in einer einfachen

Erscheinung, sondern sie hatten ihr Universum unter zwei Göttinnen vertheilt. Urania erhielt den Himmel, und Dionens Tochter die Erde; beide aber umfassen erst das Ganze, und nur, indem sie die Theilung ihres Reichs aufheben, und gemeinschaftlich den Olymp und die Erde beherrschen, ist der Mythus vollendet, und nur der philosophischere Sinn erblickt die Eine Venus noch in den Gestalten zweier verschiedener Göttinnen. — Der Pausanias des Plato befriedigt uns deswegen nicht mit seinem doppelten Amor, und er hat nicht wohl gethan, diesen Zwist unter beiden Knaben zu erregen; denn die erotischen Schwänke des schalkhaften kleinen Gottes duldet der himmlische Amor liebevoll, und schämt sich der Ausgelassenheit seines Bruders nicht. —

So vollenden sich wechselseitig die Poesie und die Religion durch einander, und beide erhalten nun erst ihre wahre Bedeutung, und die eine ist in der andern ausgesprochen; man kann darum auch nicht von der Religion allein reden, ohne die Poesie zugleich mit zu umfassen; denn es ist im eigentlichsten Sinne keine ohne die andere. — Du wirst leicht finden, daß ich in allen diesem das Wort Poesie in einer weitern Ausdehnung genommen habe, als es der Sprachgebrauch gewöhnlich zu nehmen pflegt; es ist hier noch gar die Rede nicht von der Kunst, vielweniger denn von einer bestimmten (der Dichtkunst), der man ausgezeichnet den Namen Poesie beizulegen pflegt; die Kunst ist eine besondere Gunst der Götter, die nur sehr wenigen Menschen ertheilt ist; Poesie hingegen ist eine allgemeine ursprüngliche Anlage in dem menschlichen Gemüthe, und die erste Bedingung zur Menschheit überhaupt.

Die Poesie umfaßt das ganze Leben, und sie bildet es gleichsam erst, sie ist ein Erschaffen und Gestalten der Menschheit nach einem göttlichen Urbilde — und ein alter Mythus findet hierin seine Lösung; nach ihm ist alles Schöne ein Ausfluß der Gottheit, und wie können wir menschlicher ihr ewiges Schaffen und Gestalten uns vorstellen, als unter dem lieblichen Bilde der Poesie?

*[S. 55 f.]* Die Poesie geht durch die ganze Kunst; sie ist das Innerliche in ihr, und der geheime wunderliche Geist, der später erst durch sie zur Erscheinung kommt. Die Kunst selbst ist nur Organ der Poesie, sie aber ist die Seele des Ganzen, und das heilige Feuer,

das unsichtbar sich entzündet. So ist die Dichtkunst allein nicht ihre einzige Heimath; sondern sie herrscht unumschränkt auch in der Skulptur und Mahlerei, und redet zart und geistig aus der Musik uns an. Sie ist es eben, wodurch die Kunst sich ausbreitet, und allgemein wird; denn Poesie ist die Grundanlage der Menschheit überhaupt, und sie zeichnet sich nur, dem Grade nach, stärker oder schwächer in den Einzelnen aus.

Die Poesie ist das eigentlich Absichtlose, oder die Natur in der Kunst; Niemand vermag sie zu erringen, oder durch Kraft sich anzueignen; sie ist vielmehr eine freie Gunst der Götter, und wird dem Menschen schon bei seiner Geburt zu Theile. Darum ist auch der eigentliche Poet, von Natur, oft der schlechteste Erklärer seines Werkes, weil es ihm in der Stunde des Hervorbringens selbst fremd geworden ist, und sich zu einer eigenen Welt ausgebildet hat. Er hat auch bei seinem Schaffen gar keine Absicht, und so muß das Werk selbst ganz absichtlos da stehen; — ich möchte sagen, es erscheint gar nicht, und kann darum auch nicht angeschaut, sondern nur geahnt werden. Die bloße Poesie, wenn sie sich schon für sich äußern will, ist nur ein zarter Duft und leichtes Spiel der Abendwolken am Himmel.

*[S. 57 f.]* Die Dichtkunst ist wohl überall am zartesten, und an sich selbst schon näher mit dem Geistigen verwandt; darum muß auch in ihr das eigentlich Poetische den höchsten Ausdruck erreichen: so ist jene südliche Erscheinung des Romantischen, für das auch wir jetzt einen lebhafteren Sinn bekommen haben, ein auffallender Beweis einer höhern poetischen Bildung. Das Romantische ist mehr Ahnung als Sprache, und es äußert sich in leichten Spielen, und umgaukelt die Phantasie mit lachenden Bildern; es erscheint in der Kunst, wie der Abend in der Wirklichkeit; mehr ein leichter rosenfarbener Traum, als bestimmtes Dasein. Am zartesten entfaltet sich die Blüthe des Romantischen in der Novelle; hier sind die Farben am durchsichtigsten, und es ist das bunte Blumenufer, das im stillen Strome sich abbildet. —

Die Poesie ist der Geist der Schönheit, und die Kunst ist erst die Sprache dafür; in ihr enthält die Poesie erst Leben und Bedeutung, und sie hat jetzt ein Organ, wodurch sie sich mittheilen kann. Die höchste poetische Bildung, wenn sie nicht zur Kunst zurückkehrt, muß sich zuletzt im Allgemeinen auflösen; denn sie ist ein stummer Gesang, und das Zeichen mangelt ihr, sich auszudrücken. — In der Kunst hingegen erscheint die Freiheit, und nun erst ist die schöne Bildung ausgesprochen. Die Skulptur, das Epos und die Tragödie sind die Zeichen einer vollendeten Kunstpoesie.

*[S. 62 f.]* Poesie und Philosophie durchdringen sich in dem heiligen Naturmythus, und er ist die Grundlage zu einer allgemeinen Religion. Sehr lange ist die Religion und die Kunst ohne Heimath gewesen; die erste hatte ihren Tempel in der Welt verloren, und die letzte mußte oft ihre Zuflucht zu den Altären fremder Götter nehmen, oder sie streifte nomadisch umher, ohne eine heilige Stätte zu finden, wo sie verweilen könnte. — Es ist Zeit, beide wieder zu vereinigen; denn nur erst alsdann wird ihnen eine gemeinschaftliche Erde werden, und die Religion wird wieder eine Mythologie haben, und die Kunst durch sie geheiligt sein.

# XV Friedrich Karl von Savigny (1779—1861)

Savigny = A. Stoll, Der junge Savigny. Kinderjahre, Marburger und Landshuter Zeit Friedrich Karl von Savignys. Zugleich ein Beitrag zur Geschichte der Romantik. Berlin: Carl Heymann 1927.

1 Brief an beide Creuzer und Friedrich Heinrich Christian Schwarz vom 26. April 1800 = Savigny.

*[S. 152 f.]* Künstlerisches Mittel oder Kunst im engern Sinn ist alles was zur Darstellung gehört, und zwar zur lebendigen objectiven Darstellung: diese wollen wir brauchen zu unsrer Moral, darin sind wir einig, und insofern fällt diese mit einem Kunstwerk zusammen. Künstlerischer Zweck ist eine ganz bestimmte Würkung auf den anschauenden Menschen, nämlich die Anregung seines Schönheitssinns, oder (im Object) Schönheit selbst. Dieser künstlerische Zweck hat mit der Absicht des Künstlers nichts zu schaffen und ich kann mir den vollendeten Künstler ohne Bewustseyn irgend einer künstlerischen Absicht denken; er erreicht das Ziel zu dem ein Gott ihn leitet und schaut verwundert das Werk an, das er schuf.

2 Brief an Jacob Grimm vom 14. August 1809 = Savigny.

*[S. 387]* Wir aber werden noch so weit kommen, daß Philosophie und Poesie in Reih' und Glied getrieben werden wie das Exercieren, und wenn es erst so weit gekommen, daß Einer für den Andern stehen kann ohne Unterschied, dann ist der Gipfel erreicht.

3 Brief an Heinrich Christian Bang vom 25. September 1809 = Savigny.

*[S. 388 f.]* Das Streben des Menschen in jedem Verhältniß, auch des Gelehrten, geht doch auf den wahren Staat oder die wahre Kirche, worin Jeder nur Bürger ist, so daß der Kleinste geehrt und gewürdigt wird als Glied des Ganzen, und daß auch der Größte keine andere Ehre fordern darf, als eben diese. Hier oder nirgends ist der Punkt wo alle Schranken der Schule zerbrochen werden können, und wo das Leben des Gelehrten sich auflöst in reine Menschlichkeit, ohne die Energie zu verlieren, die nur in der Eigen-

thümlichkeit des Daseyns leben mag. Die progressive Seltenheit jener Gemeinschaft ist unläugbar. Fruchtbringende Gesellschaften, wie in Klopstocks und Goethes Jugendzeit giebt es nicht mehr, und selbst eine lebendige Vereinigung der Leser ist seit der Kantischen Periode immer seltner geworden. Die Hauptsache liegt gewiß in dem Gang der Litteratur selbst. Alles ächte Streben geht unläugbar dahin, den Körper der Wissenschaften zu vergeistigen, den Buchstaben zu deuten, und immer tiefer zu deuten. Die Sonntagskinder dieser lezten Zeiten haben damit traurigen Misbrauch getrieben. Zu vornehm um mit ihren Händen etwas Geringeres zu berühren, als das allerhöchste, haben sie das unglückliche Geheimniß gefunden, den Geist selbst, mit welchem sie allein umgehen mochten, in todten Buchstaben zu verwandeln. Nun sieht man die tiefsten und mächtigsten Dinge sagen und schreiben ohne innerliche Kraft und Bewegung, und so werden sie gehört und gelesen ohne Empfindung. Der Nektar fließt auf allen Straßen, die gemeinsten Leute brauchen ihn zu den gemeinsten Dingen, aber Keiner auch wird mehr davon begeistert. Alles Treffliche früherer Zeiten, die kindliche Sehnsucht des Schülers, die Angst des Zweifels, das stille Warten des Meisters auf den Moment der Begeisterung, den er verkündigen soll — das alles ist nicht mehr. Wer anfängt ist auch schon fertig, und könnte nur gleich sterben, denn alle seine künftige Momente sind doch nur Doubletten des gegenwärtigen. Das alles gilt zunächst von der Poesie, aber auf seine Weise auch von den Wissenschaften; es giebt einen Standpunkt des allgemeinen literarischen Sinns, von welchem beide in gleicher Art angeschaut und empfunden werden. Ich glaube, Ihr versteht mich ohne Erläuterung: denkt nur an solche Schriftsteller, welche nicht recht in irgend ein Fach passen wollen, wie Hamann, Herder, Lessing, und mit welchen darum doch der empfindende Sinn in keiner größeren Verlegenheit ist als mit Goethe oder Kant. Wir haben kein Wort, welches von diesem Standpunct aus das Vortreffliche, Lebendige, Kräftige, was frisch aus dem Geiste kommt und dem gemüthvollen Leser das Herz bewegt, gemeinsam und eigenthümlich bezeichnet, und ich freue mich fast, daß wir keines haben, es wäre doch bald um seine jungfräuliche Ehre gebracht. Ich will es jezt die Offenbarung nennen.

## XVI Clemens Brentano (1778—1842)

Werke = Werke. Hg. von F. Kemp. 4 Bde. München: Hanser 1963—68.

Briefe I = Das unsterbliche Leben. Unbekannte Briefe von C. B. Hg. von W. Schellberg und F. Fuchs. Jena: Diederichs 1939.

Briefe II = Briefe. Hg. von F. Seebaß. 2 Bde. Nürnberg: Carl 1951.

Briefe III = Briefwechsel zwischen C. B. und Sophie Mereau. Hg. von H. Amelung. 2 Bde. Leipzig: Insel 1908.

Bettina, Werke = Bettina v. Arnim, Werke und Briefe. Hg. von G. Konrad und J. Müller. 5 Bde. Frechen: Bartmann 1959—63.

1 Godwi (1801) = Werke, Bd. II.

*[S. 18]* [Godwi: ...] Wenn die Katzen vor den Türen Minnelieder singen, und ein Käuzchen vor dem Fenster das Sterbelied von ehrlichen Bürgern singt, die ohne die Anlage des Schwans, das letzte Leben in Melodien auszuhauchen, doch ohne Singen nicht sterben mögen, dann drängt sich wohl das Weib zu dem Manne furchtsam hin, es wird die Furcht zur Liebe, in der sich alles löst, und alles bindet sich in dieser schönen Minute; die Sinne, die in Träumen wie in fremden Feenländern schwebten, sie kehren in sich selbst in die eigentlichste Heimat zurück, und in dem Traum, der das höchste Wachen unter sich sieht, ersteht nun hier das Denkmal jener schönen Mythe, wo Gott sich mit dem ersten Menschen im Schlafe dicht verband, und sich seinem Herzen das Schöne, die Poesie, das Weib entwand.

*[S. 94]* [Lady Hodefield: ...] Mir steht die Musik, die Malerei und Bildnerei und die Poesie itzt da wie eine Relique des Ganzen, das die Liebe ist, und das mir auch die meinige immer war.

*[S. 96 f.]* Es ist mir nur immer, als hätten die Menschen, da die Liebe die Erde verließ und mit dem süßesten, tätigsten Nichtstun, mit dem Bestehen durch aus sich selbst würkende unendliche Kraft, die schreckliche Mühe und die Maschinerie ohne Perpetuum mobile abwechselte, als hätten damals die Menschen in schneller Eile das Deutlichste und Reinste aus dem herrlichen Haushalte der

Welt stückweise errettet und in künstlichen Kisten und Kasten verschlossen. Das sind nun die einzelnen Künste, deren Zusammenhang sie ängstlich zusammensuchen, und sie mit den Resten des allmächtigen Verstandes zusammenkleben und beschreiben wollen. Mir stehen sie itzt nur da, wie ich Ihnen schon sagte, wie traurige Denksäulen verlorner Göttlichkeit, die uns ewig winken; wir sollen hin zu jener Welt, die vor uns geflohen ist, und die wir mit unendlicher Sehnsucht erwarten.

*[S. 97] Durch eben diese Vereinzlung werden wir sonderbar gerührt, weil die Mannichfaltigkeit bis zur Unkenntlichkeit in ihr gebunden ist, das Einzelne ungeheurer und seltsamer vor uns steht, und wir erregt werden, indem wir das vor uns und mit uns leben sehen, worin und wodurch wir leben.*

*[S. 99 f.]* So ergeht es mir, lieber Freund, in den einzelnen Künsten; wie sollte es mir besser gelingen in der Seele aller, in der Poesie? Bin ich doch selbst ein Gedicht, und meine ganze Poesie. Aber ich lebe in einer Zeit, wo die schöne Form verloren ging, und so fühle ich mich geängstet, und unglücklich, weil ich nicht in meiner eigentlichen Gestalt lebe. Nimmer werde ich der Welt ein Lied hingeben, denn sie giebt mir nichts hin. Die Gedichte der Natur, sie gehen stille vor mir auf und nieder, und ich traure, wenn ich in das Morgenrot sehe, und in das Abendrot, in den heißen treibenden Tag, und die tiefe volle Nacht. Sie rühren mich, als träten sie vor mich und sagten flehend zu mir: O, gieb uns eine Seele und ein Leben, daß wir deinesgleichen seien, daß wir mit dir sein können und mit dir lieben. Ich stehe vor ihnen wie ein Spiegel, sie sehen in mich und ich in sie, und sie sinken vor mir hinab, denn ich kann sie nicht befestigen. Im Leben muß ich sie sehen, um sie freudig zu erblicken. Nichts kann ich umarmen, denn mir ist die freie Liebe versagt. Zwischen mir und dem Geliebten muß die Poesie stehen, die von mir selbst ausgeht. Wenn er mich umarmt, und ich mich in ihm umfasse, so ist die Gestalt in mir und ihm, und ich habe gedichtet.

So wie mir das einzige Talent des Bildens in der Geschlechtsliebe liegt, so ist wohl durch die Stummheit mancher Sänger verstummt, so wie der größte Maler blind, und der größte Tonkünstler taub geblieben sein mag. Aber diesen letztern bleibt ein Ausweg, die Poesie ist und bleibt die Seele ihres Drangs zu bilden, und sie sind Maler, Sänger oder Tonkünstler geworden durch die größere Macht eines einzelnen Organs in ihnen. So kann denn aus den Gemälden des Blinden eine Musik oder ein Gedicht werden, und aus der Musik des Tauben ein Gemälde. — Nur der Größte und Gesundeste und Freudigste kann ein großer Dichter werden, der alles dichtet, denn wem die Macht der Ausübung und des Stoffs, das Leben und der Genuß im vollen blühenden Gleichgewichte stehen, der wird und muß ein Dichter werden.

*[S. 103 f.]* Die Dichtkunst ist mächtiger als Malerei; wie mir jene Herabzerrung des Ideals ist, so ist mir diese Beflügelung desselben oder doch wenigstens völliges Erreichen. In der Poesie übergebe ich das Werk sich selbst, und die Macht, welche bildet, bildet sich selbst, denn das Werk ist in ihr die ganze Kraft des Meisters. Ich habe in ihr mit der Phantasie begehrt, und erfülle mit einer ebenso großen Gewalt, mit der Phantasie. Die Bildung verhält sich in ihr zum Ideal wie die Sprache zum Denken, in der Malerei aber wie die Farben, die Gestalt zum Denken. Ich kann mein Ideal in mir in der gedrängtesten Gestalt empfinden, und es in der Dichtung unendlich ausbreiten und entfalten, denn das Wort hat Farbe und Ton, und beide haben Gestalt. So kann ich mit den Geistern aller Sinne mein Gedicht allen Sinnen übergeben, da ich in der Malerei das ganze weite vielgestaltete Bild auf die Macht des Auges beschränken muß, ich muß einen Sinn zum Richter der unendlichen Phantasie machen, und mit den Farben die Sprache erreichen wollen. — — Die Besinger sind den Malern so unähnlich als die Sänger den Bemalern — der Dichter ist größer als der Maler, denn der erste hat mehr gedichtet als er malen konnte, der letztere aber kann nie malen, was er dichtete.

*[S. 126]* [Godwi: . . .] Der Wahnsinn ist mir wie der unglückliche Bruder der Poesie, er ist im Leben verstoßen. Siegt er, dann führt er treu den schwer erkämpften Preis bis zu den Göttern, der Schwester aber tritt die ekle Wirklichkeit oft breit in den Weg, und oft muß sie für die Duldung, die man ihr gewährt, die harte Schmach erdulden, daß ihre Beute der Welt anheimfällt.

*[S. 258 f.]* [Icherzähler:] „Alles, was zwischen unserm Auge und einem entfernten zu Sehenden als Mittler steht, uns den entfernten Gegenstand nähert, ihm aber zugleich etwas von dem Seinigen mitgiebt, ist romantisch."

„Was liegt denn zwischen Ossian und seinen Darstellungen?" sagte Haber.

„Wenn wir mehr wüßten," erwiderte ich, „als daß eine Harfe dazwischenliegt, und diese Harfe zwischen einem großen Herzen und seiner Schwermut, so wüßten wir des Sängers Geschichte und die Geschichte seines Themas."

Godwi setzte hinzu: „Das Romantische ist also ein Perspectiv oder vielmehr die Farbe des Glases und die Bestimmung des Gegenstandes durch die Form des Glases."

„So ist nach Ihnen also das Romantische gestaltlos," sagte Haber, „ich meinte eher, es habe mehr Gestalt als das Antike, so, daß seine Gestalt allein schon, auch ohne Inhalt, heftig eindringt."

„Ich weiß nicht," fuhr ich fort, „was Sie unter Gestalt verstehen. Das Ungestaltete hat freilich oft mehr Gestalt, als das Gestaltete vertragen kann; und um dieses Mehr hervorzubringen, dürften wir also der Venus nur ein Paar Höcker anbringen, um sie romantisch zu machen. Gestalt aber nenne ich die richtige Begrenzung eines Gedachten."

„Ich möchte daher sagen," setzte Godwi hinzu, „die Gestalt selbst dürfe keine Gestalt haben, sondern sei nur das bestimmte Aufhören eines aus einem Punkte nach allen Seiten gleichmäßig hervordringenden Gedankens. Er sei nun ein Gedachtes in Stein, Ton, Farbe, Wort oder Gedanken."

„Es fällt mir ein Beispiel ein," versetzte ich, „verzeihen Sie, daß es die so sehr gewöhnliche Allegorie auf die Eitelkeit der Welt ist. Nehmen Sie eine Seifenblase an, denken Sie, der innere Raum derselben sei ihr Gedanke, so ist ihre Ausdehnung dann die Gestalt. Nun aber hat eine Seifenblase ein Moment in ihrer Ausdehnung, in der ihre Erscheinung und die Ansicht derselben in vollkommner Harmonie stehen, ihre Form verhält sich dann zu dem Stoffe, zu ihrem innern Durchmesser nach allen Seiten und zu dem Lichte so, daß sie einen schönen Blick von sich giebt. Alle Farben der Umgebung in ihr schimmern, und sie selbst steht nun auf dem letzten Punkte ihrer Vollendung. Nun reißt sie sich von dem Strohhalme los, und schwebt durch die Luft. Sie war das, was ich unter der Gestalt verstehe, eine Begrenzung, welche nur die Idee festhält, und von sich selbst nichts spricht. Alles andere ist Ungestalt, entweder zu viel, oder zu wenig."

*[S. 262]* [Icherzähler:] „Das Romantische selbst ist eine Übersetzung" —

2 Der Sänger (1801) = Werke, Bd. II.

*[S. 502]* Hier verstummte er wieder, und da ich ihm die Laute hinbot, weil ich glaubte, daß sich Liebe eher singen als sagen läßt, und daß sie ihn beruhigen werde, dankte er mir und spielte ohne Gesang. Musik und die Poesie können und dürfen unser Heimlichstes und Heiligstes aussprechen, und sprechen sie so schön als sie können, so wird sich keiner finden, der verächtlich genug sei, das Gesagte nicht zu ehren. Es ist mir der größte Beweis, wie sehr viel der Vortrag, die Sprache vermag, daß jeder, der seine Leidenschaft in schönen Liedern singt, ein liebenswürdiger Dichter heißt und mancher, der wahrer, richtiger und tiefer, nur prosaischer fühlt, schweigen muß, um dem Spotte zu entgehen.

3 Brief an Friedrich Karl von Savigny vom 8. September 1801 = Briefe I.

*[S. 229]* Ich schreibe so ungern Briefe, weil man nichts aussprechen kann, weil kein Mensch allein etwas lebendig machen kann. Das Drama und der Roman sind daher das Höchste der belebenden Poesie. Nur im Gespräch durch Mißverstand, Widerrede, Unmut, Vereinigung, durch Empfangen und Zeugen, durch den beweglichen Schmerz, der sich über die Brücke der doppelt ergossenen Lust zur Ruhe retiriert, wird etwas Gesagtes gesagt, zwei sind nötig zu aller Wahrheit, nur durch zwei wird das Wort zu Fleisch.

4 B. v. Arnim, Clemens Brentanos Frühlingskranz (1844) = Bettina, Werke, Bd. I.

Brief an Bettine von Mitte März 1802

*[S. 100 f.]* Sobald wir Geschichte der Kunst sagen wollen, setzen

wir eine einzige Kunst voraus, die aber nur Idee ist und als Kunst nie existiert hat, denn es liegt eine historische Unmöglichkeit in der Totalbildung aller Menschen, und sobald diese eine Kunst soll dagewesen sein, müßte diese Totalbildung dagewesen sein, und nach meiner Meinung ist nur nach dem Ende der Welt eine solche einzige Kunst dagewesen. Es gibt keine einzige Kunst, denn die Kunst kann nie gewußt werden, und nur die Künste waren da. — Diese einzige Kunst kann nie gedacht werden, denn solange noch gedacht wird, ist die Kunst noch nicht bewiesen einzig, da das Denken in der Kunst aufgehoben sein und als Gedachtes erscheinen muß. Es gibt ein einziges Leben, denn alles Leben ist ein Gelebtes, die Kunst aber ist ein ungelebtes Leben und ist daher im Leben unmöglich. Das einzige Wissen ist das, dem eine einzige Kunst entgegengesetzt werden könnte; da aber diese totale Kunst das ganze Wissen aufheben würde, indem diese sogenannte einzige Kunst das ungewußte Wissen ist, so kann diese einzige Kunst nur im allgemeinen Tode liegen oder im allgemeinen Nichtwissen, wir wissen von keinem Wissen als durch unser Dasein, unser Dasein ist unsere Trennung von dem Äußeren durch die Sinne. Unsere Sinne sind der Gegensatz der Kunst oder der Künste, und je höher unsre Sinne gebildet sind, je mehr Künste sind da, denn jedem Grade des Wissens ist eine neue Kunst entgegengesetzt. Die Kunst ist also nimmer da als lebendig, sondern als Tod. Denn bloßes vollendetes Dasein ist Tod, — Schönheit ist Tod — jede angenommene Kunst als einzige Kunst kann also nur ein verlornes sein und daher alle Erhebung, alle Rührung bei echten Kunstwerken nur religiös und nicht künstlerisch. Kunst ist daher Bedingung der Religion, wie Religion Unbedingung der Kunst; und Kunstwerk ist Bedingung dieser Bedingung in der Erscheinung. Wie Erscheinung Bedingung einer gewissen Konstruktion des Wissens ist; aber nie des totalen Wissens, denn dieses ist Nichtwissen, weil zum Wissen keine Gleichheit, sondern Sieg gehört. Es gibt also nur Künste, und Sterben ist nur der Sieg des größeren zu wissenden Tod oder der allgemeinen Unsterblichkeit.

5 Brief an Friedrich Karl von Savigny vom 15. Dezember (?) 1802 = Briefe I.

*[S. 280]* Sie haben ganz recht, denn außer uns ist alles Kot. Wenn ich überhaupt alles beim Licht ansehe, so glaube ich gar an keine Poesie; denn wäre unser gewöhnliches Leben nicht so armselig, bornierten und verschütteten (effuser) uns die Wissenschaften nicht auf so mancherlei Arten, sollte uns dann noch jene Masquerade der sogenannten reinen Menschlichkeit amüsieren können, die wir Poesie nennen als Gegensatz, bloß weil wir uns fürchten einzugestehen, daß wir es sind, die die unendliche Prosa bedingen, so bedingen wir sie durch die Poesie. Wenn wir nun die sämtlichen Gewöhnlichkeiten des Universums summierten und daher die plus und minus gegenseitig aufhöben, so wäre die Frage, ob noch eine Gewöhnlichkeit, ein[e] Prosa, und also eine Poesie vorhanden wäre. Die Poesie wäre also etwas Locales und nichts universelles, obschon etwas Universeller als die Gewöhnlichkeit, welche die Localität selbsten ist. So wäre also etwa die Poesie umsoviel mehr wert als die Prosa, als ein Reisender mehr wert ist als ein stiller Insasse.

6 Brief an Achim von Arnim von Weihnachten 1802 = Briefe II, Bd. I.

*[S. 163]* So ist mein Leben, so scheine ich ein Dichter geworden zu sein und bin nur ein Objekt der Poesie, da ich in der Zeit ewig lebe und alles Endliche, statt es zu genießen, in unendliche Begierde in mir verwandelt habe.

7 Brief an Achim von Arnim vom Februar 1803 — Briefe II, Bd. I.

*[S. 171 f.]* Wir sammeln uns eine himmlische Bibliothek aus allen Ländern, das echte Poetische zusammen, alle Volksbücher und Lieder, unsre alten guten Romane und Gedichte lassen wir wieder drucken, wir stellen uns an die Spitze eines Theaters, das wir aus dem Grunde selbst erschaffen, wir leben und wirken und lieben uns. Zu diesem meinem Plane — hier unterbricht mich eine schmerzliche Empfindung. — Habe ich es nicht gesagt, da ich

Deinen ersten Schweizerbrief las, der die feurigsten poetischen Pläne enthielt: ach diese Inseln sind zu glänzend und zu freudig, die er aus dem Meere hervorsteigen läßt, sie werden alle wieder untergehen. Lieber Arnim, verschweige Deine Träume vor mir, wenn Du nicht an sie glauben kannst, denn ich Armer glaube nur an Träume. — Zu diesem meinem Plane gehört folgendes: Um die Poesie des Volkes wieder hervorzurufen, gehört eine öffentliche geheime Verbindung, welche ganz den Charakter des Geckenordens des Adolf von Cleve im vierzehnten Jahrhundert hat und die durch Dich und mich soll gestiftet werden. Ihr Zweck muß die Beförderung aller lieblichen göttlichen Torheit, die Befreiung des im Zeitalter gebundenen Komischen, die öffentliche Würdigung der poetischen Empfindung im Menschen überhaupt, der Krieg gegen alle jetzt wieder so sehr einreißende poetische Pedanterei etc. sein. Diese Gesellschaft könnte ihrem Wesen nach nur die Gebildetsten der Nation fassen, da sich nur wenige finden würden, die eine durchaus komische Eidesformel mit heiligem Ernste schwören dürften, wir können es.

8 Brief an Sophie Mereau vom 9. September 1803 = Briefe III, Bd. I.

*[S. 148]* Nun glaube ich aber kann man sehr leicht in der Liebe, da Alles doch nur aus zweien besteht die Eins sind, ein Leben hervorbringen, in welchem nur Poesie das Element ist, oder vielmehr in dem das Element Poetisch ist, und das ist es eigentlich, waß ich mit Dir vorhabe, wozu Du alle mögliche Anlage hast, und waß Dir dann schon ganz wird gelungen sein, wenn Du mich allein liebst, und auf alle Seiten Deines Lebens nichts als die Natur und mich einwirken läßt. Ein solches Leben erfordert einen heiligen Glauben an irgend etwas Ewiges, waß eben darum nur eine poetische oder religieuse Realität haben darf, denn alles Historische ist vergänglich, [...]

9 Brief an Wilhelm Grimm vom 15. Februar 1815 = Briefe II, Bd. II.

*[S. 125]* Meine dichterischen Bestrebungen habe ich geendet, sie haben zu sehr mit dem falschen Wege meiner Natur zusammen-

gehangen; es ist mir alles mißlungen, denn man soll das Endliche nicht schmücken mit dem Endlichen, um ihm einen Schein des Ewigen zu geben; jedes, auch das gelungenste Kunstwerk, dessen Gegenstand nicht der ewige Gott und seine Wirkung ist, scheint mir ein geschnitztes Bild, das man nicht machen soll, damit es nicht angebetet werde.

10 Brief an Ernst Theodor Amadeus Hoffmann vom Januar 1816 = Briefe II, Bd. II.

*[S. 165]* Seit längerer Zeit habe ich ein gewisses Grauen vor aller Poesie, die sich selbst spiegelt und nicht Gott. — Welcher Dichter hat aber dies je mehr als höchst scheinbar vermocht?

11 Geschichte vom braven Kasperl und dem schönen Annerl (1817) = Werke, Bd. II.

*[S. 782]* Gelehrte brauchen sich weniger zu schämen als Dichter; denn sie haben gewöhnlich Lehrgeld gegeben, sind meist in Ämtern des Staats, spalten an groben Klötzen oder arbeiten in Schachten, wo viel wilde Wasser auszupumpen sind. Aber ein sogenannter Dichter ist am übelsten daran, weil er meistens aus dem Schulgarten nach dem Parnaß entlaufen, und es ist auch wirklich ein verdächtiges Ding um einen Dichter von Profession, der es nicht nur nebenher ist. Man kann sehr leicht zu ihm sagen: „Mein Herr, ein jeder Mensch hat, wie Hirn, Herz, Magen, Milz, Leber und dergleichen, auch eine Poesie im Leibe; wer aber eines dieser Glieder überfüttert, verfüttert oder mästet und es über alle andre hinüber treibt, ja es gar zum Erwerbzweig macht, der muß sich schämen vor seinem ganzen übrigen Menschen. Einer, der von der Poesie lebt, hat das Gleichgewicht verloren, und eine übergroße Gänseleber, sie mag noch so gut schmecken, setzt doch immer eine kranke Gans voraus."

12 Brief an Ferdinand Freiligrath vom Mai 1839 = Briefe II, Bd. II.

*[S. 376 f.]* Die Poesie ist ein Gemeingut der Menschheit; wer gesund wird, wenn sie ausschlägt, dem ist zu gratulieren; wo sie gar nicht transpiriert oder gar zurücktritt und sich auf andere Teile

wirft, da sieht es schlimm aus. Als die Kaiserin Maria Theresia Tirol durchreiste, sagte Taddädl zu Täddadl: Ich möchte wahrlich der Kaiser sein und sie einmal an mein Herz drücken; da erwiderte Täddadl: Talke! Du meinst wohl, der Kaiser wär asochenä Sau, wie Du, da werden Ihro Majestät schon ihre Leut dazu haben. — So geht es mir nun auch, wie diesem Kaiser, in Hinsicht auf die Poesie, ich habe sie im Herzen, aber ich drücke sie nicht selbst ans Herz, dazu haben meine Majestät ihre Leute — aber der Hofstaat ist sehr klein und nehmen Sie mir es nicht übel — in der letzten Zeit, etwa seit sechs Monaten, seit ich das Möwenfederchen im Meeressand und den Juwel in der Wüste gefunden, sind Sie, lieber Herr und Freund, einzig und allein im Dienst. — Aber ich muß mich aus diesen Redensarten herausmachen, sonst werde ich redensartig. — Ich will also sagen, wie in aller Beziehung, so auch in poetischer, ist mir die ganze Mitmenschheit ein Leib, und wie Gottes Frühling mein Frühling, ist mir dieses, jenes Dichten meine Poesie; so ist es mir mit Ihrer Poesie gegangen, die mir so entspricht und solche Freude macht, daß ich gewiß schon viel Dummheiten wegen ihr gesprochen, aber auch viele Dummheiten wegen ihr nicht gedichtet habe. — Ich lese, weil nicht im Dienste der Zeit, keine Zeitschriften und Tageblätter regelmäßig, manchmal fällt mir irgendwo eines in die Hand; so oft dieses geschah, wunderte ich mich über die Klage, daß es keine Dichter mehr gäbe.

# XVII Philipp Otto Runge (1777—1810)

Schriften = Hinterlassene Schriften. Hg. von dessen ältestem Bruder. 2 Bde. Hamburg: Perthes 1840—41. (= Deutsche Neudrucke. Reihe Texte des 19. Jahrhunderts. Hg. von W. Killy. Göttingen: Vandenhoeck und Ruprecht 1965).

1 Brief an Conrad Christian August Böhndel vom 7. November 1801 = Schriften, Bd. II.

*[S. 96]* Ich habe viele neue Entdeckungen in mir gemacht, ich habe mir eine schöne Fackel für meinen künftigen Weg angezündet, ich bin in der Kunst jetzt ganz frey, — ich habe die Hoffnung in mir, die reinste Poesie kennen zu lernen, deutlich und bestimmt, wie ich einem guten Freunde die Seele in den Augen lese. — Du wirst stutzen über meinen Ernst und meine Schwärmerey; so will ich dir denn nur sagen, woher alle diese Feyerlichkeit und das Licht, das in mir aufgegangen, gekommen ist, — ich bin verliebt, und habe bis dahin noch die schönsten Hoffnungen — —. Ich habe mich ganz bestimmt für das Reinste, was im Menschen ist, erklärt, ich suche es, und werde es finden —.

2 Brief an David Runge vom 21. November 1801 = Schriften, Bd. II.

*[S. 97 f.]* Was wir auch in dieser Welt erlangen mögen, ist doch die Liebe das höchste Glück; ohne Liebe ist keine Kunst und Weisheit zu finden, nur durch die Liebe können wir zur Seele des Menschen sprechen, und die Kunst und jede Seelensprache verstehen, sie mag in Bild, Ton oder Wort gesprochen seyn. [. . .] Ich kann keinen so sichern Weg gehen, wie der in der vollen Würklichkeit des bürgerlichen Lebens ist, das durch die Liebe nur den schönen poetischen Gehalt hat. — Auf meinem unruhigen Wege muß die Liebe mir das feste und sichere Steuer seyn, ich sehe euch ruhig am Ufer, und stehe selbst ruhig mitten im Sturm.

3 Brief an Daniel Runge vom 9. März 1802 = Schriften, Bd. I.

*[S. 11 f.]* Wenn unser Gefühl uns hinreißt, daß alle unsre Sinne im Grunde erzittern, dann suchen wir nach den harten, bedeuten-

den, von Andern gefundenen Zeichen außer uns und vereinigen sie mit unserm Gefühl; im schönsten Moment können wir es dann Andern mittheilen; wollen wir dann aber diesen Moment weiter ausdehnen, so entsteht eine Ueberspannung, d. i. der Geist entflieht aus den gefundenen Zeichen und wir können den Zusammenhang in uns nicht wieder erlangen, bis wir zu der ersten Innigkeit des Gefühls zurückgekehrt, oder, bis wir wieder zu Kindern geworden sind. Diesen Kreis, wo man immer einmal todt wird, erlebt jeder, und je öfter man ihn erlebt, je tiefer und inniger wird gewiß das Gefühl. Und so entstehet die Kunst und gehet zu Grunde, und es bleibt nichts nach, als die leblosen Zeichen, wenn der Geist zu Gott zurückgekehret ist.

Diese Empfindung des Zusammenhanges des ganzen Universums mit uns; dies jauchzende Entzücken des innigsten lebendigsten Geistes unsrer Seele; dieser einige Accord, der im Schwunge jede Saite unsers Herzens trifft; die Liebe, die uns hält und trägt durch das Leben, dieses süße Wesen neben uns, das in uns lebt und in dessen Liebe unsre Seele erglüht: dies treibt und preßt uns in der Brust, uns mitzutheilen, wir halten die höchsten Puncte dieser Empfindungen fest und so entstehen bestimmte Gedanken in uns.

Wir drücken diese Gedanken aus in Worten, Tönen oder Bildern, und erregen so in der Brust des Menschen neben uns dieselbige Empfindung. Die Wahrheit der Empfindung ergreift Alle, Alle fühlen sich mit in diesem Zusammenhang, Alle loben den einigen Gott, die Ihn empfinden; und so entsteht die Religion. — Wir setzen diese Worte, Töne oder Bilder in Zusammenhang mit unserm innigsten Gefühl, unsrer Ahnung von Gott, und der Gewißheit unsrer eignen Ewigkeit durch die Empfindung des Zusammenhanges des Ganzen, das ist: wir reihen diese Empfindungen an die bedeutendsten und lebendigsten Wesen um uns, und stellen, indem wir die charakteristischen, das heißt: die mit den Empfindungen übereinstimmenden Züge dieser Wesen festhalten, — Symbole unsrer Gedanken über große Kräfte der Welt dar, das sind die Bilder von Gott, oder von den Göttern. Je mehr die Menschen sich und ihr Gefühl rein erhalten, und es erheben, desto bestimmter werden diese Symbole von Gottes Kräften, desto höher empfinden sie die große allmächtige Kraft.

*[S. 13]* So ist denn die Kunst das schönste Bestreben, wenn sie von dem ausgeht, was Allen angehört und eins ist mit dem. Ich will hier also die Erfordernisse eines Kunstwerks, wie sie, nicht allein in Hinsicht der Wichtigkeit, sondern auch in Hinsicht, wie sie ausgebildet werden sollen, auf einander folgen, noch einmal hersetzen:

1) Unsre Ahnung von Gott;
2) die Empfindung unsrer selbst im Zusammenhange mit dem Ganzen, und aus diesen beiden:
3) die Religion und die Kunst; das ist, unsre höchsten Empfindungen durch Worte, Töne oder Bilder auszudrücken; [. . .]

4 Brief an den Vater vom 26. März 1802 = Schriften, Bd. II.

*[S. 122]* So giebt er mir Unterricht in der Musik und ich ihm in der bildenden Kunst, versteht sich alles nur im Theoretischen, aber ich weiß recht gut, welch ein Vortheil es für einen Künstler ist, in andern Künsten auch zu Hause zu seyn, und wieviel reiner und klarer selbst die Begriffe über das ganze menschliche Streben werden, denn die Künste sind die treusten Spiegel des Zeitalters und der Meynung des Geschlechts.

5 Brief an den Vater vom 10. Mai 1802 = Schriften, Bd. II.

*[S. 128]* — Ich besuche jetzt die Galerie fleißig. Als ich diesen Frühling zuerst hinaufging, war ich grade allein da; das herrliche Bild von Rafael ergriff mich so, daß ich nicht wußte, wo ich war. Lieber Vater, ich möchte nur, daß Sie das Bild einmal sähen. Bey diesem Bilde begreift man erst, daß ein Mahler auch ein Musiker und ein Redner ist; man hat eine höhere Andacht, wie in der Kirche. Der tiefe unergründliche Ernst und die ewige Liebe, die in dieser Mutter Gottes liegen, das dringt einem bis in die innerste Seele.

6 Brief an Daniel Runge vom 6. April 1803 = Schriften, Bd. I.

*[S. 42—44]* — Wie ich neulich die Jahreszeiten von Haydn aufführen hörte, ist mir es doch recht deutlich geworden, wie nothwendig zur Erhaltung der reinen Natur und zugleich in sich selbst

verständlichen und sich selbst still verstehenden und begreifenden Unschuld des Gemüthes die Symbolik oder die eigentliche Poesie, d. i. die innere Musik der drey Künste, durch Worte, Linien und Farben, sey.
Die Musik ist doch immer das, was wir Harmonie und Ruhe in allen drey andern Künsten nennen. So muß in einer schönen Dichtung durch Worte Musik seyn, wie auch Musik seyn muß in einem schönen Bilde, und in einem schönen Gebäude, oder in irgend welchen Ideen, die durch Linien ausgedrückt sind. Aus der eigentlichen stillen Kirchenmusik, die nur das bleibende Ruhige des Gemüthes ausdrückte, die den Menschen aus all den Qualen von Zerstreuungen rein auf den ruhigen Punct zurückführte, ist, eben weil sie von dem Pöbel zulezt auch begriffen wurde, oder wie sich auf eine andere Weise die menschlichen Kräfte zu genau auf den Ausdruck des Gemüths einließen, das Entzücken über diese Musik entstanden, das heißt die große rauschende Kirchenmusik; das ist das ausgesprochne Wort des ersten Gemüths, woraus die Leidenschaften und durch sie die neue Schöpfung in der Welt empfangen worden und zulezt rein sich aus der Empfängniß als ein unschuldiges Kind wieder entwickeln muß. Ich meyne, diese rauschende Musik erforderte mehr Ausführung, das ist: mehr Materie oder Körper. Wie sie nun ausgesprochen war, entstand aus der Entzückung d a r ü b e r die Theater-Musik; eben so aus dieser nun die von Haydn, so daß bis in's kleinste Detail der Körper, nämlich die Behandlung der Instrumente, mit Liebe verstanden wird, aber die eigentliche Stunde der Empfängniß, das erste Gemüth, woraus sie hervorgegangen, ganz dunkel nur noch im Hintergrunde liegt; so wird hier Gutes und Böses mit einander wachsen ohne Ordnung.
Dies ist mit der Dichtkunst (ich meyne, insoferne ich die Deutsche Poesie jetzt kenne) eben so der Fall und vielleicht in noch größerem Maaße. Das Heldenbuch und das Nibelungenlied ist gewiß das reinste und größte, was geschrieben ist, wo die reine Musik darin zu finden ist. Aus dieser Zeit entstanden die Minnesinger; dann die Meistersänger, die alten Romane und prosaischen Geschichten; dann die neue Dichtkunst, die sich, selbst bey den Besten, immer mehr nur bestrebte, den Körper dieser Kunst mehr

herauszuheben und musikalisch zu machen; wie z. B. nur der Taucher von Schiller u. s. w. — Das Theater wurde läppisch, — Tieck stellt am Ende Theater und Parterre mit einander dar, so wird das Aussprechen immer wieder ausgesprochen. — So verwirrt sich der Mensch immer mehr in den Körper, indem er das Denken des Gedankens wieder denken will. [...] Es entfernt sich der Mensch durch das platte Aussprechen seiner Empfindungen oder des Gemüths, vom Gemüth, und die Herrlichkeit der Zeit, wo eine solche Poesie, oder dieser Geist existirt, ist wohl nicht so weit her. Da ist grade auch die allergrößeste Finsterniß da, denn indem die Welt anfängt, es zu verstehen, ist schon das Gemüth in's Wort übergegangen, und gebiert nun Zeit aus Zeit, bis zur neuen Geburt des Gemüths. Darum, meyne ich, liegt in der Symbolik, oder der Poesie, oder musikalischen oder mystischen Ansicht der drey Künste die Erhaltung des Geistes der Liebe, das Paradies.

7 Brief an einen ungenannten Freund vom Juni 1804 = Schriften, Bd. II.

*[S. 270]* Ist denn alles, was ich dachte, was ich sah, wie ich in die lebendige Tiefe meines Geistes hinabfuhr und die Wunder erblickte von Angesicht zu Angesicht, die mir das Räthsel aufschlossen über den Zusammenhang, der uns in der Kunst gegeben ist, — ist denn das nur Täuschung gewesen? — In mir ergrimme ich über diese Frage: Nein, ich bin nicht ausgeschlossen, die Wahrheit zu sehen, in mir regt sich die alte Sehnsucht zur Poesie, die mich lehrte, mich selbst erblicken und führen.

# XVIII Johann Joseph Görres (1776—1848)

Schriften = Gesammelte Schriften. Hg. im Auftrag der Görres-Ges. von W. Schellberg u. a. Köln: Gilde, Bachem 1926 ff.

1 Aphorismen über die Kunst (1802) = Schriften, Bd. II/1.

*[S. 79]* In der Sprache stellt die Kunst ihr erstes Bildwerk dar; in ihr gewinnen die Schöpfungen des Geistes zuerst Bestand und Daseyn für den Sinn, und das Empfangene im Sinn, bleibende Bedeutung für den Geist.

In der Wörtersprache gibt der Geist die Regel der Synthesis im Codex der Grammatik; den Ton mit allen seinen Beugungen regelt das Ohr als Richter des Harmonischen und dessen was sich schickt.

In der Bildersprache gibt das Auge die Figur, in allen ihren Formen und Umgrenzungen; der Geist legt in das Gegebene nur Bedeutung, Beziehung und Zusammenhang.

Wörtersprache und Bildersprache sind daher beyde Kunstgebilde, aber auf der untersten Stufe noch befangen, und beyde jeder höhern Entwicklung fähig.

Die höhere Entwicklung der Wörtersprache gibt redende Kunst, die der Bildersprache, bildende Kunst.

Der erste Schritt zur höhern Entwicklung der Wörtersprache ist Poesie.

Ein Segment aus seiner innern Sphäre, oder aus der Sphäre ausser ihm, stellt der Dichter dar im Wort. Den Stoff, das Wort gibt ihm die Sprache her, die Form, den Rhythmus, das Harmonischgesetzmäßige in der Mensur der Töne, legt der Sinn, das Ohr, hinein.

Im Gemüth entwickelt sich die Blüthe der Idee Gefühl; in der Sprache zarte, feine Webe stickt der Dichter diese Blüthen ein, oder drappirt mit dem Idealgewande die Natur. Eine neue, höhere, schönere Welt baut er sich im Ton, und schafft, und wirkt, und zerstört, ein Gott in seinem Aetheruniversum.

Der produktive Dichter wird der Sentimentale seyn, der eduktive der Naive. In idealer Poesie muß sentimentaler und naiver Dichtergeist in Eins zusammenfliessen.

*[S. 80]* Dem sentimentalen Dichter ist die Natur nur die gestandene Idee, der nakte Fels hat für seinen Sinn nichts Ergözliches, nichts Labendes; um ihn sich erträglich nur zu machen, muß er mit eigenen Strahlen ihn vergolden, muß mit schönem, mildem Purpurlicht des Gletschers Scheitel sich besäumen, um an seinen schroffen Zacken sich das Auge nicht wund zu reiben.
Dem naiven Dichter hat die Natur ein eigenes Herz, ein liebevolles Gemüth, mit dem sie zu dem Seinen spricht. Mit Augen sehen die Sterne ihn vom Himmel an; die Blumen lispeln ihm eine Sprache zu, auf die er lauschend horcht; kosend murmelt der Bach in seine Seele, und liebevoll gibt er uns wieder, was er liebevoll empfieng.
Mit regem Leben aber füllt der ideale Dichter die Natur; Elfen schweben ihm im Mondscheinlicht, Sylphen weben im Dämmerungsstrahl, Nymphen tanzen in den Haynen, schwimmen auf den Wellen, Gnomen durchwühlen ihm der Erde Schooß. Wie er gemeine Menschheit zu Göttern verklärt, so behaucht er die todten Kräfte der Natur mit des allgemeinen Lebens Odem, und an seiner Hand führt er die Vergeistigten in seine Welt.
In Poesie gieng im Gemüthe die Sprache über, eine Stufe weiter wird in Tonkunst die Dichtkunst sich verlieren.

2 Paralipomena (1804—1805) = Schriften, Bd. III.

*[S. 446 Nr. 3]* [...] Die Foderung einer Definizion der Poesie ist also eben eine Aüßerung jener materialistischen Tendenz, die die Vorschule gleich auf den folgenden Seiten als eine Einseitigkeit tadelt, es ist die Zumuthung an die Poesie sich in Prosa zu verwandeln und Rede zu stehen über ihr Thun und Treiben. Die Foderung einer Definizion der Poesie oder Philosophie ist ebenso leer, wie die einer Definizion der Gottheit, und die von uns adoptirte Aristotelische taugt soviel wie jede Andere. Denn außerdem daß sie einen Zirkel enthalt in dem sie die Poesie in schöne Nachahmung der Natur setzt, da Schönheit und Poesie identisch sind, ist sie gerade der eigentliche Ausdruck jener materialistischen Ansicht. Denn in dem sie die Natur dem Schönen der Nachahmung entgegensetzt, qualifizirt sie diese als eine Prosaische, und das Streben der Poesie soll seyn der Poesie die Prosa verständlich zu

machen. Die Poesie verbirgt sich daher wie jedes Heilige in die Dunkel der Mystik, sie kann sinnlich nur erkannt werden in der Totalität der verschiednen Kunstformen, in denen sie sich verkörpert, und gerade die Auffassung dieser verschiednen Formen in ihren Hauptgradationen ist das Object der Aestetik, die als die Physik der Kunst wie mann sinnwiedrig jungst die Physik als Kunst qualifizirt hat, allerdings einer Definizion fähig ist als einer Wißenschaft, die das indefinissable, infinitesimale der Kunst in endlichen Formen zu definiren und integriren strebt.

3 Korruskationen (1804—1805) = Schriften, Bd. III.

*[S. 74 f. Nr. 2]* [...] Kennt ihr nicht das wahre Medium der Poesie, die Schwermuth, die wie ein Frühlingsmorgennebel die Phantasie umhüllt, und ihre Zaubergesichte reflectirt? Die Thräne ist der Thautropfen, der sich ans Auge hängt, wenn der Nebel fällt, wie das trübe Lächeln sein Aufsteigen in höhere Regionen bedeutet. Wollt ihr diese Nebel nicht, wohl, so siedelt euch auf den Alpengipfeln des abstracten Wissens an, da steht ihr erhaben über ihnen, und seht sie unter euch tief im Thale ziehen! Schmelzt diese transparente Liane, wie sie zerflossen in ihrem milden Dufte schwebt, mit dem starren, bereiften Vließritter, in dem Erfahrung und Lebensklugheit erkältend alles Duftige rein niedergeschlagen haben, schmelzt diese beiden Gegensätze zusammen, und ihr bekommt Menschen, wie sie auf allen Straßen herumlaufen, treffliche Ziffern für den Cameralisten, aber für den Dichter leere Nullen. — Seine Figuren sollen soviel Familien-Aehnlichkeit haben. — Aber was ist's denn, das dem Dichter seine Individualität fixirt, und seinen Werken das eigenthümliche Gepräge gibt? Es ist das Grund-Princip, nach dem seine Natur sich gestaltet hat, das ihn in allen seinen Productionen beherrscht, und das da, wo er wirklich dichtet, nicht bloß aus der Umgebung auffaßt, in ihm dichtet, und in der Begeisterung des Genie's in ihm sich offenbart. Die Unendlichkeit der Persönlichkeit liegt nur in der Unendlichkeit der Richtungen, in die sie von dem einen fixen Puncte aus sich ergießen kann; nur das ganze Geschlecht umschließt in der Unendlichkeit der Tendenzen auch die der Individualitäten, und ist wahrhaft

universal. Man sehe doch die Bilder der Mahler aller Schulen; in ihren individuellsten Schöpfungen, da, wo gleichsam ihr Innerstes nach außen hin getreten ist, und ihre ganze Seele sich ausgesprochen hat, da ist auch das Heiligthum ihrer Kunst, der Central-Punct ihrer selbstgeschaffenen Welt, und um diesen Punct ordnen sich alle anderen Gestalten, die weniger Theil an dem Wesen ihres Schöpfers nehmen, und gleichsam die äußeren Extremitäten des organischen Kunstkörpers vorstellen, alle aber von einem und demselben Princip beherrscht und gehalten werden. Auch Raphael's eigenes Bild hat Familien-Aehnlichkeit mit seiner *Madonna della sedia.*

Und nun endlich Jean Pauls Frauen! — Es ist seltsam, daß man für die schönen Gestalten der Poesie dem subjectiven Urtheile eine Allgemeingiltigkeit geben will, die man für die Schönheit, wenn sie uns in der Wirklichkeit begegnet, sich nicht beikommen läßt! Man findet ein schönes Weib nimmer darum unliebenswürdig und mißlungen, weil man sie nicht eben liebt; man erkennt, daß die Schönheit über die Liebe erhaben ist, und über unserem persönlichen Local-Affect unabhängig steht, und in der Dichtung soll sie sich unserer persönlichen Anordnung unterordnen?

*[S. 105 f. Nr. 26]* In allem menschlichen Thun ist fürs Erste eine höhere Einheit zu bemerken, in die alle Mannigfaltigkeit der Tiefe sich verliert, und von der, wie aus der Urquelle, alle Verschiedenheit in der Unterwelt ausgeht, und zweitens ein Gegensatz in dieser Welt, der, wie er sich in sich selbst vermittelt, so wieder durch jenes Höhere vereinigt wird. In der Kunst überhaupt wird nun jene höhere Einheit durch die Poesie repräsentirt, der Gegensatz in der Tiefe durch jenen zwischen Musik und bildender Kunst, der aufgehoben liegt in jener Einheit, und sich in der mimischen Kunst des Schauspielers nach dem Vorbilde jener Einheit — wieder in sich selber neutralisirt. Musik ist Kunstäußerung im Zeitlichen, bildende Kunst Wirkung des Gemüthes im Räumlichen, Mimik die Wiedervereinigung beider, der Zeit und des Raumes in der reinen Bewegung. Die Poesie aber ist über Raum und Zeit, in sofern sie vom Bildlichen unabhängig ist, und dieses vielmehr selbst bedingt; sie ist außer der Zeit, in sofern sie

unabhängig von dem modulirten Tone ist, im Bild und Tone aber allein greifen Raum und Zeit über in das Gemüth, und erhalten Kunstbedeutung. Die Poesie ist um so mehr noch erhaben über das Product beider, und die dramatische Handlung ist freilich das treffendste Abbild dessen, was in der Poesie wesenlos verborgen ist, und das beste Symbol des Verbundenseyns der entgegen gesetzten Kunstgeschlechter, das sie characterisirt, aber es ist darum doch einseitig, wie auch Schlegel bemerkt, mit Lessing das Wesen der Poesie in fortgehende Action zu setzen; sie kann vielmehr eben ihrer höheren Dignität wegen mit gleicher Befugniß ganz musicalisch oder ganz darstellend, malend oder handelnd sich offenbaren, nur daß sie heraustretend aus ihrer Einheit diese nie verliert, und sich nicht bedingen läßt von Zeit oder Raum, sondern beide selbst immer in Abhängigkeit erhält. Man kann daher nur als Princip aufstellen, daß es am leichtesten und wirksamsten für die Poesie sey, in ihrem unmittelbaren Abbilde, der Handlung, sich zu manifestiren, und Homer hat hier wie überall richtig gefühlt, indem er seine Dichtung meistens in diesem Medium sich bewegen läßt; allein sie ist nicht ausschließlich in diesem Kreise eingebannt; sie mag sich mit gleicher Freiheit in der Region des Wohllautes regen, wie in jener der Gestaltungen, wenn sie nur darüber ihre höhere Beziehung nicht verliert. Es war daher ein höchst einseitiger Vorwurf, den man Schlegeln und seiner Schule in einem critischen Blatte des Südens gemacht hat, daß ihre Poesie eine musicalische sey; eben so einseitig wie der von ihm selbst früher Jean Paul'n gemachte, daß er häufig musicire. Das ist der Vorzug aller höheren Wesen, daß sie die Gestalt der sterblichen Naturen annehmen können nach ihrem Gutbefinden, daß sie willkürlich unter der Form dieses oder jenes Geschlechtes erscheinen mögen; während das Tiefere an die Endlichkeit gefesselt ist, an die Schranken seiner Persönlichkeit, und sie nimmer überschreiten kann. So mit der Poesie und ihren Projectionen der Musik und der bildenden Kunst.

*[S. 122 Nr. 34]* [...] Denn wie die Kunst ihre Philosophie hat, so hat die Philosophie ihre Kunst, und diese philosophische Poesie, wie sie überhaupt das eigene Characteristische der neueren deut-

schen Kunst in allen ihren Verzweigungen ist, so spricht sie sich ins besondere am freiesten im Heinrich von Ofterdingen aus. Und es ist keine Verunreinigung des wahren Wesens der Kunst, diese Verschmelzung der Poesie mit der Vernunft-Idee: die das sagen, haben keinen Begriff von dem Ineinanderspielen aller Kräfte und der organischen Lebens-Norm, die allem menschlichen Thun und Treiben zum Grunde liegt; sie sind wie die Cristalle der chymischen Natur in eine bestimmte Form angeschossen, und zu Anderem, was nicht ihre Grundform hat, fühlen sie sich durch keine Verwandschaft hingezogen. Die ganz reine abgezogene Poesie ist stumm, ein absolut poetisches Gemüth ist in sich selbst verschlossen, und nicht darstellend, es kann nichts aus seiner dunkeln Tiefe zu Tage fördern; die reine Geistigkeit ist absolut contemplativ, ganz verloren in die Anschauung, und daher eben so wenig plastisch bildend, weil die innere Cohäsion ihm fehlt; die Poesie kann daher kein Gebild aufweisen, was dem Einen ganz und rein entspräche, und die Philosophie hat keine Form, die das Andere in seiner ganzen Unendlichkeit fassen könnte, alle Gestaltungen fallen zwischen beide Gegensätze in die Mitte, und nur das Vorherrschen der einen oder der anderen Kraft bestimmt ihren poetischen oder philosophischen Character. Bei Novalis aber herrscht offenbar die Anschauung vor, sein Gemüth hatte nicht Tiefe genug, um den Ideen-Reichthum zu bemeistern, und ein reiches, volles, lebendiges Leben zu gestalten, es war zu viel Verflogenheit in seinem Wesen, als daß er seinen Bildungen jene Gediegenheit hätte geben können, die mit hoher Rührung das Gemüth bewegt. Aber wenn er auch nicht das Höchste erreichte, so hat er doch Hohes erreicht, und seine zarte, halb durchscheinende Individualität winkt freundlich dem Sinne zur Beschauung. Das Wesen und die eigentliche Mitte seines Ofterdingen ist die symbolische Darstellung seiner Weltanschauung in Bildern und Tönen der Phantasie.

4 Glauben und Wissen (1805) = Schriften, Bd. III.

*[S. 41 f.]* Und wie die Sonne und die Vernunft, indem sie aus ihrer Einheit ins Universum sich ergiessen, in ihre Sphäre die Unendlichkeit ziehen, und schauend das Entlegenste begreifen,

was sie nicht ergreifen und ihrer Persönlichkeit aneignen können, so wird die Wissenschaft gleichfalls aus der Einheit ihres Princips gegen die Universalität nach allen Richtungen sich ergießen und wie ihr Wesen helle Klarheit ist: so wird sie in diese Klarheit alles Verborgene aufzulösen streben.

In der Kunst hingegen, wie sie auf der höchsten Stuffe des Endlichen im Schoose der Einbildungskraft gebohren wird, ist das Dringen alles Irdischen in die Tiefen des unendlichen Gemüthes dargestellt, eine gediegene Sonne steht die bildende Kraft am Geisterhimmel, anderer Natur als jene in Lichtdunst aufgelöste, von der sie umfangen wird, saugt sie liebevoll die Sphären an, die sich tönend um sie her bewegen. Und in der hohen Liebe, die die Elemente aneinander kettet, und immer höher und höher sich erhebend, sie an eine gemeinsame Mitte fesselt, werden die Gebilde dem Stoffe nach gesezt, die das Licht der Erkenntniß formend dann ins Leben ruft; denn was der Tag enthüllt, das muß die Nacht im Embryo schon in sich tragen. Und wie das hohe Gemüth harmonisch seine eigene Welt sich selber ordnet, so fühlt es in gleicher Liebe von einer höhern Welt sich angezogen, und tritt ein dadurch in die Gemeinschaft mit den höheren Naturen, die sich wieder um eine noch höhere Liebe drängen, und immer wieder das Tiefe in ihre Neigung ziehen. Und die Kunst soll die Liebe der Elemente gleichsam nachliebend in ihren Schöpfungen bilden. Wie das hohe Gefühl in zarter Neigung das Homogene an sich zieht, und in leiser Abstuffung nach den Graden der innern Homogeneität es sich näher oder ferner assimilirt, und dadurch die Formation des Alls bedingt: so wird die Kunst gleicherweise das reine Schöne mit reger Neigung an sich ziehen, und in liebliche harmonische Umrisse es aneinander fügen, daß das Gebildete wieder das Gemüth mit sanftem Wohlgefallen an sich zieht. Nicht helle Klarheit soll daher von den Kunstgebilden strahlen, nicht durchsichtig soll ihr Innerstes sich dem schauenden Blick erschliessen, eine liebliche Dämmerung, ein gefälliger Schein soll nur um ihre Oberfläche spielen, eine gediegene Fülle soll aus ihnen uns ansprechen, und uns in ihre unergründliche Tiefe laden, ein unsichtbares Wehen muß die Kunst an uns vorüberfliessen, ein verborgener Strom soll sie, dahinrauschend sich bewegen, aber die

Wellen dieses Stromes sollen in Tönen klingen, und wie sie vorübergleiten, sollen sie alle Gefühle regen, alle Affekte wecken, aber vor allem das tiefe unerklärbare Sehnen, das uns weit und immer weiter in die Ferne zieht und windet. Reine Individualität, gediegene Fülle ist daher das Wesen der Kunst, und das zauberische Zwielicht, das sie umgiebt, ist ihre eigenste Natur, und das Räthselhafte, Tiefverborgene, Unaussprechliche ihr Reitz.

*[S. 47 f.]* Und die Hieroglyphen, die die bildende Kunst dem Sinne giebt, sie sprechen hohe Philosopheme gleichsam in der orientalischen Blumensprache aus, und das Gemüth begreift, was sie sagen wollen, und ahndet den verborgenen Sinn, aber es sucht ihn nicht, und giebt sich willig der zarten Täuschung hin, weil ihm der Liebreiz genügt. Der Ernst der Wissenschaft kleidet sich daher in Anmuth in der Kunst, und die Anmuth ist nicht schlechterer Natur als die Erhabenheit, die Schönheit darf sich nicht als Magd der Wahrheit beugen; ihr Gesetz liegt in ihr selbst, in den ewigen Regeln des Wohlgefallens, und sie darf keine fremde Heteronomie anerkennen, nur was Liebe weckt, nimmt sie in ihrem Reiche auf.

5 Die teutschen Volksbücher (1807) = Schriften, Bd. III.

*[S. 178]* Auf zwiefach verschiedene Weise aber hat jene innere im Volke wach gewordene Poesie sich im Volke selbst geäußert. Einmal im Volkslied, in dem die jugendliche Menschenstimme zuerst thierischem Gebelle entblüht, wie der Schmetterling der Chrysalide, in ungekünstelten Intonationen die Tonleiter auf- und niedersteigend freudig sich versuchte, und in dem die ersten Naturaccente klangen, in die das verlangende, freudige, sehnende, in innerem Lebensmuth begeisterte Gemüth sich ergossen. Eintretend in die Welt, wie der Mensch selbst in sie tritt, ohne Vorsatz, ohne Ueberlegung und willkührliche Wahl, das Daseyn ein Geschenk höherer Mächte, sind sie keineswegs Kunstwerke, sondern Naturwerke wie die Pflanzen; oft aus dem Volke hinaus, oft auch in dasselbe hineingesungen, bekunden sie in jedem Falle eine ihm einwohnende Genialität, dort productiv sich äußernd, und durch die Naivität, die sie in der Regel characterisirt, die Unschuld und die durchgängige Verschlungenheit aller Kräfte in der Masse, aus der sie aufgeblüht, verkündigend; hier aber

durch ihre innere Trefflichkeit den feinen Tact und den geraden Sinn bewährend, der schon so tief unten wohnt, und nur von dem Besseren gerührt nur allein das Bessere sich aneignet und bewahrt.

*[S. 180]* Was aber die Didactischen, Lehrenden unter den Volksbüchern betrifft, so sind sie eben ihres innern reflectirenden Characters wegen durchaus modern, und in demselben Grade mehr modern, wie das Verständige in ihnen mehr vorherrscht. Und in den Aeltesten herrscht es noch am meisten vor; jene wunderbare Ansicht von seltsamen Eigenschaften der Naturproducte, z. B. in den Kräuterbüchern dieser Zeit, die die Physik bei ihrem Fortschreiten völlig vernichtet hat, ist in dem Grade poetisch, wie sie unwissenschaftlich ist; und gerade weil sie so alt sind, ist so viel von Poesie in ihnen, so wenig hingegen von Wahrheit. Denn in dem Maaße, wie die Naturkraft im einzelnen Menschen und im ganzen Volke in jugendlicher Fülle, und in raschem Lebensmuth vorherrscht, in dem Maaße wird er auch von dem Lebensrausch besessen, und er taucht mit seinem ganzen Wesen unter in dem frischen warmen Quelle, und ist lauter Phantasie, und Empfindung und Poesie.

*[S. 279]* Ein großer Erdenfrühling war über den Welttheil ausgebreitet; der schöne Garten in Griechenland, das zweite Paradies, war wohl zerstört, und bald trat ein Cherub mit dem Flammenschwerd von Mahomed ausgesendet vor den Eingang hin; die Palläste der Römerstadt waren wohl geschleift und der große Thurm umgeworfen, der aller Völker Sprachen verbinden sollte: aber der ganze weite Welttheil, der wüst gelegen hatte und verwildert, während jene Kunstgärten blüthen, war nun auch wegsam und zugänglich und angepflanzt geworden, und eine Blüthenwolke hieng berauschend über der weiten Welt, und die Moose sandten oben ihre Düfte dem schwebenden Frühling zu, wie unten die Orangen zu ihm aufdufteten; in dem Meere von Wohlgeruch aber schwebte die Poesie wie über dem Chaos Eros, und bildete Kunstgestalten aus der Aroma und dem Farbenglanz.

6 Wachstum der Historie (1808) = Schriften, Bd. III.

*[S. 413—415]* Darum hat alle Mythe jene tiefe Bedeutung für

die Geschichte; als Naturwerk dem Geiste eingebildet, erscheint sie wie die Grundveste, auf der alle weitere Entwicklung sich vollenden soll. Daher die durchgängige Symbolik, in der sie jedesmal in ihrer ursprünglichsten Form sich verkündigt hat; der Mensch selbst mit seinem ganzen Seyn und Wesen trat als großes Natursymbol hervor, er konnte nichts anders als Symbole denken. Alles daher, was selbst bey einem einzelnen Volke durch seine ganze Geschichte sich entfalten soll; Alles das ist auch wieder symbolisch schon in seiner Mythe angedeutet: denn in ihr ist die Himmelsconstellation unmittelbar ausgesprochen und dargestellt, in der die Nation empfangen und geboren wurde, und damit das Maaß von Genialität und Kraft bezeichnet, das ihr zu Theil geworden. Daher endlich die wunderbare Beschlossenheit, in der sie, in so vielfältigen Formen wiederkehrend, doch immer gleich geheimnißvoll sich in ihr eignes Wesen zusammendrängt, nicht Raum gebend irgend einer Besonderheit, sondern Alle wie unter einem Banne in sich fassend, und jegliche in das Wunder eingesogen, immer von neuem fesselnd, wenn sie sich lösen mögte. Im Blitze und in lodernder Begeisterung brach sie jedesmal in der menschlichen Natur und mit ihr hervor; in poetischen Formen offenbarte sich der göttliche Affect; die stumme Materie hatte Sprache in ihr gefunden, und brach freudig in wundersame Gesänge aus, und es tönte die Begeisterung des Universums durch den Mund der ersten Geschlechter schon hervor; und was die Propheten sangen war gut und schön, und wahr, und recht, weil die Natur nimmer lügt, und die Unschuld keine Lüge ihr noch andichten mogte. Es war ein göttlich Gewächs, dem Menschensinne eingepflanzt aber es sollte keineswegs blos in die ersten Cotelydonen sich entfalten, es sollte zu einem herrlichen, blüthen und fruchtreichen Baume werden; es sollte eine andere Sonne suchen, als jene, die in den Tiefen der Materie scheint.

Alle Geschichte ist nichts als der Wachsthum dieser Himmelspflanze; durch alle Geschlechter geht sie rankend durch, in der Urwelt hat sie ihre Wurzeln in den Stoff eingeschlagen; in jeder Zeit treibt sie immer neue und immer zartere Blüthen; gegen ein ander geistig Licht neigt sie mit allen Stengeln und allen Aesten, Blättern und Blüthen hin. Jeder Progressus im Geschlechte ist eine weitere Verzweigung des Gewächses, das immer größere Universalität erlangend, zugleich auch in der Besonderheit immer weiter um sich greift. Es schreitet aber diese Entwickelung auf eine solche Weiße fort, daß die Begeisterung, zunächst von der eigentlichen Mythe aus gegen das Irdische sich wendend, als eigentliche Poesie im Concreten sich gestaltet; daß sie dann über die menschliche Besonderheit selber sich verbreitend, sie zu großen, lebendigen Kunstwerken zusammenbindet, und daher ernster schon und sinnender als Ethik sich offenbart; daß sie endlich zur vollkommnen Besinnung gelangt, rückwärts als klare, freye Reflexion sich um sich breitend, und von der Höhe herab Alles unter sich begreifend, nun in der Philosophie zu ihrer höchsten Manifestation gelangt.

Das ist daher die Folge, in der die einzelnen Erscheinungen der geistigen Thätigkeit ausgebohren werden von der fruchtbaren Göttermutter der Religion; sie ist's, die in Allem wirkt und treibt, wie die Gottheit in allem Leben lebt; sie ist die gemeinsame Wurzel, in die Kunst und alle Wissenschaft und jeglich Thun rückwärts zusammenläuft; von der Religion aus durchstrahlt sie Alle verklärend Licht und höhere Beselung; und sie ergrauen trüb und düster, wenn sie in sich erstarrend dem Strahle sich verfinstern. Aber in jeden folgenden Moment der Zeit tritt außer seinem eignen Wesen, auch das Wesen der ganzen Vergangenheit hinein; die ethische Zeit hört daher keineswegs auf poetisch zu seyn, und die Zeit der herrschenden Wahrheit ist weder unpoetisch noch ohne ethischen Character: aber in jedem Momente tritt jedes in der herrschenden Form der Entwicklungsstufe selbst hervor; Kunst, Ethik und Wissenschaft werden daher jede in ihrem eignen Wesen im Verlaufe der Geschichte mehr und mehr ätherisirt, und zur freyen Allgemeinheit hinaufgetrieben, und eben darum, weil sie Alle auf der Linie des Progressus liegen, rückt der Geist zugleich auch von einer zur Andern fort.

Mythisch, sagten wir, sey ursprünglich alle Poesie gewesen, und alle Mythe Poesie: die Begeisterung aber, in der diese Urpoesie geworden ist, war früher als die Sprache, sie mußte daher auch zuerst noch in einem tieferen Medium sich offenbaren. Es war dies Medium aber einerseits die Mimik zu unterst als Tanz erscheinend, und dann andrerseits der Gesang. Die Töne unmittelbar Producte des Affectes, jeder durch Naturnothwendigkeit geknüpft in seiner Modulation an die leidenschaftliche Bewegung, und durch die eigne innere Schattirung an den Ton des Gemüthes, waren auch vor aller Sprache: in ihnen mußte daher die erste Naturoffenbarung geschehen. Mit dem Ton verknüpft war auf dieselbe Weiße auch das Geberdenspiel, obgleich es mehr abhängig von der Willkühr, auch schon in seinem Hervortreten durch eine höhere Stufe der Reflexion bedingt erscheint. Jene, die daher in der Natur hohe Begeisterung eingesogen, thaten sie zuerst in leidenschaftlichen Exclamationen kund, die gleich leidenschaftliches Geberdenspiel begleitete: später schied sich dann in der Dythirambe auch der begeisterte Feyertanz von dem Gesange aus, in dem jetzt die ersten eigentlich hörbaren Sphärentöne aus den Ergriffenen erklangen, während die Weltbahnen noch einmal auch im Menschenreich hervortraten. Bald steigerte auch hier höher sich die Abstraction; die Affecttöne, die im Gesange gleichsam in ihre Elemente geschieden, die Gemüthsbewegungen in gleicher elementarischer Geschiedenheit offenbarten, zogen in Klangbegriffe sich zusammen, indem sie nach combinatorischen Gesetzen im Gleichartigen und Ungleichartigen zu höheren Allgemeinheiten sich verbanden. So entstand das erste Element der Sprache, die Vocale, allerdings mit dem Affect noch eng verknüpft, aber auch außer ihm eigne Bedeutung in sich tragend. Auf gleiche Weise auch steigerte sich die Mimik in höhere und immer höhere Regionen des Organism's tretend; der Tanz, indem er in die Muskeln des Antlitzes sich zusammenzog, bekam durch das höhere Organ auch allgemeineren Character, und wie die neue Mimik endlich auf die Muskeln des Mundes sich concentrirte, und diese für die Tonbildung lenkte, entstand das andere Element der Sprache, die Consonanten, reinere Producte der Reflexion und des Kunstgeschicks, und daher die wissenschaftlichen Atome der Rede, während die Vocale mehr in der Nothwendigkeit und der Naturordnung als ihre Poetischen erscheinen. Somit war die Möglichkeit einer unendlichen Combination jetzt eingeleitet, und es bildete sich nach und nach mit immer fortlaufender Abstraction das ganze Sprachgebäude aus; zuerst einsilbigte Worte, und bezeichnend diese

Stufe die einsilbigten Sprachen; dann vielsilbigte. Die Worte selbst schieden sich in allgemeinen Gattungscharacteren, die eine ganze Reihe von Besonderheiten in sich begriffen, und indem je verschiedne dieser Besonderheiten in immer weitere und mehr zusammengesetzte Redetheile sich verbanden, gliederte sich so nach und nach der Organismus der Sprache in seiner ganzen Vollendung aus. Die Poesie hatte ihr eigentliches Organ gefunden, und nun erst konnte die Begeisterung sich frey ergießen, und, vorher allein verständlich der Gegenwart, jetzt auch der Zukunft sich vernehmlich machen.

*[S. 419 f.]* Die rein sinnlichen Naturen der alten Zeit aber sollten zunächst Lehre und Weihe für das Uebersinnliche empfangen von den Mysterien; diese mußten daher auch zunächst die Sinnlichkeit ansprechen, und in ihr den Kreis für ihre Wirksamkeit sich öffnen. Was aber in der Sinnlichkeit zuerst erwacht, nachdem die rohen Kräfte in ihr vorerst gebändigt worden, ist sonder Zweyfel die Poesie, selbst Regel und Gesetz und Harmonie der sinnlich empfindenden Natur. Nothwendig konnten daher die Mysterien nicht anderst sich geltend machen, als indem sie die Einbildungskraft in Anspruch nahmen; indem sie als Kunstwerke eintraten in die Erscheinung, und zunächst die rohen Gemüther durch den Zauber der Schönheit bewältigten. So waren sie denn vor Allem andern Kunstgebilde, und zwar Dramatische, ja sie begründeten eben alle Kunst, und bargen in sich den Keim jeder spätern poetischen Entwickelung. Daher gleich zu unterst die Bedeutung des Phallus und Cteis in den Orgien. Die poetisch bildende Kraft war noch eins mit der organisch Zeugenden, und sah daher auch füglich sich selbst in der dieser entsprechenden äußern Körperform dargestellt: mehr noch, sie erkannte auch keine andere plastische Kraft in der Gottheit selbst, als eine ihr Gleichartige; das ganze Universum war ihr noch ein groß Gedicht, abermal also repräsentirte das Organ auch wieder die göttliche Begeisterung, in der das All geworden war. Der Phallus war die erste Plastik, die Menschen übten, wie die Zeugung selbst erstes Austreten der Begeisterung des Lebens aus seinen organischen Ufern gewesen. Damit also hatte die Kunst der Formen sich zuerst von der Beson-

derheit und der Geberde losgewunden; sie schritt allmählig weiter fort in ihrer Ausbildung unter der pflegenden Sorge der Hierophanten, und die Sage erzählt uns, wie allerwärts uralte Bilder und wundersame symbolische Gemählde, die Tempel den Mysterien geweiht, erfüllten. Auf dieselbe Weise hatte Musik auch vom Gesange sich gelöst, man hatte Sprache und Ton in der Materie ausgefunden, und mit Erstaunen hatten die Menschen den gebannten Geistern zugehorcht, die aus ihr hervorsangen, wie aus dunkler Brust, zürnend bald, und jubelnd dann, und schmeichelnd oder klagend, und sie hatten bald der eignen Empfindung dienstbar sie gemacht.

*[S. 421]* Und wie im Heiligthume zuerst Musik und Plastik sich voneinander und vom Leben geschieden hatten, so trennte sich auch dort von Beyden die Poesie, und löste sich in sich selbst in den lyrischen und epischen Gegensatz.

*7* Rezension: Die Zeiten. Vier Blätter nach Zeichnungen von Ph. O. Runge (1808) = Schriften, Bd. IV.

*[S. 7]* Wir haben versucht, dem Künstler in Worten nachzusprechen, was er in Bildern angedeutet; durch seine Gestalten läuft eine reiche Ader von Poesie hindurch, und dieser haben wir nachgespürt: wie ein Dämon, der körperlos hinabführe in die Körperwelt, und begeisternd nun ergriffe jedes auf eigne Weise, Blumen, Vögel, Kinder und weibliche Gestalten, und dem Alle, aufglühend zu einem neuern höhern Leben, im schönen Rausche sich zu einem schönen Leib zusammenfügten, worin dieser nun wie Seele wohnte, wie Weltseele in dem Frühling wohnt: so ist die Poesie diesen plastischen Gestalten genaht, und ihnen eingewohnt, sie weht daraus hervor wie das Leben im warmen Frühlingshauche weht.

*[S. 8]* Eines doch geben wir diesen zu bedenken, daß es nimmer noch ihnen aufgefallen, wie die Musik, die doch auch für sich selbst eigene Bedeutung hat, erst ihr höchstes dann erreicht, wenn sich die Poesie als ihre Seele ihr verbindet; wenn der dunkle Ton Wort bekömmt, und sich in ihm articulirt, und wenn das Wort hinwiederum sich dem Ton einschmilzt, und in diesem nun reich und stolz daher fährt, und metallen in die regen Sinne tönt. So

mögen sie sich denn bescheiden, daß auch die bildende Kunst durch die gleiche Verbindung sich erst vollendet, und organisch in den großen Kunstkörper aufgenommen wird, und daß die untere Schönheit am würdigsten dann erscheint, wenn sie der höheren als symbolische Bezeichnung zu ihrer Offenbarung dient.

8 Rezension: Des Knaben Wunderhorn. Alte deutsche Lieder gesammelt von L. A. v. Arnim u. C. Brentano (1809) = Schriften, Bd. IV.

*[S. 25 f.]* Wir glauben, Poesie sey eher gewesen, als die Kunst, die Begeisterung sey so vorangegangen und die Disciplin später gefolgt. Wir glauben ganz unumwunden an die Existenz einer eigenen Naturpoesie, die denen, die sie üben, wie im Traume anfliegt, die nicht gelernt und nicht erworben, auch nicht in der Schule erlangt wird, sondern gleich der ersten Liebe ist, die der Unwissendste in einem Augenblicke gleich ganz weiß und ohne alle Mühseligkeit gerade am besten dann übt, wenn er am wenigsten Studien gemacht, und gradweise um so schlechter, je mehr er sie ergründet hat. Wir achten die Kunst hoch, wie sich gebührt, nach der Natur aber ist stärkere Nachfrage. Und das wie billig; weil, während wir überall von Kunst umsponnen sind, Natur sich selten gemacht hat, wie erste Druckwerke und Incunabeln jeder Art. Der erste Meister war keines andern Schüler, er war nicht dressirt, schöne Gefühle in schönen Formen von sich zu geben. Wie der Ambra nach der alten Sage im Gehirne des Wallfisches gerinnt, so wurden sie im Herzen wie von selber, und gingen mit dem Athem aus. Was Hauptsächliches in der Vergangenheit auf Erden geworden, ist auf diese Weise meist hervorgetrieben, die Hoffnungen der Zukunft ruhen schon mehr auf unserm Geschicke, das als das Erbe vieler vergangenen Generationen allmälig sich angehäuft. Alle Sprache hat sich erst im Munde des Volkes gefunden, und hat nach innen die Wurzeln in alle Tiefen des Menschen geschlagen; lange hernach sind die Gelehrten den Fasern nachgestiegen, und haben nach den Regeln der Markscheidekunst sie aufgenommen und in ihre Grammatiken eingetragen. Kein Witz wird nach dem Lineale gezogen, nicht einmal das Spinnrad wurde von seinem Erfinder mühsam nach dem Calcule aus den einzelnen Theilen

zusammengeklebt. Jedes exemplarische Kunstwerk wird ausgetragen und gezeigt in der Verborgenheit des geistigen Fruchthalters, und dann an den Tag gelassen, wie die Natur ihre Thiere und Pflanzen von sich gelassen, ohne peinliche Anstrengung, die erst Folge des späteren Fluches ist. Vor Allem aber, indem sich emsig des Menschen Thätigkeit versucht, ist Poesie aus dem höchsten Übermuth des Lebens hervorgegangen; der Begeisterte hat im Rausche die Adern sich geöffnet, und blutet mit Lust die Dichtung aus den warmen Quellen; was sie treibt, ist daher auch mehr, als irgend anderswo jene geheime Wirkkraft des Lebens, fern von Überlegung abgewendet und keiner Zurechnung fähig und keiner äußerlichen Regel. Selbst des Menschen Ursprung ist in dieser Poesie und ihrer Liebe, und ihre Quellen brechen mit einander aus der Erde hervor. Am reichlichsten aber fließen diese Quellen in der Jugend der Völker, wo mehr noch des wilden Blutes tobt, das in späterer Sittsamkeit allmälig nach abwärts sich verwässert, und nach aufwärts sich alcoholisirt. Darum auch suchen wir das, was wir mit dem Namen Naturpoesie bezeichnet haben, fernab in den ersten Morgenstunden unter den Morgenträumen der Gattung der Nationen und der Individuen. Gediegene, tönende Metallnatur ist ihr Character, einfach, großartig, gemessen und wahr und recht die Form, weil die Zeit scharf accentuirt, die gesunde Natur aber nimmer irrt, und allem, was sie gestaltet, das rechte Gepräge gibt und die eigentliche Signatur. Wie das Feuer von Natur die Pyramidenform liebt, und das Wasser die Kugelform, und ohne vorhergegangene geometrische Construction beyde in ihre eigenthümliche Gestalt sich fügen, so nehmen auch die Affecte von selbst die specifische Formirung an, und in dem Kunstwerk ist durch dieselbe Nothwendigkeit, die es hervorgebracht, auch das Band zwischen Form und dem innwohnenden Geist geknüpft. Gesang und Tonfall und das Wort und Klanggewebe, was man sonst wohl, als der Poesie, äußerlich ansieht, ist ihr in Wahrheit hier innerlich eingeboren, oder die Poesie ist vielmehr ununterscheidbar mit ihnen verwachsen, wie Leib und Seele im organischen Leben.

*[S. 45]* In Sachen der Poesie ist es ein anderes als in denen der Wissenschaft; der Geschichtschreiber muß mit Treue sammeln,

was sich vorfindet, jede untergeschobene Thatsache ist eine Lüge, über die Rechenschaft von ihm gefodert werden kann. In der Kunst aber ist nur das Häßliche die Lüge, ihre Werke sind an die Zeit gebunden nur für die Entstehung, keineswegs aber für die Anschauung; ihr könnt alle Gedichte dieser Sammlung betrachten, als wären sie heute entstanden, oder vor Jahrhunderten, an ihrem Wesen wird nichts dadurch geändert.

9 Über Jean Paul Friedrich Richters sämmtliche Schriften (1811) = Schriften, Bd. IV.

*[S. 51 f.]* Als bildend im Anfang der Demiurg im großen Weltbecher nach alter Sage die Elemente gemischt, da schwebte die *Weisheit*, der Geist des alldurchdringenden schaffenden Lichtes, und die *Dichtung* in ihrer Schöne, die Mutter alles Lebens, über der gährenden Masse. Und was der Bildner kunstreich im Geist erfunden, und in des Herzens Gedanken empfangen, das führten diese werkthätig ihm aus, und wie sich die Masse gesondert, und die Heimlichkeiten und die Schätze der Nacht auf den Boden des Wassers gesunken, und der Aether sich freundlich geklärt, und der Himmel in seiner Glorie dastand mit dem Diadem der zwölf Zeichen gekrönt, und auf ätherischer Erde die leuchtenden Geister der Höhe wandelten, da wohnten auch die Beyden fortan auf den seligen Inseln in jenen krystallenen Fluthen, und säeten die Saat der Ideen in die weiten Sternenfelder des Himmels, die Erde aber sollte sich an dem flimmernden Horte in ihrem Schoße ergötzen. Es traten aber in ihr die Metallkönige, ein riesenhaft, ungebändigt, gewaltthätig Geschlecht, zusammen, sie wollten auch Theil haben an jener himmlischen Schöne, und leuchten wie Sterne durch die unterirdischen Klüfte, und sie wurden eins, sich im Edelsten aus ihrer Mitte zu sammeln, und es rundete sich kugelförmig die Erde zum goldenen Spiegel der Welt. Und es blickten die Elemente wie aus hellem Auge aus ihr heraus in den Himmel, und es gefiel den Sternen und himmlischen Genien sich in der klaren Sehe zu spiegeln, und es versanken ihre Blicke in dem dunkeln Abgrunde, und ihre Stralen herabgezogen, wurden unten von den Elementen gefesselt, und je nach der Natur von jedes Sternes Influenz gingen nun die Pflanzen und Blumen und Thiere, jedes

nach seiner eigenen Art und Natur, aus der Tiefe hervor. Es sah aber auch die himmlische Dichtung den leuchtenden Juwel in der Tiefe, wie er aufglänzte in den Stralen, die er aus dem Himmel gesogen, und blickte auch mit weiblicher Neugier in den zauberhaften Spiegel, und wie sie sich selbst darin mit Lust in einem verkleinerten Abbild gewahrte, da reichte sie den goldnen Apfel auch dem ernsteren Bruder und Gatten, und auch er sah, überredet von der Gefährtin, in die lockende Tiefe. Und es schlugen alle Wellen ihres dunkeln Meeres über den Schauenden zusammen, und alle Elemente sogen dürstend mit gieriger Inbrunst die beyden Bilder ein, und sie legten in irdischen Leibern sich um die himmlischen Gestalten, und es wurde, als ihre Zeit gekommen, die Zwillingsgeburt der *Philosophie* und *Poesie* geboren, dem Vater zugleich nachartend und der Mutter, und von Beyden sind alle Geschlechter der *Weisen* und *Dichter* ausgegangen. In Lust und Sünde und im Falle sind sie daher dem Himmlischen nach geboren, mit Trauer sehen jene Mächte in ihnen ihr reines Licht getrübt; ewig sonnenhell und klar schwebt das Reich des urersten Schönen und Wahren oben in der Höhe, aber wie das reine makellose Blau der Himmelsluft allnächtlich, wenn die Kühle aus der Erde es umfängt, in Thau hinschmilzt und niedertropft, so wird auch in ihnen das ewige Feuer im Mark der Erde eingefangen, und im trüben Dunste festgebunden, und mit jedem neuen Geschlechte nur auf neue Art verfälscht. [...] Die Dichter insbesondere kommen aus ferner andrer Welt gezogen, nur um zu nisten und zu singen; wie bey der Persischen Bulbul ist Liebe und Einverständniß zwischen ihnen und der Rose, und wo die Rosenzeit eintritt der Erde, oder eines Volkes, oder auch in jedem besonderen Leben, da sind sie nahe, und ihr Gesang wird willkommen geheißen. Aus ihrem Auge bricht das Feuer, das sie von oben mit herabgenommen, und das die Nacht der Erde um sie her erleuchtet, und, wie nach alter Fabel das Auge des Wundervogels, den Keim im Boden und im Ey bebrütet. Durch diese Quellen gießt sich der Aether ewiger Schönheit, der zwischen den Sternen steht, wie aus Naphthabrunnen über die Erde aus, und gleichwie des Auges Feuer sich in der Thräne kühlt, so das Feuer innerer Begeisterung in dem Kunstwerk, das wie die Perle aus der Muschel in bewußtloser

Rührung von ihnen ausgeflossen ist; denn, sagt Herakleitos, das Feuer stirbt in Luft, die Luft aber in Wasser hin. Wie aus Staub und wenig Feuchte jedes neue Frühlingslicht sich seinen Schleier aus Laub und Blüthen webt, so das Licht der reinen makellosen Schönheit aus Nervengeist die irdischen Genien, und diese aus wenig Staub und Feuchte ihre Werke. Denn an irdische Stoffe sind sie angewiesen, ausgedichtet für alle Zeit steht über ihnen das große Epos der Welt, jeder sucht nach eigenem Sinn einen Gesang davon herabzuziehen, und in irdischer Sprache nachzusprechen, und mit irdischem Farbenstaube abzufärben, und alle Zeiten und alle Dichter dichten in demselben schönen und doch eiteln Bestreben an demselben Gedichte fort, und kein Bemühen will gelingen, weil der Schöpfer und sein Werk beyde nur zu Planeten verschlackte Sonnen sind.

*[S. 55 f.]* Und ist der Kunst nicht alle Zeit wie Gegenwart, und alle Ferne Nähe; nimmt sie nicht jeden vergangenen Frühling in den Neuen, jede abgeblühte Jugend in die Palingenesie ihres ewig unvergänglichen Lebens auf? Denn die Natur, obgleich immer eine andre, ist doch ewig dieselbe, die Kunst aber, obgleich immer dieselbe, ist doch ewig eine andre, wie das Leben, dessen Abglanz sie ist.

*[S. 58]* Wohl sind die Keime in die Seele des Dichters hineingesäet, und auch die befruchtenden, brütenden, treibenden Kräfte, die Symbole des ewigen; aber die Handlung ist doch eigenthümlich sein und die dadurch erwirkte Form, und er ist in seiner Dichtung Demiurg. Man sage nicht, daß die Schöpfungen der Kunst im bloßen wesenlosen Schein beharren, und sich nicht selbst ergänzen, noch vermehren; man könnte, so leicht wie eingeworfen, auch erwiedern, wer weiß, ob nicht die Gestalten, die ein Dichter ganz rund und geschlossen und ohne innern Widerspruch in eigner Eingeburt hervorgebracht, nicht eben damit auch in einer andern Welt in der Wirklichkeit wiedergeboren werden, wie umgekehrt die Stralen, die von jenem Sterne ausgeflossen, in unserm Auge den vielleicht erloschenen Stern in einem geistigen Bilde wiedergebären. Leicht würde es in einem Programme sich vertheidigen lassen, daß unsre Weltgeschichte nur der mittelmäßige

Roman eines Dichters etwa auf dem Kometen ist, der die Sündfluth hervorgebracht, und am Schlusse des Buchs die Erde in Feuer aufreiben wird; die Dichter aber und die Philosophen und die Trajane in der Geschichte nur eingestreute gute Gedanken und Genieblitze sind.

10 Ankündigung der Bibliotheca Vaticana (1812) = Schriften, Bd. IV.

*[S. 110]* Alle Liebe aber ist wesentlich Poesie; und gibt die Weisheit allen Dingen Maaß, und ist die Macht um das Böse abzuwehren, dann ist's jene allein, die Allem den Grund legt, und seinen Widerhalt, der lebendige Brunnquell alles Guten.

# XIX Achim von Arnim (1781-1831)

Romane = Sämtliche Romane und Erzählungen. Auf Grund der Erstdrucke hg. von W. Migge. 3 Bde. München: Hanser 1962—65.

Einsiedler = Zeitung für Einsiedler. In Gemeinschaft mit C. Brentano hg. von L. A. von Arnim bei Mohr und Zimmer. Heidelberg 1808 (Fotomechanischer Nachdruck Stuttgart: Cotta 1962).

Wunderhorn = Des Knaben Wunderhorn. Alte deutsche Lieder, gesammelt von L. Achim von Arnim und Clemens Brentano. München: Winkler o. J.

Briefe = Achim von Arnim und die ihm nahe standen. Hg. von R. Steig und H. Grimm. 3 Bde. Stuttgart und Berlin: Cotta 1894—1913.

1 Brief an Clemens Brentano vom 9. Juli 1802 = Briefe, Bd. I.

*[S. 38 f.]* Alles geschieht in der Welt der Poesie wegen, die Geschichte ist der allgemeinste Ausdruck dafür, das Schicksal führt das große Schauspiel auf. Für den poetischen Genuß ist alles Sparen des Kaufmanns, für den Sonntag arbeitet der Handwerker, der Schüler für die Spielstunden; nur wenige, und das sind die Poeten, werden genug begünstigt, daß ihnen die Arbeit ein Spiel wird, und die müssen für die übrige Menschheit arbeiten, daß sie den Zweck ihres Lebens nicht verfehlen, daß sie nach der Arbeit einen poetischen Genuß finden. Wer sich daher Poet nennt in diesem weitesten Sinne, der zeigt keinen Stolz, sondern die höchste Tugend an; er ist ein wahrer Märtyrer und Eremit, er betet und kasteiet sich für andre, damit sie das Leben haben; er ist der demüthige Petrus, der die Himmelsschlüssel hat und an der Thür sitzt, um andre hineinzulassen, aber selbst nicht eintritt. Dieses freiwillige Cölibat, diese freie Entfernung vom Himmelreiche erfordert die Aufopferung des Regulus, der aus dem Schooße der Liebe zu den wilden Feinden seiner Ruhe zurückkehrt — aber sie sei unser, diese That, ich fühle den Muth und Du wirst ihn auch haben! Dichtkunst und Musik sind die beiden allgemeinsten, genau auf einander gepfropften Reiser des poetischen Baumes; er trägt hier in der Dichtkunst rothe Rosen mit vielen Rosen-

königen, in der Musik weiße Rosen. Unsre Arbeit sei, diese Rosen zu erziehen, Kotzebuischen Mehlthau und Lafontaineschen Honigthau von ihnen abzuhalten, ebenso sorgfältig die kalte Schlegelsche Kritikluft und den warmen, brennenden Samumwind aus Böhmens Morgenröthe. Die Sprache der Worte, die Sprache der Noten stärker und wohlgefälliger zu machen, dies ist klar als erster Standpunkt unsrer Bemühung anzusehen. Also eine Sprach- und Singschule! Sowie Tieck den umgekehrten Weg einschlug, die sogenannte gebildete Welt zu bilden, indem er die echte, allgemeine Poesie aller Völker und aller Stände, die Volksbücher, ihnen näher rückte, so wollen wir die in jenen höheren Ständen verlornen Töne der Poesie dem Volke zuführen, Göthe soll ihnen so lieb wie der Kaiser Octavianus werden, mit einem Worte: der erste Punkt unsrer Wirksamkeit ist die Anlage einer Druckerei für das Volk in einem Lande, wo der Nachdruck erlaubt und das Papier wohlfeil ist, Kaiser und Könige müssen uns Privilegia geben. Die einfachsten Melodien von Schulz, Reichardt, Mozart u. a. werden durch eine neuerfundene Notenbezeichnung mit den Liedern unter das Volk gebracht, allmälig bekömmt es Sinn und Stimme für höhere, wunderbare Melodien. Dies zu erreichen, wird von dem Gewinnst der Druckerei eine Schule für Bänkelsänger angelegt; man errichtet Sängerherbergen in den Städten und verbindet und lehrt ihnen die Schauspielkunst, es werden nun bessere musikalische, einfache Instrumente eingeführt. Wichtiger ist die Bearbeitung der deutschen Sprache für den Gesang in einer damit enge verbundenen Schule der Dichtkunst, die, wenn es möglich, in dem Schlosse Laufen beim Rheinfall eingerichtet wird. Hier wird die allgemeine deutsche Sprache erfunden, die jeder Deutsche versteht und bald von allen Völkern der Erde angenommen wird. Ich sehe schon manche fünf schöne neue Lieder, gedruckt in diesem Jahre, aus unsrer Druckerei kommen! Dies giebt den Deutschen einen Ton und eine enge Verbindung, jeder Streit zwischen ihren Fürsten muß sich selbst verzehren, weil der Deutsche gegen seine Brüder nicht zu Felde zieht, die Ausländer, ihrer Unterstützung gegen sie beraubt, müssen ihnen verbündet, Deutschland der Blitzableiter der Welt werden.

2 Von Volksliedern (1805) = Wunderhorn.

*[S. 878]* Es wird uns, die wir vielleicht eine Volkspoesie erhalten, in dem Durchdringen unserer Tage, es wird uns anstimmend sein, ihre noch übrigen lebenden Töne aufzusuchen; sie kommt immer nur auf dieser einen ewigen Himmelsleiter herunter; die Zeiten sind darin feste Sprossen, auf denen Regenbogenengel niedersteigen; sie grüßen versöhnend alle Gegensätzler unsrer Tage und heilen den großen Riß der Welt, aus dem die Hölle uns angähnt, mit ihrem Zeigefinger zusammen. Wo Engel und Engel sich begegnen, das ist Begeisterung, die weiß von keinem Streit zwischen Christlichem und Heidnischem, zwischen Hellenischem und Romantischem; sie kann vieles begreifen, und was sie begreift, ganz und rein; ein Streit des Glaubens wird ihr Wahnsinn, weil da der Streit aufhört, wo der Glaube anfängt; noch wahner der Streit über Kunst, welche nur ein Ausdruck des ewigen Daseins.

3 Brief an Jacob Grimm von Ende Mai 1808 = Briefe, Bd. III.

*[S. 14]* Dem Aufsatz über Sagen habe ich eine Anmerkung beigefügt, vielleicht veranlaßt Sie das gelegentlich die Sache historisch durchzuführen, ich gestehe, daß ich gar keine Vorstellung habe von einer Naturpoesie getrennt gedacht und von einer Kunstpoesie getrennt. Auch in den schlechtesten Dichtungen wollte ich Ihnen noch deutlich beides und sogar das dritte zeigen, was beide stört und aufhebt.

4 Anmerkung (4. Juni 1808) zu Jacob Grimm, Gedanken: wie sich die Sagen zur Poesie und Geschichte verhalten [vgl. unten XXVII 2] = Einsiedler.

*[Sp. 152]* [J. Grimm: Man streite und bestimme, wie man wolle, ewig gegründet, unter allen Völker- und Länderschaften ist ein Unterschied zwischen Natur und Kunstpoesie ... So innerlich verschieden also die beiden erscheinen, so nothwendig sind sie auch in der Zeit abgesondert, und können nicht gleichzeitig seyn *) ...].

---

*) Wir wünschen den historischen Beweis davon, da nach unsrer Ansicht in den ältesten wie in den neuesten Poesieen beyde Richtungen erscheinen. Einsiedler.

5 Brief an Jacob Grimm vom 5. April 1811 = Briefe, Bd. III.

*[S. 108—110]* Docens Meinung, daß manche zugleich Minne- und Meistersänger waren, ließe sich doch vielleicht noch anders deuten; es bezieht sich nämlich auf Deinen alten Lieblingsunterschied zwischen Natur- und Kunstpoesie, den ich Dir nach innigster Ueberzeugung als etwas in Menschen ganz getrenntes gar nicht zugeben kann. Nie ist eine ohne die andre, aber leicht mag in einem Menschen eine von beiden abwechselnd das Uebergewicht gewinnen, und wenn wir in der Minnepoesie den Naturtrieb, im Meistergesang das Kunstbewußtsein überwiegend finden, so wäre es allerdings sehr interessant, diese Stellen oder Einzelnheiten in den älteren Meistern der Geschichte wegen zu sondern und nach dem wenigen, was ich vom Titurel kenne, wäre er gerade dazu recht geschickt, beides deutlich zu machen. Görres hat nach meiner heutigen Einsicht dieses Gleichzeitige in der Entwickelung der Mythen ebenso wenig erkannt, sein Werk enthält nach einer Richtung viel Wahres, aber diese Richtung ist nur die eine und man fühlt sehr bald, daß so wenig den einzelnen Menschen wie ganze Völker in dieser Gesinnung allein die Religion ergriffen hat. Merkwürdig ist mir in dieser Hinsicht eine Stelle Deiner Vorrede (S. 5), wo Du den gebildeten Menschen geradezu schuld giebst, sie wollten etwas an die Stelle der Naturpoesie setzen, was diese nie erreichte. Dies scheint mir der Gipfel des Mißverständnisses, worüber Du selbst bei genauerer Betrachtung erschrecken wirst, denn Du thust den besten Menschen aller Zeiten damit ein himmelschreiendes Unrecht, die ihre Natur und ihren Trieb, so gut sie es vermochten, aussprachen und auch ihr Volk hatten und begeisterten — denn wo zweie im Namen des Geistes versammelt sind, da will er unter ihnen sein — wenn gleich die große Menschenmasse gleichgültig vor ihnen übergegangen ist. Wenn ich je mit Begeisterung für Volkspoesie und mit ihr gefühlt habe, so war es bei Gott nicht darum, weil ich meinte, eine andre Natur und Kunst habe sie hervorgebracht, als jene, die mir in unsern Tagen manche Langeweile gemacht hat; nur darum, weil sie die Sichtung schon bestanden hat, in der auch vieles aus unsrer Zeit bestehen wird, darum suchte ich sie der Welt möglichst sichtbar vor Augen zu stellen. So

gering ich Voß achte, auch in ihm wirkt hin und wieder die Urnatur, und er hätte die alten Volkslieder sicher nie heruntergemacht, um seine Gedichte zu heben, wenn diese nicht eben zufällig und seine Eitelkeit dazu in Anspruch genommen worden wären. Es wird mir sehr lieb sein, auch Deine entgegengesetzte Meinung recht grell darüber zu vernehmen, denn ich wünschte hierin Ueberzeugung zu haben, und ich bin gewiß, daß gerade dieser Dein Lieblingsunterschied zwischen Natur- und Kunstpoesie den gefährlichsten Einfluß auf Deine meisten Ansichten haben und insbesondre auf Deine Sagensammlung eine beschränkende Gesinnung übertragen muß. Ich wollte in Göthes Namen beschwören, daß bei allem Bewußtsein dessen, was er treibt, was gewöhnlich Kunst genannt wird, er sich doch häufig von der Eingebung seiner Natur überrascht fühlt, die ihm Erfindungen und Einwirkungen auf andre unbewußt schenkt, an die er nie vorausgedacht hatte; so schwöre ich Dir im Namen der Homeriden, der Volksliedersänger, daß keiner, der mehr als einen Vers gesungen, ohne Kunstabsicht war, aber freilich mochte diese oft sehr gering sein gegen das, was er unbewußt erreichte. Nach dieser meiner Ueberzeugung wirst Du es in mir begreiflich finden, daß ich sowohl in der Poesie wie in der Historie und im Leben überhaupt alle Gegensätze, wie sie die Philosophie unsrer Tage zu schaffen beliebt hat, durchaus und allgemein ableugne, also auch kein Gegensatz zwischen Volkspoesie und Meistergesang, aber ein verschiednes Volk für beide, mancherlei zusammenfallende Berührungen beider und Durchdringungen, Haß oder Hochmuth beider gegen einander selten und zufällig. Daß sie die volksmäßigen Lieder noch einmal zu bearbeiten verschmähten, scheint sehr natürlich; der Mensch kommt nur dazu, etwas Eigenes aufzustellen, wenn er sich überzeugt, daß das Vorhandene ihm nicht genügt hat.

6 Brief an Jacob Grimm vom 14. Juli 1811 = Briefe, Bd. III.

*[S. 134]* 1. Natur- und Kunstpoesie. Nie habe ich den Einfluß der Geschichte auf die Poesie geleugnet, aber eben weil es keinen Moment ohne Geschichte giebt als den absolut ersten der Schöpfung, so ist keine absolute Naturpoesie vorhanden, es ist

immer nur ein Unterschied von mehr oder weniger in der Entwickelung beider; [. . .]

7 Brief an Jacob Grimm vom 18. August 1811 = Briefe, Bd. III.

*[S. 142]* So hatte ich in meinem vorigen Briefe, wo ich von der Entstehung der Poesie sprach, nicht daran gedacht, ihr den Trunk aus ewigen Quellen abzusprechen, der aber bleibt allen Zeiten, auch denen, wo keine Verse gemacht werden, und vielleicht noch reiner; wo aber Begeisterung außer ihrem innern Genusse ein Aeußeres schafft, da wird sie selbst schon wieder ein Gegenstand der Beobachtung und erfüllt sich nicht mehr ganz.

8 Brief an Jacob Grimm vom 22. Oktober 1812 = Briefe, Bd. III.

*[S. 224 f.]* Glaube mir, die Welt hätte noch soviel Poesie, als sie empfinden kann, und wenn alle poetischen Bücher, alte wie neue, an einem Tage untergingen. So lange Gott und seine Gedanken noch größer sind als der Mensch, wird es immer eine Poesie geben und eine Möglichkeit der Erfindung, und eine Nothwendigkeit dazu.

9 Brief an Wilhelm Grimm vom 25. November 1812 = Briefe, Bd. III.

*[S. 244]* Ich fühl es recht, daß man über Malerei nichts weiß, wenn man nicht selbst sich daran versucht hat, und so auch in der Dichtkunst.

10 Brief an Jacob Grimm vom 24. Dezember 1812 = Briefe, Bd. III.

*[S. 250]* Hättest Du nun Lust, jene Poesie, die sich mehr in der äußern Welt begründet, Naturpoesie, die andre Kunstpoesie zu nennen, ungeachtet das wohl früher Dein Sinn nicht gewesen, so hab ich nichts dagegen; nur behaupte ich, daß sowenig die ältesten Dichter ganz ohne Kunstpoesie, wie die Neuern ganz ohne Naturpoesie sind.

11 Die Kronenwächter (1817) = Romane, Bd. I.

*[S. 519 f.]* Es gab zu allen Zeiten eine Heimlichkeit der Welt, die mehr wert in Höhe und Tiefe der Weisheit und Lust, als alles,

was in der Geschichte laut geworden. Sie liegt der Eigenheit des Menschen zu nahe, als sie den Zeitgenossen deutlich würde, aber die Geschichte in ihrer höchsten Wahrheit gibt den Nachkommen ahndungsreiche Bilder und wie die Eindrücke der Finger an harten Felsen im Volke die Ahndung einer seltsamen Urzeit erwecken, so tritt uns aus jenen Zeichen in der Geschichte das vergessene Wirken der Geister, die der Erde einst menschlich angehörten, in einzelnen, erleuchteten Betrachtungen, nie in der vollständigen Übersicht eines ganzen Horizonts vor unsre innere Anschauung. Wir nennen diese Einsicht, wenn sie sich mitteilen läßt, Dichtung, sie ist aus Vergangenheit in Gegenwart, aus Geist und Wahrheit geboren. Ob mehr Stoff empfangen, als Geist ihn belebt hat, läßt sich nicht unterscheiden, der Dichter erscheint ärmer oder reicher, als er ist, wenn er nur von einer dieser Seiten betrachtet wird; ein irrender Verstand mag ihn der Lüge zeihen in seiner höchsten Wahrheit, wir wissen, was wir an ihm haben und daß die Lüge eine schöne Pflicht des Dichters ist. Auch das Wesen der heiligen Dichtungen ist wie die Liederwonne des Frühlings nie eine Geschichte der Erde gewesen, sondern eine Erinnerung derer, die im Geist erwachten von den Träumen, die sie hinüber geleiteten, ein Leitfaden für die unruhig schlafenden Erdbewohner, von heilig treuer Liebe dargereicht. Dichtungen sind nicht Wahrheit, wie wir sie von der Geschichte und dem Verkehr mit Zeitgenossen fordern, sie wären nicht das, was wir suchen, was uns sucht, wenn sie der Erde in Wirklichkeit ganz gehören könnten, denn sie alle führen die irdisch entfremdete Welt zu ewiger Gemeinschaft zurück. Nennen wir die heiligen Dichter auch Seher und ist das Dichten ein Sehen höherer Art zu nennen, so läßt sich die Geschichte mit der Kristallkugel im Auge zusammenstellen, die nicht selbst sieht, aber dem Auge notwendig ist, um die Lichtwirkung zu sammeln und zu vereinen; ihr Wesen ist Klarheit, Reinheit und Farbenlosigkeit. Wer diese in der Geschichte verletzt, der verdirbt auch Dichtung, die aus ihr hervorgehen soll, wer die Geschichte zur Wahrheit läutert, schafft auch der Dichtung einen sichern Verkehr mit der Welt. Nur darum werden die eignen unbedeutenden Lebensereignisse gern ein Anlaß der Dichtung, weil wir sie mit mehr Wahrheit angeschaut haben, als uns an den größern Weltbegebenheiten gemeinhin vergönnt ist. Das Mittätige und Selbstergriffene daran ist gewiß mehr hemmend als aufmunternd, denn Heftigkeit des Gefühls unterdrückt sogar die Stimme, weil diese sie zum Maß der Zeit zwingt, wie viel weniger mag sie mit der trägen Pflugschar des Dichters, mit der Schreibfeder zurecht kommen. Die Leidenschaft gewährt nur, das ursprünglich wahre, menschliche Herz, gleichsam den wilden Gesang des Menschen, zu vernehmen und darum mag es wohl keinen Dichter ohne Leidenschaft gegeben haben, aber die Leidenschaft macht nicht den Dichter, vielmehr hat wohl noch keiner während ihrer lebendigsten Einwirkung etwas Dauerndes geschaffen und erst nach ihrer Vollendung mag gern jeder in eignem oder fremden Namen und Begebenheit sein Gefühl spiegeln.

## XX Bettina von Arnim (1785—1859)

Werke = Werke und Briefe. Hg. von G. Konrad und J. Müller. 5 Bde. Frechen: Bartmann 1959—63.

1 Brief an Karoline von Günderode vom Juni 1804 = Werke, Bd. V.

*[S. 198 f.]* *Clemens* schreibt mir immer, ich soll dichten, aber ich glaube, ich werde nie etwas Festes, Gesetztes hervorbringen können. Oft liege ich abends oder vielmehr nachts im Fenster und habe ganz herrliche Gedanken, wie es mir scheint; ich freue mich dann über mich selbst, meine Begeisterung begeistert mich sozusagen, aber da sind zwei einfältige Nachtigallen in unserer Straße, ich weiß nicht, ob sie eingesperrt sind oder irgendwo ihr Nestchen haben, die fangen gewöhnlich an, ihre liebenden, verliebten Lieder so leicht, so herrlich und ergötzlich herzusingen, wenn ich so mitten in meinem Dichten und Trachten bin, daß ich ganz alles vergesse und denke, du willst die Nachtigallen dichten lassen, du wirst doch des Menschen Ohr und Sinn nie so schön und herrlich erquicken können wie diese (denn etwas weniger Gutes als das Schönste und Beste hervorzubringen ist doch auch schlecht), und schlecht mag ich nicht schreiben.

2 Die Günderode (1840) = Werke, Bd. I.

Brief an die Günderode vom Sommer 1803

*[S. 323]* Wir müssen uns miteinander abschließen, in der Natur, da müssen wir Hand in Hand gehen und miteinander sprechen nicht von Dingen, sondern eine große Sprache. Mit dem Lernen wird's nichts, ich kann's nicht brauchen, was soll ich lernen, was andere schon wissen, das geht ja doch nicht verloren, aber das, was grad nur uns zulieb geschieht, das möcht ich nicht versäumen, mit Dir auch zu erleben, und dann möcht ich auch mit Dir all das überflüssige Weltzeugs abstreifen, denn eigentlich ist doch nur alles comme il faut eine himmelschreiende Ungerechtigkeit gegen die große Stimme der Poesie in uns, die weist die Seele auf alles Rechte an.

Brief an die Günderode von 1806 (1804? 1805?)

*[S. 415]* Nun kann ich mir wohl denken, daß der Rhythmus eine organische Verbindung hat mit dem Gedanken, und daß der kurze Begriff des Menschengeistes, durch den Rhythmus geleitet, den Gedanken in seiner verklärten Gestalt fassen lernt, und daß der den tieferen Sinn darin beleuchtet, und daß wie die Begeistigung dem Rhythmus sich füge, sie allmählich sich reiner fasse, und daß so die Philosophie als höchste geistige Poesie erscheine, als Offenbarung, als fortwährende Entwicklung des Geistes und somit als Religion. Denn was soll mir Religion, wenn sie stocken bleibt? — Aber nicht wie Du sagst, daß Philosophie endlich Poesie werden soll, nein, mir scheint, sie soll sein oder ist die Blüte, die reinste, die ungezwungenste, in jedem Gedanken überraschendste Poesie, die ewig neu Gottessprache ist in der Seele. —
Gott ist Poesie, gar nichts anders, und die Menschen tragen es über in eine tote Sprache, die kein Ungelehrter versteht, und von der der Gelehrte nichts hat als seinen Eigendünkel. — So wie denn das Machwerk der Menschen überall den Lebensgeist behindert, in allem, in jeder Kunst, daß die Begeistrung, durch die sie das Göttliche wahrnehmen, von ihnen geschieden ist, — und ich muß mich kurz fassen, sonst wollt ich mich noch besser besinnen.
Die Berührung zwischen Gott und der Seele ist Musik, Gedanke ist Blüte der Geistesallheit, wie Melodie Blüte ist der Harmonie.
Alles, was sich dem Menschengeist offenbart, ist Melodie in der Geistesallheit getragen, das ist Gottpoesie. Es enthüllt sich das Gefühl in ihr, sie genießend, empfindend, keimt auf in der Geistessonne, ich nenn es Liebe. Es gestaltet sich der Geist in ihr, wird Blüte der Poesie Gottes, ich nenn es Philosophie. Ich mein, wir können die Philosophie nicht fassen, erst die Blüte wird in uns. Und Gott allein ist die Geistesallheit, die Harmonie der Weisheit.

3 Goethes Briefwechsel mit einem Kinde (1835) = Werke, Bd. II.

Brief an Goethe von 1809

*[S. 226]* Wahrhaftig! Wie die ganze Natur von Ewigkeit zu Ewigkeit sich vorbereitet, ebenso bereitet sich der Himmel vor,

in sich selbsten, in der Erkenntnis eines keimenden geistigen Lebens, dem man alle seine Kräfte widmet, bis es sich von selbst in die Freiheit gebäre, dies ist unsere Aufgabe, unsere geistige Organisation, es kommt drauf an, daß sie sich belebe, daß der Geist Natur werde, damit dann *wieder* ein Geist, ein weissagender sich aus dieser entfalte. Der Dichter (Du *Goethe*) muß zuerst dies neue Leben entfalten, er hebt die Schwingen und schwebt über den Sehnenden und lockt sie und zeigt ihnen, wie man über dem Boden der Vorurteile sich erhalten könne; aber ach! Deine Muse ist eine *Sappho,* statt dem Genius zu folgen, hat sie sich hinabgestürzt.

4 Ilius Pamphilius und die Ambrosia (1848) = Werke, Bd. II.

*[S. 513]* Warum ist denn Poesie so schön? — Weil im Geist der Zufall so von Harmonie durchdrungen ist, darum ist Poesie heilig, weil die Würfel fallen und ewig das Göttliche aussprechen; denn wäre der Zufall es nicht, wo fände das Göttliche Platz, das Gewisse nimmt der Mensch allemal mit seiner irdischen Weisheit ein und behauptet sich darin als Sieger.

*[S. 532]* Der wahre Dichter ist nicht der Lieder auströmende, vielleicht eher der, der keine Worte findet, und schweigt, bis in wenig Lauten er alles auszudrücken wagt.

# XXI Karoline von Günderode (1780—1806)

Werke = Gesammelte Werke. Hg. von L. Hirschberg. 3 Bde. Berlin: Goldschmidt-Gabrielli 1920—22.

Bettina, Werke = Bettina v. Arnim, Werke und Briefe. Hg. von G. Konrad und J. Müller. 5 Bde. Frechen: Bartmann 1959—63.

1 B. v. Arnim, Die Günderode (1840) = Bettina, Werke, Bd. I.

Brief an die Bettine von 1803

*[S. 318 f.]* Der Naturschmelz, der Deinen Briefen und Wesen eingehaucht ist, der, meint *Clemens,* solle in Gedichten oder Märchen aufgefaßt werden können von Dir — ich glaub's nicht. In Dich hinein bist Du nicht selbsttätig, sondern vielmehr ganz hingegeben bewußtlos, aus Dir heraus zerfließt alle Wirklichkeit wie Nebel, menschlich Tun, menschlich Fühlen, in das bist Du nicht hineingeboren, und doch bist Du immer bereit, unbekümmert alles zu beherrschen, Dich allem anzueignen. Da war der Ikarus ein vorsichtiger, überlegter, prüfender Knabe gegen Dich, er versuchte doch das Durchschiffen des Sonnenozeans mit Flügeln, aber Du brauchst nicht deine Füße zum Schreiten, Deinen Begriff nicht zum Fassen, Dein Gedächtnis nicht zur Erfahrung und diese nicht zum Folgern. Deine gepanzerte Phantasie, die im Sturm alle Wirklichkeit zerstiebt, bleibt bei einer Schwarzwurzel in Verzückung stocken. Der Strahlenbündel im Blumenkelch, der Dir am Sonntag im Feldweg in die Quere kam, wie Du dem rückwärts gehenden Philosophen *Ebel* Deine Philosophie eintrichtern wolltest, ist eine blühende Scorza nera, so sagt *Lehr,* der weise Meister. — Ich werd eingeschüchtert von Deinen Behauptungen, ins Feuer gehalten von Deiner Überschwenglichkeit. Hier am Schreibtisch verlier ich die Geduld über das Farblose meiner poetischen Versuche, wenn ich Deines *Hölderlin* gedenke. Du kannst nicht dichten, weil Du das bist, was die Dichter poetisch nennen, der Stoff bildet sich nicht selber, er wird gebildet, Du deuchst mir der Lehm zu sein, den ein Gott bildend mit Füßen tritt, und was ich in Dir gewahr werde, ist das gärende Feuer, was seine übersinnliche Berührung stark in Dich einknetet. Lassen wir Dich also jenem über, der Dich bereitet, wird Dich auch bilden. — Ich muß

mich selber bilden und machen so gut ich's kann. Das kleine Gedicht, was ich hier für *Clemens* sende, hab ich mit innerlichem Schauen gemacht, es gibt eine Wahrheit der Dichtung, an die hab ich bisher geglaubt. Diese irdische Welt, die uns verdrießlich ist, von uns zu stoßen wie den alten Sauerteig, in ein neues Leben aufzustreben, in dem die Seele ihre höheren Eigenschaften nicht mehr verleugnen darf, dazu hielt ich die Poesie geeignet; denn liebliche Begebenheiten, reinere Anschauungen vom Alltagsleben scheiden, das ist nicht ihr letztes Ziel; wir bedürfen der Form, unsere sinnliche Natur einem gewaltigen Organismus zuzubilden, eine Harmonie zu begründen, in der der Geist ungehindert einst ein höheres Tatenleben führt, wozu er jetzt nur gleichsam gelockt wird durch Poesie, denn schöne und große Taten sind auch Poesie, und Offenbarung ist auch Poesie, ich fühle und bekenne alles mit Dir, was Du dem *Ebel* auf der Spazierfahrt entgegnetest, und ich begreife es in Dir als Dein notwendigstes Element, weil ich Deine Strömungen kenne und oft von ihnen mitgerissen bin worden, und noch täglich empfinde ich Deinen gewaltigen Wellenschlag. Du bist die wilde Brandung, und ich bin kein guter Steuermann, glücklich durchzuschiffen, ich will Dich gern schirmen gegen die Forderungen und ewigen Versuche des *Clemens*, aber wenn auch in der Mitte meines Herzens das feste Vertrauen zu Dir und Deinen guten Sternen innewohnt, so zittert und erbebt doch alles rings umher furchtsam in mir vor Menschensatzung und Ordnung bestehender Dinge, und noch mehr erbebe ich vor Deiner eignen Natur. Ja, schelte mich nur, aber Dir mein Bekenntnis unverhohlen zu machen: mein einziger Gedanke ist, wo wird das hinführen? — Du lachst mich aus, und kannst es auch, weil eine elektrische Kraft Dich so durchdringt, daß Du im Feuer ohne Rauch keine Ahnung vom Ersticken hast. — Aber ich habe nichts, was mich von jenem lebenerdrückenden Vorläufer des Feuers rette, ich fühle mich ohnmächtig in meinem Willen, so wie Du ihn anregst, obschon ich empfinde, daß Deine Natur so und nicht anders sein dürfte, denn sonst wär sie gar nicht, denn Du bist nur bloß das, was außer den Grenzen, dem Gewöhnlichen unsichtbar, unerreichbar ist; sonst bist Du unwahr, nicht Du selber, und kannst nur mit Ironie durchs Leben gehen.

Brief an die Bettine von 1805 (und 1804, 1802)

*[S. 465]* Ich suche in der Poesie wie in einem Spiegel mich zu sammeln, mich selber zu schauen und durch mich durchzugehen in eine höhere Welt, und dazu sind meine Poesien die Versuche. Mir scheinen die großen Erscheinungen der Menschheit alle denselben Zweck zu haben, mit diesen möcht ich mich berühren, in Gemeinschaft mit ihnen treten und in ihrer Mitte unter ihrem Einfluß dieselbe Bahn wandeln, stets vorwärts schreiten mit dem Gefühl der Selbsterhebung, mit dem Zweck der Vereinfachung und des tieferen Erkennens und Eingehens auf die Übung dieser Kunst, so daß wie äußerlich vielleicht die hohen Kunstwerke der Griechen als vollkommne göttliche Eingebung galten und auf die Menge als solche zurückstrahlten und von den Meistern auch in diesem Sinn mit dieser Konzentration aller geistigen Kräfte gebildet wurden, so sammelt sich meine Tätigkeit in meiner Seele; sie fühlt ihren Ursprung, ihr Ideal, sie will sich selbst nicht verlassen, sie will sich da hinüberbilden.

*[S. 466 f.]* [...] ich glaube, daß nichts wesentlicher in der Poesie sei, als daß ihr Keim aus dem Inneren entspringe; ein Funke aus der Natur des Geistes sich erzeugend ist Begeistrung, sei es aus welchem tiefen Grund der Gefühle es wolle, sei er auch noch so gering scheinend. Das Wichtige an der Poesie ist, was an der Rede es auch ist, nämlich die wahrhaftige unmittelbare Empfindung, die wirklich in der Seele vorgeht; sollte die Seele einfach klar empfinden und man wollte ihre Empfindung steigern, so würde dadurch ihre geistige Wirkung verloren gehen. —
Der größte Meister in der Poesie ist gewiß der, der die einfachsten äußeren Formen bedarf, um das innerlich Empfangne zu gebären, ja dem die Formen sich zugleich mit erzeugen im Gefühl innerer Übereinstimmung.

2 Der Dom zu Cölln. Ein Fragment (Aus dem Nachlaß) = Werke, Bd. III.

*[S. 7—9]* Fünffach wölbt sich die Dekke auf Gruppen gothischer Säulen,
Höher hebt sich der Chor, stolzer getragen empor,

Schön ist das Innre geziert mit Erzen und Marmor und Teppchen
Und ein purpurner Tag bricht durch die farbigen Fenster. —
Aber dort, wo die Dunkelheit dichter sich webt durch die Säulen,
Hauchet ein Modergeruch dumpf aus der Tiefe herauf,
Alda schlafen die Helden der Kirche im hüllenden Sarge
Und ihr Bildniß ruht drauf, sie falten die Hände zum Beten,
Und ihr starrender Blick hat sich zum Himmel gewandt.
Staunend seh ich sie an, mir ist, als müßten sie reden,
Aber sie starren noch fort, wie sie es Jahrhunderte thaten
Und mich schauert so tief, daß also stumm sind die Todten.
Doch da hebt sich Gesang, und Orgeltöne, sie schweben
Feiernd die Dome hinauf, wo glänzende Heilige beten
Aber es wandlen die Töne sich und in Fitt'che der Engel
Und umrauschten melodisch wogend die heiligen Bilder.
Und zum Himmel verkläret sich alles — Musik, und Farben, und Formen,
Aus dem entzückten Auge verschwinden die Gräber, die Todten,
Und den stummen Grüften entsteiget ein freudiges Jauchzen. —
Ja ich habe die Auferstehung gesehen im Auge des Geistes.
Und das Leben der Kunst, es führte die Seele zum Himmel.
Dichtkunst! Du Seele der Künste, Du die sie alle gebohren,
Du beseelest das Grab, steigest zum Himmel empor.

3 Tendenz des Künstlers (Aus dem Nachlaß) = Werke, Bd. III.

*[S. 21 f.]* Sage! was treibt doch den Künstler, sein Ideal aus dem Lande
Der Ideen zu ziehn, und es dem Stoff zu vertraun?
Schöner wird ihm sein Bilden gelingen im Reich der Gedanken,
Wäre es flüchtiger zwar, dennoch auch freier dafür,
Und sein Eigenthum mehr, und nicht dem Stoff unterthänig.

Frager! der du so fragst, du verstehst nicht des Geistes Beginnen,
Siehst nicht was er erstrebt, nicht was der Künstler ersehnt.
Alle! sie wollen unsterbliches thun, die sterblichen Menschen.
Leben im Himmel die Frommen, in guten Thaten die Guten,
Bleibend will sein der Künstler im Reiche der Schönheit,
Darum in dauernder Form stellt den Gedanken er dar.

4 Aus dem Nachlaß = Werke, Bd. III.

*[S. 117]* Meine Ansicht vom Sterben ist die ruhigste. Ein Freund ist mir bei seinem Leben was mir die Gramatik ist, stirbt er so wird er mir zur Poesie. Ich wollte lieber von meinem besten Freund nichts wissen als irgend ein schönes Kunstwerk nicht kennen.

# XXII Georg Anton Friedrich Ast (1778—1841)

System der Kunstlehre oder Lehr- und Handbuch der Aesthetik. Leipzig: Hinrichs 1805.

*[S. 23 f. § 21]* Poesie ist die Indifferenz des Absoluten, des rein Göttlichen und des Geistes, des Menschlichen; das Absolute also, welches rein absolut nur vom Absoluten, göttlichen Geiste aufgefaßt werden kann, wird in ihr vermenschlicht, und erscheint in der Besonderheit dargestellt, folglich sinnbildlich. Denn wird die Anschauung des Absoluten auf das Menschliche und Endliche bezogen, also angehalten und begränzt, so wird das Absolute auf menschliche Weise und im Endlichen angeschaut; das Göttliche vermählt sich mit dem Irdischen, und beide verneuen und durchdringen sich zu einem gemeinschaftlichen Produkte, dem Bildnisse des Absoluten, im Kunstwerke. Die Poesie ist demnach die Offenbarung und Menschwerdung Gottes. Das reelle und positive Element in ihr ist das Göttliche, und der Geist, der vom Absoluten losgerissen und dem real-Unendlichen entgegengesetzt, das Absolute nur auf besondere, endliche und menschliche Weise auffaßt, also die an sich unendliche Anschauung durch seine Besonderheit die Form des Irdischen begränzt, ist das ideelle und negative Element der Poesie. Sonach wird durch die menschliche Anschauung des Absoluten das Absolute selbst begränzt, d. h., es nimmt eine endliche Form und Gestaltung an, und wird zum Symbole des rein-Absoluten, indem es die unendliche Unbedingtheit und freye Lebendigkeit desselben in einer bestimmten Form wiederstrahlen läßt.

*[S. 27 § 23]* Sonach ist Religion der gemeinsame Mittelpunkt, von welchem Poesie und Philosophie ausgehen.

*[§ 24]* Durch dieses Losreißen der beiden Elemente der Religion aus ihrer ursprünglichen Eintracht ist ein ewiger Kampf zwischen beiden gesetzt, ein Dualismus der Poesie und Philosophie. Denn das, was die Poesie darstellt, vernichtet die Philosophie wieder, indem sie das Besondere und Endliche auf das Absolute und Unendliche bezieht. Die Poesie nemlich hat das Bestreben, das positive Bilden in einem Produkte festzuhalten, und das Absolute gleichsam

einzukerkern in die Form und Gestaltung des Irdischen und Endlichen; die Philosophie hingegen strebt nach der reinen Erkenntniß des Absoluten, und vernichtet alles positiv Gebildete, indem sie dem Geiste der Schöpfung nachforscht [...]

*[S. 37 f. § 33]* [...] die Poesie an sich die Indifferenz der Religion und Philosophie. Tritt aber die Religion, als das positive Element der Poesie, hervor, so erzeugt sich die objektive (griechische) Poesie, die in den Sinnbildern des Göttlichen lebt. Die positive Poesie geht demnach von religiöser Begeisterung aus, und offenbart ihre religiösen Anschauungen in reell dargestellten Ideen, in Sinnbildern des Absoluten, d. h., in Mythen. Dies ist der Realismus der Poesie. Ist aber in der Poesie nicht die objektive Anschauung des Absoluten, sondern die Philosophie, der Geist der Erkenntniß vorherrschend, so entspringt der Idealismus der Poesie, die romantische Poesie, die in der subjektiven Erkenntniß des Göttlichen lebt, also in der Liebe und Sehnsucht nach dem Absoluten, welches hier ein ideales, also subjektiv empfundenes oder frey erschaffenes ist, nicht ein reales, unmittelbar gegebenes und objektiv darstelltes, wie bey den Griechen. Die absolute Poesie wird demnach seyn die Poesie der wahren Schönheit oder der zur Natur gebildeten Liebe, die Poesie des absolut gebildeten Menschen, in welchem sich Natur und Liebe, Schönheit und Wahrheit (griechische und romantische Bildung) absolut durchdringen. Die vollendete idealische Poesie, oder die Poesie an sich, ist folglich die absolute Durchdringung der griechischen und romantischen Kunst.

*[S. 40 § 35]* Wenn nun Poesie die Durchdringung der Religion und Philosophie, der Absolutheit und Wahrheit ist, so beruht ihr Wesen auf der Eintracht des Absoluten, des Realen, der Wahrheit und Wesenheit an sich, und des Besonderen, des Idealen, der idealen oder erscheinenden Wahrheit, also auf der Darstellung und Erscheinung des Absoluten im Besonderen, d. h., auf der Schönheit. Die Schönheit ist demnach ein Gleichniß und Symbol des Absoluten, weil sie das Absolute nicht an sich, sondern als ein vom menschlichen Geiste aufgefaßtes und gebildetes, also in einer irdischen Form begränzt offenbart.

*[S. 41 f. § 36]* So wie daher die Poesie selbst sinnbildliche Dar-

stellung des Absoluten und eine Blüthe der Religion ist, so sind ihre besondere Darstellungen und Produktionen, die Gedichte und Kunstwerke, selbst nur Blüthen Einer Blume, und machen in sich selbst wieder Ein Gedicht aus. Denn gleichwie die Poesie das Absolute in der Besonderheit erscheinen läßt, und also ein Individuum des Absoluten ist, so sind auch ihre Besonderheiten selbst wieder Individuen Einer Gattung, der Kunst an sich [...]

*[S. 58 § 50]* [...] Demnach ist die Poesie das erste und unmittelbare Element der Religion, so wie die unmittelbarste Offenbarung des Absoluten und Göttlichen.

*[S. 115 f. § 106]* [...] Sonach sind Plastik, Musik und die mimische Tanzkunst in der Oper der Körper und die Leiblichkeit der Poesie, und die Poesie lebt in der Idealität, im unsichtbaren Centrum ihrer Schöpfungen. Poesie ist folglich der Geist und das ewige, unsichtbare Centrum aller Kunst, oder der absolute Bildungstrieb selbst; und die anderen Künste alle sind der Körper, der Organismus der Poesie, die Offenbarung des Geistes im Realen.

*[S. 117 § 107]* [...] Die Kunst der freythätigen Absolutheit des Geistes ist die P o e s i e, die Kunst aller Künste, und vorzugsweise, schöpferische Kunst ποιησις genannt; weil sie das Absolute selbst absolut, d. h., aus freyer Kraft und sich selbst setzender Thätigkeit erschafft; denn der Geist in der Einheit des Anschauens und Empfindens, d. h., im Denken, ist ideale Absolutheit.

*[S. 118 § 108]* [...] Das Organ jener Künste ist Anschauen (in der Plastik) und Empfinden (in der Musik), das Organ der Poesie, der absoluten Kunst, Phantasie, d. h., geistige, innerliche, also sich selbst setzende, absolute Anschauung, in welcher sich Realität und Idealität zur idealen Einheit durchdringen. Die Poesie stellt demnach die Absolutheit in der höchsten Vollendung, auf der geistigsten Stufe des menschlichen Bildens dar, und läßt sie in einem Elemente erscheinen, welches selbst der absolutesten Bildung fähig ist. Darum ist die Poesie der Gipfel der Kunst.

*[S. 120 § 110]* Die Poesie ist darum, als die Kunst des Geistes, die höchste und universellste Kunst, in welcher sich alle andere Formen der Kunst, der Plastik, wie der Musik, zur absoluten und ursprüng-

lichen Einigkeit durchdringen. Daher verhält sich die Poesie zur Kunst, wie die Kunst an sich zur Kunst; denn sie ist die Kunst vorzugsweise, die Kunst der Kunst, die Wurzel und die Blüthe aller Kunst, deren Zweige Plastik und Musik sind.

*[S. 260 f. § 214]* Bricht aber der poetische Geist durch die in der Anschauung oder der Erkenntniß gegebene Wesenheit hindurch, so daß er auch in der Form und der Behandlung sein absolut freybildendes Vermögen offenbart, so erzeugt sich die der rein-historischen, objektiven und realen Geschichte oder Erzählung entgegengesetzte Gattung der subjektiven und idealen Erzählung, die Novelle und der Roman, [...] in welchem sich das Individuelle zum Universum erweitert, das Endliche im Unendlichen lebt, das Prosaische im Poetischen spielt, die Geschichte in Poesie aufgelöst ist, und die Poesie selbst in der Tiefe des Gemüths zur Philosophie wird, oder umgekehrt die Philosophie, die Selbsterkenntniß, zur Poesie, zur Anschauung eines Universums, sich zurückbildet. Sonach ist der Roman, in seiner Vollendung gedacht, die höchste Blüthe der Kunst und die Einheit aller Poesie.

*[S. 265 § 217]* [...] Durch den Roman also, in welchem sich alle Gattungen und Formen der Kunst zur Absolutheit durchdringen, stellt sich die Poesie selbst in der Unendlichkeit ihrer Elemente, in ihrem reichen und harmonischen, zur Vielheit aus der Einheit zurückgebildeten Leben, selbst als ein Epos dar, aber als ein verklärtes, als ein Liebe- und Geist-Durchdrungenes. Und so kehrt durch den Roman die Poesie, selbst zum Epos, d. i., zur Gesammtheit und Totalität gebildet, in ihren Anfangspunkt zurück, und der Kreis ihrer Bildungen schließt sich in ihrer eigenen Absolutheit.

# XXIII Johann Christian August Ferdinand Bernhardi (1769—1820)

Anfangsgründe der Sprachwissenschaft. Berlin: Froelich 1805.

*[S. 349—353 § 106]* Von der Darstellung der Dichtkunst

Wir sind jetzt in den unbedingten Gegensatz der Wissenschaft eingetreten, in den der Dichtkunst, und wenn erst von dieser bewiesen ist, daß sie nothwendig und wesentlich Sprachdarstellung fordere: so wird so fort erhellen, daß auch hier alles umgekehrt erfolgen müsse wie oben. [...]

2) Die Dichtkunst ist diejenige freie Darstellung der Einbildungskraft, welche das absolut Innere darstellt. [...] Es wird nöthig seyn, hiebei zu erinnern, daß die Dichtkunst, wenn sie etwas Aeußeres an sich, z. B. im Epos, Drama u. s. w. darstellt, dies erst zu einem Innern macht, die Aeußerlichkeit innerlich darstellt.

3) Der Character der Dichtkunst muß auch in ihrer Darstellung liegen; und da ihre Darstellung eine freie ist [...] so wird sie nach absoluter Verständlichkeit streben.

4) Die Dichtkunst stellt dar ein absolut Inneres und das Aeußere selbst mit dem Charakter des innerlich geworden Seyns, in ihrem Darstellungsmaterial muß ein doppeltes Merkmal liegen, einmal muß es das Innere sowohl als das Aeußere darstellen können und darneben muß es noch das Innere an sich bezeichnen.

5) Die Dichtkunst ist ein Produkt der Imagination, auch dies muß ihrer Darstellung einen solchen Charakter geben, der sie sogleich von der Verstandes-Darstellung unterscheidet.

6) Unsere Frage ist demnach: Wie wird die Dichtkunst sich darstellen lassen als frei, imaginativ und als Inneres?

7) Die Darstellung hat zwei Formen, [...] die Nachahmung und das willkührliche Zeichen. Da die Nachahmung [...] eine absolute Verständlichkeit mit sich führt, so ist sie unstreitig dasjenige, was sich den freien Darstellungen anschließt, dies wird noch klarer, wenn man erwägt, daß das nachahmende Zeichen unmittelbar der Einbildungskraft, und in dieser Hinsicht dem imaginativen Produkt am nächsten liegt.

8) Die Nachahmungen sind entweder räumlich, oder successiv [...] und es kann keinem Zweifel unterworfen seyn, daß die Dichtkunst, welche etwas absolut Inneres ist [...] und sogar das Aeußere in ein Inneres auflößt, sich für die Reihen ihrer Bilder successiver Nachahmungen bedienen müsse.
9) [...] wenden sich alle successive Zeichen an das Gehör, und daher muß das Material, in welchem die Dichtkunst darstellt, ein successives, nachahmendes Gehörszeichen seyn.
10) Dazu qualificirt sich in jeder Hinsicht der Ton. Er ist ein successives Gehörszeichen [...], er ist, wie ihn die Musik braucht, nachahmend, folglich absolut verständlich und imaginativ, er drückt das Innere, die Empfindung aus.
11) Aber eben diese letztere Eigenschaft macht ihn für die Darstellung der Dichtkunst unbrauchbar. Denn der Ton drückt nur das Innere als Inneres äußerlich aus, die Dichtkunst aber, will das Aeußere, sofern es innerlich geworden, als innerlich gewordenes Aeußerliche ausdrücken. Nr. 4.
12) Könnten wir daher dem Tone das Nachahmende lassen, ihm aber die Einseitigkeit nehmen, daß er Empfindungen allgemein und als solche ausdrückt, ihm dagegen hinzufügen, daß er Sphären und Aeußeres darstellte, so wäre das Gesuchte gefunden.
13) Dies geschieht durch die Articulation, und also durch den articulirten Ton, durch die Sprachzeichen, welche demnach das einige Darstellungsmaterial der Dichtkunst seyn können.
14) Allein dies hat uns dem Anscheine nach, ganz von unserer Bahn verschlagen, denn indem wir den nachahmenden Ton auf die Articulation überzutragen genöthigt sind und er also Sprachzeichen wird, geht seine nachahmende Kraft verloren, welche nie sehr groß ist [...] und wir haben statt der nachahmenden Zeichen willkührliche erhalten.
15) Da aber die Dichtkunst nothwendig auf articulirte Töne führt und diese eben so nothwendig willkührlich sind, so muß das Bestreben des Dichters darauf gerichtet seyn, diese willkührlichen Zeichen in nachahmende zu verwandeln und sie dadurch zur absoluten Verständlichkeit zu erheben, wenigstens sie näher an dieselbe zu führen. So wie demnach oben der Prosaist der höchsten Art der Philosoph nemlich, das Imaginative der Sprachzeichen

vernichtete, eben so sehr muß es der Dichter aufsuchen und wiederherstellen.

16) Das Produkt der Dichtkunst als ein Inneres und unendliches Streben und Erstrebtes der Intelligenz fällt unter die Geschichte, auch dies drückt die Darstellungsform sehr glücklich durch die partielle Verständlichkeit der Sprache aus. Jedes Produkt der Dichtkunst drückt eine bestimmte Nation, einen bestimmten Zeitpunkt in ihrer Geschichte, und durch den Styl einen einzelnen Verfasser aus [...]. Alle bildende Kunst dagegen hat ihr Urbild in der Natur und ist durch dasselbe ihrer Form nach eingeschränkt, sie hat ein feststehendes, mehr oder weniger erreichtes Ideal.

17) Allein die Willkühr des Sprachzeichens hat verschiedene Grade, und es muß daher als Princip festgesetzt werden, je höher die Poesie, je nachahmender und musikalischer das Zeichen, je näher der Prosa, je willkührlicher und unsinnlicher die Sprache.

*[S. 353—356 § 107]* Begriff der Dichtkunst und deren Arten

1) [...] Durch den vorigen §. ist erwiesen: Soll es eine Kunst mit den daselbst genannten Eigenschaften geben: so muß ihre Darstellung nothwendig Sprachdarstellung seyn und das Wesen dieser Sprachdarstellung ist: Verhältnißmäßige Erhöhung des imaginativen Stoffs in der Sprache und Erhebung der Willkühr des Sprachzeichens, oder articulirten Tons, zur Nachahmung oder zum musikalischen Ton.

2) Die Kunst, [...] und also auch die Dichtkunst, strebt durch Darstellung des Individuums, durch die Form des Realen, nach dem Idealen und Allgemeinen. Dieses Streben, so fern es sich in der Sprachdarstellung äußert, erhält den Namen: der Dichtkunst oder Poesie.

3) Die Poesie ist demnach diejenige Sprachdarstellung, welche ausdrückt: den Schein, die Idealität, die Schönheit und je mehr die poetische Gattung sich der Prosa nähert, nehmen diese Merkmale ab, und die prosaischen [...] erhalten das Uebergewicht.

4) Eine Erläuterung giebt die höchste Gattung der Poesie, die lyrische. Wie anders stellt der lyrische Dichter dar, seine Worte, Wendungen, das Sylbenmaaß, wie ganz anders gegen den Roman,

dem das Sylbenmaaß gänzlich fehlt, und der sich in Worten und Wendungen, der Sprache des gemeinen Lebens anschließt.

5) Die Erhöhung des articulirten Tons zum musikalischen aber, kann doppelt geschehen, einmahl formal und dann ist das Produkt das Metrum, sodann material, dann liegt es in der Wahl der Worte und deren Vokalumschwung.

6) So fern wir daher die Poesie der Prosa entgegenstellen, so können wir ihres imaginativen Strebens wegen, die erstere positiv: für Sprachdarstellung durch das Metrum erklären.

7) Und jetzt können wir [...] als Gattungen der Dichtkunst festsetzen: die lyrische, epische und dramatische, an welche sich [...] die Gattungen der prosaischen Poesie schließen: der Roman, das bürgerliche Drama und die poetische Prosa, wovon der erste der Gegensatz zwischen Geschichte und Dichtkunst, die andern aber abgeleitete Glieder aus dem Roman sind.

8) Hiemit wäre die Ordnung der folgenden Untersuchungen genau bestimmt, [...]

*[S. 356—358 § 108]* Grammatisches Princip der Poesie

1) [...] Das Princip der Poesie ist materialiter bestimmt im vorhergehenden und 106ten §., formaliter aber, §. 93. 11. und es ist daselbst durch das Wort P l u s und die Formel a+b dargestellt.

2) Dies ist aber auf dem grammatischen Felde nicht hinreichend, da a + b Vorstellungen sind, wir aber nach einem durch die Sprache dargestellten Princip suchen, wodurch allein die Sprachlehre selbstständige Wissenschaft wird. [...]

3) Dagegen wird Folgendes dem Ziele näher führen: Die Einbildungskraft, so fern der Dichter durch sie producirt, ist das Vermögen Bilder zu erschaffen und in der Sprache darzustellen. Da nun der Satz die nothwendige Form der Sprachdarstellung ist, so muß sich seiner auch der Dichter bedienen und durch ihn das Bild aussprechen.

4) In so fern ist die Sprachdarstellung des Dichters grade, wie die des Prosaisten ein Bilden der Substanzen, welches in die Sprachdarstellung übersetzt heißt: von Substantiven.

5) Allein diese Substanzen und Substantiven sollen Bilder seyn, [...] das heißt: ideale Individuen, es fragt sich demnach, welche

Art von Substantiven dem Begriffe der Individualität entsprechen, und da kann es nicht zweifelhaft seyn, daß grammatisch das Princip der Poesie dahin zu bestimmen sey: Sie wolle ein Substantivum Proprium hervorbringen. Denn das Proprium drückt aus: die individuelle Substanz und in der Formel a+b ist a, das durch +b gebildete Proprium [...].

6) Dieses Proprium ist das Plus, welches in sich relativ ist und ein Minus voraus setzt, wie das relative Minus wiederum ein Plus und wie könnte es [...] anders seyn, denn a+b gesetzt, wird ein c gesetzt, welches aber in der Kunst nie erscheint; c in der Wissenschaft gesetzt, wird a+b gesetzt, welches aber nur in der Wissenschaft als realer Begriff, nimmer als Realität erscheint.

7) Da die Kunst auf dem Schein ruht, so ist es nicht nöthig, daß dem + ein Seyn zukäme, es kann durchaus ideal seyn. Es ist genug, wenn es nur für ein + gehalten und das Bild mit der Realität momentan vertauscht wird, welches die Kunst durch den Namen Täuschung bezeichnet.

*[S. 359—368 § 109]* Von der poetischen Sprache

1) [...] Wir unterscheiden hier zuvörderst nicht die Dichtarten, sondern stellen die poetische Sprache der wissenschaftlichen ohne weiteres entgegen, sonst tritt die lyrische Sprache der philosophischen, die epische der historischen und die dramatische der rhetorischen gegenüber, [...]

2) Die poetische Sprache soll sich unterscheiden

a) Von der Sprache des gemeinen Lebens [...].

b) Von der wissenschaftlichen Sprache, [...].

c) So fern Dichtart der Dichtart entgegensteht ein jedes Glied dieser Abtheilung, sich gegenseitig von dem andern und zugleich von der romantischen Prose. [...]

3) Die poetische Sprache unterscheidet sich von der des gemeinen Lebens durch die Ungewöhnlichkeit an der Sprache des gemeinen Lebens gemessen.

4) Dies Merkmal theilt sie jedoch mit der sämmtlichen wissenschaftlichen Sprache [...], woraus die Ungewöhnlichkeit der rhetorischen Sprache von selbst folgt. [...] Die Dichtersprache unterscheidet sich aber von der wissenschaftlichen, durch das Streben

nach Produktion des imaginativen Stoffs, so fern dieser in dem articulirten Tone angetroffen wird.

5) Der articulirte Ton enthält aber imaginativen Stoff für die poetische Sprache auf vielerlei Art. [...]

6) Da die Poesie die Idealität und Schönheit ausdrückt, so ist auch diese in der Sprachdarstellung ihr einziges Gesetz und sie geschieht so frei und ungebunden, als die Form der Sprache, in welcher dargestellt wird, es erlaubt. Je formaler daher eine Sprache ist, je freier sind alle Constructionen der poetischen Sprache, je abweichender von der Verstandesform, der Construktion.

7) So frei indessen der Dichter ist, so wird er dennoch, neben den individuellen Sprachgesetzen, welche er um überhaupt verstanden zu werden beobachten muß, auch noch durch die von seinen Vorgängern begründete, von seinen Zeitgenossen anerkannte sanktionirte Dichtersprache gebunden. [...]

8) Gebunden, sagen wir, wird durch diese der Dichter allein, keinesweges gedrückt. Denn diese sanktionirte Dichtersprache, so fern sie sich durch ihre Ungewöhnlichkeit unterscheidet, ist ja entsprungen aus dem Gefühle der Einengung, sei es durch die Sprache des gemeinen Lebens, oder durch die wissenschaftliche Sprache und ist das Resultat der zerbrochenen Fessel. Hierzu kommt, daß die Sphären der Dichter untereinander gleich sind, daß alle auf einen Mittelpunkt hinarbeiten und daß daher ein jeder Vorgänger seinem Nachfolger eine bestimmte Reihe von Darstellungen durch die seinen erleichtert.

9) Indessen ist freilich die Poesie unendlich und der neue Dichter kann es nöthig haben eine seiner neuen Anschauungen neu zu bezeichnen, weil die Gattung es erlaubt und die Idee es fordert. Dann kann er von der sanktionirten Dichtersprache wieder abweichen und ein solcher von ihm erfundene, örtliche, individuelle Sprachgebrauch erhält den Namen der Licenz. [...]

10) Die Regeln für die Licenz, welche sich sogleich als wesentlich ergeben, sind folgende: [...]

11) Zu diesen Licenzen gehören sowohl die Archaismen, welche veraltete Wendungen und Wörter aus der Sprache des gemeinen Lebens, noch häufiger aber aus der Dichtersprache wieder erwecken, als auch die Neologismen, welchen Namen neu er-

schaffene Wörter erhalten. Nicht minder endlich bei nachahmenden Nationen, die aus der Sprache der nachgeahmten Nation in die ihrige übergetragenen, z. B. die Gräcismen im Lateinischen.

12) Noch ist aber keinesweges erörtert, wie sich die Gattungen der poetischen Darstellung: das lyrische Gedicht, das Epos und Drama gegenseitig von einander unterscheiden, Nr. 2. c. und diese Untersuchung wird den §. schließen. Wir wollen aber mit derselben eine andere Untersuchung verknüpfen, nemlich die: Es ist eben behauptet worden: die Dichtkunst fasse das Innere sowohl als das Aeußere mit der Einbildungskraft auf, und stelle es als ein inneres Bild wieder dar durch die Sprache.

13) Wenn dem so wäre, so müßte nicht nur jedes Gedicht als Ganzes, sondern auch jeder einzelne Theil desselben ein Bild seyn, welches nicht ist. Woher dieses entstehe, wie eine jede der Dichtarten ein Element in sich trage, welches diesem widerspricht, und wie dieser Widerspruch aufgehoben werde? dies wollen wir mit dieser Untersuchung verbinden.

14) Daß die Sprache an sich, einen sehr schwankenden Charakter habe, erhellt unwidersprechlich daraus, daß sie sowohl zur gemeinen Verständigung, als zur wissenschaftlichen und poetischen Darstellung gebraucht wird. Daß sie in jeder dieser zwei letztern Funktionen etwas eigenthümliches habe, welches wir durch wissenschaftliche und poetische Sprache charakterisirt haben, versteht sich. Eben so leicht ist einzusehen, daß wenn die Sprache einmal imaginativ oder wissenschaftlich bestimmt worden, die einzelne dem widersprechende Partie, auf die Darstellung im Allgemeinen bezogen wird. In einem Beispiele: Ein Gedicht sei also organisirt, daß sich im Laufe desselben eine philosophische Untersuchung anspinne, so wird freilich die Sprache sich dem philosophischen nähern. Abgerechnet, daß das Sylbenmaaß immer das poetische gegenwärtig erhält, wird auch das empfangende Subject immer durch die vorhergehende reine poetische Sprache es sich gegenwärtig erhalten, daß es im Gebiete der Poesie sei und das philosophische, bilderlose Streben hier untergeordnet.

15) Wenn man zuvörderst mit diesen Principien die Redetheile ansieht, so sind schon einige derselben im höhern Grade poetisch als andre. Das Substantiv, welches durch ein hinzugesetztes Parti-

cipium jederzeit in ein handelndes Wesen, in eine Vernunft verwandelt wird, ist dies im höchsten Grade, nur freilich achtet man auf diese Poesie der Sprache nicht, weil dasselbe Zeichen hier wissenschaftlich, dort im gemeinen Leben gebraucht wird. Richtig ist es aber dennoch, daß der Ausdruck: der grünende Baum, so wie man nur auf die Darstellung merkt, poetisch ist, [...] und eine Personification enthält; weniger poetisch ist das Adjectiv und am wenigstens kommen die Particuln als Hülfsmittel und Ergänzungen der Sprachdarstellung in Betrachtung.

16) Sieht man auf die einzelnen Dichtungsarten, so steht das lyrische Gedicht [...], welches das reine Innre, die bloße Empfindung abgesondert von der erregenden Substanz darstellt, als das kühnste in der Sprachdarstellung oben an. Hier sind die dreistesten Bilder, die seltensten, ältesten und kühnsten Wortfügungen, die gewagtesten Licenzen. In der grammatischen Sphäre wird dies ausgedrückt durch das Adjectiv, in Hinsicht der Sprache in der prosaischen Reihe, steht es der philosophischen entgegen. Da es aber das Innere andeutet und die äußern Objecte nur als erläuternd und verstärkend aufnimmt, so ist die Bildlichkeit der lyrischen Poesie eine ganz andere, wie die der übrigen Dichtarten; und da die Empfindung rein gedacht das Heftigste und Eingreifendste ist, so können wir schon hier folgern, daß, so fern die Darstellung durch das Metrum geschieht, dieses in kürzern Versen und in heftigern Rhythmen geschehen müsse.

17) Das epische Gedicht, welches das Aeußere, abgesondert von der Empfindung darstellt, hat den gedämpftesten und ruhigsten Ton in der Sprachdarstellung, welche sich in der prosaischen Reihe der historischen Gattung nähert. Im Epos liegt mehr wie in jeder andern Dichtart das prosaische Bestreben der Mittheilung; und ob dies gleich nur Form ist, so müssen doch, da die Handlung nach allen ihren Momenten vor Augen gerückt wird, im Fortschreiten derselben bloß Punkte für die Verständlichkeit entstehen, ohne Bildlichkeit und höhere poetische Anschauung. In der grammatischen Sphäre tritt ihm das Substantiv als das Aeußere ausdrückend gegenüber und so fern es in rhythmische Sprachdarstellungen gefaßt wird, kommen ihm die längern und ruhigeren Versarten zu.

18) Das dramatische Gedicht, welches beides die Handlung und die dadurch objektiv erregte Empfindung und zwar jene durch den Dialog, diese durch den Chor, welchen die moderne dramatische Darstellung durch Verstecken in den Dialog subjectiv bricht, darstellt, erhält auch eine aus der epischen Sprache und dem lyrischen Gedicht gebildete Darstellung. In der prosaischen Reihe steht ihm die rhetorische Prosa und in der Reihe der Redetheile das Participium gegenüber. Der Dialog selbst ist eine Form des gemeinen Lebens, und wenn gleich das Drama als Ganzes das Prädikat der Mittheilung gar nicht bei sich trägt, wie das Epos, so entsteht doch durch die dialogische Form selbst ein prosaischer Bestandtheil, welcher das Drama dem gemeinen Leben nähert. Ist aber der Chor abgesondert: so erhält er die höchste lyrische Sprache und Versart, wie dagegen der Dialog nach den Momenten der Entwickelung wechselnde Verse und zwischen der Ruhe des Epos und dem Sturze des lyrischen Gedichts mitten innen stehende.

*[S. 376—377 § 111]* Von dem Princip der prosaischen Poesie

1) Die prosaische Poesie entspringt eigentlich aus dem Gegensatze der reinen Geschichte und Dichtkunst [...] und zwar mit einem Uebergewichte auf der idealen oder poetischen Seite. [...]

2) Die Geschichte aber, so fern sie nicht der Dichtkunst im Ganzen entgegen gesetzt wird, sondern einer einzelnen Dichtart, steht dem Epos gegenüber. [...]

3) Diejenige Gattung der prosaischen Poesie, welche auf diese Art entsteht, muß die hauptsächlichste und ursprünglichste seyn, von welcher die anderen Gattungen nur nach poetischer Analogie abgeleitet sind, und einen untergeordneten Werth haben. [...]

4) Das Princip des Epos sowohl, als der historischen Prosa, ist Succession der Begriffsreihen, rein faktische Darstellung durch Sprache, [...] Ruhe, Besonnenheit und Einheit des Styls [...]. Dasselbe findet im Epos statt. [...]

5) Daher wird das Princip der sich auf solche Art bildenden Gattung, ebenfalls die Succession seyn und die Erzählung, und da ein Uebergewicht auf der idealen Seite bei dieser Gattung statt findet, so wird das Ganze als Dichtung unter der Form der Realität gegeben werden.

6) Die Sprachform der Realität aber ist Prosa und daher wird die ganze Gattung vom Sylbenmaaße entbunden seyn.

7) Daraus folgt aber nicht, daß diese Prosa nicht nach der idealen Seite neigen sollte und wenn dies bei der Prosa geschieht, so entspringt daraus die Periode. [...]

8) Die hauptsächlichste Form der prosaischen Poesie wäre demnach ihrem Principe nach, rein successiv, erzählend und episch, sich daher der Sprache des gemeinen Lebens nähernd, Dichtung enthaltend, in der Form der Periode fortschreitend.

*[S. 378—380 § 112]* Von dem Roman und den Ableitungen aus demselben

1) Diejenige Dichtart, bei welcher die im vorigen §. verlangten Eigenschaften zusammentreffen, ist; der Roman.

2) Der Roman soll sich seinem Inhalte nach von der Geschichte unterscheiden, dies kann er aber nicht anders als dadurch, daß er ein Individuum als solches, zwar vollendet in künstlerischer Hinsicht, allein unbedeutend gegen den Zweck der Geschichte aufstellt, der Roman ist Privatgeschichte und am nächsten kommt ihm unter den historischen Darstellungen die Biographie.

3) Nur stellt freilich die letztere das Individuum in Beziehung auf den Staat und Weltbegebenheiten, seyen sie politischer, literarischer, oder religiöser Art auf, der Roman das Individuelle, das Leben an sich und die Poesie in demselben.

4) Dies alles drückt sich auch in der Sprache aus. Sie muß, wie wir oben sahen, periodisch seyn, aber die epischen Perioden des Romans unterscheiden sich sehr von den lyrischen des Redners. Wenn diese unmittelbar auf den Affekt gehen: so geht die romantische Periode auf das Historische und schreitet mit der Milde und Ruhe des Geschichtschreibers einher. Wenn der Redner durch die Periode auf tragische Affekte, als Haß oder Mitleid hinarbeitet: so lenkt der Dichter durch sie das Gemüth zur Heiterkeit und sanftem Lächeln, oder Trauer.

5) Indessen sind freilich die Romane ihrer Form und Zwecke nach sehr verschieden, und folglich auch die Sprachdarstellung derselben, und eben so natürlich war es, daß man die Realität und

das Leben, welches der Roman episch darstellt, dramatisch aufzufassen sich bemühte, und so entstand das bürgerliche Drama.

6) Soll diese enge und kleinliche Gattung einen Werth haben, welches überdies noch leichter im Komischen als im Tragischen ist, so muß sich die Prosa genau an die des gemeinen Lebens schließen und alle dialogische Figuren erhalten hier einen großen Grad von Wichtigkeit.

7) Auch hier giebt es verschiedene Arten die Realität aufzufassen und nachdem eine mehr, die andere weniger dem ächt poetischen nahe liegt, so ist auch die Sprache dieser Dramen dem metrischen Drama näher oder entfernter.

8) Noch gehört hieher die lyrisch-prosaische Poesie, die sogenannte poetische Prosa. Schon der Umstand, daß der Roman die Grundform der ganzen prosaischen Posie ist, und daß die poetische Prose nichts Historisches ihrem Wesen nach aufnehmen kann, muß gegen diese Art sprechen. Es giebt auch keine einzige Stimmung des Gemüths, oder Ansicht der Dinge, auf welche diese Gattung fußte. Sie wird daher immer eine merkwürdige Verirrung und Verwirrung bleiben und weder in grammatischer noch poetischer Hinsicht eine Betrachtung verdienen.

9) Wir schließen unsere Betrachtung der Prosa und Poesie mit der Bemerkung, daß wir von dem syntaktischen Theile aus, uns nach und nach wieder an den Anfang des etymologischen zurückgearbeitet haben. Der Satz war gleich, hieß es dort, einem Substantiv mit einer Inhärenz. Bei der Betrachtung der Prosa wurde gesagt: Sie wolle durch den Satz ein Substantivum Appellativum, bei der Poesie: Sie wolle ein Substantivum proprium hervorbringen. Es fehlt also nur noch ein Schritt, durch welchen die Sprache in den Elementartheil und zwar auf ihr letztes Element auf den Vocal und die Interjection zurückgeht, um ihren Kreislauf vollendet zu haben, und mit einem Schlage alle Strebungen zu erfüllen. Dies geschieht durch das Sylbenmaaß und den Vers, [...]

## XXIV Bonaventura

Die Nachtwachen des Bonaventura. Penig: Dienemann 1805. (Neudruck, hg. von F. Schultz. Leipzig: Insel 1909).

*[S. 1 f.]* [...] ich war froh ein einzelnes mattes Lämpchen noch hoch oben über der Stadt auf einem freien Dachkämmerchen brennen zu sehen.

Ich wußte wohl, wer da so hoch in den Lüften regierte; es war ein verunglückter Poet, der nur in der Nacht wachte, weil dann seine Gläubiger schliefen, und die Musen allein nicht zu den letzten gehörten.

Ich konnte mich nicht entbrechen folgende Standrede an ihn zu halten:

„O du, der du da oben dich herumtreibst, ich verstehe dich wohl, denn ich war einst deinesgleichen! Aber ich habe diese Beschäftigung aufgegeben gegen ein ehrliches Handwerk, das seinen Mann ernährt, und das für denjenigen, der sie darin aufzufinden weiß, doch keinesweges ganz ohne Poesie ist. Ich bin dir gleichsam wie ein satirischer Stentor in den Weg gestellt, und unterbreche deine Träume von Unsterblichkeit, die du da oben in der Luft träumst, hier unten auf der Erde regelmäßig durch die Erinnerung an die Zeit und Vergänglichkeit. Nachtwächter sind wir zwar beide; schade nur daß dir deine Nachtwachen in dieser kalt prosaischen Zeit nichts einbringen, indeß die meinigen doch immer ein Uebriges abwerfen. Als ich noch in der Nacht poesirte, wie du, mußte ich hungern, wie du, und sang tauben Ohren; das letzte thue ich zwar noch jetzt, aber man bezahlt mich dafür. O Freund Poet, wer jezt leben will, der darf nicht dichten! Ist dir aber das Singen angebohren, und kannst du es durchaus nicht unterlassen, nun so werde Nachtwächter, wie ich, das ist noch der einzige solide Posten wo es bezahlt wird, und man dich nicht dabei verhungern läßt. — Gute Nacht, Bruder Poet."

*[S. 6 f.]* Mein Poet hatte das Licht ausgelöscht, weil der Himmel leuchtete und er dies leztere für wohlfeiler und poetischer zugleich hielt. Er schauete hoch droben in die Blitze hinein, im Fenster liegend, das weiße Nachthemd offen auf der Brust, und das schwarze

Haar struppig und unordentlich um den Kopf. Ich erinnerte mich an ähnliche überpoetische Stunden, wo das Innere Sturm ist, der Mund im Donner reden, und die Hand statt der Feder den Blitz ergreifen möchte, um damit in feurigen Worten zu schreiben. Da fliegt der Geist von Pole zu Pole, glaubt das ganze Universum zu überflügeln, und wenn er zulezt zur Sprache kommt — so ist es kindisch Wort, und die Hand zerreißt rasch das Papier.

Ich bannte diesen poetischen Teufel in mir, der am Ende immer nur schadenfroh über meine Schwäche aufzulachen pflegte, gewöhnlich durch das Beschwörungsmittel der Musik. Jezt pflege ich nur ein paarmal gellend ins Horn zu stoßen, und da geht's auch vorüber.

Ueberall kann ich allen denen, die sich vor ähnlichen poetischen Ueberraschungen wie vor einem Fieber scheuen, den Ton meines Nachtwächterhorns als ein ächtes *antipoeticum* empfehlen. Das Mittel ist wohlfeil und von großer Wichtigkeit zugleich, da man in jetziger Zeit mit Plato die Poesie für eine Wuth zu halten pflegt, mit dem einzigen Unterschiede, daß jener diese Wuth vom Himmel und nicht aus dem Narrenhause herleitete.

Mag dem indeß sein, wie ihm wolle, so bleibt es doch heut zu Tage mit der Dichterei überall bedenklich, weil es so wenig Verrückte mehr giebt, und ein solcher Ueberfluß an Vernünftigen vorhanden ist, daß sie aus ihren eigenen Mitteln alle Fächer und sogar die Poesie besetzen können. Ein rein Toller, wie ich, findet unter solchen Umständen kein Unterkommen. Ich gehe deshalb auch nur jezt blos noch um die Poesie herum, das heißt, ich bin ein Humorist worden, wozu ich als Nachtwächter die meiste Muse habe.

# XXV Adelbert von Chamisso (1781—1838)

Werke = Werke. Hg. von H. Tardel. 2 Bde. Leipzig und Wien: Bibliographisches Institut o. J.
Briefe = Werke. 3. Aufl. Bd. V u. VI: Leben und Briefe. Hg. von J. E. Hitzig. Leipzig: Weidmann 1852.

1 Brief an Karl August Varnhagen und Wilhelm Neumann vom 27. und 28. Juli 1806 = Briefe, Bd. V.

*[S. 159]* Dies Gespräch brachte uns auf eine Theorie, wie etwa aus einer Geschichte ihr Roman, aus diesem Roman sein Märchen, aus dem Märchen vielleicht noch sein Gesang zu ziehen sei, — oder doch immer so potenzirend, oder ausziehend, jegliches stufenweise bis zu seiner Musik zu führen und darzustellen sei. — Mit Pellegrin fielen wir auf eine andere Theorie, die eines Drama, des höchsten vielleicht, wo die für sich höchst tragischen Figuren das höchste Komische gebären, und wiederum die für sich höchst komischen das gräßlichste Tragische.

2 Brief an Julius Eduard Hitzig vom 25. Februar 1816 = Briefe, Bd. VI.

*[S. 37]* Der Polarstern (τὸ τοῦ πόλου ἄστρον) ist untergegangen, und das werden wir auch zu unserer Zeit thun; die Kälte kommt vom Süden und der Mittag liegt im Norden; man tanzt am Weihnachtsabend im Orangenhain u. s. w. Was heißt denn das mehr, als daß eure Dichter die Welt aus dem Halse der Flasche betrachten, in welcher sie eben eingeschlossen sind. Auch das haben wir los. Wahrlich, ihr Süden und Norden und ihr ganzer naturphilosophisch-poetischer Kram nimmt sich da vortrefflich aus, wo einem das südliche Kreuz im Zenith steht. Es giebt Zeiten, wo ich zu meinem armen Herzen sage: Du bist ein Narr, so müßig umherzuschweifen! Warum bliebest du nicht zu Hause und studirtest etwas Rechtes, da du doch die Wissenschaft zu lieben vorgiebst? — Und das auch ist eine Täuschung, denn ich athme doch durch alle Poren zu allen Momenten neue Erfahrungen ein; [...]

3 Brief an Karl Bernhard Trinius vom 9. März 1821 = Briefe, Bd. VI.

*[S. 179]* Ich bin den Aesthetikern auch durch die Schule gelaufen und bin so klug daraus gekommen, als ich hingegangen war. — An dem Einen hang' ich fest: auf L e b e n kommt es an. Wo L e b e n erschaffen worden, selbstständig da ist und sich reget und beweget, da habe ich vor dem Ebenbilde Gottes, dem Künstler, Ehrfurcht. — Wohl kann zu guter Stunde der und der, der Verse machen gelernt hat (von Schlegel oben bis auf Chamisso hinab), ein Stück seines eigenen Lebens herausgreifen, außer sich setzen und sagen: „da habt ihr eine Wachtel". Aber es steht nur dem Meister zu Gebot, allerlei Vögel unter dem Himmel zu erschaffen. Bestien, die sonst nichts mit ihm zu schaffen haben, sie haben ihren Theil, sie fliegen davon. Am jüngsten Tag werden, nach dem Koran, die Kunstgebilde Seelen und Leben von denen fordern, die sie verfertigt. Nicht mehr als billig. Aber die, so ihren Kindern gleich Seele und Leben mit auf die Welt gegeben, müssen frei ausgehen, Sie mit. — Je vielgestaltiger das Leben, je ursprünglicher die Form, je reichhaltiger das eine, je vollendeter das andere, desto höher steht der Meister, [. . .]

4 Über malayische Volkslieder (1822) = Briefe, Bd. VI.

*[S. 283]* Es giebt eine ursprüngliche Poesie, die dem Menschen einwohnt, wie die Stimme den Vögeln. Das Volk läßt sich von unbefugten Vorsängern nicht verleiten, sondern bleibt seinen eigenen Liedern getreu. Ein Lied, das im Volke angeklungen, überschreitet oft, unbegreiflicher Weise, die Scheidegrenzen der Sprachen, erhält sich durch den Wechsel der Zeiten, und man trifft auf den entlegensten Punkten Europa's unter örtlichen und eigenthümlichen Gesängen dieselben Lieder wieder an. Ja man wird oft überrascht, wenn man die Lieder von Völkern, die einander gänzlich fremd geblieben sind, zusammen vergleicht, sie einander so ähnlich zu finden, als wären sie aus einer Quelle geflossen, und es verhält sich auch also: es sind Stimmen der Natur.

5 Brief an Karl Bernhard Trinius von 1829 = Werke, Bd. II.

*[S. 463]* Ich will mit der Poesie selten etwas; wenn eine Anekdote, ein Wort, ein Bild mich selbst von der Seite der linken Pfote bewegt, denk' ich, es müsse Andern auch so ergehn, und nun ringe ich mühsam mit der Sprache, bis es heraus kommt. Wenn ich selber eine Absicht gehabt habe, glaube ich es dem Dinge nachher anzusehen, es wird dürr, es wird nicht Leben, — und es ist, meine ich, nur das Leben, was wieder das Leben ergreifen kann. Machen Sie mich darob zu einer Nachtigall oder einem Kukuk, kurz zu einem Singetier und zu keinem verständigen Menschen, — immerhin! ich muß und will es dulden, ich begehre es nicht besser. — Der Schlemihl ist auch nicht anders entstanden. Ich hatte auf einer Reise Hut, Mantelsack, Handschuhe, Schnupftuch und mein ganzes bewegliches Gut verloren; Fouqué frug: ob ich nicht auch meinen Schatten verloren habe? und wir malten uns das Unglück aus.

6 Zur Einleitung des „Deutschen Musenalmanachs 1833" = Werke, Bd. I.

*[S. 417—419]* Was mir im Busen schwoll, mir unbewußt,
Ich konnt' es nicht verhindern, ward Gesang;
Zum Liede ward mir jede süße Lust,
Zum Liede jeder Schmerz, mit dem ich rang;
Das Lied erhob aus zornerkrankter Brust
Sich sturmbeflügelt in der Zeiten Drang;
Ich hörte nur die eigne Stimme rauschen
Und sorgte nicht, man könne mich belauschen. [. . .]

Wer will, sei mit im Uns; die Kunst ist frei,
Es singe, wem ein Gott Gesang gegeben!
Die Sonne weckt die Blumen auf im Mai
Und reift im Herbst das flüss'ge Gold der Reben.
Ob später Herbst, ob Frühling in uns sei,
Es steigt der Saft, es reget sich das Leben,
Und so wir rauschend in die Saiten greifen,
Die Blumen wachen auf, die Früchte reifen.

Doch seht, am Himmel welch ein trüber Flor,
Gewitterdrohend in des Tages Schwüle!

Die Welt ist ernst geworden, sie verlor
In Sturmesdrang die Lust am Saitenspiele.
Wer, Freunde, lauschte jetzt noch unserm Chor?
Wer ist, der in der Dichtung sich gefiele?
Laßt friedsam uns und fromm im Liedergarten
Des uns vertrauten heil'gen Funkens warten!

7 Brief an Ferdinand Freiligrath vom 28. April 1836 = Briefe, Bd. VI.

*[S. 348]* [...] lassen Sie mich Sie vor einer Klippe warnen — der nämlich, die Poesie im Gräßlichen zu suchen.

## XXVI Ernst Moritz Arndt (1769—1860)

Werke = Ausgewählte Werke in 16 Bdn. Hg. von H. Meisner und R. Geerds. Leipzig: Hesse o. J.

1 Geist der Zeit I — Die Schreiber (1806) = Werke, Bd. IX.

*[S. 42—44]* Die Dichter. Diese, hat man wohl gemeint, könnten in allen Zeitaltern und unter allen Regierungen sich behelfen; ihr Leben liege zu hoch über dem Wirklichen, als daß sie von seinem Schlimmen und Gemeinen gefaßt würden. Wäre dies wahr, so würde man ebenso von der Geschichte meinen können; denn das ist keine Geschichte, die nicht den Schein eines höheren Daseins auf das Wirkliche wirft. Eben weil sie mit sklavischer Angst und sklavischem Urteile bloß an das Wirkliche und an alle zufällige und erbärmliche Einzelnheiten desselben sich hängt, hat sie das Götterantlitz und die Göttersprache verloren. Ich sage umgekehrt, das Leben der Poesie und Geschichte liegt eigenst im Wirklichen, im Lebendigen. Es sind auch keine Lügen und Gedichte, wenn dieses unter ihren Händen reizender und majestätischer vor den Leuten erscheint; die Herrlichen haben bloß klareren Sinn und tieferes Gefühl, die Schönheit und die Ewigkeit im Lebendigen zu sehen und zu empfinden und sie andern mitzuteilen. Aber die Welt kann zu fein und zu klug werden für den Dichter. Man kann mit einer so albernen Schlauheit sich selbst und die Welt betrachten und behandeln und soviel Künstlichkeit und Erbärmlichkeit hineinbringen, daß sie endlich nur noch als eine kümmerliche Verwandlung dasteht und nichts mehr von der jungfräulichen Einfalt und Unschuld hat, welche die Genien zur Zeugung mit ihr begeistert. Soweit sind wir jetzt. Wo ist die alte Fröhlichkeit und Tapferkeit des Menschen, wo ist Liebe und Entbehrung, wo ist der stille Sinn, der ohne Klügelei die schöne, volle Welt in seine Brust aufnimmt? Alles Klugheit und Eitelkeit; die Göttersöhne wandeln unter einem verarmten Geschlechte. Ich weise auf die europäische Dichtkunst in den letzten fünfzig Jahren hin und lasse urteilen, ich weise auf die neuesten Erscheinungen meines Vaterlandes. Unsre Heroen der

Kunst, die wir wunderbar noch hatten, wodurch hängen sie mit der Zeit zusammen? Mich dünkt, nur durch alte Erinnerungen an das, was das Volk einst war. Sie sind wirklich Fremdlinge und mangeln deswegen des lebendigen Einwirkens und Mitlebens mit den Zeitgenossen, wodurch der Dichter nur der Vollendete in Jugendblüte sein und bleiben kann. Wie Erscheinungen grauer Vergangenheit, wie Propheten und Rätsel, die auf eine ferne Zukunft hindeuten, wandeln sie unter uns. Die lose Menge, die mit dieser Zeit lebt und empfindet, wird auch von den raschen Wogen der Zeit mit weggespült. Eine dritte Klasse ist da, die es macht wie einige Theologen. Bei dem Gefühle des Mangels der Gegenwart möchte sie die Zeit durch das Alte wieder jung machen. Aber das Alte kann so wenig jung werden als jung machen. Was vergangen ist, ist ewig vergangen. Wir hören diese alten Töne eines vergangenen Lebens einige Stunden und Tage wohlgefällig, sie bewegen uns wie alles, was durch die Zeitenlänge dem Ewigen und Unendlichen ähnlich wird, aber sie können das kluge, gebildete Zeitalter nicht wieder zum kindlichen und einfältigen machen.

2 Geist der Zeit IV — Vom Mystizismus und einigem, das sich daran hängt (1818) = Werke, Bd. XII.

*[S. 272—276]* Aber den ästhetischen Mystizismus wirst du uns doch nicht ableugnen, wenn du den politisch-fanatischen auch gern leugnen möchtest, weil du desselben selbst angeklagt bist? Nein, diesen leugne ich keineswegs, wenn wir uns nur erst über die Worte verständigt haben. Wenn ihr einen gewissen bequemen Weg ins Himmelreich meint, ein Seitensteigelein, wo man durch eitel Blumen und über weiche Wiesen und durch blühende Lauben ganz lustig und bequem hingelangt, wo der alte Sankt Peter als Pförtner steht, während die dummen Frommen sich auf den dornigen und steinigen, steilen Wegen in Frost und Hitze abmatten und unter tausend schweren Mühen und Seufzern emporklimmen; wenn ihr ein gewisses weichliches und zierliches Geklingel meint, ein gewisses himmelndes und frömmelndes Getändel in Sonetten und Madrigalen und Kanzonetten und Stanzen, wo man lange begrabene Wunder und verschollene

Heilige in kindischer Nachäfferei einer großen Vorzeit wieder ins Leben zurückrufen will; kurz, wenn ihr einen gewissen Zwitter von Ernst und Scherz, Weinen und Lachen, Liebeln und Bübeln meint — so verstehen wir uns. Und dieser Mystizismus, den man wirklich mit keinem bessern Namen nennen kann als den ästhetischen, ist allerdings da; aber gottlob! ist er mehr schon da gewesen, und eine tüchtige und ernste Kraft, die immer mehr wurzelt, scheint diesen schwächlichen und gauklischen Neblern und Schweblern zwischen Himmel und Erde, wo man weder Gott noch dem Teufel angehört, ein Ende machen zu wollen. Doch immer ist dieses mürben und zierlichen Geschlechtes von Halblingen noch zuviel, das in seiner leeren und heuchlischen Schwindelei und Empfindelei alle Gesundheit und Wahrheit des Lebens und Gemütes zerstört; und mehr als man glaubt, wirkt dieser bunte, ästhetische Mystizismus mit seinen blinzelnden Ansichten auf die ernstesten und strengsten Verhältnisse des Lebens und Staates. Ein rechter Leber und Lebenlasser mischt er in seiner schlechten Verworrenheit die verschiedensten Dinge untereinander und bildet sich ein und gebärdet sich, als ob sie mischlich seien; aber er ist ein schlechter Scheidekünstler. Und bei all seiner süßlichen Gebärdung und allen den hohen Klängen und Künsten, womit er sich schmückt, würde er, wenn es möglich wäre, selbst der festen Tugend und dem ernsten Gericht der Zucht ihr großes Gesetz verrücken und durch eitle Taschenspielereien wegspielen. Aber man lügt und spielt sich nicht so in den Himmel hinein.
[...] Doch ging diese ästhetische Richtung der deutschen Literatur nie ganz unter. Die Kantische Philosophie fiel mitten in diese wildesten Erschütterungen der Zeit. Aus ihrer Trockenheit erwuchs der saftige Gegensatz der Naturphilosophie. Es kamen die beiden Schlegel mit ihrem scharfen und tüchtigen kritischen Geist dazwischen, rüstige Aufräumer und Erreger. So der mächtige Fichte, groß in seiner einsamen und herben Abgeschiedenheit, scheiternd in dem gewaltigen Versuche, die Idee, von allem Lebendigen und Sinnlichen losgerissen, allein auf geistigen Flügeln, eine Welt außer der Welt, schwebend zu erhalten. Dieser Mann eines edlen und echt deutschen Willens starb höchst tragisch in unserm größten Jahre 1813, als das politische Leben ihn und seine Philo-

sophie anfing wieder in die Sinnenwelt einzuführen. Diesem sind die Zeitgenossen einen recht grünen Kranz schuldig, eben weil er, durch ihre frühere Weichlichkeit und Lügenhaftigkeit verletzt, sich mit tiefstem Ernst nach jener Seite hingewendet hatte, wo es nimmer blühen noch grünen konnte. Diese Zeit von 1795 bis 1805 fing an, sich titanisch zu gebärden, obgleich sie nur wenige Titanen hatte. Die Jüngerlein und Nachäffer griffen sich aus dem wilden und kühnen Strudel der Ansichten und Ideen, die untereinander wogten, ihr Teil heraus und stutzten es sich ästhetisch auf. So erwuchs auf kurze Zeit ein Geschlecht, das bald wieder untergehen mußte, weil es in der Zeit selbst keine Wurzel hatte. Goethes außerordentlicher Genius spielte mächtig mit hinein, und sie wollten sich nun den Glanz auch etwas heidnisch auf ihr Leben legen, zu derselbigen Zeit, als Schiller im großartigen aber spröden Ernst dichtete und Fichte mit stoischer Herbheit philosophierte. Die wiedergefundene göttliche Natur gab gar göttliche Rechte, und man wollte sie gebrauchen und nach dem Sprüchlein leben: Was gefällt, das ist nicht Sünde. Dieses Sprüchlein, das zum lieben Christentum nicht recht passen wollte, schmückte man sich mit der gehörigen Zutat von Liebe und Schwärmerei und mit unwiderstehlichen und unüberwindlichen Anziehungen und Geboten der Natur aus. Da das alles aber noch nicht hat helfen wollen, und dem Zeitalter offenbar der titanische Atem und Mut und die titanischen Knochen und Muskeln fehlten, um diese hohe und göttliche Poesie am Leben erhalten zu können, so hat man wieder zu der alten Empfindsamkeit zurückgemußt und hat endlich noch ein bißchen Frömmelei dazu genommen; oder vielmehr die Frömmelei hat die Titanerei ersetzt und spielt immer noch mit allerlei zierlichen Mäntelchen und Schleierchen über der schwächlichen Sündlichkeit, die sie den Menschen gern als eine Vortrefflichkeit einbilden möchte. Daß dies jetzt die Hauptrichtung des ästhetischen Treibens ist, wird jeder gestehen, der ein wenig in der Zeit gelebt und ihr auch seinen Zoll entrichtet hat. Wenn es an Teetischen und Putztischen und bei Versammlungen der großen und feinen Welt auch nur die Leerheit des matten Lebens füllen soll, so schwebt doch immer ein gewisses mystisches und mystisierendes Dunkel darum, das alle ungefähr verstehen, dessen Bedeutung aber jeder artig genug ist, dem andern nicht gerade ins Gesicht zu sagen. Dies ist das Grauen, das die schwächliche und blanke Welt vor der Wahrheit hat. Etwas welsche, halb bußfertige und halb lüsterne Empfindelei, eine gewisse Empfindsamkeit und Weichlichkeit, die immer edle Seelen, göttliche Empfindungen, erhabene Rührungen, himmlische Entzückungen, überschwengliche Anschauungen und andere ähnliche Überaußigkeiten im Munde führt, ist immer dabei gewesen, war selbst in der kurzen Titanenepoche noch nicht entwichen, und ist sogar in der großen Zeit, worin wir jetzt leben, mit ihrer tränensüchtigen und seufzerschweren Mattigkeit wieder da, die erbärmlichste Maske der Sünde, die es gibt, zugleich ein trauriges Zeichen, daß wir da noch lange nicht sind, wo viele uns schon wähnen. Denn wie groß ist die Zahl der zugleich wässerigen und steinigen Armensünderseelen, die des sündlichen Mischmasches, des buntscheckigen Allerleis von einem bißchen Liebe und Buhlerei und Großmut und Lüge und Moralien und Diebsschlichen, das durch soviele beliebte Theaterstücke und Romane läuft, und der grausen Sünder und Ungeheuer nicht satt werden können! Soweit ist diese weinerliche Art durch die Übung abgestumpft, daß sie selbst zum Weinen und Heulen ätzende und stechende Mittel anwenden muß. Was bedeutet dies? O es hat eine tiefe Bedeutung des wüsten und regellosen inneren Triebes, dem das mächtige Licht der Liebe und die heitere Gewalt der Tugend fehlt. Wenn sie sich in den künstlichen Schauderstücken recht abgeheult und abgegraust haben, kommt es ihnen vor, als haben sie in dieser Vorhölle, in diesem durcheinander prasselnden und schreienden Fegefeuer aller Leidenschaften und Empfindungen schon eine Reinigung der armen Seele erlitten.

So hat das Leben das Ästhetische ergriffen und verwandelt.

## XXVII Jacob Grimm (1785—1863)

Schriften = Kleinere Schriften. 8 Bde. Berlin: Dümmler (I—VII) bzw. Gütersloh: Bertelsmann (VIII) 1864—90.
Arnim, Briefe = Achim von Arnim und die ihm nahestanden. Hg. von R. Steig und H. Grimm. 3 Bde. Stuttgart und Berlin: Cotta 1894—1913.

1 Über das Nibelungen liet (1807) = Schriften, Bd. IV.

*[S. 6]* die poesie bedarf, um sich auszusprechen, durchaus nicht einer ausgebildeten sprache, und lebendig durchdrungen von ihrem groszen gegenstande, findet sie allzeit worte. und dieses mehr angedeutete, das unbeholfene, durch welches eine mächtige empfindung bricht, sagt mehr als die durchdachtere auswahl kunstreicher worte. So verhält es sich mit dem Nibelungen liet, dessen charakter die höchste naivetät ist, wo wort, zusammenstellung, silbenmasz, darstellung, alles aus der innersten nothwendigkeit unbewust hervorgeht, und ein ganzes bildet, dessen zarter anhauch von der leisesten berührung verletzt wird.

2 Gedanken wie sich die Sagen zur Poesie und Geschichte verhalten (1808) = Schriften, Bd. I.

*[S. 399 f.]* Man streite und bestimme, wie man wolle, ewig gegründet, unter allen völker- und länderschaften ist ein unterschied zwischen natur und kunstpoesie (epischer und dramatischer, poesie der ungebildeten und gebildeten) und hat die bedeutung, dasz in der epischen die thaten und geschichten gleichsam einen laut von sich geben, welcher forthallen musz und das ganze volk durchzieht, unwillkürlich und ohne anstrengung, so treu, so rein, so unschuldig werden sie behalten, allein um ihrer selbst willen, ein gemeinsames, theures gut gebend, dessen ein jedweder theil habe. dahingegen die kunstpoesie gerade das sagen will, dasz ein menschliches gemüt sein inneres blosz gebe, seine meinung und erfahrung von dem treiben des lebens in die welt giesze, welche es nicht überall begreifen wird, oder auch, ohne dasz es von ihr begriffen sein wollte. so innerlich verschieden also die beiden erscheinen, so nothwendig sind sie auch

in der zeit abgesondert, und können nicht gleichzeitig sein, nichts ist verkehrter geblieben, als die anmaszung epische gedichte dichten oder gar erdichten zu wollen, als welche sie nur selbst zu dichten vermögen.

*[S. 401]* Wenn nun poesie nichts anders ist und sagen kann, als lebendige erfassung und durchgreifung des lebens, so darf man nicht erst fragen: ob durch die sammlung dieser sagen ein dienst für die poesie geschehe. denn sie sind so gewisz und eigentlich selber poesie, als der helle himmel blau ist; und hoffentlich wird die geschichte der poesie noch ausführlich zu zeigen haben, dasz die sämmtlichen überreste unserer altdeutschen poesie blosz auf einen lebendigen grund von sagen gebaut sind und der maszstab der beurtheilung ihres eigenen werths darauf gerichtet werden musz, ob sie diesem grund mehr oder weniger treulos geworden sind.

3 Brief an Achim von Arnim von Ende Juli 1811 = Arnim, Briefe, Bd. III.

*[S. 139]* Deine Ansicht von alter Volkspoesie halte ich hauptsächlich deshalb für unrichtig, weil Du mir sie eben zu äußerlich zusammensetzen willst. Glaubst Du mit mir, daß die Religion von einer göttlichen Offenbarung ausgegangen ist, daß die Sprache einen eben so wundervollen Ursprung hat und nicht durch Menschenerfindung zuwege gebracht worden ist, so mußt Du schon darum glauben und fühlen, daß die alte Poesie und ihre Formen, die Quelle des Reims und der Alliteration ebenso in einem Ganzen ausgegangen ist, und gar keine Werkstätten oder Ueberlegungen einzelner Dichter in Betracht kommen können. Der einzelne, erste Erfinder, den Du anzunehmen scheinst, wäre ein übermenschlicher Mensch gewesen, daß er so tief in das Geheimnisvolle gegriffen und das gefunden hätte, was sich Jahrtausende als recht und allein gut bewährt hat, während alle späteren Erfindungen einzelner nur gar kurze Zeit hingehalten haben. Wie aus der einen Sprache alle andere kräftig geflossen sind, so ist auch der Kern der Mythe unter alle Stämme verbreitet worden, und jeder hat den Funken der Poesie mit sich genommen. Wie wäre sonst auch

die Aehnlichkeit ganz entfernter Mythen und die Existenz desselben Lieds in allen Dialecten zu begreifen? Die Sprache hätte tausendmal von neuem erfunden, das Lied hundertmal wieder gedichtet werden müssen! An unsere Uebersetzungen ist dabei nicht zu denken. Sollte Dir aber die Anwendung des Gesagten auf die altdeutsche Poesie bedenklich scheinen, so bitte ich blos das eine zu erwägen, wie große lange Zeit schon die Deutschen in Europa und Deutschland gewesen sein müssen, als wir sie durch die Römer kennen lernen, und wie noch viel später die Periode gekommen ist, wo sich die deutsche Kunstpoesie zuerst gezeigt hat. Du hast auch in Görres Buch die historische und nothwendige Folge der Mythen nicht anerkennen wollen.

4 Brief an Achim von Arnim vom 29. Oktober 1812 = Arnim, Briefe, Bd. III.

*[S. 234—236]* Deine Meinung neigt sich dahin: ‚alte und neue Poesie sei dieselbe, das wunderbare darin durch die Phantasie der täuschenden und zugleich getäuschten Dichter entsprungen, es könne etwa die Poesie, woran die Dichter unserer Zeit zuschicken und beitragen, künftig in ein Epos zusammenfallen; eine Geschichte der Poesie gebe es also nicht, Unterschied zwischen Natur- und Kunstpoesie sei ein Spaß und selbst eine Phantasie.‘ Damit greifst Du mir in mein Liebstes, wobei ich Dich nur bitte, mir fest zu glauben, daß ich an keinem dieser Wörter hänge; allein all meine Arbeit, das fühle ich, beruht darauf, zu lernen und zu zeigen, wie eine große, epische Poesie über die Erde hin gelebt und gewaltet hat, nach und nach von den Menschen vergessen und verthan worden ist, oder nicht einmal ganz so, sondern wie sie immer noch davon zehren. Damit ist mir eine Geschichte der Poesie als etwas kaum ergründliches und auszulernendes und recht erfreuliches begründet; ich glaube

1) wie das Paradies verloren wurde, so ist auch der Garten alter Poesie verschlossen worden, wiewohl jeder noch ein kleines Paradies trägt in seinem Herzen. Beweis liegt mir in wunderbarer Uebereinstimmung des Uebergebliebenen, die sonst nicht zu erklären wäre, und im ganz analogen Fall der Sprache, die sich überall aus einer innern poetischen Vollkommenheit in eine philosophische

Gewandtheit treibt; nimm das nicht streng, sondern vergleichungsweise, ich weiß, daß z. B. unserer Sprache recht viel innerlich poetische Wörter verbleiben, und die Philosophie führt zu Gott, wie die Poesie aus ihm kommt.

2) das Wunderbare halte ich nicht für Phantasie, Täuschung, Lüge, sondern für recht göttliche Wahrheit, jemehr wir uns ihm nahen, verschwindet es nicht wie ein Nebel, sondern wird immer heiliger und muß uns zuletzt in Bäten auflösen: für etwas unnahbares; eben darum liegt etwas fremdes und unwahrscheinliches im Einzelnen darin, wie Du ganz richtig sagst.

3) daher ist das Epos keine bloße Menschengeschichte, wie wir sie jetzt niederschreiben, sondern auch darunter eine göttliche, eine Mythologie, wie dies u. a. Kanne gesagt und bewiesen [. . .], der mir nur darin unrecht hat, daß er den Fortgang des Göttlichen ins Menschliche übersieht, denn obgleich wir alle in Gott sind, der keine Geschichte hat, so liegt doch eben diese im Menschlichen, und das Epos ist, wie unser Leben, Zeugnis dieser wundervollen Vereinigung. Von einem Dichter des Epos kann also wirklich nicht die Rede sein, wie ich es schon lange geglaubt, da wenn einer hinzugekommen, er nichts gethan, als ein neues Bett für den Strom gemacht haben kann, unter dessen Wellen daher auch jedesmal sein Name begraben worden, wo nicht selbst fabelhaft wieder emporgestiegen ist. Vollends eine Erdichtung ist ganz unmöglich.

4) daher verhält sich die Geschichte der Poesie zu der Geschichte überhaupt umgekehrt. Diese ist nach neuen, wie jene nach alten Zeugnissen und Bewährungen begierig; diese wird heller, je näher sie uns kommt, jene, je tiefer sie ins Alterthum zurückkehren kann. Sprichstu aber den Gegensatz alter und neuer Poesie ab, so könntest Du eine Menge anderer, woran Du doch gewiß glaubst, leicht auf ähnliche Weise verflüchtigen, wo wir dann kalt, im Nebel ohne Gestalt und Freude stehen würden; wie erquicklich ist uns z. B. der Gegensatz von Vergangenheit und Zukunft, ohne den auch keine Geschichte wäre.

5) da nun, wie gesagt, die alte Poesie nicht kann erfunden werden, sowenig wie eine Religion, sondern alle Mythologieen zuletzt aus einer wahrhaften, göttlichen herstammen, und nur unter verschie-

denen Bildern auf ein Urbild zurückweisen, so ist auch in dem großen, unschuldigen, unbewußten Völkerglauben eine Vielheit des Epos entsprungen und hat sich in Leben und Geschichte der beglückten Menschen ergossen. Dieser verschiedene Ausdruck der Sage nun ist aber himmelweit etwas anderes, als die Kraft eines späteren Dichters, und wäre er der stärkste, vermag.

*[S. 238]* Ich will es daher nicht leugnen, daß weil ich auf dem Feld der alten Poesie arbeite, ich eine Vorliebe zu ihr und eine Entfremdung von der neuen bekommen habe, die beide von andern als eine Einseitigkeit von ihnen abgewendet werden könnten. Jedoch meine ich, daß ich mich nicht ganz täusche mit einem andern Grund, welcher ist, daß ich die Poesie der goldenen Zeit für etwas höheres, erfreuenderes erkenne, als die der eisernen, worin wir leben.

5 Brief an Achim von Arnim vom 31. Dezember 1812 = Arnim, Briefe, Bd. III.

*[S. 254]* Im Ganzen streitest Du mehr für die Menschlichkeit, ich mehr für die Göttlichkeit der Poesie, Du willst ihr überall ein unmittelbares Bedürfnis, eine nützliche Anwendung und Entspringung aus dem Leben zum Grund legen, und den nothwendigen Faden, der über aller Anwendung liegt, und sie doch alle erfüllt, weniger anerkennen. Wir wären beide mit unsern Behauptungen einseitig; ich bin aber überzeugt, daß wir beide die Durchdringung des einen mit dem andern glauben, und wir stellen blos darum unsere Sätze auf, weil wir meinen, daß sie der andere verabrede.

6 Über das finnische Epos (1845) = Schriften, Bd. II.

*[S. 75 f.]* Unter den drei dichtungsarten fällt zu beurtheilen keine schwerer als das epos, denn die lyrische poesie aus dem menschlichen herzen selbst aufsteigend wendet sich unmittelbar an unser gemüt und wird aus allen zeiten zu allen verstanden; die dramatische strebt das vergangne in die empfindungsweise, gleichsam sprache der gegenwart umzusetzen und ist, wo ihr das gelingt, in ihrer wirkung unfehlbar: sie bezeichnet den gipfel und die

stärkste kraft geistiger ausbildung, welche von begünstigten völkern errungen wird. um die epische poesie aber steht es weit anders, in der vergangenheit geboren reicht sie aus dieser bis zu uns herüber, ohne ihre eigne natur fahren zu lassen, wir haben, wenn wir sie genieszen wollen, uns in ganz geschwundene zustände zu versetzen. ebenso wenig als die geschichte selbst kann sie gemacht werden, sondern wie diese auf wirklichen ereignissen, beruht sie auf mythischen stoffen, die im alterthum wacher stämme obschwebten, leibhafte gestalt gewannen und lange zeiten hindurch fortgetragen werden konnten. sie kommt also schon völkern zu, deren aufschwung beginnt und gelangt zur blüte bei solchen, die jener stoffe mächtig die ganz junge kunst der poesie darüber zu ergieszen vermochten; aber ein grund und anfang muste immer, man weisz nicht zu sagen wie, vorhanden sein und gerade auf ihm beruht der dichtung unerfindbare wahrheit. hat uns die literatur im gebiete der lyrik und dramatik neben treflichen erzeugnissen geringe und schlechte aufzuweisen; so steht in der epischen poesie vielmehr dem echten nur das falsche entgegen, dessen erkenntnis von Virgil an bis auf Ariost und Milton oder Klopstock freilich gröszere mühe gekostet hat als jene ausscheidung des schlechten.

7 Rede auf Schiller (1859) = Schriften, Bd. I.

*[S. 375 f.]* wer die geschichte durchforscht musz die poesie als einen der mächtigsten hebel zur erhöhung des menschengeschlechts, ja als wesentliches erfordernis für dessen aufschwung anerkennen. denn wenn jedes volkes eigenthümliche sprache der stamm ist, an dem alle seine innersten kennzeichen sich darthun und entfalten, so geht ihm erst in der dichtung die blüte seines wachsthums und gedeihens auf. poesie ist das wodurch uns unsere sprache nicht nur lieb und theuer, sondern woran sie uns auch fein und zart wird, ein sich auf sie nieder setzender geistiger duft. eines volkes sprache, welchem keine dichter auferstanden sind, stockt und beginnt allmählich zu welken, wie das volk selbst, dem solche begeistrung nicht zu theil ward, zurückgesetzt und ohnmächtig erscheint gegenüber den andern sich daran erfreuenden. der einzelne dichter ist es also, in dem sich die volle natur des volks, welchem er ange-

hört, ausdrückt, gleichsam einfleischt, als dessen genius ihn die nachwelt anschauen wird, auf den wir mitlebenden aber schon mit den fingern zeigen, weil er unsere herzen gerührt, unsern gedanken wärme und kühlenden schatten verliehen, einen des lebens geheimnisse aufdrehenden schlüssel gereicht hat. diese sätze sind genau und nichts läszt sich davon abdingen, doch ruht aller nachdruck im heimischen grund und boden, dem sich kein auf ihm geborner mensch entzieht und den fremde fusztritte entweihen. fremde dichter könnnen uns lange gefallen, sie waren aber immer noch nicht die rechten, und sobald der rechte in unsrer mitte erschienen ist, müssen sie weichen. auf weltbürgerlicher stelle mag ich bewundern was das ausland, was das alterthum erzeugte, von kindesbeinen an stehen uns griechische und römische muster als mahner oder hüter zur seite, sie dringen uns das ungeheuchelte bekenntnis ab, dasz nichts darüber hinausgehe, und doch fühlen wir unermeszliche zwischen ihnen und den forderungen unsers eignen lebens zurückbleibende kluft. einer unsrer alten dichter, als er eben die herlichkeit vergangner, nie wiederkehrender zeit geschildert hat ruft aus: ich möchte doch nicht dabei gewesen sein, wenn ich jetzt nicht wäre! damit erkennt er das recht und den vorzug der gegenwart an, die uns zu anderm hintreibt, zu anderm rüstet und wafnet, durch anderes erhebt und erstärkt als die vergangenheit. wer wollte den alten dichtern anhängen, wenn er die neuen um sie müste fahren lassen?

# XXVIII Wilhelm Grimm (1786—1859)

Schriften = Kleinere Schriften. Hg. von G. Hinrichs. 4 Bde. Berlin: Dümmler (I—III) bzw. Gütersloh: Bertelsmann (IV) 1881—87.

1 Rezension: Der Nibelungen Lied. Hg. durch F. H. v. d. Hagen (1807) = Schriften, Bd. I.

*[S. 66 f.]* Tie[c]k war der erste in neuerer Zeit (und er allein hatte ein Recht, davon zu reden, der mit Neigung und Liebe der altdeutschen Poesie ein gründliches Studium widmete), welcher in seiner Vorrede zu den Minneliedern auf die Hoheit dieses Gedichts aufmerksam machte. In ihm wurde erhalten, was nicht wieder ersetzt werden konnte, das Bild einer vergangenen Zeit, in welcher ein grosses Leben frei, herrlich und doch wieder so menschlich erscheint. Denn das ist es, was uns in der Poesie entzückt, jene Verbindung des Göttlichen und Irdischen: wie der Mensch fest und liebend steht auf der Erde, sein Haupt aber aufwärts richtet zum Himmel, so soll die Poesie sein; tief in die Erde dringen ihre Wurzeln, ihre Zweige geben Schatten und Obdach, ihre Blüthen aber steigen hinauf in den blauen Tag, wo sie im Abendroth stehn, an seinem Thau sich erfrischen, dann die Sterne schauen und die heilige Nacht. Ein solches Heldenleben ist in dem Nibelungenlied, wie es blüht in Liebe, Krieg, Zorn und Lebenslust, endlich sich selbst gewaltsam vernichtet: und darüber weht eine klare und heitre Ruhe der Dichtung, wie die Sonne auch über eine zerstörte Welt leuchtet, still und unbekümmert in hellem Glanz. Wer mag ohne Rührung das Treuliche an Siegfried lesen? oder wie Rüdiger Leib und Seele hingiebt im Kampf mit seinen Freunden, denen er die Waffen hinreicht gegen sich selbst, dass den grimmen, Könige spottenden Hagen die Gabe erbarmt und er absteht vom Streit gegen ihn? oder wie Wolfhart nicht beklagt sein will, da er von Königs Händen so herrlich todt liege? Ja, dieser Kampf mit einem ungeheuern Schicksal, das alles unaufhaltsam hinunterreisst, gehört mit zu dem Grössten, das je in der Poesie aufgestanden, wogegen Homer nichts Ähnliches aufzuweisen

hat, der wohl reicher ist und geschmückter, aber nicht von solcher Tiefe. Dennoch, wie sich hier ein grosses Gemüth offenbart, so scheut sich auch keiner, seine Furcht und alles, was menschlich, zu bekennen, denn das ganze Leben, wie es sich äussert, ist poetisch, nicht das Einzelne darin, und nur aus dem gemeinsamen Boden kann das Grosse aufwachsen. Und diese Unschuld, die nur der Ausdruck des innersten Gemüths, ist, was das Gedicht so weit erhebt über alle andere, und das allein in einem solchen Volkslied gefunden wird, weil keine Kunst dahin gelangt.

2 Über die Entstehung der altdeutschen Poesie und ihr Verhältnis zu der nordischen (1808) = Schriften, Bd. I.

*[S. 92—94]* Überall, wo wir zurückgehn auf die frühsten Zeiten eines Volks, ist es leicht zu bemerken, wie Poesie und Historie ungetrennt von einem Gemüth aufbewahrt und von einem begeisterten Munde verkündet wurde. Beide vereinigen sich darin, das Leben mit all seinen Äusserungen aufzufassen und darzustellen. Erst eine spätere wissenschaftliche Ansicht muss sie trennen, welche der Poesie nur ein unbeschränktes Aufwachsen gönnt, die Historie aber, nachdem der Glauben an die Treue der Volksgedichte verloren gegangen, auf jene kritische Wahrheit beschränkt, die an sich nichts gewährt und nur dann Werth hat, wenn sie verbunden ist mit jener höhern poetischen; denn nicht irgend ein blosses Ereignis, sondern in seinem Zusammenhang mit dem Leben wollen wir es erkennen; was will auch die Geschichte zuletzt anderes, als dass das Gemüth ein Bild der Zeiten gewinne, welche sie darstellt? und darum muss die kritische Historie auf einem andern Weg dahin wieder zu gelangen suchen, wo sie schon früher gestanden hatte, eins mit der Poesie, als Nationalepos. In solchem Sinne haben auch die besten Historiker gedacht. Und warum giebt die Poesie des Nibelungenlieds, des Homeros eine viel reinere und lebendigere Anschauung, als alte Geschichte? Die Heldenschar bewegt sich vor uns, und wir ziehen mit ihr in den Kampf, wir stehen mitten in ihrer Versammlung, wir sehen die Zucht edler Frauen und eine ganze schöne Menschheit in Lust und Trauer, währenddem die Geschichte nur hinzeigt auf die öden Felder, wo

einst diese Männer hergeschritten, oder ein Schwert ausgräbt, auf welchem die Jahrzahl entdeckt werden kann.

Wenn es aber wahr ist, dass Poesie und Geschichte nur zu gleicher Zeit sich erzeugen, so kann jene nicht mehr sein, wo diese aufhört; nur da wird sie geboren, wo der Mensch in freiem Ringen mit der Welt die Glieder übt und muthig das Leben umarmt.

Darum ist jener Punkt so herrlich in der Geschichte, wo ein Volk vereinzelt oder in Ungebundenheit lebend, nun das Bedürfnis fühlt nach Ordnung, Cultur und Sitten. Wie überall, geht auch hier erst aus einem wilden Kampf, aus einer ungeheuren Gährung die Ruhe hervor, aber eben in solchem Zustand des Werdens, wo jeder Augenblick erwirbt und jeder Augenblick das Erworbene verlieren kann, wo einer wie alle das Ganze festhält, immer bereit, davon zu geben, was ihm nur theuer; in solchem Zustand einer beständigen Anregung ist es, wo die Tugend des Menschen aufgeboten und alle geheime Kraft wach wird. Dann werden alle Quellen des Lebens aufgethan, dass es in jugendlicher Freiheit ströme, und jene göttlichen Menschen stehen auf, die wie Riesen sich erhebend, gewaltsam hingehen über die Erde und sie ordnen nach ihrem Sinne.

Und ist nach solch grossem Streit die Welt erworben, dann kommt die Ruhe des Friedens, in der sich Häuser und Städte aufbauen. Gesetze, mildere Sitten, Eintracht der Geselligkeit ordnen das Leben. Die Lanzen des Kriegs ergrünen in der fruchtbaren Erde und fügen sich zu blüthenreichem Laube, in dem Fröhlichkeit und Lebenslust wohnt; bald tritt die Poesie herzu und verkündigt in schlichten Worten die Thaten jener Zeit. Wie die Wipfel hoher Berge steht unter ihnen das Andenken daran, und in dem ewigen Tag derselben wandeln die Helden, unsterblich, allen sichtbar, und den Göttern am nächsten. —

So treibt Poesie und Historie, als Epos, aus einer Wurzel, und beide blühen neben einander. Auch späterhin wird jene immer von dieser begleitet, d. h. wo wirklich etwas geschieht und das Leben sich regt, da fehlt es nie an einem bewegten Sinn, der es aussprechen kann.

3 Zu den altdänischen Heldenliedern (1811) = Schriften, Bd. I.

*[S. 201 f.]* Man wird durchgehends eine Neigung finden, aus den poetischen Denkmälern aller Völker, so weit es möglich ist, zusammen zu stellen, was eine gewisse Ähnlichkeit hat. Manchmal wird sie überraschend sein, manchmal vielleicht wird sie erzwungen scheinen; sie ist aber immer nur aufgestellt, ohne dass ein Grund dafür angegeben wäre. Damit man indes nicht vermuthe, es sei an einen zu seltsamen dabei gedacht oder im schlimmern Fall an gar keinen, so soll hier kürzlich bemerkt werden, was damit gemeint ist. Es scheint nämlich, dass es sich mit der Poesie eben so verhalte, wie mit der Philosophie der Völker, und dass dasjenige, was Görres in seiner Mythengeschichte, deren Resultate wir mit zu den grössten rechnen, die die Zeit gewonnen, von dieser dargethan, auch von jener gelten werde. Das Göttliche, der Geist der Poesie ist bei allen Völkern derselbe und kennt nur eine Quelle; darum zeigt sich überall ein Gleiches, eine innerliche Übereinstimmung, eine geheime Verwandtschaft, deren Stammbaum verloren gegangen, die aber auf ein gemeinsames Haupt hindeutet; endlich eine analoge Entwickelung; verschieden aber sind die äusseren Bedingungen und Einwirkungen. Darum finden wir neben jenem Einklang auch wieder eine Verschiedenheit in der äusseren Gestaltung, abhängig von dem Himmel, worunter die Pflanze gestanden, und die in grossen Massen nachzuweisen ist, wie im Einzelnen bis ins Unendliche. Wir können kein besseres Ebenbild geben als Gottes, den Menschen, dem überall dasselbe Herz in der Brust schlägt, dessen Gestalt, Farbe, Sprache und Lebenslust aber der Natur unterthan ist und gehorcht, wie sie verschieden in den Weltgegenden herrscht; so wie auch bei der Familienähnlichkeit der Nationen in jedem Einzelnen eine eigne Individualität hervortritt. Das ist der eine Satz, der andere scheint ihm fast entgegen zu stehen. Bei dieser freien unabhängigen und geistigen Verwandtschaft der Poesie der Völker existirt noch eine andere, die man die weltliche oder bürgerliche nennen könnte. Es ist nämlich nicht zu läugnen, dass die Dichtungen schon in bestimmter Gestalt einem Volk von dem andern hinüber gereicht worden und auf diese Art oft auf weitem Weg herge-

kommen sind; sie haben sich zwar meist dem Gesetz des neuen Reichs gefügt, aber immer noch deutlich die Spuren ihrer Herkunft an sich getragen. Soll das vorhin gegebene Bild fortgesetzt werden, so sind es im Ganzen die Völkerwanderungen, im Einzelnen aber Ehen, von den Individuen verschiedener Nationen geschlossen. Die Ausführung beider Behauptungen ist die Aufgabe der Geschichte der Poesie, wenn sie etwas Ganzes und Würdiges sein soll: die hier gelieferten Zusammenstellungen sind eine einzelne kleine Vorarbeit dazu. Gegen den, welchem der Grund, warum manches in Verbindung gebracht worden, bei leichter Ansicht zu gering oder gar nichtig vorkommt, will ich nur bemerken, dass wir durch eine grössere Übersicht erst den rechten Takt gewinnen und auf manches Gewicht legen müssen, was sonst unbedeutend erscheint.

*[S. 203]* Denn auch das ist das Wesen der Poesie, dass sie aus dunklen Zeiten, aus der nur wenige schweigende Ruinen stehen, über welche der Blick der Gegenwart unachtsam hingeht, und von welcher die Geschichte kaum etwas spricht, Gestalten in dem hellsten, lebendigsten Glanz hervortreten lässt, in deren Tugend, Muth und Schönheit wir sehen, dass auch damals Grosses und Mächtiges gewesen.

4 Göttinger Rede über Geschichte und Poesie (1812) = Schriften, Bd. I.

*[S. 497—499]* Die Poesie ist das erste und einfachste und zugleich das grossartigste Mittel, welches dem Menschen verliehen wurde, um ein hohes Gefühl, eine höhere Erkenntnis auszudrücken. Sie ist die Schatzkammer, in welche ein Volk seinen geistigen Erwerb niederzulegen und zu sammeln pflegt. Sie ist mehr gegen den Einfluss des Zufalls, gegen gewaltsame oder erkünstelte Einmischungen gesichert, als andere Äusserungen und Offenbarungen des menschlichen Geistes, die einen höheren Grad von Selbstbewusstsein und eine kunstreichere Vorbereitung verlangen. Ihnen kann das Fremdartige leichter aufgedrungen, ihre naturgemässe Entwicklung gestört, ihre Richtung von einem äusseren gewaltsamen Einfluss vorgeschrieben werden. Die bildenden Künste werden erst mühsam der Form Meister und müssen lange Zeit in

dem Zustande hülfloser Kindheit verharren. Welche mannigfachen Kenntnisse müssen erworben, welche Schwierigkeiten beseitigt werden, bis der Augenblick kommt, wo der Baumeister ein kühn ersonnenes Werk ausgeführt sieht. Welch' eine lange Reihe von Versuchen geht voraus, von mühsamen Beobachtungen, bis das Bild des Menschen, das der Abglanz eines göttlichen ist und seine Abkunft verkündigen soll, die hemmenden Fesseln gesprengt hat, bis die Statue ihre Glieder löst und in freier Bewegung aus dem Marmor oder Erz hervorschreitet. Die Poesie, weil sie sich des einfachen, im Anfange gleich in feiner Vollendung verliehenen Mittels, ich meine jenes Wunders, das in der menschlichen Sprache liegt, bedient, weiss sich in allen verschiedenen Graden und Abstufungen der Bildung auszudrücken und durch das Einfache und Kunstlose, ebenso wie durch die reiche Pracht der kunstreichsten Rede zu dem menschlichen Herzen [zu] reden. Das ist ihr wesentlicher Unterschied vor den übrigen Künsten, der ihr eine grössere Freiheit und Ausdehnung zusichert.

Die Poesie ist lyrisch oder episch, denn die dramatische ist eine in der Regel spätere Ausbildung der epischen und zieht von dieser ihre Nahrung. Von der lyrischen rede ich hier nicht, sie wird kaum von der Geschichte berührt, da sie die unvergänglichen, zu allen Zeiten wiederkehrenden Gefühle des menschlichen Herzens ausspricht. Wie weit sie über die ganze Erde ausgebreitet ist, sie erscheint in naher Verwandtschaft, sie drückt etwas aus, das jedem verständlich ist, und die Gesänge, in welchen der in den Wäldern wandelnde Wilde eines fremden Himmelstrichs seine Gefühle ausströmen lässt, finden einen Anklang in der Brust des Menschen, welchen die Cultur der Jahrhunderte auf eine hohe Stufe gehoben hat. Die lyrischen Gedichte, Lieder z. B. der Serben, gesungen von Menschen, die ihre Muttersprache nie gelesen und geschrieben haben, sind von solcher Zartheit des Gefühls und des Ausdrucks, dass der edelste Dichter unserer Zeit sich ihrer nicht zu schämen braucht. Diese Poesie[en] bedürfen nur eines nicht herabgebeugten, mit aufgerichtetem Antlitz, in natürlichen Verhältnissen wandelnden Menschen.

Anders verhält es sich mit der epischen Dichtung, sie hängt ab oder vielmehr sie erwächst aus den verschiedenartigen Zuständen, in

welche die Geschichte ein Volk versetzt, oder damit ich es in einem Worte selbst ausdrücke, sie ist die erste und frühste Geschichte eines Volkes selbst. Alles, was es erlebt hat, sei es nun in wirklichen Ereignissen oder in dem, was der Geist ersonnen oder ausgedacht hat, oder was ihm auf eine unergründliche Weise, die ich mich nicht scheue eine geheimnisreiche zu nennen, ist überliefert worden, das nimmt sie in sich auf. Jene höhere Betrachtung der Ereignisse, die nicht in einer Sammlung des Geschehenen beruht, sondern in einem Ergreifen dessen, was Zeugnis vom Geiste giebt, ist ihr eigen und macht ihr Wesen aus. Sie wandelt sich daher in gleichem Schritte fort, in dem ein Volk fortschreitet, sie nimmt von dem Augenblick Gehalt, Farbe, Gesinnung an, sie hat Bestand in demselben Masse, in welchem das Volk Bestand hat, dem sie angehört, und versinkt mit diesem unwiederherstellbar. Ihre Wahrheit aber ist nur eine geistige und von den Begebenheiten selbst, aus welchen sie zum Theil hervorgegangen (ist, unabhängig), sie überschreitet ohne Bedenken die Gesetze der kritischen Geschichte, welche auszubilden der Beruf unserer Zeit ist.
Nicht bestimmt aufgezeichnet zu werden, ja ihrer Natur nach aller Feststellung entgegen, sind ihre Denkmäler viel jünger, als ihr Ursprung, von dem überhaupt nur in dem Sinne kann geredet werden, in welchem wir von dem Anfang einer Geschichte reden. Wir haben endlich eingesehen, dass dieser nirgends kann ergründet werden.

5 Sendschreiben an Herrn F. D. Gräter (1813) = Schriften, Bd. II.

*[S. 118]* Worin besteht aber die Poesie? In dem Ergreifen des Innersten des Gedankens, in dem Gefühl desselben, die Worte mögen dann fallen, wie sie wollen, kommen sie aus dem Herzen, so wird es ihnen nicht an Gewalt und Eindringlichem fehlen, sind sie noch zierlich gesetzt, so ist es gut, aber Worte ohne jenen festen Sinn, noch so gut an einander gereiht, sind ein gemeines Spiel elender aufgedunsener Eitelkeit, das der Sprache Gewalt und Wahrheit unwiederbringlich raubt und sie in ihrem Herzen vergiftet, und das einer, der es nicht verachtet, wie alles Schlechte gar bald lernt.

6 Einleitung zur Vorlesung über Gudrun (1843) = Schriften, Bd. IV.

*[S. 529 f.]* Die Poesie ist die Schatzkammer des menschlichen Geistes, in welche er niederlegt, was er im Leben gewonnen hat. Sie gleicht dem reinen Gold, das nicht verwittert; denn sie hat das Auffällige, Unwahre und Vergängliche ausgeschieden. Sie erhebt die Ereignisse aus der Wirklichkeit in das reinere Licht der Idee und gewährt ihnen damit ein höheres Dasein. Indem sie beides, Gedachtes und Erlebtes, vereinigt, trennt sie sich von der äusseren Erscheinung, von dem, was wir Wirklichkeit nennen, dem immer etwas Beschränktes, man kann sagen Ängstliches anklebt. Sie unterscheidet sich von ihr wie der Abguss einer Form von dem reinen, frei gearbeiteten Marmorbild. Erst nach und nach trennt sich von ihr die geistige Betrachtung als Philosophie, die Erzählung des Geschehenen als Geschichte, die ihre gesonderte Richtung verfolgen, während die Poesie in lebendiger Vereinigung erhält, was von aussen auf sie eindringt und was innerlich aus der Seele strömt.

Man hat bei der Sprache bemerkt, dass Verba die Grundlage aller Substantiva seien, und daraus den Schluss gemacht, dass die epische Dichtung die älteste und ursprünglichste ist. Ich glaube das nicht. Der Eindruck der menschlichen Gefühle und Leidenschaften, den der unmittelbare Anblick der Natur hinterlässt und der in den lyrischen Gedichten sich äussert, ist mindestens ebenso alt als der Eindruck der Ereignisse, der in der epischen Dichtung sich abspiegelt. Schon in dem ältesten Epos wird der lyrische Gesang erwähnt. Diese beiden Dichtungsarten sind im Grunde die einzigen: die dramatischen Dichtungen entspringen aus dem Epos (Brocken von dem Gastmahl Homers nannten sie die Alten), wenn das Bewusstsein der dichterischen Kraft und ein ordnender Verstand hinzutritt, der die Ereignisse einer bestimmten Idee unterwirft und dieser gemäss umbildet. Das Epos trägt seine Idee unbewusst in sich, während sie in dem Drama absichtlich alle Glieder des Ganzen durchdringt, das eben deshalb in seiner Vollendung das Höchste erreicht, was menschliche Kunst vermag. Noch später erscheint die didaktische Poesie, der gehobene, gesteigerte und durch die Beschreibung ruhender Zustände belebte Ausdruck sittlicher Wahrheiten. Die didaktische Poesie belehrt unmittelbar. Da aber die wahre Poesie nie darauf ausgeht, unmittelbar Lehre zu ertheilen, sondern erwartet, dass aus der Darstellung des wahrhaften Lebens die Lehre von selbst in der Seele erwachse, so ist das didaktische Gedicht schon in der Wurzel von der Poesie geschieden. Die echte Poesie verwendet das gewonnene Gold zu kunstreichen Gebilden; die Lehre prägt es in Geld aus, dessen Werth angegeben wird, das in Umlauf kommen und unbedingt angenommen werden soll.

## XXIX Adam Heinrich Müller (1779—1829)

Schriften = Kritische, ästhetische und philosophische Schriften. Kritische Ausgabe. Hg. von W. Schroeder und W. Siebert. 2 Bde. Neuwied: Luchterhand 1967.

1 Vorlesungen über die deutsche Wissenschaft und Literatur (gehalten 1806) = Schriften, Bd. I.

*[S. 39—41]* Offenbar ward die durch Schlegel bewirkte Revolution, so fruchtbares, so bedeutendes Glied der Entwicklung sie auch ist, auf eine sehr unhistorische und besonders *unplatonische* Weise geschlossen. Ein neuer, dem Kritiker selbst undurchdringlicher Zauberkreis ist um einzelne Zustände der Menschheit, um gewisse Lieblingsstellen der Kunstgeschichte gezogen: die Barrieren sind vorgerückt, aber umspannen das größere Gebiet mit um so unerträglichern Druck. Die engere Grenze um die alten französischen Autoritäten konnte sich eine geraume Zeit hindurch erhalten; die Macht jener konnte übersehen, unterhalten, also konzentriert werden; die neue deutsche Festung ist viel zu groß, als daß sie lange widerstehen könnte. Ich gebe euch die französische Literatur mit allen ihren Dependenzen für die Griechen, die Minnesinger, Shakespeare, Cervantes und Calderon, so wie ihr sie mir gezeigt habt, hin. Sobald ihr aber von mir verlangt, ich soll jene mit ihren Genossen für absolut und ewig einzige Dichter halten, sobald ihr mir auf einer weiten Wüste einzelne Gärten und Paradiese der Poesie absteckt und mich in diese verbannen wollt, so seid ihr mir um nichts weniger lästig als jene Häupter des neuen Alexandrien. Wenn ich über den einzelnen Dichter, den ich in sich und im Ganzen zu schauen strebe, den größern Dichter, die Menschheit, wenn ich über das kunstreichste Werk des Einzelnen das große Gedicht, die Weltgeschichte, vergessen, wenn ich im Kampf gegen das Unwürdige meiner Zeit den Frieden mit meiner Zeit verlieren soll, so ist mir wenig gedient. [...]

Um unsre Literatur geltend zu machen, brauchen wir uns keiner einzigen ihrer Erscheinungen zu schämen; jeder verdient, wenn nicht als Gewicht, doch als Gegengewicht, seine Stelle; keiner bedeutet bloß, jeder, seines Orts, gibt und wirkt auf das Ganze. Der gemeine Leser wählt sich aus dem einzelnen Werke seinen Lieblingshelden und schlägt sich mit ihm parteiisch durch alle Verwickelungen und Hindernisse des Schicksals, die der Roman und das Drama darstellt, durch; der höhere Leser hält sich an der eigentümlichen Gestalt, die der Dichter in diesem Werke hat annehmen wollen, er greift aus den Bewegungen der streitenden Charaktere und Begebenheiten den dichtenden Moment des Autors heraus; eine neue Stufe der Betrachtung wird erreicht, wenn der Dichter selbst in dem Zyklus, in der Familie seiner gesamten Werke, die wie Apostel seines Geistes von ihm ausgehen, geschaut wird und so das besondre Werk sich zu neuen, allgemeineren Beziehungen erhebt. Noch ist aber nicht alles erschöpft: der Stufen der Betrachtung sind unendlich viele. Der Dichter soll auf das Ganze dieser bestimmten Literatur, auf das Pantheon der Poesie überhaupt, auf jede mögliche einzelne Gestalt des Lebens bezogen werden: der Dichter oder das Leben überhaupt ist nie geschlossen, jede neue Beziehung, die die Zukunft bringt, erläutert, und die Betrachtung ist unendlich wie die Welt.

*[S. 119—121]* *Torquato Tasso* von Goethe ist ein Gedicht *über* den Dichter und sein Werk: für das Verständnis der Poesie das lehrreichste und tiefsinnigste; in äußerer Form das vollendetste, den benachbarten Nationen zugänglichste. Ich überlasse es andern, die unergründliche Wahrheit in der Darstellung des persönlichen und poetischen Charakters des Dichters Tasso und seines Werks darzustellen: durch die Einbürgerung in den Kunststaat Goethes ist Tasso erhoben und verklärt; wie es den Sätzen zufolge, die ich vorausgeschickt, notwendig ist; die Leidensgeschichte des Dichters beginnt in diesem Drama ihren Kreislauf noch einmal, aber in einer höhern Region. Es ist derselbige, den uns die Geschichte zeigt, bis auf die kleinsten Züge der reizenden Krankheit, die ihn verzehrt; des sehnsüchtigen Gemüts, das alle Harmonie der umgebenden Welt in Schmerz auflöst, um schönen Träumen Leben, Dauer und Wohllaut zu geben. Die Rastlosigkeit des Strebens nach einem höhern, innern, harmonischeren Dasein erscheint im Kontrast mit dem Gleichgewichte einer ruhigen, freund-

lichen, wohlklingenden Umgebung. Der Untergang einer glücklichen Zeit, derselben, die die Verzweiflung des Faust erregt und aus der Tasso, der Dichter der Kreuzzüge, wie ein schöner Nachklang zurückgeblieben, erzeugt in diesem ein gewaltiges Verlangen, das sich hier und dort, spielend und klagend an den Schönheiten der Welt anschmiegt und allenthalben unbefriedigt, aber mit seinen Irrtümern versöhnt, sich dem Tode mehr und mehr entgegenneigt. Die schöne Welt, deren Verjüngung damals sich anfing, rauscht bei ihm vorüber, in diesem allerunruhigsten Busen selbst noch widerstrahlend ihr herrliches Gesetz. [...]

Unter allen Leiden des Dichters sieht man die Flügel des Genius der Poesie sich ausbreiten und wachsen, und wenn die Strenge in der Handlungsweise des Staatsmanns uns hier und dort verletzt, so haben sich dennoch am Ende Dichtkunst und Staatskunst in einen einzigen herrlichen Tempel des Lebens vereinigt. Die Liebe bleibt versagt, der Lorbeer entrückt: aber die Elemente der Welt, die sich zum Streite getrennt hatten, versöhnen sich wieder: vor ihrer gleichen, ewig notwendigen Gewalt beugen sich die über den scheinbaren Zwiespalt wieder beruhigten Gestalten. Tasso, klar, flüssig, aber auch leicht zu beunruhigen wie Meer und Wasser, tritt in seine Schranken zurück: Antonio, auf Festigkeit und Dauer trotzend wie die ernährende Erde, gibt seine Ansprüche auf. Weich und durchsichtig, zwischen Himmel und Erde ausgebreitet, ewig unergreifbar für irdische Hände wie die Luft, umfängt die ernste Eleonore wieder mit gleicher Gerechtigkeit die beiden irdischen Elemente; und das Feuer der andern, das hie und da zu entzünden drohte, stillt sich; der leichte Glanz, die schöne Lust eines fröhlichen Herzens bleibt zurück.

So schließt sich das echte Kunstwerk: in lebendiger Deutlichkeit hinterlassen die schönen, verschwundenen Bilder den ewigen Gedanken des Lebens. Die irdischen Schicksale, die uns, wie die edlen Gestalten des Gedichts, quälten und zerrissen, stehn bei jeder folgenden Betrachtung reiner, ruhiger und bedeutender vor uns auf: Schmerz und Freude mildern sich gegenseitig zu Moll- und Dur-Akkorden einer wunderbaren Musik. Eben diese wiederholte Betrachtung wird jedem, der sich dazu hingezogen fühlt, erhabneren Sinn in dem göttlichen Werke zeigen. Nur mit schwachen Farben habe ich es dargestellt; nur den Weg habe ich weisen können, auf dem man zu seiner Vortrefflichkeit sich emporhebt.

*[S. 126]* Wenn ich Goethen nach der Klarheit, der Verständlichkeit seiner Züge, seiner Augen, seines Blicks und auch der Meisterschaft seiner Werke Haupt und Hand unsrer Poesie nennen möchte, so ist Schiller ihr Herz, das unsichtbarer, aber mit desto tieferem, innigerem Schlagen die heilige Empfindung offenbart, die alle Bestrebungen der Deutschen für Wahrheit und Schönheit beseelt.

2 Von der Idee der Schönheit (Dresdner Vorlesung, gehalten 1807—1808) = Schriften, Bd. II.

*[S. 38—47]* Wir sind hinlänglich vorbereitet: vom Begriff und vom Worte Poesie ist die Rede! Was meinen jene Akademiker mit ihrem Grundsatz von den fixierten Begriffen und Worten; was meinen jene geflügelten Geister mit ihrem Streben nach unendlich bewegten Worten und Begriffen, unter der Poesie? — Die Akademiker sind schnell bei der Hand, und mit den wenigen Worten: *la poésie est l'art de faire des ouvrages en vers* steht das Gespann vor dem Wagen: Es gibt nur eine Poesie, und das ist die Poesie der Verse. Wie verändert sich alles, wenn wir auf die andre Seite sehn und die Stimme jener neuen deutschen Kunstrichter vernehmen: Poesie ist der Geist der Welt, ist das Wesen der Frauen: es gibt eine Poesie des Lebens, eine Poesie der Jugend, eine Poesie der Liebe: die ganze Welt, das ganze Leben soll ein einziges großes Gedicht sein usf. — Die ersten geben uns den Begriff der Poesie in seiner engsten und ängstlichsten Gebundenheit, die andern in der schrankenlosesten Freiheit. Der Begriff der Poesie bei jenen ist fix und beschränkt, bei diesen beweglich und unendlich weit: wer von beiden hat recht? — Hierauf erfolgt unsre schon oft gegebene Antwort: keine oder beide! Mag der Begriff der Poesie sich von seinem Worte der göttlichen Verskunst einstweilen fröhlich trennen und im muntern Reigen von einer Dame zur andern, von einer Schönheit der Welt zur andern fliegen, mit jeder den Tanz versuchen, mit jeder vereint eine Weile

in dem Himmel von Wohllaut schweben, der ihnen allen aufgetan ist, wenn er nur — und das ist das Zeichen, ob es ein ordentlicher Tanz gewesen ist — wenn er nur zuletzt, nachdem er den ganzen Zirkel durchflogen, verschönert und verklärt zu seiner früheren Freundin zurückkehrt. [...]

Der Dichter nun, dem es die Natur vor allen andern verlieh, den ewigen Einklang der Dinge wahrzunehmen, er ist es auch, welcher das unendliche Leben der Sprache zu erwecken und zu schonen weiß. Denken Sie ihn sich nun, wie er zugegen ist oder es darstellt: da ein Kind eine Blume betrachtet. Beständig fühlend, daß die Schönheit in allen ihren Erscheinungen dieselbige ist, mag er sich etwa folgendermaßen ausdrücken: eine Blume sieht die andre an, oder ein Kind sieht das andre an. Dagegen muß sich natürlich der Akademiker auflehnen: nach ihm müßte der Dichter vorsichtiger also sprechen: an Frische und Jugend und Fülle und Farbe kann man dieses Kind der Blume vergleichen, welche es ansieht, indem doch keinesweges Kind und Blume ein und dasselbe oder auch nur von einer Gattung wären, vielmehr nur gleichnisweise geredet werde. [...] Gestirne und Augen, Blumen und Kinder und jedes Paar möglicher Wesen wird durch *Ein* herrliches Band verknüpft. Welches ist dieses Band? Die Schönheit oder das Leben, in welchen großen Gedanken sich alles Irdische und Himmlische berührt. Wodurch wird dir denn ein schönes Auge in der Betrachtung wert? dadurch, daß du in diesem Auge tausend verschiedene ernste und heitere Ausdrücke wahrgenommen; jede neue Begebenheit muß dir das Auge, welches du betrachtest, in neuem Glanz und neuer Schönheit zeigen. Demnach ist der Begriff des Auges ein unendlicher, ebenso auch das Wort; der Dichter stellt es in tausend graziöse Beziehungen zum Himmel, zu den Sternen, zu den Blumen und führt es endlich seinem ersten Ritter, dem ebenfalls verherrlichten *Begriff* des Auges, verschönert wieder zu.

[...] Jedes Wort hat einen Körper, d. h. einen bestimmten festen Begriff, den es als Seele bewohnt; aber wie dieser Begriff durch den Philosophen in Beziehung auf alle andere Begriffe des Universums gebracht werden kann, ebenso das Wort durch den Dichter auf alle andre Worte. Demnach ist sowohl Wort als Begriff, wie treu sie auch ihrem ursprünglichen Sinn und Gehalt bleiben mögen, einer unendlichen Erweiterung fähig und damit erwiesen, daß das Wort wie der Begriff ein lebendiges Wesen sei. — Denken Sie nun, daß dieser Begriff vom Leben der Worte, worin alle Schönheit der Poesie, wie der andre vom Leben der Begriffe, worin alle Schönheit der Philosophie ihren Grund hat, in der französischen Schule fast gänzlich verloren gegangen war: und Sie werden sich nicht weiter wundern, daß, als durch neue deutsche Kunstrichter plötzlich der Gedanke jenes allgemeinen, lebendigen Tanzes, welchen ich oben beschrieben habe, aufgefaßt wurde, daß damals, im ersten Feuer des wiedergewonnenen Lebens, manche Dame zu ihrem Chapeau, manches Wort zu seinem Begriffe nicht wieder zurückkehrte, sondern in der Schwelgerei der Freiheit durch die Welt fortgaukelte, bis es ganz die ursprüngliche Gestalt verloren hatte und nun, da der Maßstab entwichen war, auch sogar die Beweglichkeit und Verwandelbarkeit nicht mehr wahrgenommen werden konnte. — Jetzt, da wir aus diesem warnenden Beispiel gesehn haben, wie die Bewegung von der Verirrung verschieden ist, wie die Bewegung der Begriffe nichts ist, wenn sie nicht zu dem ursprünglichen Worte endlich zurückkehrt; jetzt vermögen wir denn auch mit wahrem Maße und wahrer Beweglichkeit den Begriff des Wortes Poesie aufzufassen.

[...] Wir gehen ebenfalls aus von dem Begriff der Schönheit, wie er sich auf das natürlichste und nächste in der menschlichen Gestalt ausdrückt, lassen ihn hierauf mit allen einzelnen, erhabensten und unscheinbarsten Künsten des Lebens einen Tanz beginnen; so erweitert und verklärt sich der Begriff der Schönheit und kehrt zuletzt zu seiner ursprünglichen Genossenschaft mit dem wohlgeformten menschlichen Körper zurück. Dieses Beleben der Worte und Begriffe ist das ganze Geheimnis der Wissenschaft und Poesie. — Wer das Wesen der Poesie darstellen wollte, würde ebenso von der Verskunst ausgehn, dann einen Zyklus von Welterscheinungen durchlaufen, alle in Beziehung auf die Poesie bringen, und so würde eine Poesie der Natur, eine Poesie der Liebe, eine Poesie der Blumen, eine Poesie der Jugend vor dem Zuschauer dargestellt werden, die ganze Welt vielleicht als ein großes Gedicht erscheinen und doch endlich das Wort, erhobenen Geistes, zu der ursprünglichen Bedeutung zurückkehren. Nun erscheint das Wort

Poesie als ein Wort des Lebens; es ist fest und demnach unendlich beweglich. Wir sind in unsrer Darstellung von der Beschreibung des unendlich bewegten Geistes der Schönheit und des alles durchdringenden Geistes des Lebens ausgegangen; wir haben uns jene oft gepriesenen Wechselblicke von dem Ruhenden auf das Bewegte, von dem Bleibenden auf das Vorübergehende angewöhnt, weil wir einsahen, daß die Schönheit allenthalben aus der Wechselumarmung zweier Dinge, zweier Ideen hervorging. So haben wir die Schönheit und das Leben der Worte begriffen in Wechselblicken, die wir warfen, bald auf den bleibenden Sinn der Worte, bald auf ihre Bewegung und Verwandlung. Und so werden wir in der Beschreibung des Begriffes der Poesie uns weder in den bloßen Tanz, in die bloße Bewegung schwärmend verlieren noch mit unsrer Dame ausschließend allein tanzen wollen. — Poesie ist geschlossene Kunstdarstellung des Lebens durch das Wort. Unser Wort Dichtkunst ist gegen das Wort Poesie gehalten ein elendes Wort, vornehmlich weil es die Leute immer noch durch die Ähnlichkeit der Klänge in dem Wahne bestärkt, als hinge das Dichten doch endlich ganz genau mit dem Erdichten und sofort mit dem Lügen zusammen. Das griechische vielsinnigere Wort bedeutet bloß ein gewisses, zweckmäßiges, schönes Tun und Machen, ohne alle weitere Falschheit und Täuschung; ein Tun und Machen insonderheit, das allem übrigen Handeln zum Muster dienen kann. Ein Gedicht ist eine ganze, geschlossene, gemachte Welt; eine Erdichtung ist ein halbes, ungeschlossenes, schlecht gemachtes Stück Welt. Eben weil ein Gedicht gut gemacht ist und weil das Organ der Rede, wodurch das Gedicht ausgedrückt wird, das mittelste, ansprechendste Organ des Menschen ist, soll alles Menschenwerk dem gutgemachten, oder unschuldiger ausgedrückt, dem, was eben nur gemacht ist, der Poesie gleichen.

Das Dasein einer Ilias, einer Divina Commedia, eines Macbeth wurde in den letzten Jahrzehnten des verflossenen Jahrhunderts erklärt wie das Dasein der Welt — durch einen mystischen Begriff von Erschaffung und Schöpfer. Innerhalb eines Werkes der Poesie wie auch recht innerhalb der Welt zu leben, war jenes ohnmächtige Geschlecht unfähig; durch äußeren, mechanischen Anstoß, nicht durch inneren, sich selbst genügenden Schlag des Herzens mußte die Bewegung der Welt wie der Poesie erklärt werden, wenn sie von den Aufklärern begriffen werden sollte. [...] In der Natur und in der Poesie sind die Spuren des Meisters unendlich verwebt in dem Werk: wer demnach dort das Werk und den Meister zugleich in dem Werke zu schauen weiß, der wird einen neben dem Werk stehenden ergreifbaren Meister mit wirklichen Händen und Füßen nicht weiter vermissen. Indem wir nun ein Werk der Poesie hören, tritt hörbar, sagte ich neulich, neben unendlich verschiedenartigen Tönen das Gefühl eines dem ganzen Werke mitgeteilten Rhythmus oder Gleichmaßes, nämlich der Vers hervor: dies ist die Spur, die hörbare, des Meisters; wer zu vernehmen weiß, wie diese Spur die kleinsten Organe des Werks durchdringt, der hat das Herrlichste vom Meister und begehrt den wirklichen Arbeiter weiter nicht zu sehn. — Ich würde den für keinen Irreligiosen halten, der sich dächte: die heilige, unendliche Bewegung seiner Welt, das sei nun Gott; der stille Schlag des menschlichen Herzens, das Wellenrauschen des Meeres, das Wechselgespräch oder der Wechseltanz, wie wir es darstellten, der unendlichen Naturen, der ernste Gang der Gestirne, alle diese verschiedenen Bewegungen wären nur Offenbarungen eines Grundtakts, eines Grundrhythmus, der den übrigen allen zum Grunde läge. Ich will in meinen Vorlesungen über die Schönheit weiter nichts als die einzelnen Bewegungen der Künste wie der Geister hier und dort in ihrem Gesetze auffassen und in dem Grundrhythmus, der aus der Verbindung aller einzelnen Bewegungen hervorgeht, die höchste und schönste Bewegung wahrnehmen lassen, in der ich mir Gott zu denken weiß: nennen Sie dies Eine Höchste, das ich zu erschwingen imstande bin, Gott, Schönheit, Leben, Liebe, Poesie — wie Sie wollen, — ich bin zufrieden, wenn Sie das Beste empfangen haben, was ich geben konnte.

In jedem poetischen Werke sind die Rhythmen sehr verschiedenartiger Natur verbunden und liebend unterworfen einem großen Grundrhythmus. [...] Das ganze Geheimnis der Poesie liegt demnach in der Verbindung mehrerer streitenden Bewegungen zu einer ruhigen. — Ich kehre wieder zu dem Bilde des Tanzes zurück, das mich verfolgt: was ist der Tanz anders als die Verbindung mehrerer streitenden Bewegungen zu einer ruhigen. Welches menschliche Werk die Natur dieses Tanzes hat, von dem kann man sagen, daß es wahrhaft gemacht sei: der Macher möge übrigens für sich gestaltet sein wie er wolle; ich erkenne ihn im Werke eben an der ruhigen Bewegung in den streitenden Bewegungen. Ein solches Werk ist auch wahr, ohne alle Täuschung und Lüge, denn es trägt ja das Wesen der Schönheit in sich und ist eben dadurch schon fest verwebt in alle Herrlichkeit der Welt und mit ihr unsterblich: es greift ein in den ewigen Tanz aller Naturen, wie sollte es untergehn können? — Daß nun derjenige, welcher diesen heiligen Tanz zuerst und vornehmlich in den Worten oder in der Poesie erkannt hat, z. B. Friedrich Schlegel, daß ein solcher auf alle reizenden Erscheinungen der Welt, auf alle andere unendlichen Formen, unter denen der Mensch immer wieder diesen Tanz wahrnimmt, immer wieder den Begriff der Poesie überträgt und von der Poesie des Lebens, der Liebe, der Jugend, der Natur usf. spricht, — daß er die Erinnerung an seine erste Liebe nicht und nirgends vergessen kann, ist natürlich und schön. Sein ganzes Leben ist eine Vorlesung über die Poesie. Die Ideen der Schönheit, der Poesie, der Liebe, der Wahrheit, des Lebens, von denen eine jeder Mensch besonders im Munde und im Herzen trägt, in dem er jedoch allen übrigen dieselbe Macht und Herrlichkeit zugesteht, sind wieder den Gestirnen zu vergleichen, von denen ich in meiner ersten Vorlesung über die dramatische Poesie sagte, daß sie alle dasselbe Unsichtbare und Unaussprechliche andeuten, welches sie trägt und führt. — Wem es aber vorkommt, als bewege sich die ganze Welt um seine Lieblingsidee, der ganze Himmel um sein Lieblingsgestirn, wer, da er dieses erreicht und gefunden, allen übrigen es als einzige Schönheit aufdringen will, der ist um nichts besser, als hätte er eine kräftige irdische Schönheit gefaßt und ein für allemal wie ein französischer Akademiker erklärt, daß er nur mit ihr tanzen wolle. So hätte es den vortrefflichen Urhebern der deutschen Reaktion gegen die französische Akademie ergehen können, welche zwar die irdische Verskunst verließen, den Begriff der Poesie erweiterten und erhöhten, bis sie endlich an einer Weltidee von der Poesie kleben blieben und nun um nichts gebessert erklärten, daß sie nur mit ihr tanzen wollten.

3 Zwölf Reden über die Beredsamkeit und deren Verfall in Deutschland (1812) = Schriften, Bd. I.

*[S. 337—339]* Verhältnis der Beredsamkeit zur Poesie

*„Poesie“*, sagt Hugh Blair in seinen Vorlesungen über die Rhetorik, *„ist die Sprache der Leidenschaft oder der in Tätigkeit gesetzten Einbildungskraft, die sich gemeiniglich auch durch einen besonders geordneten Silbenfall unterscheidet.“* Alle anderweitigen Erklärungen der Poesie sind von ähnlichem Schlage: die Kritik bleibt im ganzen genommen dabei stehn, eine gewisse größere Lebhaftigkeit, Bilderfülle oder das wahrzunehmen, was sie mit einem vielbeliebten Ausdruck *Schwung* nennt. So viel scheint bei allen ausgemacht zu sein, daß es aufwärts geht, daß sich etwas geflügelt losreißt von den Banden dieser Erde und seine eigentümliche Bahn verfolgt: über die nähere Bewandtnis der Sache sucht man vergeblich Auskunft. Wenn man alle die Sagen von dem Wahnsinn der Begeisterung betrachtet, der den Dichter ergreifen soll, und erwägt, wie man übereingekommen ist, dem Dichter aus dem Wege zu gehn, ihm gewisse Freiheiten zu gestatten, ihn gewähren zu lassen, ihn zu behandeln wie einen, der sich in sehr unnatürlichem und ungewöhnlichem Zustande befindet, und nun dabei bedenkt, daß der eigentümliche Pulsschlag seiner Werke, nämlich das Silbenmaß, wirklich auf etwas Besonderes, von dem übrigen Treiben des Lebens Unabhängiges, seinem eigenen Gesetze Folgendes hindeutet, so ergibt sich, daß, wie es auch in der Ordnung ist, das Wesen des Dichters eigentlich viel mehr empfunden als durch Worte ausgedrückt worden ist. Es gehört zu dem Wunder der Poesie, daß so viele zu sagen wissen, wie ihnen zu Mut gewesen, da sie von ihr ergriffen wurden, und doch so wenige anzuzeigen vermögen, was sie denn eigentlich ergriffen hat.

— — Eine der interessantesten Bemerkungen, die uns zuerst bei der Erwägung des Verhältnisses zwischen der Poesie und Beredsamkeit aufstößt, ist die, daß die Beredsamkeit es allezeit auf einen bestimmten Zweck absieht, während die Poesie überhaupt keinen Zweck, und wenn ja einen, doch gewiß keinen hat, der im

Bezirke unsrer irdischen Neigungen und Bestrebungen liegt. Es ist eine gewisse Selbstgefälligkeit in den Werken der Dichter, ein Sich-selbst-genug-sein, ein Sich-in-sich-selbst-spiegeln und, bei aller innern Bewegung im Einzelnen, eine Ruhe des Ganzen, die keine Begierde nach außen zuzulassen und auf dieser Erde eigentlich nur das Gleichartige, in gleicher Seligkeit Befangene aufzusuchen scheint. Das Wort *Schwung* deutet auf eine Art von Anstrengung, von *effort* und scheint auf diese Beschreibung nicht zu passen — ich bitte Sie aber, nicht zu vergessen, daß die Kritiker, wie schon bemerkt, meistenteils nur ihren Zustand und ihr Verhalten bei Gelegenheit der Poesie, nicht aber die Poesie selbst beschreiben; und so bezeichnet denn jenes Wort (Schwung) nur die Resolution, die Art von Anlauf, die sie selbst nehmen müssen, um dem Dichter zu folgen. Aber da es keineswegs zum Wesen des Dichters gehört, daß er sich notwendig erhebe in sogenannte höhere Regionen, da ihm die Tiefe gehört so gut als die Höhe, da die Flügel, die wir ihm beilegen, nur andeuten sollen, daß er im Gleichgewichte sei mit dem Elemente, darin er lebt, daß Hoch und Tief, Groß und Geringe und alles Maß und Gewicht des gemeinen Lebens vor ihm zuschanden werde — so ist es allerdings belustigend zu sehn, wenn die Kritik, wo sie einen Dichter gewahr wird, sich auf einen Schwung ins Unendliche gefaßt macht, während es doch meistenteils mit einem ruhigen Wandeln in den Tälern dieser Erde schon getan ist. Grade weil der Dichter sich dieser Erde entziehen kann, wann er will, so wird er wahrscheinlich mit besondrer Freiheit und mit besondrer Liebe in den irdischen Verhältnissen verweilen.

*[S. 339—341]* Der Redner so gut als der Dichter vermag nichts ohne den Gott, wenn auch jener vielmehr als Held und Streiter für die göttliche Sache, dieser, der Dichter, vielmehr als Priester und Stellvertreter des Gottes erscheint, wie schon die Alten sehr richtig andeuteten; und wenn die höhere Würde der Menschheit eigentlich in der Verbindung des Göttlichen und Menschlichen beruht und, wie ich neulich zeigte, gerade die Sprache göttliches Siegel oder Kennzeichen aller menschlichen Taten ist, so steht der Redner vielmehr in der Region des Menschen und befangen in der Tat und

herabziehend zu ihrer Hilfe und ihrem Gedeihen das Göttliche, der Dichter hingegen vielmehr in der Region des Gottes und lebend in der Sprache, im Wort, alles Trübe, Schwere und Verwirrte auflösend in die Klarheit seines Elements und es, wie im *Ion* des Platon so schön beschrieben wird, hinaufziehend in den Kreis des Göttlichen. Der Redner nach Art des Hausvaters ist befangen in den Geschäften der Erde, schaffend, erwerbend, streitend für das Bedürfnis, für den Staat, die Wissenschaft, den Glauben, ohne Ende herbeiführend die Materialien des Baus, das Feindselige abwehrend und sein Unternehmen durch die Hilfe höherer Mächte verbürgend, indes die Poesie nach Art der Hausmutter alle diese versammelten Schätze ordnet und in ein ruhiges Ganze zusammenfügt und zu einem Wohnsitz des Göttlichen einweiht. Die Poesie wie die Hausmutter bleibt frei von den eigentlichen Banden des Besitzes, und während der Redner nach Art des Hausvaters das irdische Eigentum behauptet, verteidigt und auf die Nachkommen eigenmächtig und selbstherrschend überträgt, so ist die ganze Bestimmung der Poesie, wie der Frauen, frei von allen irdischen Banden die heilige Flamme des Lebens und des Sinnes, der das Leben zur Ewigkeit macht, zu bewahren und weiterzugeben. [...] Daher nun in allen *Werken* der Poesie die tiefe Spur des freien Ursprungs, aus dem sie stammen: daher der eigentümliche Pulsschlag des Silbenmaßes, daher die Freiheit, ich möchte sagen die Selbstbestimmung, ja die Unabhängigkeit jedes poetischen Werkes (dessen Geburt vollendet ist) sogar von dem Dichter, wie des Kindes sogar von der Mutter: es gibt dann noch eine äußere Pflege, Feile, Politur — aber über den eigentlichen Kern des Werkes, über die innerste Flamme des Lebens, die durch ein göttliches Geheimnis entzündet worden, vermag der Dichter so wenig als die Mutter über ihr Kind: erhalten, reinigen, schützen, auch zerstören läßt es sich oder opfern, aber nicht zurücknehmen, nicht umgestalten! Daher auch die anscheinende Zwecklosigkeit der Poesie, deren wir oben erwähnten, es läßt sich von ihr so wenig als vom Leben selbst der bestimmte Nutzen und die Art der Verwendung angeben, wofür sie eigentlich bestimmt sei.

*[S. 345 f.]* Unerachtet also die Vorliebe der edleren deutschen Naturen für die Poesie schon bis zur Unart geht, so habe ich es in der Vergleichung der Poesie und der Beredsamkeit dennoch auf die Verherrlichung der Poesie angelegt: *zuvörderst*, weil, wie schon gesagt, ihr die Würde der Frauen im Hause gehört, weil ihr der *pas* zukommt und weil ein Deutscher der ehrenvollen Anerkennung des größten Römers, des Tacitus, nicht widersprechen darf, daß wir die ersten waren, die vor dem andern Geschlechte die Knie beugten, die recht antirömisch ein Recht des Schwächeren anerkannten, während Rom nur ein Recht des Stärkeren. *Dann* aber, weil ich wenigstens streben will, die ganz verschiedene Macht, den ganz eigenen Reiz der Poesie auf männliche, prosaische Weise zu begreifen, weil ich mich durch ihr Wesen vervollständigen, weil ich meinen rednerischen Bestrebungen durch den Umgang mit der Poesie, durch gastlichen Aufenthalt bei ihr den Geist des Anstandes und der Sitte mitteilen möchte, den der Mann in dem Umgang mit den Frauen gewinnt und den man mit dem bis jetzt völlig unbegriffenen und unerklärten Worte Geschmack eigentlich gemeint hat. Dies habe ich gewollt, ohne der männlichen Natur der Beredsamkeit und ihrem prosaischen Charakter etwas zu vergeben, ohne alles neidische Bestreben über ihre natürlichen Grenzen hinaus, ohne Begierde nach etwas, was mir einmal nicht gewährt ist, sondern weil ich weiß, daß ich meine Kunst nicht höher ehren kann, als indem ich ihr Gegenteil anerkenne. Unterscheiden Sie wohl die poetische Gerechtigkeit von der rednerischen: jene ist gerecht auf göttliche Weise, die Gerechtigkeit ist ihr ruhiger Zustand; diese ist gerecht mehr auf menschliche, männliche, kämpfende Weise, indem sie sich selbst widerstrebt: von dieser lernt man gerecht handeln, in jedem einzelnen Augenblick Gegengewichte, ja Gegengift werden für das Unrecht; von jener lernt man gerecht sein, man lernt die Gemütsverfassung der Gerechtigkeit.

*[S. 347 f.]* — — Weil die Poesie den *pas* hat vor der Beredsamkeit, so ist sie deshalb nicht etwa von einer vornehmeren Natur als die Beredsamkeit; sondern beide gehen Hand in Hand, stützen einander, helfen einander, leben wie in einer Art von Ehe — grade

wie die beiden Geschlechter, von deren Verschiedenheit alle irdische Unterscheidung herkommt, wie von ihrer wahren Vereinigung das Gesetz aller Gemeinschaftlichkeit auf dieser Erde ausgeht. [...] — — Also so wenig als unter den beiden Geschlechtern ist ein eigentlicher Vorrang zwischen der Beredsamkeit und Poesie. Und dennoch schien ich im Anfang unsrer heutigen Unterhaltung einen Scheideweg zwischen beiden anzudeuten, als wenn von Vorzug die Rede wäre, den man einem vor dem andern geben müsse? Allerdings halte ich es für die wichtigste und ernsthafteste Alternative, in die jeder tüchtige Mensch beim Austritt aus der Schule und beim Eintritt in das wirkliche Leben gestellt ist, zu entscheiden, welches der eigentliche Geschlechtscharakter seines Geistes sei, ob er sich mehr hinüberneige zum äußeren, praktischen öffentlichen Leben, also zur Beredsamkeit oder zu dem innerlichen Wirken der Poesie, zu ihrem häuslichen, weiblichen Wirken, das, unberührt von den Wogen des öffentlichen Lebens, nur leicht bestimmt von den Bedingungen der Zeit und des Orts, eigentlich viel mehr der Ewigkeit und dem ganzen Geschlechte als dem Einzelnen und der Gegenwart angehört. Die Majorität der besseren Naturen muß der Gegenwart, muß dem öffentlichen Leben, also der Beredsamkeit verbleiben: aber besonders in Deutschland kommt es darauf an, sich deutlich sagen zu können, ob man zum Dichter und zu poetischem Leben geeignet sei oder nicht. Hier bei uns grade, weil das öffentliche Leben weniger reizt als irgendwo sonst, werden in den großen öffentlichen Geschäften die angemeßnen Talente seltner; viele, welche die Natur mit den herrlichsten Anlagen ausschmückte, ziehen sich in eine Art von Dichterwelt zurück; ohne die Resignation, die Bereitschaft des Leidens und der Geduld mitzubringen, welche die poetische wie die weibliche Sphäre erfordert, wollen sie den Geschlechtscharakter ihres Geistes ändern wie ein Kleid und bringen allen Ungestüm des Herzens, alle Glut der Leidenschaft, alles Feuer irdischer Wünsche, welches im praktischen Leben, wo es hingehört, sich allmählich dämpfen und veredeln würde, mit in eine Region, wo die Gerechtigkeit ein Zustand sein soll.

## XXX Georg Wilhelm Friedrich Hegel (1770—1831)

Werke = Sämtliche Werke. Jubiläumsausgabe in 26 Bdn. Hg. von H. Glockner. 3. Aufl. Stuttgart: Frommann 1949—59.

Ästhetik = Vorlesungen über die Ästhetik. Hg. von F. Bassenge. Berlin: Aufbau 1955.

1 Phänomenologie des Geistes (1807) = Werke, Bd. II.

*[S. 62]* Es ist nicht erfreulich, zu bemerken, daß die Unwissenheit und die form- wie geschmacklose Rohheit selbst, die unfähig ist, ihr Denken auf einen abstrakten Satz, noch weniger auf den Zusammenhang mehrerer festzuhalten, bald die Freiheit und Toleranz des Denkens, bald aber Genialität zu seyn versichert. Die letztere, wie jetzt in der Philosophie, grassirte bekanntlich einst eben so in der Poesie; statt Poesie aber, wenn das Produciren dieser Genialität einen Sinn hatte, erzeugte es triviale Prose oder, wenn es über diese hinausging, verrückte Reden. So jetzt ein natürliches Philosophiren, das sich zu gut für den Begriff und durch dessen Mangel für ein anschauendes und poetisches Denken hält, bringt willkürliche Kombinationen einer durch den Gedanken nur desorganisirten Einbildungskraft zu Markte, — Gebilde, die weder Fisch noch Fleisch, weder Poesie noch Philosophie sind.

2 Philosophische Propädeutik (1808—1816) = Werke, Bd. III.

*[S. 208 f. § 154]* Productive Einbildungskraft. Die höhere Einbildungskraft, die dichtende Phantasie, steht nicht im Dienst zufälliger Zustände und Bestimmungen des Gemüths, sondern im Dienst der Ideen und der Wahrheit des Geistes überhaupt. Sie streift die zufälligen und willkürlichen Umstände des Daseins ab, hebt das Innere und Wesentliche desselben heraus, gestaltet und verbildlicht es. — Diese Form des erscheinenden Daseins, die sie ihm giebt, ist nur von dem Wesentlichen getragen, beherrscht, durchdrungen und zur Einheit verbunden. — Das Symbolisiren der Einbildungskraft besteht darin, daß sie sinnlichen Erscheinungen oder Bildern Vorstellungen oder Gedanken anderer Art unterlegt, als sie unmittelbar ausdrücken, die jedoch eine

analoge Beziehung mit ihnen haben und jene Bilder als den Ausdruck derselben darstellen.
(Das Dichten ist nicht Nachahmen der Natur. Die Poesie ist in höherem Sinne wahr, als die gemeine Wirklichkeit. Der Dichter ist ein tiefer Geist, der die Substanz durchschauet, die ein Anderer auch in sich hat, aber die ihm nicht zum Bewußtsein kommt. Es gilt auch hier, daß es für den Kammerdiener keinen Helden giebt. Es heißt: ich habe diesen ja auch gekannt, aber nichts davon gesehen; oder: ich habe die Liebe auch gekannt, aber nichts in ihr von dem gefunden, was der Dichter davon sagt. Darum ist der Dichter ein Seher. — Die Pracht der Natur vereinigt der Dichter zu einem Ganzen als Attribut irgend eines Höheren: Aetherblau ist sein Gewand, Blüthen seine Boten u. s. f. — Ceres und Proserpina. Basis der Idee. — Sommer: Vergißmeinnicht. — Sonnenaufgang: „so quoll die Sonn' hervor, wie Ruh' aus Tugend quillt." Sonnenuntergang: „so stirbt ein Held." — Symbolik von Brod und Wein in den Eleusinischen Mysterien und im Christenthum. — Ein tiefes Gemüth symbolisirt überhaupt; Neigung der Deutschen zur Gedankenpoesie der Natur u. s. f.)

*[S. 223 f. § 203]* Die Kunst stellt den Geist in Individualität und zugleich gereinigt vom zufälligen Dasein und dessen Veränderungen und von äußern Bedingungen dar und zwar objectiv für die Anschauung und Vorstellung. Das Schöne an und für sich ist Gegenstand der Kunst, nicht die Nachahmung der Natur, die selbst eine nur zeitliche und unfreie Nachahmung der Idee ist. Die Aesthetik betrachtet die nähern Formen dieser schönen Darstellung.
(Kunst hängt davon ab, welches substantielle Bewußtsein der Geist ist. Wir studiren die Griechischen Werke, sind darum keine Griechen. Die Vorstellung thut's nicht, sondern das innere productive Leben, daß wir das selbst sind. Die Volksphantasie ist nicht Aberglaube an Etwas, sondern der eigene Geist; das sogenannte Wunderbare ist eine läppische Maschinerie; Mißgriff Klopstocks mit seinen Engeln, Nordischen Göttern. Die lebendige Mythologie eines Volkes macht daher den Grund und Gehalt seiner Kunst aus.)

*[S. 224 § 204]* Es sind zwei Hauptformen oder Style der Kunst zu unterscheiden, der antike und moderne. Der Charakter der ersten ist plastisch, objectiv, der der andern romantisch, subjectiv. Der antike stellt die Individualität zugleich als allgemeinen, wesentlichen Charakter dar, ohne daß er darum zur Abstraction und Allegorie wird, sondern lebendige Totalität bleibt. In der objectiven Klarheit und Haltung löscht er das Zufällige und Willkürliche des Subjectiven aus.

*[§ 205]* Die Künste unterscheiden sich nach Gattungen durch das Element, worin sie das Schöne darstellen und wodurch auch der Gegenstand und Geist dieser Darstellung näher bestimmt wird. Für die äußere Anschauung giebt die Malerei eine farbige Gestaltung auf einer Fläche, die Bildhauerkunst eine farblose Gestaltung in körperlicher Form. Für die innere Anschauung stellt die Musik in vorstellungslosen Tönen, die Poesie durch die Sprache dar.
(Redekunst, Baukunst, Gartenkunst u. s. f. sind nicht reine schöne Künste, weil ihnen noch ein anderer Zweck zu Grunde liegt, als die Darstellung des Schönen.)

*[§ 206]* Die Hauptgattungen der Poesie sind die epische, lyrische und dramatische. Die erstere stellt einen Gegenstand als eine äußerliche Begebenheit dar; die zweite eine einzelne Empfindung oder die subjective im Gemüth vorgehende Bewegung; die dritte die eigentliche Handlung als Wirkung des Willens.

3 Enzyklopädie der philosophischen Wissenschaften im Grundrisse (1817) = Werke, Bd. VI.

*[S. 308 § 473]* Dieß Erkennen von der Nothwendigkeit des Inhalts der absoluten Vorstellung, so wie von der Nothwendigkeit der beyden Formen, der unmittelbaren Anschauung und ihrer Poesie einerseits, und andererseits der voraussetzenden Vorstellung, der objectiven und äusserlichen Offenbarung, und der subjectiven Hinbewegung und innern Identificirens des Glaubens mit derselben, das Anerkennen des Inhalts und der Form, und die Befreyung von diesen Formen findet sich schon

vollbracht, indem die Philosophie am Schluß ihren eigenen Begriff erfaßt, d. i. nur auf ihr Wissen zurücksieht.

4 System der Philosophie. Dritter Teil. Die Philosophie des Geistes (Vorlesungen, gehalten 1817—1828) = Werke, Bd. XI.

*[S. 147]* Die Thiere bringen es in der Aeußerung ihrer Empfindungen nicht weiter, als bis zur unarticulirten Stimme, bis zum Schrei des Schmerzes oder der Freude; und manche Thiere gelangen auch nur in der höchsten Noth zu dieser ideellen Aeußerung ihrer Innerlichkeit. Der Mensch aber bleibt nicht bei dieser thierischen Weise des Sichäußerns stehen; er schafft die articulirte Sprache, durch welche die innerlichen Empfindungen zu Worte kommen, in ihrer ganzen Bestimmtheit sich äußern, dem Subjecte gegenständlich, und zugleich ihm äußerlich und fremd werden. Die articulirte Sprache ist daher die höchste Weise, wie der Mensch sich seiner innerlichen Empfindungen entäußert. Deßhalb werden bei Todesfällen mit gutem Grunde Leichenlieder gesungen, Condolationen gemacht, die, — so lästig dieselben auch mitunter scheinen oder seyn mögen, — doch das Vortheilhafte haben, daß sie durch das wiederholentliche Besprechen des stattgehabten Verlustes den darüber gehegten Schmerz aus der Gedrungenheit des Gemüthes in die Vorstellung herausheben, und somit zu einem Gegenständlichen, zu etwas dem schmerzerfüllten Subject Gegenübertretenden machen. Besonders aber hat das Dichten die Kraft, von bedrängenden Gefühlen zu befreien; wie denn namentlich Göthe seine geistige Freiheit mehrmals dadurch wieder hergestellt hat, daß er seinen Schmerz in ein Gedicht ergoß.

5 Vorlesungen über die Ästhetik (gehalten 1818—1828) = Ästhetik.

*[S. 123—125]* Was endlich die *dritte,* geistigste Darstellung der romantischen Kunstform anbetrifft, so haben wir dieselbe in *der Poesie* zu suchen. Ihre charakteristische Eigentümlichkeit liegt in der Macht, mit welcher sie das sinnliche Element, von dem schon Musik und Malerei die Kunst zu befreien begannen, dem Geiste und seinen Vorstellungen unterwirft. Denn der Ton,

das letzte äußere Material der Poesie, ist in ihr nicht mehr die tönende Empfindung selber, sondern ein für sich bedeutungsloses *Zeichen*, und zwar der in sich konkret gewordenen Vorstellung, nicht aber nur der unbestimmten Empfindung und ihrer Nuancen und Gradationen. Der *Ton* wird dadurch zum *Wort* als in sich artikuliertem Laute, dessen Sinn es ist, Vorstellungen und Gedanken zu bezeichnen, indem der in sich negative Punkt, zu welchem die Musik sich fortbewegte, jetzt als der vollendet konkrete Punkt, als Punkt des Geistes, als das selbstbewußte Individuum hervortritt, das aus sich selbst heraus den unendlichen Raum der Vorstellung mit der Zeit des Tons verbindet. Doch ist dies sinnliche Element, das in der Musik noch unmittelbar eins mit der Innerlichkeit war, hier von dem Inhalte des Bewußtseins losgetrennt, während der Geist diesen Inhalt sich für sich und in sich selbst zur Vorstellung bestimmt, zu deren Ausdruck er sich zwar des Tones, doch nur als eines für sich wert- und inhaltlosen Zeichens bedient. Der Ton kann demnach ebensogut auch bloßer Buchstabe sein, denn das Hörbare ist wie das Sichtbare zur bloßen Andeutung des Geistes herabgesunken. Dadurch ist das eigentliche Element poetischer Darstellung die poetische *Vorstellung* und geistige Veranschaulichung selber, und indem dies Element allen Kunstformen gemeinschaftlich ist, so zieht sich auch die Poesie durch alle hindurch und entwickelt sich selbständig in ihnen. Die Dichtkunst ist die allgemeine Kunst des in sich freigewordenen, nicht an das äußerlich-sinnliche Material zur Realisation gebundenen Geistes, der nur im inneren Raume und der inneren Zeit der Vorstellungen und Empfindungen sich ergeht. Doch gerade auf dieser höchsten Stufe steigt nun die Kunst auch über sich selbst hinaus, indem sie das Element versöhnter Versinnlichung des Geistes verläßt und aus der Poesie der Vorstellung in die Prosa des Denkens hinübertritt.

Dies wäre die gegliederte Totalität der besonderen Künste: die äußerliche Kunst der Architektur, die objektive der Skulptur und die subjektive Kunst der Malerei, Musik und Poesie. Man hat zwar noch vielfach andere Einteilungen versucht, denn das Kunstwerk bietet solch einen Reichtum von Seiten dar, daß man, wie es oft geschehen ist, bald diese, bald jene zum Einteilungsgrunde machen kann. Wie z. B. das sinnliche Material. Die Architektur ist dann die Kristallisation, die Skulptur die organische Figuration der Materie in ihrer sinnlich-räumlichen Totalität; die Malerei die gefärbte Fläche und Linie; während in der Musik der Raum überhaupt zu dem in sich erfüllten Punkt der Zeit übergeht; bis das äußere Material endlich in der Poesie ganz zur Wertlosigkeit herabgesetzt ist. Oder man hat diese Unterschiede auch nach ihrer ganz abstrakten Seite der Räumlichkeit und Zeitlichkeit gefaßt. Solche abstrakte Besonderheit aber des Kunstwerks wie das Material läßt sich zwar in seiner Eigentümlichkeit konsequent verfolgen, doch als das letztlich Begründende nicht durchführen, da solche Seite selber aus einem höheren Prinzipe ihren Ursprung herleitet und sich deshalb demselben zu unterwerfen hat.

Als dies Höhere haben wir die Kunstformen des Symbolischen, Klassischen und Romantischen gesehn, welche die allgemeinen Momente der Idee der Schönheit selber sind.

Ihr Verhältnis zu den einzelnen Künsten in seiner konkreten Gestalt ist von der Art, daß die Künste das reale Dasein der Kunstformen ausmachen. Denn die *symbolische Kunst* erlangt ihre gemäßeste Wirklichkeit und größte Anwendung in der *Architektur*, wo sie ihrem vollständigen Begriff nach waltet und noch nicht zur unorganischen Natur gleichsam einer anderen Kunst herabgesetzt ist; für die *klassische Kunstform* dagegen ist die *Skulptur* die unbedingte Realität, während sie die Architektur nur als Umschließendes aufnimmt und Malerei und Musik noch nicht als absolute Formen für ihren Inhalt auszubilden vermag; die *romantische* Kunstform endlich bemächtigt sich des malerischen und musikalischen Ausdrucks in selbständiger und unbedingter Weise sowie gleichmäßig der poetischen Darstellung; die Poesie aber ist allen Formen des Schönen gemäß und dehnt sich über alle aus, weil ihr eigentliches Element die schöne Phantasie ist und Phantasie für jede Produktion der Schönheit, welcher Form sie auch angehören mag, notwendig ist.

*[S. 587—589]* *Drittens* müssen wir die Künste, welche die Innerlichkeit des Subjektiven zu gestalten berufen sind, zu einer letzten Totalität zusammenfassen.

Den *Anfang* dieses letzten Ganzen bildet die *Malerei*, [...]
Das *dritte* endlich zu Malerei und Musik ist die Kunst der Rede, die *Poesie* überhaupt, die absolute, wahrhafte Kunst des Geistes und seiner Äußerung als Geist. Denn alles, was das Bewußtsein konzipiert und in seinem eigenen Innern geistig gestaltet, vermag allein die Rede aufzunehmen, auszudrücken und vor die Vorstellung zu bringen. Dem Inhalte nach ist deshalb die Poesie die reichste, unbeschränkteste Kunst. Was sie jedoch nach der geistigen Seite hin gewinnt, verliert sie ebensosehr wieder nach der sinnlichen. Indem sie nämlich weder für die sinnliche Anschauung arbeitet wie die bildenden Künste, noch für die bloß ideelle Empfindung wie die Musik, sondern ihre im Innern gestalteten Bedeutungen des Geistes nur für die geistige Vorstellung und Anschauung selber machen will, so behält für sie das *Material*, durch welches sie sich kundgibt, nur noch den Wert eines — wenn auch künstlerisch behandelten — *Mittels* für die Äußerung des Geistes an den Geist und gilt nicht als ein sinnliches Dasein, in welchem der geistige Gehalt eine ihm entsprechende Realität zu finden imstande sei. Dies Mittel kann unter den bisher betrachteten nur der *Ton* als das dem Geist noch relativ gemäßeste sinnliche Material sein. Der Ton jedoch bewahrt hier nicht, wie in der Musik, schon für sich sichselber Gültigkeit, so daß sich in der Gestaltung desselben der einzig wesentliche Zweck der Kunst erschöpfen könnte, sondern erfüllt sich umgekehrt ganz mit der geistigen Welt und dem bestimmten Inhalt der Vorstellung und Anschauung und erscheint als bloße äußere Bezeichnung dieses Gehalts. Was nun die *Gestaltungsweise* der Poesie angeht, so zeigt sie sich in dieser Rücksicht als die totale Kunst dadurch, daß sie, was in der Malerei und Musik nur relativ der Fall ist, in ihrem Felde die Darstellungsweise der übrigen Künste wiederholt.
Auf der *einen* Seite nämlich gibt sie ihrem Inhalte als *epische* Poesie die Form der *Objektivität*, welche hier zwar nicht wie in den bildenden Künsten auch zu einer äußerlichen Existenz gelangt, aber doch eine von der Vorstellung in Form des Objektiven aufgefaßte und für die innere Vorstellung als objektiv dargestellte Welt ist. Dies macht die eigentliche Rede als solche aus, die sich in ihrem Inhalt selbst und dessen Äußerung durch die Rede genügt.

*Andererseits* jedoch ist die Poesie umgekehrt ebensosehr *subjektive* Rede, das Innere, das sich als *Inneres* hervorkehrt, die *Lyrik*, welche die Musik zu ihrer Hilfe herzuruft, um tiefer in die Empfindung und das Gemüt hineinzudringen.
*Drittens* endlich geht die Poesie auch zur Rede innerhalb einer in sich beschlossenen *Handlung* fort, die sich ebenso objektiv darstellt, als sie das Innere dieser objektiven Wirklichkeit äußert und deshalb mit Musik und Gebärde, Mimik, Tanz usf. verschwistert werden kann. Dies ist die *dramatische* Kunst, in welcher der ganze Mensch das vom Menschen produzierte Kunstwerk reproduzierend darstellt.

*[S. 868—873]* Die *Poesie* nun, die redende Kunst, ist das dritte, die *Totalität,* welche die Extreme der *bildenden* Künste und der *Musik* auf einer höheren Stufe, in dem Gebiete der geistigen Innerlichkeit selber, in sich vereinigt. Denn einerseits enthält die Dichtkunst wie die Musik das Prinzip des Sichvernehmens des Innern als Innern, das der Baukunst, Skulptur und Malerei abgeht; andererseits breitet sie sich im Felde des inneren Vorstellens, Anschauens und Empfindens selber zu einer objektiven Welt aus, welche die Bestimmtheit der Skulptur und Malerei nicht durchaus verliert und die Totalität einer Begebenheit, eine Reihenfolge, einen Wechsel von Gemütsbewegungen, Leidenschaften, Vorstellungen und den abgeschlossenen Verlauf einer Handlung vollständiger als irgendeine andere Kunst zu entfalten befähigt ist.
2. Näher aber macht die Poesie die dritte Seite zur *Malerei* und *Musik* als den *romantischen* Künsten aus.
a) Teils nämlich ist ihr Prinzip überhaupt das der *Geistigkeit,* die sich nicht mehr zur schweren Materie als solcher herauswendet, um dieselbe wie die Architektur zur analogen Umgebung des Innern symbolisch zu formen oder wie die Skulptur die dem Geist zugehörige Naturgestalt als räumliche Äußerlichkeit in die reale Materie hineinzubilden, sondern den Geist mit allen seinen Konzeptionen der Phantasie und Kunst, ohne dieselben für die äußere Anschauung sichtbar und leiblich herauszustellen, unmittelbar für den Geist ausspricht. Teils vermag die Poesie nicht nur das

subjektive Innere, sondern auch das Besondere und Partikuläre des äußeren Daseins in einem noch reichhaltigeren Grade als Musik und Malerei sowohl in Form der Innerlichkeit zusammenzufassen, als auch in der Breite einzelner Züge und zufälliger Eigentümlichkeiten auseinanderzulegen.

b) Als Totalität jedoch ist die Poesie nach der anderen Seite von den bestimmten Künsten, deren Charakter sie in sich verbindet, auch wieder wesentlich zu unterscheiden.

α. Was in dieser Rücksicht die *Malerei* angeht, so bleibt sie überall da im Vorteil, wo es darauf ankommt, einen Inhalt auch seiner äußeren Erscheinung nach vor die Anschauung zu bringen. Denn die Poesie vermag zwar gleichfalls durch mannigfache Mittel ganz ebenso zu veranschaulichen, wie in der Phantasie überhaupt das Prinzip des Herausstellens für die Anschauung liegt; insofern aber die Vorstellung, in deren Elemente die Poesie sich vornehmlich bewegt, geistiger Natur ist und ihr deshalb die Allgemeinheit des Denkens zugute kommt, ist sie die Bestimmtheit der sinnlichen Anschauung zu erreichen unfähig. Auf der anderen Seite fallen in der Poesie die verschiedenen Züge, welche sie, um uns die konkrete Gestalt eines Inhalts anschaubar zu machen, herbeiführt, nicht wie in der Malerei als ein und dieselbe Totalität zusammen, die vollständig als ein Zugleich aller ihrer Einzelheiten vor uns dasteht, sondern gehn auseinander, da die Vorstellung das Vielfache, das sie enthält, nur als Sukzession geben kann. Doch ist dies nur ein Mangel nach der sinnlichen Seite hin, den der Geist wieder zu ersetzen imstande bleibt. Indem sich nämlich die Rede auch da, wo sie eine konkrete Anschauung hervorzurufen bemüht ist, sich nicht an das sinnliche Aufnehmen einer vorhandenen Äußerlichkeit, sondern immer an das Innere, an die geistige Anschauung wendet, so sind die einzelnen Züge, wenn sie auch nur aufeinanderfolgen, doch in das Element des in sich einigen Geistes versetzt, der das Nacheinander zu tilgen, die bunte Reihe zu *einem* Bilde zusammenzuziehen und dies Bild in der Vorstellung festzuhalten und zu genießen weiß. Außerdem kehrt sich dieser Mangel an sinnlicher Realität und äußerlicher Bestimmtheit für die Poesie der Malerei gegenüber sogleich zu einem unberechenbaren Überfluß um. Denn indem sich die Dichtkunst der malerischen Beschränkung auf einen bestimmten Raum und mehr noch auf einen bestimmten Moment einer Situation oder Handlung entreißt, so wird ihr dadurch die Möglichkeit geboten, einen Gegenstand in seiner ganzen innerlichen Tiefe wie in der Breite seiner zeitlichen Entfaltung darzustellen. Das Wahrhaftige ist schlechthin konkret in dem Sinne, daß es eine Einheit wesentlicher Bestimmungen in sich faßt. Als erscheinend aber entwickeln sich dieselben nicht nur im Nebeneinander des Raums, sondern in einer zeitlichen Folge als eine Geschichte, deren Verlauf die Malerei nur in ungehöriger Weise zu vergegenwärtigen vermag. Schon jeder Halm, jeder Baum hat in diesem Sinne seine Geschichte, eine Veränderung, Folge und abgeschlossene Totalität unterschiedener Zustände. Mehr noch ist dies im Gebiete des Geistes der Fall, der als wirklicher, erscheinender Geist erschöpfend nur kann dargestellt werden, wenn er uns als solch ein Verlauf vor die Vorstellung kommt.

β. Mit der *Musik* hat, wie wir sahen, die Poesie als äußerliches Material das Tönen gemeinschaftlich. Die ganz äußerliche, im schlechten Sinne des Wortes objektive Materie verfliegt in der Stufenfolge der besonderen Künste zuletzt in dem subjektiven Elemente des Klangs, der sich der Sichtbarkeit entzieht und das Innere nur dem Innern vernehmbar macht. Für die Musik aber ist die Gestaltung dieses Tönens als *Tönens* der wesentliche Zweck. Denn obschon die Seele in dem Gang und Lauf der Melodie und ihrer harmonischen Grundverhältnisse das Innere der Gegenstände oder ihr eigenes Innere sich zur Empfindung bringt, so ist es doch nicht das Innere als solches, sondern die mit ihrem *Tönen* aufs innigste verwebte Seele, die Gestaltung dieses *musikalischen* Ausdrucks, was der Musik ihren eigentlichen Charakter gibt. Dies ist so sehr der Fall, daß die Musik, je mehr in ihr die Einlebung des Innern in das Bereich der Töne statt des Geistigen als solchen überwiegt, um so mehr zur Musik und selbständigen Kunst wird. Deshalb aber ist sie auch nur in relativer Weise befähigt, die Mannigfaltigkeit geistiger Vorstellungen und Anschauungen, die weite Ausbreitung des in sich erfüllten Bewußtseins in sich aufzunehmen, und bleibt in ihrem Ausdrucke bei der abstrakteren Allgemeinheit dessen, was sie als Inhalt ergreift, und der unbestimmteren Innigkeit des Gemüts stehen. In demselben Grade nun, in welchem der Geist sich die abstraktere Allgemeinheit zu einer konkreten Totalität der Vorstellungen, Zwecke, Handlungen, Ereignisse ausbildet und zu deren Gestaltung sich auch die vereinzelnde Anschauung beigibt, verläßt er nicht nur die bloß empfindende Innerlichkeit und arbeitet dieselbe zu einer gleichfalls im Innern der Phantasie selber entfalteten Welt objektiver Wirklichkeit heraus, sondern muß es nun eben dieser Ausgestaltung wegen aufgeben, den dadurch neu gewonnenen Reichtum des Geistes auch ganz und ausschließlich durch Tonverhältnisse ausdrücken zu wollen. Wie das Material der Skulptur zu arm ist, um die volleren Erscheinungen, welche die Malerei ins Leben zu rufen die Aufgabe hat, in sich darstellen zu können, so sind jetzt auch die Tonverhältnisse und der melodische Ausdruck nicht mehr imstande, die dichterischen Phantasiegebilde vollständig zu realisieren. Denn diese haben teils die genauere bewußte Bestimmtheit von Vorstellungen, teils die für die innere Anschauung ausgeprägte Gestalt äußerlicher Erscheinung. Der Geist zieht deshalb seinen Inhalt aus dem Tone als solchen heraus und gibt sich durch Worte kund, die zwar das Element des Klanges nicht ganz verlassen, aber zum bloß äußeren Zeichen der Mitteilung herabsinken. Durch diese Erfüllung nämlich mit geistigen Vorstellungen wird der Ton zum Wortlaut und das Wort wiederum aus einem Selbstzwecke zu einem für sich selbständigkeitslosen Mittel geistiger Äußerung. Dies bringt nach dem, was wir schon früher feststellten, den wesentlichen Unterschied von Musik und Poesie hervor. Der Inhalt der redenden Kunst ist die gesamte Welt der phantasiereich ausgebildeten Vorstellungen, das bei sich selbst seiende Geistige, das in diesem geistigen Elemente bleibt und, wenn es zu einer Äußerlichkeit sich hinausbewegt, dieselbe nur noch als ein von dem Inhalte selber verschiedenes Zeichen benutzt. Mit der Musik gibt die Kunst die Einsenkung des Geistigen in eine auch sinnlich sichtbare, gegenwärtige *Gestalt* auf; in der Poesie verläßt sie auch das entgegengesetzte Element des *Tönens* und Vernehmens wenigstens insoweit, als dieses Tönen nicht mehr zur gemäßen Äußerlichkeit und dem alleinigen Ausdrucke des Inhalts umgestaltet wird. Das Innere äußert sich daher wohl, aber es will in der — wenn auch ideelleren — Sinnlichkeit des Tons nicht sein wirkliches Dasein finden, das es allein in sich selber sucht, um den Gehalt des Geistes, wie er im Innern der Phantasie als Phantasie ist, auszusprechen.

c) Sehen wir uns *drittens* endlich nach dem eigentümlichen Charakter der Poesie in diesem Unterschiede von Musik und Malerei sowie den übrigen bildenden Künsten um, so liegt derselbe einfach in der eben angedeuteten Herabsetzung der sinnlichen Erscheinungsweise und Ausgestaltung alles poetischen Inhalts. Wenn nämlich der Ton nicht mehr wie in der Musik oder wie die Farbe in der Malerei den ganzen Inhalt in sich aufnimmt und darstellt, so fällt hier notwendig die musikalische Behandlung desselben nach seiten des Taktes sowie der Harmonie und Melodie fort und läßt nur noch im allgemeinen die Figuration des Zeitmaßes der Silben und Wörter sowie den Rhythmus, Wohlklang usf. übrig: und zwar nicht als das eigentliche Element für den Inhalt, sondern als eine akzidentellere Äußerlichkeit, welche eine Kunstform nur noch annimmt, weil die Kunst keine Außenseite sich schlechthin zufällig nach eigenem Belieben ergehn lassen darf.

α. Bei dieser Zurückziehung des geistigen Inhalts aus dem sinnlichen Material fragt es sich nun sogleich, was denn jetzt in der Poesie, wenn es der Ton nicht sein soll, die eigentliche Äußerlichkeit und Objektivität ausmachen werde. Wir können einfach antworten: das *innere Vorstellen* und *Anschauen* selbst. Die *geistigen* Formen sind es, die sich an die Stelle des Sinnlichen setzen und das zu gestaltende Material, wie früher Marmor, Erz, Farbe und die musikalischen Töne, abgeben. Denn wir müssen uns hier nicht dadurch irreführen lassen, daß man sagen kann, Vorstellungen und Anschauungen seien ja der *Inhalt* der Poesie. Dies ist allerdings, wie sich später noch ausführlicher zeigen wird, richtig; ebenso wesentlich steht aber auch zu behaupten, daß die Vorstellung, die Anschauung, Empfindung usf. die spezifischen Formen seien, in denen von der Poesie jeder Inhalt gefaßt und zur Darstellung gebracht wird, — so daß diese Formen, da die sinnliche Seite der Mitteilung das nur Beiherspielende bleibt, das eigentliche Material liefern, welches der Dichter künstlerisch zu behandeln hat. Die Sache, der Inhalt soll zwar auch in der Poesie zur Gegenständlichkeit für den Geist gelangen; die Objektivität jedoch vertauscht ihre bisherige äußere Realität mit der innern und erhält ein Dasein nur im Bewußtsein selbst, als etwas bloß geistig Vorgestelltes und Angeschautes. Der Geist wird so auf seinem eigenen Boden sich gegenständlich und hat das sprachliche Element nur als Mittel, teils der Mitteilung, teils der unmittelbaren Äußerlichkeit, aus welcher er als aus einem bloßen Zeichen von Hause aus in sich zurückgegangen ist. Deshalb bleibt es auch für das eigentlich Poetische gleichgültig, ob ein Dichterwerk gelesen oder angehört wird, und es kann auch ohne wesentliche Verkümmerung seines Wertes in andere Sprachen übersetzt, aus gebundener in ungebundene Rede übertragen und somit in ganz andere Verhältnisse des Tönens gebracht werden.

β. Weiter nun *zweitens* fragt es sich, *für was* denn das innere Vorstellen als Material und Form in der Poesie anzuwenden sei: für das an und für sich Wahrhafte der geistigen Interessen überhaupt, doch nicht nur für das Substantielle derselben in ihrer Allgemeinheit symbolischer Andeutung oder klassischen Besonderung, sondern ebenso für alles Spezielle auch und Partikuläre, was in diesem Substantiellen liegt, und damit für alles fast, was den Geist auf irgendeine Weise interessiert und beschäftigt. Die redende Kunst hat deswegen in Ansehung ihres Inhalts sowohl als auch der Weise, denselben zu exponieren, ein unermeßliches und weiteres Feld als die übrigen Künste. Jeder Inhalt, alle geistigen und natürlichen Dinge, Begebenheiten, Geschichten, Taten, Handlungen, innere und äußere Zustände lassen sich in die Poesie hineinziehen und von ihr gestalten.

γ. Dieser verschiedenartigste Stoff nun aber wird nicht schon dadurch, daß er überhaupt in die Vorstellung aufgenommen ist, poetisch, denn auch das gewöhnliche Bewußtsein kann sich ganz denselben Gehalt zu Vorstellungen ausbilden und zu Anschauungen vereinzeln, ohne daß etwas Poetisches zustande kommt. In dieser Rücksicht nannten wir die Vorstellung vorhin nur das *Material* und Element, das erst, insofern es durch die Kunst eine neue Gestalt annimmt, zu einer der Poesie gemäßen Form wird, — wie auch Farbe und Ton nicht unmittelbar als Farbe und Ton bereits malerisch und musikalisch sind. Wir können diesen Unter-

schied allgemein so fassen, daß es nicht die *Vorstellung* als *solche*, sondern die künstlerische *Phantasie* sei, welche einen Inhalt poetisch mache: wenn nämlich die Phantasie denselben so ergreift, daß er sich, statt als architektonische, skulpturmäßig-plastische und malerische Gestalt dazustehn oder als musikalische Töne zu verklingen, in der Rede, in Worten und deren sprachlich schöner Zusammenfügung mitteilen läßt.
Die nächste Forderung, welche hiedurch notwendig wird, beschränkt sich einerseits darauf, daß der Inhalt weder in den Verhältnissen des verständigen oder spekulativen *Denkens* noch in der Form wortloser *Empfindung* oder bloß äußerlich sinnlicher *Deutlichkeit* und Genauigkeit aufgefaßt sei, andererseits, daß er nicht in der Zufälligkeit, Zersplitterung und Relativität der *endlichen* Wirklichkeit überhaupt in die Vorstellung eingehe. Die poetische Phantasie hat in dieser Rücksicht einmal die Mitte zu halten zwischen der abstrakten Allgemeinheit des Denkens und der sinnlich-konkreten Leiblichkeit, soweit wir letztere in den Darstellungen der bildenden Künste haben kennenlernen, das andere Mal muß sie überhaupt den Forderungen Genüge tun, welche wir im ersten Teile bereits für jedes Kunstgebilde aufstellten: d. h., sie muß in ihrem Inhalte Zweck für sich selbst sein und alles, was sie ergreifen mag, in rein theoretischem Interesse als eine in sich selbständige, in sich geschlossene Welt ausbilden. Denn nur in diesem Falle ist, wie die Kunst es verlangt, der Inhalt durch die Art seiner Darstellung ein organisches Ganzes, das in seinen Teilen den Anschein eines engen Zusammenhangs und Zusammenhalts gibt und der Welt relativer Abhängigkeiten gegenüber frei für sich nur um seiner selbst willen dasteht.

*[S. 876]* Wir haben gesehn, daß in der Poesie das innere Vorstellen selbst sowohl den Inhalt als auch das Material abgibt. Indem das Vorstellen jedoch auch außerhalb der Kunst bereits die geläufigste Weise des Bewußtseins ist, so müssen wir uns zunächst der Aufgabe unterziehen, die *poetische* Vorstellung von der *prosaischen* abzuscheiden. Bei diesem inneren poetischen Vorstellen allein darf aber die Dichtkunst nicht stehnbleiben, sondern muß ihre Gestaltungen dem *sprachlichen* Ausdruck anvertrauen. Hiernach hat sie

wiederum eine doppelte Pflicht zu übernehmen. Einerseits nämlich muß sie bereits ihr inneres Bilden so einrichten, daß es sich der sprachlichen Mitteilung vollständig fügen kann; andererseits darf sie dies sprachliche Element selbst nicht so belassen, wie es von dem gewöhnlichen Bewußtsein gebraucht wird, sondern muß es poetisch behandeln, um sich sowohl in der Wahl und Stellung als auch im Klang der Wörter von der prosaischen Ausdrucksweise zu unterscheiden.

Da sie nun aber ihrer sprachlichen Äußerung ohnerachtet am meisten von den Bedingungen und Schranken frei ist, welche die Besonderheit des Materials den übrigen Künsten auferlegt, so behält die Poesie die ausgedehnteste Möglichkeit, vollständig alle die verschiedenen Gattungen auszubilden, welche das Kunstwerk unabhängig von der Einseitigkeit einer besondern Kunst annehmen kann, und zeigt deshalb die vollendeteste Gliederung unterschiedener *Gattungen* der Poesie.

*[S. 878—880]* 1. Die poetische und prosaische Auffassung

a) Inhalt beider Auffassungen

Was zunächst den *Inhalt* angeht, der sich für die poetische Konzeption eignet, so können wir, relativ wenigstens, sogleich das Äußerliche als solches, die Naturdinge, ausschließen: die Poesie hat nicht Sonne, Berge, Wald, Landschaften, oder die äußere Menschengestalt, Blut, Nerven, Muskeln usf., sondern geistige Interessen zu ihrem eigentlichen Gegenstande. Denn wie sehr sie auch das Element der Anschauung und Veranschaulichung in sich trägt, so bleibt sie doch auch in dieser Rücksicht geistige Tätigkeit und arbeitet nur für die innere Anschauung, der das Geistige nähersteht und gemäßer ist als die Außendinge in ihrer konkreten sinnlichen Erscheinung. Dieser gesamte Kreis tritt deshalb in die Poesie nur ein, insofern der Geist in ihm eine Anregung oder ein Material seiner Tätigkeit findet: als Umgebung des Menschen also, als seine Außenwelt, welche nur in Beziehung auf das Innere des Bewußtseins einen wesentlichen Wert hat, nicht aber auf die Würde Anspruch machen darf, für sich selbst der ausschließliche Gegenstand der Poesie zu werden. Ihr entsprechendes Objekt dagegen ist das unendliche Reich des Geistes. Denn das Wort, dies bildsamste Material, das dem Geiste unmittelbar angehört und das allerfähigste ist, die Interessen und Bewegungen desselben in ihrer inneren Lebendigkeit zu fassen, muß — wie es in den übrigen Künsten mit Stein, Farbe, Ton geschieht — auch vorzüglich zu *dem* Ausdrucke angewendet werden, welchem es sich am meisten gemäß erweist. Nach dieser Seite wird es die Hauptaufgabe der Poesie, die Mächte des geistigen Lebens und was überhaupt in der menschlichen Leidenschaft und Empfindung auf und nieder wogt oder vor der Betrachtung ruhig vorüberzieht, das alles umfassende Reich menschlicher Vorstellung, Taten, Handlungen, Schicksale, das Getriebe dieser Welt und die göttliche Weltregierung zum Bewußtsein zu bringen. So ist sie die allgemeinste und ausgebreiteteste Lehrerin des Menschengeschlechts gewesen und ist es noch. Denn Lehren und Lernen ist Wissen und Erfahren dessen, was *ist.* Sterne, Tiere, Pflanzen wissen und erfahren ihr Gesetz nicht; der Mensch aber existiert erst dem Gesetze seines Daseins gemäß, wenn er weiß, was er selbst und was um ihn her ist: er muß die Mächte kennen, die ihn treiben und lenken, und solch ein Wissen ist es, welches die Poesie in ihrer ersten substantiellen Form gibt.

### b) Unterschied beider Auffassungen

Denselbigen Inhalt aber faßt auch das *prosaische* Bewußtsein auf und lehrt sowohl die allgemeinen Gesetze, als sie auch die bunte Welt der einzelnen Erscheinungen zu unterscheiden, zu ordnen und zu deuten versteht; es fragt sich deshalb, wie schon gesagt, bei solcher möglichen Gleichheit des Inhalts nach dem allgemeinen Unterschiede der prosaischen von der poetischen Vorstellungsweise.

α. Die *Poesie* ist älter als das kunstreich ausgebildete prosaische Sprechen. Sie ist das ursprüngliche Vorstellen des Wahren, ein Wissen, welches das Allgemeine noch nicht von seiner lebendigen Existenz im einzelnen trennt, Gesetz und Erscheinung, Zweck und Mittel einander noch nicht gegenüberstellt und aufeinander dann wieder räsonierend bezieht, sondern das eine nur im anderen und durch das andere faßt. Deshalb spricht sie nicht etwa einen für sich in seiner Allgemeinheit bereits erkannten Gehalt nur bildlich aus; im Gegenteil, sie verweilt ihrem unmittelbaren Begriff gemäß in der substantiellen Einheit, die solche Trennung und bloße Beziehung noch nicht gemacht hat.

αα. In dieser Anschauungsweise stellt sie nun alles, was sie ergreift, als eine in sich zusammengeschlossene und dadurch selbständige Totalität hin, welche zwar reichhaltig sein und eine weite Ausbreitung von Verhältnissen, Individuen, Handlungen, Begebnissen, Empfindungen und Vorstellungsarten haben kann, doch diesen breiten Komplexus als in sich beschlossen, als hervorgebracht, bewegt von dem einen zeigen muß, dessen besondere Äußerung diese oder jene Einzelheit ist. So wird das Allgemeine, Vernünftige in der Poesie nicht in abstrakter Allgemeinheit und philosophisch erwiesenem Zusammenhange oder verständiger Beziehung seiner Seiten, sondern als belebt, erscheinend, beseelt, alles bestimmend und doch zugleich in einer Weise ausgesprochen, welche die alles befassende Einheit, die eigentliche Seele der Belebung, nur geheim von innen heraus wirken läßt.

ββ. Dieses Auffassen, Gestalten und Aussprechen bleibt in der Poesie rein *theoretisch*. Nicht die Sache und deren praktische Existenz, sondern das Bilden und Reden ist der Zweck der Poesie. Sie hat begonnen, als der Mensch es unternahm, *sich* auszusprechen; das Gesprochene ist ihr nur deswegen da, um ausgesprochen zu sein. Wenn der Mensch selbst mitten innerhalb der praktischen Tätigkeit und Not einmal zur theoretischen Sammlung übergeht und sich mitteilt, so tritt sogleich ein gebildeter Ausdruck, ein Anklang an das Poetische ein. Hievon liefert, um nur eins zu erwähnen, das durch Herodot uns erhaltene Distichon ein Beispiel, welches den Tod der zu Thermopylä gefallenen Griechen berichtet. Der Inhalt ist ganz einfach gelassen: die trockene Nachricht, mit dreihundert Myriaden hätten hier die Schlacht viertausend Peloponnesier gekämpft; das Interesse ist aber, eine Inschrift zu fertigen, die Tat für die Mitwelt und Nachwelt, rein dieses Sagens wegen, auszusprechen, und so wird der Ausdruck poetisch, d. h. er will sich als ein ποιεῖν erweisen, das den Inhalt in seiner Einfachheit läßt, das Aussprechen jedoch absichtlich bildet. Das Wort, das die Vorstellungen faßt, ist sich von so hoher Würde, daß es sich von sonstiger Redeweise zu unterscheiden sucht und zu einem Distichon macht.

γγ. Dadurch bestimmt sich nun auch nach der sprachlichen Seite hin die Poesie als ein eigenes Gebiet und, um sich von dem gewöhnlichen Sprechen abzutrennen, wird die Bildung des Ausdrucks von einem höheren Wert als das bloße Aussprechen. Doch müssen wir in dieser Beziehung, wie in Rücksicht auf die allgemeine Anschauungsweise, wesentlich zwischen einer ursprünglichen Poesie unterscheiden, welche *vor* der Ausbildung der gewöhnlichen und kunstreichen Prosa liegt, und der dichterischen Auffassung und Sprache, die sich inmitten eines schon vollständig fertigen prosaischen Lebenszustandes und Ausdruckes entwickelt. Die erstere ist absichtslos poetisch im Vorstellen und Sprechen; die letztere dagegen weiß von dem Gebiet, von welchem sie sich loslösen muß, um sich auf den freien Boden der Kunst zu stellen, und bildet sich deshalb im bewußten Unterschiede dem Prosaischen gegenüber aus.

6 Vorlesungen über die Philosophie der Geschichte (gehalten 1822 bis 1831) = Werke, Bd. XI.

*[S. 107]* Es ist aber ebensowohl That des Denkens, und zwar des Verstandes, einen Gegenstand, der in sich ein concreter, reicher Inhalt ist, zu einer einfachen Vorstellung (wie Erde, Mensch, oder Alexander und Cäsar) zu machen und mit Einem Worte zu bezeichnen, als dieselbe aufzulösen, die darin enthaltenen Bestimmungen ebenso in der Vorstellung zu isoliren, und ihnen besondere Namen zu geben. In Beziehung aber auf die Ansicht, von der die Veranlassung zu dem eben Gesagten ausging, wird so viel erhellen, daß, sowie die Reflexion die Allgemeinheiten von Genie, Talent, Kunst, Wissenschaft hervorbringt, die formelle Bildung auf jeder Stufe der geistigen Gestaltungen nicht nur gedeihen und zu einer hohen Blüthe gelangen kann, sondern auch muß, indem solche Stufe sich zu einem Staate ausbildet, und in dieser Grundlage der Civilisation zu der Verstandesreflexion und, wie zu Gesetzen, so für Alles zu Formen der Allgemeinheit fortgeht. Im Staatsleben als solchem liegt die Nothwendigkeit der formellen Bildung, und damit der Entstehung der Wissenschaften, sowie einer gebildeten Poesie und Kunst überhaupt. Die unter dem Namen der bildenden Künste begriffenen Künste erfordern ohnehin schon von der tech-

nischen Seite das civilisirte Zusammenleben der Menschen. Die Dichtkunst, die die äußerlichen Bedürfnisse und Mittel weniger nöthig hat, und das Element unmittelbaren Daseyns, die Stimme, zu ihrem Material hat, tritt in hoher Kühnheit und mit gebildetem Ausdruck schon in Zuständen eines nicht zu einem rechtlichen Leben vereinten Volkes hervor, da, wie früher bemerkt worden, die Sprache für sich jenseits der Civilisation eine hohe Verstandesbildung erreicht.

*[S. 504]* Wir sehen in dieser Zeit nach den Kreuzzügen auch schon Anfänge der Kunst, der Malerei; schon während derselben hatte sich eine eigenthümliche Poesie hervorgebracht. Der Geist, da er keine Befriedigung finden konnte, erzeugte sich durch die Phantasie schönere Gebilde und in einer ruhigeren freieren Weise, als sie die Wirklichkeit darbot.

## XXXI Gotthilf Heinrich Schubert (1780—1860)

Ansichten von der Nachtseite der Naturwissenschaft. Dresden: Arnoldi 1808. (Unveränderter reprografischer Nachdruck. Darmstadt: Wissenschaftliche Buchgesellschaft 1967).

Zwölfte Vorlesung. Ueber die in einem jetzigen Daseyn schlummernden Kräfte eines künftigen (1808).

[S. 308] Die hohe Welt der Poesie und des Künstlerideals, noch mehr die Welt der Religion, vermag in dem irdischen Daseyn nie ganz einheimisch zu werden, und pflegt der Vermischung mit den Elementen desselben zu widerstreben.

# XXXII Ignaz Paul Vitalis Troxler (1780—1866)

Gewißheit des Geistes. Fragmente. Hg. von W. Aeppli. Stuttgart: Freies Geistesleben 1958 (= Denken — Schauen — Sinnen. Zeugnisse deutschen Geistes).

Fragmente (1808?).

*[S. 41]* Die Schöpfungskraft des *Menschengeistes* zerfällt in Philosophie und Poesie. Die Schöpfungskraft der *Natur* verzweigt sich dynamisch und materiell, so wie biotisch und organisch.
Wurzelt Denken (gebundenes Dichten) und Dichten (freies Denken) nicht in einem und selben Sinn und Geist? Sind es nicht Asymptoten der zentralen Bewegung von außen nach innen und innen nach außen? Liegen nicht beide in den höchsten Erzeugnissen noch ineinander und durchdringen sich wieder in den höchsten Schöpfungen des Menschengemütes?

*[S. 42]* Die eigentliche Philosophie der von innen und außen offenbarten Sophie ist die Mutter der denkenden und dichtenden Poesie, keimt und wurzelt auf der einen und ganzen Sinnlichkeit und Urphantasie. Daher liegen Anschauung und Erkenntnis (Bild und Begriff) in den ersten Geisteserzeugnissen vereint, ungeschieden, wie in den ältesten Urkunden des Menschengeschlechts.

*[S. 43]* Die Poesie gleicht mehr der Zeugung, die Philosophie dem Tode.

*[S. 44]* Das Dichtungsvermögen allein liest die Elemente wieder zusammen und zeigt die feste lichte Wirklichkeit im Geiste als Idee.

## XXXIII Rahel Antonie Friederike Varnhagen von Ense (1771—1833)

Rahel = Rahel. Ein Buch des Andenkens für ihre Freunde. 3 Bde. Berlin: Duncker und Humblot 1834.

Lebensläufe = Lebensläufe. Biographien, Erinnerungen, Briefe. Hg. von F. Kemp. Bd. IX: Rahel Varnhagen, Briefwechsel mit August Varnhagen von Ense. Bd. XIV: Rahel Varnhagen und ihre Zeit (Briefe 1800—1833). München: Kösel 1967 f.

1 Brief an Karl August Varnhagen von Ense vom 8. Dezember 1808 = Lebensläufe, Bd. IX.

*[S. 74]* Frei mußt Du sein; und innerlich noch freier. Laß Dich *ganz* gehen, wenn Du arbeitest — dichtest—, denk an keinen Freund; an kein Muster, an die größten Meister nicht — als um zu vermeiden — an kein Drucken; an nichts! Folge Deinem innersten, süßesten Hange; stelle *Dich* dar: alles was Du siehst, und so wie Du's siehst. Was Dir das Liebste, das Schrecklichste, das Peinlichste, das Heimlichste, das Verführerischste ist, das kehre hervor mit Deinen göttlichen Worten. Nennen kann ich es noch nicht: aber Du hast ein einziges Talent. Warum verstehst Du die unverständlichsten Zustände und Regungen in Dir, die wetterartigsten, mir, in farbenreichen, hellen, hervorspringenden, immer schön- und kunstreichen Worten, darzustellen. So behandle Welt, Publikum, Papier, wenn Du dichtest. Ich bin's gewiß, dann wird's einzig gut. Nur dies ehrst, vergötterst Du, die Welt, und ich, in Goethe, Shakespeare, Cervantes, und in allen Großen; daß es sich darstellt; noch *einmal*, wie es die Natur tat; je reicher, je mehr die Welt darin enthalten! und dann irren die schwachen Leser und Seher; und denken, es ist nur die Welt, die dargestellt ist. Mitnichten! Schwache *Nachahmer* vergessen aber sich; und wollen eine Welt ohne *sich* darstellen. Solche giebt es nicht! Jeder sieht mit seinen Augen, lebt mit seinen Sinnen eine Physiognomie hinein.

2 Brief an Ignaz Paul Vital Troxler vom 7. Januar 1816 = Lebensläufe, Bd. XIV.

*[S. 95]* So wie kein Dichter sich ausdenken kann, was besser, mannigfaltiger und sonderbarer wäre, als was sich wirklich in der Welt entwickelt und zuträgt; und nur der den besten Roman machen kann, welcher Kraft genug hat, das was geschieht zu sehen, und in seiner Seele auseinander zu halten; ebenso sind unsere tief-natürlichsten *Wünsche roh;* und greuelhaft entwickelte sich ihre Erfüllung für uns; nur das, was Gott wirklich zuläßt, ist in allen Beziehungen heilsam für uns, weil wir uns ihm entgegen bilden können.

3 Brief an Ludwig Robert vom Juni 1821 = Lebensläufe, Bd. XIV.

*[S. 232]* Ein kunstbegabter Geist ist Nachschöpfer des Urschöpfers. Ein großer Dichter nimmt die Welt selbst mit ihren Begebenheiten als Stoff zu seinen Werken. Er kann uns zwingen, sie massenweise anzusehen wie er; die Betrachtung, die ihn eine jede solche Masse zusammenfassen hieß, ist sein Werkzeug, ob er jene uns mitteilt oder nicht. Er ist frei in der Wahl; aber in allem, was er gewählt, bleibt er wahr, weil er nur Wahres aussucht, und auch das schon in der Natur als falsch und krankhaft Erscheinende nur als solches vorzeigt, nicht aber willkürlich solchen Auswuchs zum Musterbilde macht, wie so viele Neuere mit eitler Vorliebe aus Schwäche tun.

4 Tagebuchnotiz vom November 1822 = Lebensläufe, Bd. XIV.

*[S. 246]* Kunst erfordert das gesündeste, vollständigste Naturgefühl, ungeschwächte Sinne; einen unschuldigen, von Einflüsterungen der höheren Verbildung noch ungeschwächten Sinn; ein reges, bewegliches Gemüt: sie ist ein Behelf der höchsten Bedürfnisse des Menschen; sie ist eigentlich — am allgemeinsten gesehen — die Gabe, ich möchte sagen die Kunst, die Natur und all unsre Zustände unserm innersten Bedürfnis am angemessensten sehen zu lassen, und in Ermanglung, in der wir leben, darzustellen, wie wir Menschen sie eigentlich alle wünschen müssen, ver-

möge unserer Beschaffenheit; wenn uns nicht Not und Bedürfnis verkehrt haben.

5 Tagebuchnotiz vom 10. August 1823 = Rahel, Bd. III.

*[S. 113]* Kunst ist: das mit Talent darstellen, was sein könnte, unserer besseren Einsicht nach. Also eigentlich gutes Naturgefühl; und Sinn für Wahrheit, in der Ausübung. Dies wird, wie geheime Kraft in Pflanzen usw., immer walten, hervorbrechen, und auch herrschen; heißt, verwandten Sinn finden, und erregen.

6 Tagebuchnotiz vom 11. März 1824 = Rahel, Bd. III.

*[S. 137 f.]* Im Ofterdingen und ähnlichen Unternehmungen herrscht das Bemühen zu zeigen, was Poesie ist: und daher werden diese Anfertigungen grade höchst unpoetisch. Poesie ist in der Natur: das will sagen: da, wo unser Geist ein Freies, Bedeutungsvolles wahrzunehmen vermag; also auch in der Natur der Begebenheiten und den Vorfällen des menschlichen Lebens, und folglich in der Schilderung derselben. Diese täglich zu schauenden Weltereignisse, in einem beliebigen Raum, wie in Email, zwar klein und fein gemahlt, doch faßlichst, farbeglänzend, deutlichst und klar dargestellt, in Weitblick erfaßt, aus langer, vielfältiger Beurtheilung ergriffen und erwählt, aus den tiefsten Betrachtungen hervorgegangen, und mit ihnen geschmückt, obgleich nur damit bekleidet, in gebildetster, noch lange nachzuahmender — denn noch lange wird die Nachahmung neu bleiben — Sprache vorgetragen: das ist ganz gewiß Dichterwerk und Poesie; und mit dieser Skizze von Erörterung ist es hier schon unwiderleglich, daß Wilhelm Meister etwas anderes ist, als wofür der größte Geist, Novalis, ihn hält.

## XXXIV Joseph Frhr. von Eichendorff (1788—1857)

Werke = Sämtliche Werke. Historisch-kritische Ausgabe. Begründet von W. Kosch und A. Sauer. Fortgeführt und herausgegeben von H. Kunisch. Regensburg: Habbel 1908 ff.

1 Brief an Otto Heinrich von Loeben vom Juni 1809 (Entwurf) = Werke, Bd. XII.

*[S. 5]* Nein, dieses unendliche Streben, Gott hat es nicht bloß darum in die Brust der Dichter gesenkt, damit sich diese wenigen daran erfreuen, es soll, wie es in lebendiger Freiheit triumphiert, die Welt umarmen und ihr die Freiheit wiedergeben. Das ist kein Zweck, sondern die Natur der Poesie.

2 An die Dichter (1815) = Werke, Bd. I.

*[S. 132 f.]* Wo treues Wollen, redlich Streben
Und rechten Sinn der Rechte spürt,
Das muß die Seele ihm erheben,
Das hat mich jedesmal gerührt.

Das Reich des Glaubens ist geendet,
Zerstört die alte Herrlichkeit,
Die Schönheit weinend abgewendet,
So gnadenlos ist unsre Zeit.

O Einfalt gut in frommen Herzen,
Du züchtig schöne Gottesbraut!
Dich schlugen sie mit frechen Scherzen,
Weil dir vor ihrer Klugheit graut.

Wo find'st du nun ein Haus, vertrieben,
Wo man dir deine Wunder läßt,
Das treue Tun, das schöne Lieben,
Des Lebens fromm vergnüglich Fest?

Wo findest du den alten Garten,
Dein Spielzeug, wunderbares Kind,
Der Sterne heil'ge Redensarten,
Das Morgenrot, den frischen Wind?

Wie hat die Sonne schön geschienen!
Nun ist so alt und schwach die Zeit;
Wie stehst so jung du unter ihnen,
Wie wird mein Herz mir stark und weit!

Der Dichter kann nicht mit verarmen;
Wenn alles um ihn her zerfällt,
Hebt ihn ein göttliches Erbarmen —
Der Dichter ist das Herz der Welt.

Den blöden Willen aller Wesen,
Im Irdischen des Herren Spur,
Soll er durch Liebeskraft erlösen,
Der schöne Liebling der Natur.

Drum hat ihm Gott das Wort gegeben,
Das kühn das Dunkelste benennt,
Den frommen Ernst im reichen Leben,
Die Freudigkeit, die keiner kennt.

Da soll er singen frei auf Erden,
In Lust und Not auf Gott vetraun,
Daß aller Herzen freier werden,
Eratmend in die Klänge schaun.

Der Ehre sei er recht zum Horte,
Der Schande leucht' er ins Gesicht!
Viel Wunderkraft ist in dem Worte,
Das hell aus reinem Herzen bricht.

Vor Eitelkeit soll er vor allen
Streng hüten sein unschuld'ges Herz,
Im Falschen nimmer sich gefallen,
Um eitel Witz und blanken Scherz.

O, laßt unedle Mühe fahren,
O klingelt, gleißt und spielet nicht
Mit Licht und Gnad', so ihr erfahren,
Zur Sünde macht ihr das Gedicht!

Den lieben Gott laß in dir walten,
Aus frischer Brust nur treulich sing!
Was w a h r in dir, wird sich gestalten,
Das andre ist erbärmlich Ding. —

Den Morgen seh' ich ferne scheinen,
Die Ströme ziehn im grünen Grund,
Mir ist so wohl! — Die's ehrlich meinen,
Die grüß' ich all' aus Herzensgrund!

3 Ahnung und Gegenwart (1815) = Werke, Bd. III.

*[S. 26—29]* Am Abend saßen Leontin, Friedrich und Faber zusammen an einem Feldtische auf der Wiese am Jägerhause und aßen und tranken. Das Abendrot schaute glühend durch die Wipfel des Tannenwaldes, welcher die Wiese ringsumher einschloß. Der Wein erweiterte ihre Herzen und sie waren alle drei wie alte Bekannte miteinander. Das ist wohl ein rechtes Dichterleben, Herr Faber, sagte Friedrich vergnügt. — Immer doch, hub Faber ziemlich pathetisch an, höre ich das Leben und Dichten verwechseln. — Aber, aber, bester Herr Faber, fiel ihm Leontin schnell ins Wort, dem jeder ernsthafte Diskurs über Poesie die Kehle zusammenschnürte, weil er selber nie ein Urteil hatte. Er pflegte daher immer mit Witzen, Radottements, dazwischenzufahren und fuhr auch jetzt, geschwind unterbrechend fort: Ihr verwechselt mit Euren Wortwechseleien alles so, daß man am Ende seiner selbst nicht sicher bleibt. Glaubte ich doch einmal in allem Ernste, ich sei die Weltseele und wußte vor lauter Welt nicht, ob ich eine Seele hatte, oder umgekehrt. Das Leben aber, mein bester Herr Faber, mit seinen bunten Bildern, verhält sich zum Dichter, wie ein unübersehbar weitläufiges Hieroglyphenbuch von einer unbekannten, lange untergegangenen Ursprache zum Leser. Da sitzen von Ewigkeit zu Ewigkeit die redlichsten, gutmütigsten Weltnarren, die Dichter, und lesen und lesen. Aber die alten, wunderbaren Worte der Zeichen sind unbekannt und der Wind weht die Blätter des großen Buches so schnell und verworren durcheinander, daß einem die Augen übergehn. — Friedrich sah Leontin groß an, es war etwas in seinen Worten, das ihn ernsthaft machte. Faber aber, dem Leontin zu schnell gesprochen zu haben schien, spann gelassen seinen vorigen Diskurs wieder an: Ihr haltet das Dichten für eine gar so leichte Sache, weil es flüchtig aus der Feder fließt, aber keiner bedenkt, wie das Kind, vielleicht vor vielen Jahren schon in Lust empfangen, dann im Mutterleibe mit Freuden und Schmer-

zen ernährt und gebildet wird, ehe es aus seinem stillen Hause das fröhliche Licht des Tages begrüßt. — Das ist ein langweiliges Kind, unterbrach ihn Leontin munter, wäre ich so eine schwangere Frau, als Sie da sagen, da lacht' ich mich gewiß, wie Philine, vor dem Spiegel über mich selber zu Tode, eh' ich mit dem ersten Verse niederkäme. [...]

Dem einen ist zu tun, zu schreiben mir gegeben, sagte Faber, als er ausgelesen hatte. Poetisch sein und Poet sein, fuhr er fort, das sind zwei verschiedene Dinge, man mag dagegen sagen, was man will. Bei dem letzteren ist, wie selbst unser großer Meister Goethe eingesteht, immer etwas Taschenspielerei, Seiltänzerei usw. mit im Spiele. — Das ist nicht so, sagte Friedrich ernst und sicher, und wäre es so, so möchte ich niemals dichten. Wie wollt Ihr, daß die Menschen Eure Werke hochachten, sich daran erquicken und erbauen sollen, wenn Ihr Euch selber nicht glaubt, was Ihr schreibt und durch schöne Worte und künstliche Gedanken Gott und Menschen zu überlisten trachtet? Das ist ein eitles, nichtsnutziges Spiel, und es hilft Euch doch nichts, denn es ist nichts groß, als was aus einem einfältigen Herzen kommt. Das heißt recht dem Teufel der Gemeinheit, der immer in der Menge wach und auf der Lauer ist, den Dolch selbst in die Hand geben gegen die göttliche Poesie. Wo soll die rechte, schlichte Sitte, das treue Tun, das schöne Lieben, die deutsche Ehre und alle die alte herrliche Schönheit sich hinflüchten, wenn es ihre angebornen Ritter, die Dichter, nicht wahrhaft ehrlich, aufrichtig und ritterlich mit ihr meinen? Bis in den Tod verhaßt sind mir besonders jene ewigen Klagen, die mit weinerlichen Sonetten die alte schöne Zeit zurückwinseln wollen, und, wie ein Strohfeuer, weder die Schlechten verbrennen, noch die Guten erleuchten und erwärmen. Denn wie wenigen möchte doch das Herz zerspringen, wenn alles so dumm geht, und habe ich nicht den Mut, besser zu sein als meine Zeit, so mag ich zerknirscht das Schimpfen lassen, denn keine Zeit ist durchaus schlecht. Die heiligen Märtyrer, wie sie, laut ihren Erlöser bekennend, mit aufgehobenen Armen in die Todesflammen sprangen — das sind des Dichters echte Brüder, und er soll ebenso fürstlich denken von sich; denn so wie sie den ewigen Geist Gottes auf Erden durch Taten ausdrückten, so soll er ihn aufrichtig in einer verwitterten, feindseligen Zeit durch rechte Worte und göttliche Erfindungen verkünden und verherrlichen. Die Menge, nur auf weltliche Dinge erpicht, zerstreut und träge, sitzt gebückt und blind draußen im warmen Sonnenscheine und langt rührend nach dem ewigen Lichte, das sie niemals erblickt. Der Dichter hat einsam die schönen Augen offen; mit Demut und Freudigkeit betrachtet er, selber erstaunt, Himmel und Erde, und das Herz geht ihm auf bei der überschwenglichen Aussicht, und so besingt er die Welt, die, wie Memnons Bild, voll stummer Bedeutung, nur dann durch und durch erklingt, wenn sie die Aurora eines dichterischen Gemütes mit ihren verwandten Strahlen berührt.

*[S. 39]* Das Reisen, sagte Faber, ist dem Leben vergleichbar. Das Leben der meisten ist eine immerwährende Geschäftsreise vom Buttermarkt zum Käsemarkt; das Leben der Poetischen dagegen ein freies, unendliches Reisen nach dem Himmelreich. — Leontin, dessen Widerspruchsgeist Faber jederzeit unwiderstehlich anregte, sagte darauf: Diese reisenden Poetischen sind wieder den Paradiesvögeln zu vergleichen, von denen man fälschlich glaubt, daß sie keine Füße haben. Sie müssen doch auch herunter und in Wirtshäusern einkehren und Vettern und Basen besuchen, und, was sie sich auch für Zeug einbilden, das Fräulein auf dem lichten Schlosse ist doch nur ein dummes, höchstens verliebtes Ding, das die Liebe mit ihrem bißchen brennbaren Stoffe eine Weile in die Lüfte treibt, um dann desto jämmerlicher, wie ein ausgeblasener Dudelsack, wieder zur Erde zu fallen; auf der alten, schönen, trotzigen Burg findet sich auch am Ende nur noch ein kahler Landkavalier usw. Alles ist Einbildung. — Du solltest nicht so reden, entgegnete Friedrich. Wenn wir von einer innern Freudigkeit erfüllt sind, welche, wie die Morgensonne, die Welt überscheint und alle Begebenheiten, Verhältnisse und Kreaturen zur eigentümlichen Bedeutung erhebt, so ist dieses freudige Licht vielmehr die wahre göttliche Gnade, in der allein alle Tugenden und großen Gedanken gedeihen, und die Welt ist wirklich so bedeutsam, jung und schön, wie sie unser Gemüt in sich selber anschaut. Der Mißmut aber, die träge Niedergeschlagenheit und alle diese Entzauberungen, das ist die wahre Einbildung, die wir durch Gebet und Mut zu überwin-

den trachten sollen, denn diese verdirbt die ursprüngliche Schönheit der Welt.

*[S. 104 f.]* Friedrich dichtete wieder fleißig im Garten oder in dem daranstoßenden angenehmen Wäldchen. Meist war dabei irgend ein Buch aus der Bibliothek des Herrn v. A., wie es ihm gerade in die Hände fiel, sein Begleiter. Seine Seele war dort so ungestört und heiter, daß er die gewöhnlichsten Romane mit jener Andacht und Frischheit der Phantasie ergriff, mit welcher wir in unserer Kindheit solche Sachen lesen. Wer denkt nicht mit Vergnügen daran zurück, wie ihm zumute war, als er den ersten Robinson oder Ritterroman las, aus dem ihn das früheste, lüsterne Vorgefühl, die wunderbare Ahnung des ganzen, künftigen, reichen Lebens anwehte; wie zauberisch da alles aussah und jeder Buchstab auf dem Papiere lebendig wurde? Wenn ihm dann nach vielen Jahren ein solches Buch wieder in die Hand kommt, sucht er begierig die alte Freude wieder auf darin, aber der frische, kindische Glanz, der damals das Buch und die ganze Erde überschien, ist verschwunden, die Gestalten, mit denen er so innig vertraut war, sind unterdes fremd und anders geworden, und sehen ihn an wie ein schlechter Holzstich, daß er weinen und lachen möchte zugleich. Mit so muntern, malerischen Kindesaugen durchflog denn auch Friedrich diese Bücher. Wenn er dazwischen dann vom Blatte aufsah, glänzte von allen Seiten der schöne Kreis der Landschaft in die Geschichten hinein, die Figuren, wie der Wind durch die Blätter des Buches rauschte, erhoben sich vor ihm in der grenzenlosen, grünen Stille und traten lebendig in die schimmernde Ferne hinaus; und so war eigentlich kein Buch so schlecht erfunden, daß er es nicht erquickt und belehrt aus der Hand gelegt hätte. Und das sind die rechten Leser, die mit und über dem Buche dichten. Denn kein Dichter gibt einen fertigen Himmel; er stellt nur die Himmelsleiter auf von der schönen Erde. Wer, zu träge und unlustig, nicht den Mut verspürt, die goldenen, losen Sprossen zu besteigen, dem bleibt der geheimnisvolle Buchstab ewig tot, und er täte besser, zu graben oder zu pflügen, als so mit unnützem Lesen müßig zu gehn.

*[S. 153 f.]* Man hatte indes an dem Tische die Geschichte der

Gräfin Dolores aufgeschlagen und blätterte darin hin und her. Die mannigfaltigsten Urteile darüber durchkreuzten sich bald. Die Frau vom Hause und ihr Nachbar, der Schmachtende, sprachen vor allen andern bitter und mit einer auffallend gekränkten Empfindlichkeit und Heftigkeit darüber. Sie schienen das Buch aus tiefster Seele zu hassen. Friedrich erriet wohl die Ursache und schwieg. — Ich muß gestehen, sagte eine junge Dame, ich kann mich darein nicht verstehen, ich wußte niemals, was ich aus dieser Geschichte mit den tausend Geschichten machen soll. Sie haben sehr recht, fiel ihr einer von den Männern, der sonst unter allen immer am richtigsten geurteilt hatte, ins Wort, es ist mir immer vorgekommen, als sollte dieser Dichter noch einige Jahre pausieren, um Dichten zu lernen. Welche Sonderbarkeiten, Verrenkungen und schreienden Übertreibungen! — Gerade das Gegenteil, unterbrach ihn ein anderer, ich finde das Ganze nur allzu prosaisch, ohne die himmlische Überschwenglichkeit der Phantasie. Wenn wir noch viele solche Romane erhalten, so wird unsere Poesie wieder eine bloße allegorische Person der Moral.
Hier hielt sich Friedrich, der dieses Buch hoch in Ehren hielt, nicht länger. Alles ringsumher, sagte er, ist prosaisch und gemein, oder groß und herrlich, wie wir es verdrossen und träge, oder begeistert ergreifen. Die größte Sünde aber unsrer jetzigen Poesie ist meines Wissens die gänzliche Abstraktion, das abgestandene Leben, die leere, willkürliche, sich selbst zerstörende Schwelgerei in Bildern. Die Poesie liegt vielmehr in einer fortwährend begeisterten Anschauung und Betrachtung der Welt und der menschlichen Dinge, sie liegt ebensosehr in der Gesinnung als in den lieblichen Talenten, die erst durch die Art ihres Gebrauches groß werden. Wenn in einem sinnreichen, einfach strengen, männlichen Gemüte auf solche Weise die Poesie wahrhaft lebendig wird, dann verschwindet aller Zwiespalt: Moral, Schönheit, Tugend und Poesie, alles wird eins in den adeligen Gedanken, in der göttlichen, sinnigen Lust und Freude, und dann mag freilich das Gedicht erscheinen, wie ein in der Erde wohlgegründeter, tüchtiger, schlanker, hoher Baum, wo grob und fein erquicklich durcheinander wächst, und rauscht und sich rührt zu Gottes Lobe. Und so ist mir auch dieses Buch jedesmal vorgekommen, obgleich ich gern zugebe, daß der Autor in

stolzer Sorglosigkeit sehr unbekümmert mit den Worten schaltet, und sich nur zu oft daran ergötzt, die kleinen Zauberdinger kurios auf den Kopf zu stellen.

*[S. 329—331]* Es ist noch nicht an der Zeit, zu bauen, solange die Backsteine, noch weich und unreif, unter den Händen zerfließen. Mir scheint in diesem Elend, wie immer, keine andere Hülfe, als die Religion. Denn wo ist in dem Schwalle von Poesie, Andacht, Deutschheit, Tugend und Vaterländerei, die jetzt, wie bei der babylonischen Sprachverwirrung, schwankend hin und her summen, ein sicherer Mittelpunkt, aus welchem alles dieses zu einem klaren Verständnis, zu einem lebendigen Ganzen gelangen könnte? Wenn das Geschlecht vor der Hand einmal alle seine irdischen Sorgen, Mühen und fruchtlosen Versuche, der Zeit wieder auf die Beine zu helfen, vergessen und wie ein Kleid abstreifen, und sich dafür mit voller, siegreicher Gewalt zu Gott wenden wollte, wenn die Gemüter auf solche Weise von den göttlichen Wahrheiten der Religion lange vorbereitet, erweitert, gereinigt und wahrhaft durchdrungen würden, daß der Geist Gottes und das Große im öffentlichen Leben wieder Raum in ihnen gewönne, dann erst wird es Zeit sein, unmittelbar zu handeln, und das alte Recht, die alte Freiheit, Ehre und Ruhm in das wiedereroberte Reich zurückzuführen. Und in dieser Gesinnung bleibe ich in Deutschland und wähle mir das Kreuz zum Schwerte. Denn, wahrlich, wie man sonst Missionarien unter Kannibalen aussandte, so tut es jetzt viel mehr not in Europa, dem ausgebildeten Heidensitze.
Faber kam aus tiefen Gedanken zurück, als Friedrich ausgeredet hatte. Wie Ihr da so sprecht, sagte er, ist mir gar seltsam zumute. War mir doch, als verschwände dabei die Poesie und alle Kunst wie in der fernsten Ferne, und ich hätte mein Leben an eine reizende Spielerei verloren. Denn das Haschen der Poesie nach außen, das geistige Verarbeiten und Bekümmern um das, was eben vorgeht, das Ringen und Abarbeiten an der Zeit, so groß und lobenswert als Gesinnung, ist doch immer unkünstlerisch. Die Poesie mag wohl Wurzel schlagen in demselben Boden der Religion und Nationalität, aber unbekümmert, bloß um ihrer himmlischen Schönheit willen, als Wunderblume zu uns heraufwachsen. Sie

will und soll zu nichts brauchbar sein. Aber das versteht Ihr nicht und macht mich nur irre. Ein fröhlicher Künstler mag sich vor Euch hüten. Denn wer die Gegenwart aufgibt, wie Friedrich, wem die frische Lust am Leben und seinem überschwenglichen Reichtume gebrochen ist, mit dessen Poesie ist es aus. Er ist wie ein Maler ohne Farben.

4 Das Bilderbuch (1837) = Werke, Bd. I.

*[S. 72]* Von der Poesie sucht Kunde
Mancher im gelehrten Buch,
Nur des Lebens schöne Runde
Lehret dich den Zauberspruch; [...]

5 Wünschelrute (1838) = Werke, Bd. I.

*[S. 134]* Schläft ein Lied in allen Dingen,
Die da träumen fort und fort,
Und die Welt hebt an zu singen,
Triffst du nur das Zauberwort.

6 Brief an Theodor von Schön vom 24. Oktober 1842 = Werke, Bd. XII.

*[S. 72 f.]* Von den armen Dichtern hoffen Ew: Exzellenz doch wohl zu viel. Sie sollen freilich über ihrer Zeit stehen, wie die Könige, aber sie sind auch wieder recht eigentlich die Kinder ihrer Zeit und leben von den Eindrücken des Tages. Daher durch die ganze Geschichte die fatale Erscheinung, daß eine große Zeit immer große Dichter, eine schlechte Zeit immer schlechte oder gar keine Dichter hat, gleichwie die Vögel im Winter nicht singen, wo es gerade am meisten not täte. Der Ärger wirkt bloß kritisch, was immer der Tod der Poesie ist.

7 Der deutsche Roman des achtzehnten Jahrhunderts in seinem Verhältnis zum Christentum (1851) = Werke, Bd. VIII/2.

*[S. 5]* Die Poesie ist die Blüte der Gesammtbildung einer Nation, diese Bildung aber der Ausdruck des sittlichen und religiösen Zustandes derselben, dessen Veränderungen, gleichwie die wechseln-

den Jahreszeiten die Landschaft, unwillkürlich und nach unabänderlichen Naturgesetzen Klima und Physiognomie der Literatur bestimmen. Es wird daher immerdar die Poesie einer besondern Zeit vorzüglich die Sitte und religiöse Anschauungsweise dieser Zeit, auch wo sie gegen dieselbe opponirt, bildlich abspiegeln.

*[S. 10]* [...] die Poesie der Alten war, wie schon oft genug gesagt worden, aus dem Gefühl einer harmonischen Gesundheit des endlichen Daseins hervorgegangen, die sich selbst genügende Verherrlichung, ja Vergötterung der Sinnlichkeit. Im Christenthum dagegen erhielt das Irdische nur durch seine höhere Beziehung, nicht durch Das, was es ist, sondern durch Das, was es bedeutet, seine volle Geltung und Schönheit. Jene war eine Poesie der Gegenwart, der Freude, diese eine Poesie der Zukunft, der Wehmuth, der Ahnung und der Sehnsucht; [...]

*[S. 11 f.]* Man sieht, diese ganze Zeit und ihre Poesie war also wesentlich nach dem Unendlichen gewendet. Da aber das Unendliche an sich undarstellbar ist, so mußte nun, um es zur poetischen Erscheinung zu bringen, seine Vermittelung mit dem Irdischen durch Symbolik versucht werden. Dies geschah auf zweierlei, einander scheinbar entgegengesetzten Wegen. Die Einen faßten alles Geheimnißvolle, das der Natur und dem Menschenleben einwohnt, in eine allgemeine Weltsymbolik zusammen, und suchten dann von oben herab das Bild dafür in der irdischen Erscheinung, als einer bloßen Allegorie jener Symbolik. Diese Richtung erreichte in Dante ihren wunderbaren Gipfelpunkt. Andere dagegen, mehr organisch von der Mannichfaltigkeit und dem Einzelnen der bunten Weltanschauung ausgehend, suchten gerade umgekehrt für das gegebene Bild die höhere Bedeutung, und strebten, die halbvernehmbaren Naturlaute und was in der Menschenbrust gleichsam wie in Träumen zu uns spricht, jeden verhüllten Keim des Ewigen, von unten hinauf zu der symbolischen Schönheit emporzuranken, nach der sich Alle sehnen.

*[S. 188]* Die unabweisbare Aufgabe der Poesie ist überall die Darstellung des Ewigen und Schönen im Irdischen.

*[S. 206 f.]* Es mußte vor allem Andern nur erst der innerlich

verstümmelte Mensch wieder hergestellt, der einseitigen Aufklärung des überfütterten Verstandes, der sich damals exclusiv der gesunde nannte, mußte die verborgene, tiefere Nachtseite der menschlichen Seele: Gefühl und Phantasie, erfrischend wieder beigegeben und das sonach erweiterte und ergänzte Dasein mit der großen Vergangenheit, von der es die Reformation geschieden, von neuem in welthistorischen Zusammenhang gebracht werden. Jene dämonischen Grundkräfte der Seele aber können ohne Vermittelung eines Höhern über ihnen kein harmonisches Ganze bilden: man mußte daher ferner, ganz unprotestantisch, dem emancipirten Subject das Positive, dem wandelbaren menschlichen Belieben die unwandelbare göttliche Wahrheit, mit einem Wort: die Kirche entgegensetzen. Das Alles that, oder versuchte vielmehr die Romantik und zwar vorzugsweise durch das Medium der Poesie. Jene höchste Vermittelung erstrebte Novalis in seinem „Heinrich von Ofterdingen", ganz speciell für die Dichtkunst; Friedrich Schlegel, mehr kritisch als dichterisch productiv, für die Wissenschaft. Die Romantik in dichterischer Beziehung ist mithin nicht bloß in ihren einzelnen Erscheinungen, sondern ihrem innersten Wesen und Princip nach, ganz und gar eine geistliche Poesie.

*[S. 213]* So unverständig wird freilich wol Niemand sein, die Poesie für ein zweckloses bloßes Spiel der Phantasie zu erklären, das aller beseelenden Grundgedanken entbehren könne. Aber die rechte Poesie fängt niemals damit an, für einen im voraus normirten und zu gelegentlichem Gebrauche in Bereitschaft gehaltenen Gedanken willkürlich erst den passenden Stoff zu suchen; ihr erster und letzter Zweck ist nicht die Construction der Idee, sondern die Schönheit, die immer schon von selbst ideal ist.

*[S. 239]* Die Poesie als solche fördern? Vergebliche Täuschung! Die Poesie ist nur der künstlerische Ausdruck der Weltansicht; eine Weltansicht aber, indem sie das Diesseit außer allen geheimnißvollen Rapport mit dem Jenseit setzt, ist trotz aller ästhetischen Anspannung in ihrem Grundwesen eine nüchterne, verstandesbornirte, mithin durchaus prosaische.

8 Zur Geschichte des Dramas (1854) = Werke, Bd. VIII/2.

*[S. 251]* Alle Poesie wurzelt ursprünglich in dem religiösen Gefühle der Völker; [...]

*[S. 276]* Nirgend ist wol das Wesen der durch das Christenthum bedingten neuern Poesie schärfer ausgeprägt worden, als im spanischen Drama. Wollen wir aber dieses Wesen präcis bezeichnen, so können wir es nur Romantik nennen; freilich nicht die um das Jahr 1796 künstlich gemachte, sondern die aus dem religiösen Bedürfniß der Völker erwachsene Romantik. Diese Romantik ist uralt und datirt eigentlich schon von Homer; aber erst das Christenthum gab ihr den vollen, reinen Ausdruck. Sie ist bei den neuern Völkern im Grunde nichts Anderes als der sich immer wiederholende und nach den verschiedenen Nationalitäten mannichfach gestaltende Versuch, die große Aufgabe des Christenthums, die Vermittelung des Ewigen und Irdischen, auch auf dem Gebiete der Poesie annähernd darzustellen. Dies kann aber, wie wir schon oben erwähnten, da das Uebersinnliche an sich undarstellbar ist, überall nur symbolisch geschehen; und zwar entweder durch eine Symbolik von oben herab, die den ganzen christlichen Begriff sinnbildlich gleichsam in ein poetisches Dogma zusammenfaßt, um es dann auf das Einzelne im irdischen Leben anzuwenden, wie bei Dante; oder umgekehrt durch eine organische Symbolik, wo, wie bei Calderon, die im Einzelnen schlummernden Keime, die verhüllte Bedeutung des Irdischen in Leben, Sage, Legende, ja selbst in einzelnen Momenten der heidnischen Mythologie, geweckt und nach dem höhern Lichte gewendet und emporgerankt werden.

*[S. 306]* Es ist allgemein anerkannt, und von uns und Andern schon vielfach gesagt worden, daß es überhaupt zweierlei Hauptarten des Dichtens gibt; die eine vom Allgemeinen nach dem Besondern gerichtet, für die fertige Idee den irdischen Ausdruck suchend, während die andere vom Besondern der irdischen Erscheinung nach deren tieferer Bedeutung, nach dem Ewigen und Wahren emporstrebt. Man hat die erstere Kunstpoesie, die andere Naturpoesie genannt. Beider Unterschied aber ist, wenn wir sie nicht nach ihrer Manipulation, sondern in ihrem Endresultat

fassen, eigentlich nur ein scheinbarer. Denn die Kunstdichtung wie die Naturdichtung werden ja eben erst dadurch Poesie, daß jene ihre wesenlosen Gedanken in einzelnen wirklichen Naturgestalten verkörpert, diese dagegen dasselbe Material nach demselben Lichte wendet und emporpfeilern läßt. Beide also treffen, gleichviel ob herabsteigend oder aufsteigend, auf dem gemeinsamen Boden der Natur zusammen, und es wird uns, wenn die Gestalten nur wahrhaft lebendig geworden, gar nicht einmal einfallen danach zu fragen, wie und woher sie ihre Seele empfangen haben. In der Natur aber, in den Träumen der Waldeinsamkeit wie in dem Labyrinth der Menschenbrust, schlummert von jeher ein wunderbares unvergängliches Lied, eine gebundene verzauberte Schöne, deren Erlösung eben die That des Dichters ist.

9 Geschichte der poetischen Literatur Deutschlands (1857) = Werke, Bd. IX.

*[S. 18]* Es giebt bekanntlich mehrere Gesichtspunkte, unter welchen der Werth und die Gestaltung einer Literatur überhaupt sich auffassen läßt.
Der unfruchtbarste derselben ist wohl der ästhetische, die Beurtheilung nämlich nach einer allgemeinen Theorie der Kunst. Eine poetische Zeit denkt nicht an ihre Schönheit, weil sie dieselbe von selbst besitzt, gleich wie ein Gesunder seine Gesundheit nicht merkt. Erst wenn die Schönheit abhanden gekommen, wird die verlorene absichtlich gesucht oder philosophisch construirt, und so entsteht die Aesthetik. Wir hatten allerdings zu jeder Zeit auch eine ästhetische, d. h. nach den eben gangbaren Schönheitsregeln gemachte Poesie. Aber jeder wahre Dichter hat, meist ohne es zu wissen, seine eigene Aesthetik.

*[S. 20—22]* Es geht durch alle Völker und Zeiten ein unabweisbares Gefühl von der Ungenüge des irdischen Daseins, und daher das tiefe Bedürfniß, dasselbe an ein höheres über diesem Leben, das Diesseits an ein Jenseits anzuknüpfen, Vergangenheit und Gegenwart beständig mit der geheimnißvollen Zukunft zu vermitteln. Und dieses Streben, durch welches alle Perfectibilität und der wahre Fortschritt des Menschengeschlechts bedingt wird, ist

eben das Wesen der Religion. Wo aber dieses religiöse Gefühl wahrhaft lebendig ist, wird es sich nicht mit müßiger Sehnsucht begnügen, sondern in allen bedeutenderen Erscheinungen des Lebens sich abspiegeln; am entschiedensten in der Poesie, deren Aufgabe, wenngleich auf anderem Gebiet und mit anderen Mitteln, offenbar mit jenem Grundwesen der Religion zusammenfällt, also in ihrem Kern selbst religiös ist.

Und so ist denn auch in der That, genau genommen, die Geschichte der poetischen Literatur, dem Kreislaufe des Blutes vom und zum Herzen vergleichbar, eigentlich nichts Anderes, als das beständig pulsirende Entfernen und wieder Zurückkehren zu jenem religiösen Centrum. Alle Revolutionen der Poesie sind durch die Religion gemacht worden. Schon im Alterthum, und namentlich bei dessen poetischstem Volke, den Griechen, ging die Poesie, da der alte Götterglaube, auf dem sie ruhte, verloschen war und philosophisch umgedeutet wurde, von ihrer ursprünglichen strengen Größe zu skeptisch vermittelnder Weltlichkeit, von Aeschylus zu Euripides über. Das Christenthum sodann, die ganze Weltansicht verwandelnd und wunderbar vertiefend, schuf aus der anarchischen Verwirrung, welche dieser Geisterkatastrophe unmittelbar folgte, an die Stelle der alten Verherrlichung des Endlichen die romantische Poesie des Unendlichen. Späterhin war es abermals der auf demselben Gebiet durch die sogenannte Reformation herbeigeführte Umschwung, welcher unsere Poesie in eine völlig veränderte Bahn mit sich fortriß; und noch in neuester Zeit entstand aus der religiösen Reaction gegen den Unglauben einer flachen Aufklärung die moderne Romantik, die noch bis heut nicht ganz verklungen ist.

Und das kann auch nicht anders sein. Denn was ist denn überhaupt die Poesie? Doch gewiß nicht bloße Schilderung oder Nachahmung der Gegenwart und Wirklichkeit. Ein solches Uebermalen der Natur verwischt vielmehr ihre geheimnißvollen Züge, gleich wie ja auch ein Landschaftsbild nur dadurch zum Kunstwerke wird, daß es die Hieroglyphenschrift, gleichsam das Lied ohne Worte, und den Geisterblick fühlbar macht, womit die verborgene Schönheit jeder bestimmten Gegend zu uns reden möchte. Auch die noch so getreue Darstellung der Vergangenheit giebt an sich noch keine Poesie, wenn der historische Stoff nicht durch überirdische Schlaglichter belebt und gewissermaßen erst wunderbar gemacht wird; und jedenfalls wird sie stets an Genialität der wirklichen Geschichte weit nachstehen müssen, die der göttliche Meister nach ganz anderen ungeheueren Dimensionen und Grundrissen dichtet, wofür wir hienieden keinen Maßstab haben. Aber eben so wenig darf die Poesie auch anderseits eine unmittelbare Darstellung der übersinnlichen Welt unternehmen wollen; denn diese entzieht sich, wie der Abgrund des gestirnten Himmels in unbestimmte Lichtnebel zerfliesend, in ihrer unermeßlichen Ferne und Höhe beständig der Kunst und ihren irdischen Organen; wie denn an dieser Aufgabe auch wirklich die größten Dichter, Milton, Klopstock u. a. gescheitert sind. Die Poesie ist demnach vielmehr nur die indirecte, d. h. sinnliche Darstellung des Ewigen und immer und überall Bedeutenden, welches auch jederzeit das Schöne ist, das verhüllt das Irdische durchschimmert. Dieses Ewige, Bedeutende ist aber eben die Religion, und das künstlerische Organ dafür das in der Menschenbrust unverwüstliche religiöse Gefühl.

Auch das hat die Poesie mit der Religion gemein, daß sie wie diese den ganzen Menschen, Gefühl, Phantasie und Verstand gleichmäßig in Anspruch nimmt. Denn das Gefühl ist hier nur die Wünschelruthe, die wunderbar verschärfte Empfindung für die lebendigen Quellen, welche die geheimnißvolle Tiefe durchranken; die Phantasie ist die Zauberformel, um die erkannten Elementargeister herauf zu beschwören, während der vermittelnde und ordnende Verstand sie erst in die Formen der wirklichen Erscheinung festzubannen vermag. Ein so harmonisches Zusammenwirken finden wir bei allen großen Dichtern, bei Dante, Calderon, Shakespeare und Goethe, wie sehr auch sonst ihre Wege auseinandergehen. Der Unterschied besteht nur in dem Mehr oder Minder jener drei Grundkräfte. Wo aber dieser Dreiklang gestört und eine dieser Kräfte alleinherrschend wird, entsteht die Dissonanz, die Krankheit, die Karikatur. So entsteht die sentimentale, die phantastische und die Verstandespoesie, die eben bloße Symptome der Krankheit sind.

*[S. 41]* Die alten Mythologien waren, bis auf einige vorgrei-

fende Ahnungen und Lichtblicke, wesentlich auf das Diesseits beschränkt, ihre Götter waren potenzirte Menschen oder Naturkräfte. Daher ist auch die alte Poesie, als der Reflex dieser religiösen Anschauungen, im Homer wie in den altdeutschen Heldenliedern, sinnlich, klar und reinmenschlich. Als aber das Christentum das irdische Dasein in geheimnißvollen Rapport mit dem Jenseits gesetzt und jene zerstreuten Ahnungen, als vorzugsweise berechtigt in Einen leuchtenden Brennpunkt zusammengefaßt hatte, so entstand auch sofort eine entsprechende Poesie des Unendlichen, die das Irdische nur als Vorbereitung und Symbol des Ewigen darzustellen suchte. Diese christliche Poesie ist daher übersinnlich, wunderbar, mystisch, symbolisch; und das ist eben der unterscheidende Charakter des Romantischen.

*[S. 43 f.]* Alle Poesie nimmt ihren Ursprung aus der Sage. In der Sage sind aber die productiven Seelenkräfte eines Volkes, Verstand, Phantasie und Gefühl, alle Blüte künftiger Bildung, wie ein Märchen, noch ungetrennt in einer gemeinsamen Knospe, wunderbar verhüllt und abgeschlossen. Die Sage wird, wie ein Naturproduct, nicht erfunden, sie ist nur der innerliche Reflex der Erlebnisse eines Volkes, ihre Lapidarschrift sind die Thaten dieses Volkes, welches sie poetisch nachträumt. Die Sage ist also ganz objectiv, und führt daher einerseits zur Geschichte, die noch halb erdichtet, und andrerseits zum Epos, das noch halb historisch ist. Und gleich wie in der Sage auch die Götter- und die Heldenwelt noch nicht voneinander geschieden sind, so wiederholt sich derselbe Organismus auch im Epos; und in dem ältesten nordischen Heldengedichte, in der Edda, erscheint Odin zugleich als Gott, König, Held und Seher.
Das Epos ist sonach überall die früheste Dichtungsart, oder vielmehr die poetisch verklärte Sage selbst.

*[S. 65 f.]* Die Lyrik ist von aller Poesie die subjectivste, sie geht nicht auf die gewordene That, wie das Epos, und nicht auf die werdende That, wie das Drama, sondern auf den eigentlichen tieferen Grund von beiden: auf den inneren Menschen; sie hat es mit der Stimmung und nicht mit der äußeren Manifestation dieser Stimmung zu thun. Wie das Epos die Poesie der Vergangenheit, der

Sage und traditionellen Heroengeschichte, so ist die Lyrik, da sie an die Individuen gewiesen, wesentlich die Poesie der Gegenwart, und folglich unruhig und wandelbar wie diese; [...]

*[S. 74 f.]* Die Poesie hat, wie jedes geistige Leben, ihren nothwendigen Entwickelungsproceß, der sich, weil er der natürliche ist, bei allen Völkern wiederholt. Die erste jugendlichfrische, fast noch kindliche Anschauung der Welt erzeugt das Epos. Diese Anschauung, je lebendiger sie ist, weckt indeß sehr bald ein nach den verschiedenen Individualitäten verschiedenes Interesse und Mitgefühl an dem großen Sagenstoff; die Poesie wird eine mehr innerliche und wesentlich lyrisch. Eine solche bloß experimentale und vorbereitende Trennung der beiden ursprünglichen Grundelemente aller Poesie kann aber nirgend von Dauer sein, und strebt unablässig nach Wiederversöhnung. Und diese Vermittelung ist eben das Wesen des Drama's, wo das lyrisch Subjective, ohne sich selbst aufzugeben, in der darzustellenden Handlung wiederum objectiv wird. Man begreift hiernach leicht, daß schon das bloße Bedürfniß solcher Vermittelung einen höheren Grad, wir möchten nicht sagen, menschlicher Bildung, sondern künstlerischer Ausbildung und Reife voraussetzt, als jene Vorbereitungszeit. Daher erscheint auch das Drama, gewissermaßen Epos und Lyrik in Ein Ganzes zusammenfassend, überall zuletzt. Daher hat das Mittelalter eigentlich noch gar kein Drama; wohl aber schlummern in diesem großen Völkerfrühlinge schon alle verhüllten Keime dazu, welche bei den Völkern des Abendlandes das Christenthum allmählich in's Leben rief, nachdem die Alten ihren künstlerischen Cyklus geschlossen hatten, und das classische Drama in der allgemeinen Fäulniß längst in sich selbst zerfallen war.

Das Drama ist überall, bei den Alten wie bei den neueren Völkern, religiösen Ursprungs und aus dem natürlichen Bedürfniß hervorgegangen, den religiösen Cultus durch Wechselgesänge zu feiern, zu beleben und zu erläutern. Das Drama ist ferner, seiner Natur nach, in seinen ersten Anfängen durchaus tragisch, die versuchte Darstellung des Conflicktes zwischen Subjectivem und Objectivem, des unvergänglichen Kampfes der in der Menschenbrust begründeten Sehnsucht und Forderung des Ewigen und Unendlichen gegen die begrenzenden Schranken des Endlichen. Wo aber, auch vom blos künstlerischen Standpunkt betrachtet, fände wohl die Poesie in der ganzen Weltgeschichte einen so tief-tragischen Stoff, als im christlichen Glauben? Was waren den Alten ihre wetterwendischen Götter mit ihren menschlichen Launen und Tücken, ihr Ajax und Hektor gegen die einzige Heldengestalt Christi, wie Er, in jenem ungeheueren Kampfe des Unendlichen mit dem Irdischen Allen voranschreitend, zuletzt verkannt, verrathen und von Allen verlassen in furchtbarer Einsamkeit durch alle Grauen und Schrecken des Todes geht, um das arme Menschengeschlecht aus seiner uralten Knechtschaft zu befreien!

*[S. 98]* Wie sehr irren daher diejenigen, welche aus Verstandeshochmuth oder vielleicht noch häufiger aus schwächlicher Scheu und Zaghaftigkeit jenen Bund als eine sündhafte Profanation verläugnen möchten, weil sie in ihrer Gemüthstrockenheit in der Poesie nur eitel Schmuck und Spiel zu erkennen im Stande sind. Die Religion aber nimmt — es kann nicht oft genug wiederholt werden — den ganzen Menschen, mithin auch Gefühl und Phantasie in Anspruch, welches eben die Grundelemente der Poesie sind.

*[S. 100]* Alle Poesie ist nur der Ausdruck, gleichsam der seelische Leib der inneren Geschichte der Nation; die innere Geschichte der Nation aber ist ihre Religion; es kann daher die Literatur eines Volkes nur gewürdigt und verstanden werden im Zusammenhange mit dem jedesmaligen religiösen Standpunkt derselben.

*[S. 153]* Auch jene Reformation der Poesie durch Verstand und Moral nützt nichts; der Verstand kann ordnen, aber nicht dichten, und die bloße Moral ist kein poetischer Stoff.

*[S. 158]* Wo aber die Naturwahrheit fehlt, verfällt die Poesie nothwendig der Willkür, der grillenhaften Mode und einer fortlaufenden Reihe experimentirender Kunststücke, um die innere Lüge zu verdecken und zu beschönigen, [...]

*[S. 173]* Daß die Poesie, nicht nur als allgemeine Weltkraft, sondern auch als specielle Kunst, sich, gleich der Baukunst, Plastik und Malerei, mit der Religion sehr wohl verträgt, bezeugen die epischen Dichtungen Wolfram's von Eschenbach, und in engeren,

mehr kirchlichen Kreisen die wundervollen und unvergänglichen Hymnen der alten Kirche, wie: *Dies irae, Stabat mater etc.*

*[S. 205 f.]* Man hat Wieland oft nachgerühmt, daß er zuerst den Muth hatte, die Poesie aus den Fesseln der Religion und Moral zu befreien. Das that er wirklich, und er hatte ganz Recht, denn eine gefesselte Poesie nützt weder der Religion noch der Moral. Nur geht er dabei von der seltsamen Voraussetzung aus, daß die Menschheit lediglich durch Erfahrung zu belehren und zu veredeln sei, und daß man ihr folglich auch in der Poesie nicht Ideale, sondern die Menschen genau so vorführen müsse, wie sie wirklich sind. Hier ist aber ein doppelter Irrthum. Denn einmal wird, wie das Sprichwort und die Geschichte lehrt, durch Erfahrung niemand klug, geschweige denn tugendhaft, wozu vielmehr ganz andere Hebel und Flügel gehören. Auch heißt wohl jenes Princip im Grunde eben nichts Anderes, als durch eigenen Schaden klug werden. Nun wäre es aber doch ein gar zu wunderliches und gewagtes Verfahren, jemanden erst auf's Glatteis zu schicken, um zu probiren, ob er fallen wird, oder um ihn, wenn er gar einbricht, hinterdrein menschenfreundlich retten zu können; ganz abgesehen davon, daß es ein Widerspruch in sich ist, die kranke Wirklichkeit durch die Wirklichkeit, die ja eben gebessert werden soll, curiren zu wollen. — Sodann soll die Poesie allerdings keine Magd, weder der Religion noch der Moral sein, sondern durch ihre eigenthümliche Zauberformel die Schönheit, wie und wo immer sie verborgen leuchtet, aus den Banden der tölpelhaften Riesen und Drachen und pfiffigen Philister erlösen. Aber die gemeine Wirklichkeit und ihre Laster, sie mögen sich noch so kokettisch-grazienhaft ausschmücken oder verschleiern, sind nirgend schön. Dagegen geht durch alle Zeiten und Völker das unvertilgbare Gefühl einer höheren, überirdischen, geheimnißvollen Schönheit, die der Religion, der Sittlichkeit und der Poesie gemeinsam ist, und ohne welche die letztere in hochmüthiger Absonderung niemals wahrhaft bestehen kann.

*[S. 216]* Ohne Gefühl, oder wenn man es so nennen will: ohne Empfindsamkeit, giebt es freilich begreiflicherweise überhaupt keine Poesie, denn das dichterische Gefühl ist eben die potenzirte Fähig-

keit, das Große, Wahre und Schöne zu empfinden. Das Gefühl allein ist indeß hiernach nichts an sich, es lebt, wie eine biegsame Liane, nur mit und in seinem Object, von dem es erst seine Bedeutung und Weihe, oder seine Lächerlichkeit empfängt.

*[S. 394]* [...] die arme, gebundene Natur träumt von Erlösung und spricht im Traume in abgebrochenen, wundersamen Lauten, rührend, kindisch, erschütternd, es ist das alte, wunderbare Lied, das in allen Dingen schläft. Aber nur ein reiner, gottergebener, keuscher Sinn kennt die Zauberformel, die es weckt, [...]

*[S. 466]* Nur in der wohlverstandenen, innigen Eintracht von Poesie und Religion also ist für Beide Heil; denn die wahre Poesie ist durchaus religiös, und die Religion poetisch, und eben diese geheimnißvolle Doppelnatur Beider darzustellen, war die große Aufgabe der Romantik.

## XXXV Georg Friedrich Creuzer (1771—1858)

Symbolik und Mythologie der alten Völker, besonders der Griechen. Bd. I. Leipzig und Darmstadt: Heyer u. Leske 1810.

*[S. 205—208 § 60]* [...] so zeigt uns denn jener helle Weltspiegel der homerischen Poesie eine erlesene herrliche Menschheit in ihrem Thun und Leben, und eine Götterwelt, nur als das edlere Urbild von jener. Wir sehen die Kämpfe und Leiden der Helden und das Mitleiden und Mithelfen menschlich handelnder und menschlich empfindender Götter. Der Schauplatz aber, auf dem diese Thaten geschahen, ist gerade der große Scheidepunkt des Morgenlandes von der Westwelt, so wie jene Poesie zwischen der dunkelen Unbestimmtheit des Vorderasiatischen Gottesdienstes und der hellen vielgestalteten Schaar mythischer Götter die entschiedenste Gränze setzt. Das Schicksal hatte in den Geist der Griechen einen wunderbaren Bildungstrieb gelegt, der nach ganz andern Gesetzen, als selbst ein großer Theil der polytheistischen Vorwelt kannte, aus dem Einen, welches das Göttliche heißt, Götter bildete, im höheren Menschenmaaß, aber zu klarer Anschauung personell in sich gegründet, und in entschiedenem Thun und Leiden hingestellt. Hellas mit seinen Geschlechtern von Göttern, die durch Heroinen und Heroen sich in die Menschheit verlieren, mit seinen Götter- und Heldenkämpfen, ist und bleibt der Mythen Mutter (μυθοτόκος Ἑλλάς), und Homeros ist der dieser Mutter ähnlichste, fruchtbarste Sohn. Seinem Geiste gehorchten nun die griechischen Völker, seine Gesänge wurden die Regel ihres Glaubens, ihres Dichtens und Bildens; sein Licht verdunkelte die Priesterwürde Asiatischer Vorzeit. Was Vorderasien in halb verhüllter Bedeutsamkeit Heiliges gelehrt und geübt hatte, ward von dem Griechen, bei der vollen Klarheit seines Olympos, vergessen. Es tönten fort die orgiastischen Lieder auf den phrygischen und thrakischen Bergen, aber ihren wunderbaren Inhalt verstand der Hellene nicht mehr; in griechischen Städten übte man den heiligen Dienst Syriens und Phöniciens, aber kaum ahndete man noch seine Bedeutung. Ein Dädalos hatte Ägyptens alte Bilder aus ihrer langen Ruhe aufgeweckt. Bestrebsam, wie der Grieche, der vor ihnen knieete,

schreiten sie fort. Aus halb geschlossener Hülle entwindet sich das zum Mythus beflügelte Sinnbild. Das alte heilige Haus der großen Göttin zu Ephesos umschwärmt in den anstoßenden Leschen eine redselige Menge von Joniern, und sie selbst, entnommen dem asiatischen Schleyer und der wunderbaren, bilderreichen Verhüllung, geht als leichte Jägerinn über die Berge. Statt der alten Ruhe und asiatischen Beschaulichkeit war jetzt die That, menschlich empfunden und gedacht, Mittelpunkt der Religion geworden, und die Sage bemächtigte sich der äusserlich gewordenen Andacht. Die Ungenügsamkeit ältester Göttersymbolik wird gefügt unter griechisches Maaß. Schöne Sinnlichkeit und plastische Ründung verdrängen mit der Mißgestalt zugleich den gewichtigen Inhalt älterer Bedeutung.

Und während nun dieses homerische Gesetz sich auf Jahrhunderte des griechischen Geistes bemächtigt, und durch seine Macht die Religion der Griechen bindet, erlöschen allmählich in Hellas die alten Königshäuser, oder werden durch Bürger verdrängt, die als Gesetzgeber durch Gründung freyer Verfassungen jeden freygebohrnen Griechen auf einen großen Schauplatz öffentlicher Thätigkeit führen. Das durch öffentliche, großentheils religiöse, Institute in jedem Einzelnen genährte Selbstgefühl, gründet neben der schönsten Form die geschlossenste Persönlichkeit und den entschiedensten Charakter. Das so veränderte Gemeinwesen wirkt zurück auf den Geist der Religion. Die Werke der Andacht fallen zusammen mit den Forderungen des Staates, und die Veranstaltung heiliger Chortänze und dramatischer Spiele ist zugleich Erfüllung der Bürgerpflicht. Daher dann selbst die ursprünglich aus altem Naturdienst hervorgegangene Tragödie und Komödie diesen öffentlichen Geist verrathen. Jene wendet die Götter- und Heldensage zum Ruhme der Stadt, vor der sie gegeben wird, und diese zeigt die Freyheit ihrer Form in der Freyheit des Urtheils über öffentliche Personen. So war in Griechenland die Religion des Volkes, sammt seiner Poesie und Kunst, plastisch und politisch geworden.

## XXXVI Karl Theodor Körner (1791—1813)

Deutsche National-Litteratur. Historisch-kritische Ausgabe. Hg. von J. Kürschner. Bd. 152/153: Theodor Körners Werke. Hg. von A. Stern. Stuttgart: Union o. J.

Poesie und Liebe. Sonett (1810).

*[S. 49]* Der Sänger rührt der Leier goldne Saiten,
Und in der Seele ist das Lied erwacht;
Es tönt durch das gewalt'ge Reich der Nacht
Ein Wunderklang zum Ohre aller Zeiten.

Ein Wesen nur vermag den Klang zu deuten;
Es naht sich still in süßer Himmelspracht,
Und wie vom Götterhauche angefacht,
Erglüht das Lied, die Wolken zu durchschreiten

Da wogt ein üpp'ges Meer von Harmonieen,
Es schwebt das trunkne Lied im Strahlenflore
Durch Lichtgefilde einer ew'gen Klarheit.

Wo Lieb' und Dichtkunst in einander glühen,
Da öffnen sich des Himmels Rosenthore,
Und aufwärts fliegt das Herz zur heil'gen Wahrheit.

## XXXVII Heinrich von Kleist (1777—1811)

Werke = Sämtliche Werke und Briefe. Hg. von H. Sembdner. Zweite, vermehrte und auf Grund der Erstdrucke und Handschriften völlig revidierte Auflage. 2 Bde. München: Hanser 1961.

1 Brief eines Dichters an einen anderen (1811) = Werke, Bd. II.

*[S. 348—350]* Mein teurer Freund!

Jüngsthin, als ich Dich bei der Lektüre meiner Gedichte fand, verbreitetest Du Dich, mit außerordentlicher Beredsamkeit, über die Form, und, unter beifälligen Rückblicken, über die Schule, nach der ich mich, wie Du vorauszusetzen beliebst, gebildet habe; rühmtest Du mir auf eine Art, die mich zu beschämen geschickt war, bald die Zweckmäßigkeit des dabei zum Grunde liegenden Metrums, bald den Rhythmus, bald den Reiz des Wohlklangs und bald die Reinheit und Richtigkeit des Ausdrucks und der Sprache überhaupt. Erlaube mir, Dir zu sagen, daß Dein Gemüt hier auf Vorzügen verweilt, die ihren größesten Wert dadurch bewiesen haben würden, daß Du sie gar nicht bemerkt hättest. Wenn ich beim Dichten in meinen Busen fassen, meinen Gedanken ergreifen, und mit Händen, ohne weitere Zutat, in den Deinigen legen könnte: so wäre, die Wahrheit zu gestehn, die ganze innere Forderung meiner Seele erfüllt. Und auch Dir, Freund, dünkt mich, bliebe nichts zu wünschen übrig: dem Durstigen kommt es, als solchem, auf die Schale nicht an, sondern auf die Früchte, die man ihm darin bringt. Nur weil der Gedanke, um zu erscheinen, wie jene flüchtigen, undarstellbaren, chemischen Stoffe, mit etwas Gröberem, Körperlichen, verbunden sein muß: nur darum bediene ich mich, wenn ich mich Dir mitteilen will, und nur darum bedarfst Du, um mich zu verstehen, der Rede. Sprache, Rhythmus, Wohlklang u. s. w., so reizend diese Dinge auch, insofern sie den Geist einhüllen, sein mögen, so sind sie doch an und für sich, aus diesem höheren Gesichtspunkt betrachtet, nichts, als ein wahrer, obschon natürlicher und notwendiger Übelstand; und die Kunst kann, in bezug auf sie, auf nichts gehen, als sie möglichst v e r s c h w i n d e n zu machen. Ich bemühe mich aus meinen besten Kräften, dem Ausdruck Klarheit, dem Versbau Bedeutung, dem Klang der Worte Anmut und Leben zu geben: aber bloß, damit diese Dinge gar nicht, vielmehr einzig und allein der Gedanke, den sie einschließen, erscheine. Denn das ist die Eigenschaft aller echten Form, daß der Geist augenblicklich und unmittelbar daraus hervortritt, während die mangelhafte ihn, wie ein schlechter Spiegel, gebunden hält, und uns an nichts erinnert, als an sich selbst. Wenn Du mir daher, in dem Moment der ersten Empfängnis, die Form meiner kleinen, anspruchlosen Dichterwerke lobst: so erweckst Du in mir, auf natürlichem Wege, die Besorgnis, daß darin ganz falsche rhythmische und prosodische Reize enthalten sind, und daß Dein Gemüt, durch den Wortklang oder den Versbau, ganz und gar von dem, worauf es mir eigentlich ankam, abgezogen worden ist. Denn warum solltest Du sonst dem Geist, den ich in die Schranken zu rufen bemüht war, nicht Rede stehen, und grade wie im Gespräch, ohne auf das Kleid meines Gedankens zu achten, ihm selbst, mit Deinem Geiste, entgegentreten? Aber diese Unempfindlichkeit gegen das Wesen und den Kern der Poesie, bei der, bis zur Krankheit, ausgebildeten Reizbarkeit für das Zufällige und die Form, klebt Deinem Gemüt überhaupt, meine ich, von der Schule an, aus welcher Du stammst; ohne Zweifel gegen die Absicht dieser Schule, welche selbst geistreicher war, als irgend eine, die je unter uns auftrat, obschon nicht ganz, bei dem paradoxen Mutwillen ihrer Lehrart, ohne ihre Schuld. Auch bei der Lektüre von ganz andern Dichterwerken, als der meinigen, bemerke ich, daß Dein Auge (um es Dir mit einem Sprichwort zu sagen) den Wald vor seinen Bäumen nicht sieht. Wie nichtig oft, wenn wir den Shakespear zur Hand nehmen, sind die Interessen, auf welchen Du mit Deinem Gefühl verweilst, in Vergleich mit den großen, erhabenen, weltbürgerlichen, die vielleicht nach der Absicht dieses herrlichen Dichters in Deinem Herzen anklingen sollten! Was kümmert mich, auf den Schlachtfeldern von Agincourt, der Witz der Wortspiele, die darauf gewechselt werden; und wenn Ophelia vom Hamlet sagt: „welch ein edler Geist ward hier zerstört!" — oder Macduf vom Macbeth: „er hat keine Kinder!" — Was liegt an Jamben, Reimen, Assonanzen und dergleichen Vorzügen, für welche Dein Ohr stets, als gäbe es gar keine andere, gespitzt ist? — Lebe wohl!

2 Brief an Marie von Kleist vom Sommer 1811 = Werke, Bd. II.

*[S. 712 f.]* Ich fühle, daß mancherlei Verstimmungen in meinem Gemüt sein mögen, die sich in dem Drang der widerwärtigen Verhältnisse, in denen ich lebe, immer noch mehr verstimmen, und die ein recht heitrer Genuß des Lebens, wenn er mir einmal zuteil würde, vielleicht ganz leicht harmonisch auflösen würde. In diesem Fall würde ich die Kunst vielleicht auf ein Jahr oder länger ganz ruhen lassen, und mich, außer einigen Wissenschaften, in denen ich noch etwas nachzuholen habe, mit nichts als der Musik beschäftigen. Denn ich betrachte diese Kunst als die Wurzel, oder vielmehr, um mich schulgerecht auszudrücken, als die algebraische Formel aller übrigen, und so wie wir schon einen Dichter haben — mit dem ich mich übrigens auf keine Weise zu vergleichen wage — der alle seine Gedanken über die Kunst, die er übt, auf Farben bezogen hat, so habe ich, von meiner frühesten Jugend an, alles Allgemeine, was ich über die Dichtkunst gedacht habe, auf Töne bezogen. Ich glaube, daß im Generalbaß die wichtigsten Aufschlüsse über die Dichtkunst enthalten sind.

## XXXVIII Max von Schenkendorf (1783—1817)

Gedichte. 5. Auflage. Hg. von A. Hagen. Stuttgart: Cotta 1878.

An Ferdinand Delbrück, beim Schlusse seiner ästhetischen Vorlesungen. Königsberg, 12. März 1812.

*[S. 42 f.]* So sind wir fröhlich denn zum Ziel gekommen;
Durchzogen ist ein weites, reiches Land,
Wo wir so manch lebendig Wort vernommen.
Es war ein tiefer Strom, an dessen Rand
In leichter Barke wir so froh geschwommen;
Doch an dem holden Blüthenufer stand
Und ging ein Chor von herrlichen Gestalten —
O strebet, sie euch ewig fest zu halten!

Vom sel'gen Anschaun ist der Blick noch trunken.
Die Schönheit sahen wir im Zauberspiegel,
Da lebten Bilder auf, da sprühten Funken
Durch unsre Seelen, lösend Schloß und Riegel.
Als wir in Andacht vor ihr hingesunken,
Entsprossen schmerzlich süß die Liebesflügel,
Was die Platone und die Diotimen
Für aller Seligkeit Beginnen rühmen.

Das herrliche Vermögen, diesen Traum
Verkörpert in das Leben einzuführen,
Den öden, wesenlosen, todten Raum
Mit himmlischen Gebilden auszuzieren
Und fest zu halten an des Kleides Saum
Die Göttin — was nur wenig Priester spüren
Und froh bekennen als des Himmels Gunst —
Solch Sehnen, solche Kraft, wir nannten's Kunst.

Und eine Insel hob sich aus den Wellen,
Da weilt die Poesie in Lorbeerhainen;
Es ruht Petrarka sinnend an den Quellen,
Im Lorbeer soll sich Laura ihm vereinen;
Ariosto will die Nacht um ihn erhellen,
Läßt Ritter, Damen, Zauberer erscheinen —

Vor allen aber ist der Preis beschieden
Dem ew'gen Klang, dem Wort des Mäoniden.

Schon glaubten wir die schöne Fahrt geendet,
Da ward noch eine Göttin uns gesandt.
Ihr klarer Blick war himmelan gewendet,
Doch Siegern gleich durchschritt sie jedes Land,
Vom ew'gen Recht schien sie herabgesendet,
Ein schlankes Richtmaß zierte ihre Hand,
Zum Führer an verworrenen Gestaden
Bot sie uns Ariadnen gleich den Faden.

Dies ist das Land, wohin sich sehnt hienieden,
Wen je ein Strahl von oben her beseelet,
Das sel'ge Land, wo Streit sich löst in Frieden,
Und Schönheit nur der Schönheit sich vermählet;
Doch ist nicht Jedem solches Glück beschieden,
Viel sind berufen, wenig sind erwählet,
Nur frommem Kindessinn ward es bereitet,
So hat es uns der Hierophant gedeutet.

Vollendet hat Er, will uns nun verschwinden,
Der edle Mann von deutscher Art und Kunst.
Eilt, ihn mit Liebesketten festzubinden!
Mit ew'gem Band umschlingt uns ja die Kunst.
Von Blumen schwillt der Kranz, den wir ihm winden,
Den heil'gen Lorbeer reichet ihm die Kunst,
Sein freundlich Antlitz strahlt in Moses' Glanz —
Wie zieret der bescheidne Mann den Kranz!

## XXXIX Joachim Heinrich Campe (1746—1818)

Wörterbuch zur Erklärung und Verdeutschung der unserer Sprache aufgedrungenen fremden Ausdrücke. Ein Ergänzungsband zu Adelungs und Campes Wörterbüchern. Neue starkvermehrte und durchgängig verbesserte Ausgabe. Braunschweig: Schulbuchhandlung 1813.

Poesie (1813).

*[S. 483]* Poësie. 1) Die Dichtkunst. Auch Dichterei paßt, jedoch nur in der leichten scherzenden Schreibart, dafür:

Doch mehr als Alles half hiebei
Die Himmelstochter, Dichterei,
An ihrer Schwester, Tonkunst, Hand. Hist. Bilderbüchl.

In der ernsten Schreibart würde man verächtliche Nebenbegriffe damit verbinden, welches in noch höherem Grade der Fall mit Dichtelei ist: „Und dieses besteht gemeiniglich in dem Zusammenstoppeln einiger Dichteleien und Witzeleien." Theophron. 2) Das Dichtergefühl oder die Anlage zum Dichten, wie wenn die Gesichtsforscher sagen; der kleine Höcker seiner Nase deutet auf *Poesie.* 3) Die Dichtung, das Gedicht, etwas Dichterisches. Sein Vortrag erhebt sich oft bis zum Dichterischen (bis zur *Poesie*); er ist kein Freund von Gedichten (von *Poesien*); in diesem angeblichen Gedichte ist sehr wenig Dichtung *(Poesie).* (Zus.) Man hat seit einiger Zeit auch von *poëtischer Poësie* zu reden angefangen, womit man die wahre oder echte Dichtkunst, in Gegensatz der unechten, bezeichnen wollte.

## XL Ernst Theodor Amadeus Hoffmann (1776—1822)

Werke = Sämtliche Werke in fünf Einzelbänden. Hg. von W. Müller-Seidel. München: Winkler 1960—65.

1 Gedanken über den hohen Wert der Musik (1812) = Werke, Bd.: Fantasie- und Nachtstücke.

*[S. 38]* Diese Konzerte sind die wahren Zerstreuungsplätze für den Geschäftsmann, und dem Theater sehr vorzuziehen, da dieses zuweilen Vorstellungen gibt, die den Geist unerlaubterweise auf etwas ganz Nichtiges und Unwahres fixieren, so daß man Gefahr läuft, in die Poesie hineinzugeraten, wovor sich denn doch jeder, dem seine bürgerliche Ehre am Herzen liegt, hüten muß! — Kurz, es ist, wie ich gleich anfangs erwähnte, ein entscheidendes Zeichen, wie sehr man jetzt die wahre Tendenz der Musik erkennt, daß sie so fleißig und mit so vielem Ernst getrieben und gelehrt wird. Wie zweckmäßig ist es nicht, daß die Kinder, sollten sie auch nicht das mindeste Talent zur Kunst haben, worauf es ja auch eigentlich gar nicht ankommt, doch zur Musik angehalten werden, um so, wenn sie sonst noch nicht obligat in der Gesellschaft wirken dürfen, doch wenigstens das ihrige zur Unterhaltung und Zerstreuung beitragen zu können. — Wohl ein glänzender Vorzug der Musik vor jeder andern Kunst ist es auch, daß sie in ihrer Reinheit (ohne Beimischung der Poesie) durchaus moralisch und daher in keinem Fall von schädlichem Einfluß auf die zarte Jugend ist.

*[S. 40]* Sollte nämlich eine begüterte Familie höheren Standes so unglücklich sein, ein Kind zu haben, das ganz besonders zur Kunst organisiert wäre, oder das, nach dem lächerlichen Ausdruck jener Wahnwitzigen, den göttlichen Funken, der im Widerstande verzehrend um sich greift, in der Brust trüge; sollte es wirklich ins Fantasieren für Kunst und Künstlerleben geraten: so wird ein guter Erzieher durch eine kluge Geistesdiät, z. B. durch das gänzliche Entziehen aller fantastischen, übertreibenden Kost, (Poesien, und sogenannter starker Kompositionen, von Mozart, Beethoven u. s. w.) sowie durch die fleißig wiederholte Vorstellung der

ganz subordinierten Tendenz jeder Kunst und des ganz untergeordneten Standes der Künstler ohne allen Rang, Titel und Reichtum, sehr leicht das verirrte junge Subjekt auf den rechten Weg bringen, so daß es am Ende eine rechte Verachtung gegen Kunst und Künstler spürt, die als wahres Remedium gegen jede Exzentrizität nie weit genug getrieben werden kann.

2 Beethovens Instrumental-Musik (1813) = Werke, Bd.: Fantasie- und Nachtstücke.

*[S. 41]* Sollte, wenn von der Musik als einer selbständigen Kunst die Rede ist, nicht immer nur die Instrumental-Musik gemeint sein, welche jede Hülfe, jede Beimischung einer andern Kunst (der Poesie) verschmähend, das eigentümliche, nur in ihr zu erkennende Wesen dieser Kunst rein ausspricht? — Sie ist die romantischste aller Künste, beinahe möchte man sagen, allein echt romantisch, denn nur das Unendliche ist ihr Vorwurf.

*[S. 42]* In dem Gesange, wo die Poesie bestimmte Affekte durch Worte andeutet, wirkt die magische Kraft der Musik, wie das wunderbare Elixier der Weisen, von dem etliche Tropfen jeden Trank köstlicher und herrlicher machen. Jede Leidenschaft — Liebe — Haß — Zorn — Verzweiflung etc. wie die Oper sie uns gibt, kleidet die Musik in den Purpurschimmer der Romantik, und selbst das im Leben Empfundene führt uns hinaus aus dem Leben in das Reich des Unendlichen.

3 Don Juan (1813) = Werke, Bd.: Fantasie- und Nachtstücke.

*[S. 74]* Nur der Dichter versteht den Dichter; nur ein romantisches Gemüt kann eingehen in das Romantische; nur der poetisch exaltierte Geist, der mitten im Tempel die Weihe empfing, das verstehen, was der Geweihte in der Begeisterung ausspricht.

4 Der Dichter und der Komponist (1813) = Werke, Bd.: Die Serapions-Brüder.

*[S. 80—84]* „Ich begreife nicht", sagte Ferdinand, „daß du selbst, dem es bei einer höchst lebendigen Fantasie durchaus nicht an der Erfindung des Stoffs fehlen kann, und dem die Sprache

hinlänglich zu Gebote steht, dir nicht längst eine Oper gedichtet hast!"

*Ludwig:* Ich will dir zugestehen, daß meine Fantasie wohl lebendig genug sein mag, manches gute Opernsujet zu erfinden; ja, daß, zumal, wenn nachts ein leichter Kopfschmerz mich in jenen träumerischen Zustand versetzt, der gleichsam der Kampf zwischen Wachen und Schlafen ist, mir nicht allein recht gute, wahrhaft romantische Opern vorkommen, sondern wirklich vor mir aufgeführt werden mit meiner Musik. Was indessen die Gabe des Festhaltens und Aufschreibens betrifft, so glaube ich daß sie mir fehlt, und es ist uns Komponisten auch in der Tat kaum zuzumuten, daß wir uns jenen mechanischen Handgriff, der in jeder Kunst zum Gelingen des Werks nötig, und den man nur durch steten Fleiß und anhaltende Übung erlangt, aneignen sollen, um unsere Verse selbst zu bauen. Hätte ich aber auch die Fertigkeit erworben, ein gedachtes Sujet richtig und mit Geschmack in Szenen und Verse zu setzen, so würde ich mich doch kaum entschließen können, mir selbst eine Oper zu dichten.

*Ferdinand:* Aber niemand könnte ja in deine musikalischen Tendenzen so eingehen als du selbst.

*Ludwig:* Das ist wohl wahr; mir kommt es indessen vor, als müsse dem Komponisten, der sich hinsetzte, ein gedachtes Opernsujet in Verse zu bringen, so zumute werden, wie dem Maler, der von dem Bilde, das er in der Fantasie empfangen, erst einen mühsamen Kupferstich zu verfertigen genötigt würde, ehe man ihm erlaubte, die Malerei mit lebendigen Farben zu beginnen.

*Ferdinand:* Du meinst, das zum Komponieren nötige Feuer würde verknistern und verdampfen bei der Versifikation?

*Ludwig:* In der Tat, so ist es! Und am Ende würden mir meine Verse selbst nur armselig vorkommen, wie die papiernen Hülsen der Raketen, die gestern noch in feurigem Leben prasselnd in die Lüfte fuhren. — Im Ernste aber, mir scheint zum Gelingen des Werks es in keiner Kunst so nötig, das Ganze mit allen seinen Teilen bis in das kleinste Detail im ersten, regsten Feuer zu ergreifen, als in der Musik: denn nirgends ist das Feilen und Ändern untauglicher und verderblicher, so wie ich aus Erfahrung weiß, daß die zuerst gleich bei dem Lesen eines Gedichts wie durch einen

Zauberschlag erweckte Melodie allemal die beste, ja vielleicht im Sinn des Komponisten die einzig wahre ist. Ganz unmöglich würde es dem Musiker sein, sich nicht gleich bei dem Dichten mit der Musik, die die Situation hervorgerufen, zu beschäftigen. Ganz hingerissen und nur arbeitend in den Melodien, die ihm zuströmten, würde er vergebens nach den Worten ringen, und gelänge es ihm, sich mit Gewalt dazu zu treiben, so würde jener Strom, brauste er auch noch so gewaltig in hohen Wellen daher, gar bald, wie im unfruchtbaren Sande versiegen. Ja, um noch bestimmter meine innere Überzeugung auszusprechen: in dem Augenblick der musikalischen Begeisterung würden ihm alle Worte, alle Phrasen ungenügend — matt — erbärmlich vorkommen, und er müßte von seiner Höhe herabsteigen, um in der untern Region der Worte für das Bedürfnis seiner Existenz betteln zu können. Würde aber hier ihm nicht bald, wie dem eingefangenen Adler, der Fittich gelähmt werden, und er vergebens den Flug zur Sonne versuchen?

*Ferdinand:* Das läßt sich allerdings hören: aber weißt du wohl, mein Freund, daß du mehr deine Unlust, dir erst durch all die nötigen Szenen, Arien, Duetten etc. den Weg zum musikalischen Schaffen zu bahnen, entschuldigst, als mich überzeugst?

*Ludwig:* Mag das sein; aber ich erneuere einen alten Vorwurf: Warum hast du schon damals, als gleiches Kunststreben uns so innig verband, nie meinem innigen Wunsche genügen wollen, mir eine Oper zu dichten?

*Ferdinand:* Weil ich es für die undankbarste Arbeit von der Welt halte. — Du wirst mir eingestehen, daß niemand eigensinniger in seinen Forderungen sein kann, als ihr es seid, ihr Komponisten; und wenn du behauptest, daß es dem Musiker nicht zuzumuten sei, daß er sich den Handgriff, den die mechanische Arbeit der Versifikation erfordert, aneigne, so meine ich dagegen, daß es dem Dichter wohl gar sehr zur Last fallen dürfe, sich so genau um eure Bedürfnisse, um die Struktur eurer Terzetten, Quartetten, Finalen etc. zu bekümmern, um nicht, wie es denn leider uns nur zu oft geschieht, jeden Augenblick gegen die Form, die ihr nun einmal angenommen, mit welchem Recht, mögt ihr selbst wissen, zu sündigen. Haben wir in der höchsten Spannung darnach getrachtet, jede Situation unseres Gedichts in wahrer Poesie zu ergreifen und in den begeistertsten Worten, den geründetsten Versen zu malen, so ist es ja ganz erschrecklich, daß ihr oft unsere schönsten Verse unbarmherzig wegstreichet, und unsere herrlichsten Worte oft durch Verkehren und Umwenden mißhandelt, ja im Gesange ersäufet. — Das will ich nur von der vergeblichen Mühe des sorglichen Ausarbeitens sagen. Aber selbst manches herrliche Sujet, das uns in dichterischer Begeisterung aufgegangen, und mit dem wir stolz, in der Meinung, euch hoch zu beglücken, vor euch treten, verwerft ihr geradezu als untauglich und unwürdig des musikalischen Schmuckes. Das ist denn doch oft purer Eigensinn, oder was weiß ich sonst: denn oft macht ihr euch an Texte, die unter dem Erbärmlichen stehen, und —

*Ludwig:* Halt, lieber Freund! — Es gibt freilich Komponisten, denen die Musik so fremd ist, wie manchen Versedrechslern die Poesie; *die* haben denn oft jene, wirklich in jeder Hinsicht unter dem Erbärmlichen stehende Texte in Noten gesetzt. Wahrhafte, in der herrlichen, heiligen Musik lebende und webende Komponisten wählten nur poetische Texte.

*Ferdinand:* Aber Mozart . . .?

*Ludwig:* Wählte nur der Musik wahrhaft zusagende Gedichte zu seinen klassischen Opern, so paradox dies manchem scheinen mag. — Doch davon hier jetzt abgesehen, meine ich, daß es sich sehr genau bestimmen ließe, was für ein Sujet für die Oper paßt, so daß der Dichter nie Gefahr laufen könnte, darin zu irren.

*Ferdinand:* Ich gestehe, nie darüber nachgedacht zu haben, und bei dem Mangel musikalischer Kenntnisse würden mir auch die Prämissen gefehlt haben.

*Ludwig:* Wenn du unter musikalischen Kenntnissen die sogenannte Schule der Musik verstehst, so bedarf es deren nicht, um richtig über das Bedürfnis der Komponisten zu urteilen: denn ohne diese kann man das Wesen der Musik so erkannt haben, und so in sich tragen, daß man in dieser Hinsicht ein viel besserer Musiker ist, als der, der im Schweiße seines Angesichts die ganze Schule in ihren mannigfachen Irrgängen durcharbeitend, die tote Regel, wie den selbstgeschnitzten Fetisch, als den lebendigen Geist verherrlicht und den dieser Götzendienst um die Seligkeit des höhern Reichs bringt.

*Ferdinand:* Und du meinst, daß der Dichter in jenes wahre Wesen der Musik eindringe, ohne daß ihm die Schule jene niedrigern Weihen erteilt hat?

*Ludwig:* Allerdings! — Ja, in jenem fernen Reiche, das uns oft in seltsamen Ahnungen umfängt, und aus dem wunderbare Stimmen zu uns herabtönen und alle die Laute wecken, die in der beengten Brust schliefen, und die, nun erwacht, wie in feurigen Strahlen freudig und froh heraufschießen, so daß wir der Seligkeit jenes Paradieses teilhaftig werden — da sind Dichter und Musiker die innigst verwandten Glieder *einer* Kirche: denn das Geheimnis des Worts und des Tons ist ein und dasselbe, das ihnen die höchste Weihe erschlossen.

*Ferdinand:* Ich höre meinen lieben Ludwig, wie er in tiefen Sprüchen das geheimnisvolle Wesen der Kunst zu erfassen strebt, und in der Tat schon jetzt sehe ich den Raum schwinden, der mir sonst den Dichter vom Musiker zu trennen schien.

*Ludwig:* Laß mich versuchen, meine Meinung über das wahre Wesen der Oper auszusprechen. In kurzen Worten: Eine wahrhafte Oper scheint mir nur die zu sein, in welcher die Musik unmittelbar aus der Dichtung als notwendiges Erzeugnis derselben entspringt.

*Ferdinand:* Ich gestehe, daß mir das noch nicht ganz eingeht.

*Ludwig:* Ist nicht die Musik die geheimnisvolle Sprache eines fernen Geisterreichs, deren wunderbare Akzente in unserm Innern widerklingen, und ein höheres, intensives Leben erwecken? Alle Leidenschaften kämpfen schimmernd und glanzvoll gerüstet miteinander, und gehen unter in einer unaussprechlichen Sehnsucht, die unsere Brust erfüllt. Dies ist die unnennbare Wirkung der Instrumentalmusik. Aber nun soll die Musik ganz ins Leben treten, sie soll seine Erscheinungen ergreifen, und Wort und Tat schmückend, von bestimmten Leidenschaften und Handlungen sprechen. Kann man denn vom Gemeinen in herrlichen Worten reden? Kann denn die Musik etwas anderes verkünden, als die Wunder jenes Landes, von dem sie zu uns herübertönt? — Der Dichter rüste sich zum kühnen Fluge in das ferne Reich der

Romantik; dort findet er das Wundervolle, das er in das Leben tragen soll, lebendig und in frischen Farben erglänzend, so daß man willig daran glaubt, ja daß man, wie in einem beseligenden Traume, selbst dem dürftigen, alltäglichen Leben entrückt in den Blumengängen des romantischen Landes wandelt, und nur seine Sprache, das in Musik ertönende Wort versteht.

*Ferdinand:* Du nimmst also ausschließlich die romantische Oper mit ihren Feen, Geistern, Wundern und Verwandlungen in Schutz?

*Ludwig:* Allerdings halte ich die romantische Oper für die einzig wahrhafte, denn nur im Reich der Romantik ist die Musik zu Hause. Du wirst mir indessen wohl glauben, daß ich diejenigen armseligen Produkte, in denen läppische, geistlose Geister erscheinen, und ohne Ursache und Wirkung Wunder auf Wunder gehäuft werden, nur um das Auge des müßigen Pöbels zu ergötzen, höchlich verachte. Eine wahrhaft romantische Oper dichtet nur der geniale, begeisterte Dichter: denn nur dieser führt die wunderbaren Erscheinungen des Geisterreichs ins Leben; auf seinem Fittich schwingen wir uns über die Kluft, die uns sonst davon trennte, und einheimisch geworden in dem fremden Lande, glauben wir an die Wunder, die als notwendige Folgen der Einwirkung höherer Naturen auf unser Sein sichtbarlich geschehen, und alle die starken, gewaltsam ergreifenden Situationen entwickeln, welche uns bald mit Grausen und Entsetzen, bald mit der höchsten Wonne erfüllen. Es ist, mit einem Wort die Zauberkraft der poetischen Wahrheit, welche dem, das Wunderbare darstellenden Dichter zu Gebote stehen muß, denn nur diese kann uns hinreißen, und eine bloß grillenhafte Folge zweckloser Feereien, die, wie in manchen Produkten der Art, oft bloß da sind, um den Pagliasso im Knappenkleide zu necken, wird uns als albern und possenhaft immer kalt und ohne Teilnahme lassen. — Also mein Freund, in der Oper soll die Einwirkung höherer Naturen auf uns sichtbarlich geschehen und so vor unsern Augen sich ein romantisches Sein erschließen, in dem auch die Sprache höher potenziert, oder vielmehr jenem fernen Reiche entnommen, d. h. Musik, Gesang ist, ja wo selbst Handlung und Situation in mächtigen Tönen und Klängen schwebend, uns gewaltiger ergreift und hinreißt. Auf diese Art

soll, wie ich vorhin behauptete, die Musik unmittelbar und notwendig aus der Dichtung entspringen.
*Ferdinand:* Jetzt verstehe ich dich ganz, und denke an den Ariost und den Tasso; doch glaube ich, daß es eine schwere Aufgabe sei, nach deinen Bedingnissen das musikalische Drama zu formen.
*Ludwig:* Es ist das Werk des genialen, wahrhaft romantischen Dichters.

5 Jaques Callot (1814) = Werke, Bd.: Fantasie- und Nachtstücke.

*[S. 12 f.]* Kein Meister hat so wie Callot gewußt, in einem kleinen Raum eine Fülle von Gegenständen zusammenzudrängen, die ohne den Blick zu verwirren, nebeneinander, ja ineinander heraustreten, so daß das Einzelne als Einzelnes für sich bestehend, doch dem Ganzen sich anreiht. Mag es sein, daß schwierige Kunstrichter ihm seine Unwissenheit in der eigentlichen Gruppierung, sowie in der Verteilung des Lichts, vorgeworfen; indessen geht seine Kunst auch eigentlich über die Regeln der Malerei hinaus, oder vielmehr seine Zeichnungen sind nur Reflexe aller der fantastischen wunderlichen Erscheinungen, die der Zauber seiner überregen Fantasie hervorrief. Denn selbst in seinen aus dem Leben genommenen Darstellungen, in seinen Aufzügen, seinen Bataillen u. s. w. ist es eine lebensvolle Physiognomie ganz eigner Art, die seinen Figuren, seinen Gruppen — ich möchte sagen etwas fremdartig Bekanntes gibt. — Selbst das Gemeinste aus dem Alltagsleben — sein Bauerntanz, zu dem Musikanten aufspielen, die wie Vögelein in den Bäumen sitzen, — erscheint in dem Schimmer einer gewissen romantischen Originalität, so daß das dem Fantastischen hingegebene Gemüt auf eine wunderbare Weise davon angesprochen wird. — Die Ironie, welche, indem sie das Menschliche mit dem Tier in Konflikt setzt, den Menschen mit seinem ärmlichen Tun und Treiben verhöhnt, wohnt nur in einem tiefen Geiste, und so enthüllen Callots aus Tier und Mensch geschaffene groteske Gestalten dem ernsten tiefer eindringenden Beschauer alle die geheimen Andeutungen, die unter dem Schleier der Skurrilität verborgen liegen. [. . .]
Könnte ein Dichter oder Schriftsteller, dem die Gestalten des gewöhnlichen Lebens in seinem innern romantischen Geisterreiche er-

scheinen, und der sie nun in dem Schimmer, von dem sie dort umflossen, wie in einem fremden wunderlichen Putze darstellt, sich nicht wenigstens mit diesem Meister entschuldigen und sagen: Er habe in Callots Manier arbeiten wollen?

6 Nachricht von den neuesten Schicksalen des Hundes Berganza (1814) = Werke, Bd.: Fantasie- und Nachtstücke.

*[S. 94 f.]* *Berganza:* Ach, mein Freund, laß mich aufrichtig sein! — Ich bin zwar ein Hund, aber euer Vorzug aufrecht zu gehen, Hosen zu tragen und beständig zu schwatzen, wie es euch gefällt, ist nicht so viel wert, als im langen Schweigen den treuen Sinn zu bewahren, der die Natur in ihrer heiligsten Tiefe ergreift und aus dem die wahre Poesie emporkeimt. In einer herrlichen alten Zeit unter dem südlichen Himmel, der seine Strahlen in die Brust der Kreatur wirft und den Jubelchor der Wesen entzündet, von niedern Eltern geboren, horchte ich dem Gesange der Menschen zu, die man Dichter nannte. Ihr Dichten war ein Trachten aus dem Innersten heraus, diejenigen Laute anzugeben, die die Natur als ihre eignen in jedem Wesen auf tausendfache Weise widertönen läßt. — Der Dichter Gesang war ihr Leben, und sie setzten ihr Leben daran als an das Höchste, das das Schicksal, die Natur ihnen vergönnt hatte zu verkünden.
[...] Damals glühte noch in der Brust der Berufenen das innige heilige Bestreben, das im Innersten Empfundene in herrlichen Worten auszusprechen, und selbst die, welche nicht berufen waren, hatten Glauben und Andacht; sie ehrten die Dichter wie Propheten, die von einer herrlichen unbekannten Welt voll glänzenden Reichtums weissagen, und wähnten nicht, auch unberufen selbst in das Heiligtum treten zu dürfen, von dem ihnen die Poesie die ferne Kunde gab. Nun ist aber alles anders geworden.

*[S. 129 f.]* *Ich:* [...] Aber gerade in den Werken der größten Dichter entfaltet sich nur dem poetischen Sinn der innere Zusammenhang; der Faden, der sich durch das Ganze schlängelt, und jeden kleinsten Teil dem Ganzen fest anreiht, wird nur dem tiefen Blick des echten Kenners sichtbar.

*[S. 132]* *Berganza:* Es gibt keinen höheren Zweck der Kunst,

als, in dem Menschen diejenige Lust zu entzünden, welche sein ganzes Wesen von aller irdischen Qual, von allem niederbeugenden Druck des Alltagslebens, wie von unsaubern Schlacken befreit, und ihn *so* erhebt, daß er, sein Haupt stolz und froh emporrichtend, das Göttliche schaut, ja mit ihm in Berührung kommt. — Die Erregung dieser Lust, diese Erhebung zu dem poetischen Standpunkte, auf dem man an die herrlichen Wunder des Rein-Idealen willig glaubt, ja mit ihnen vertraut wird, und auch das gemeine Leben mit seinen mannigfaltigen bunten Erscheinungen durch den Glanz der Poesie in allen seinen Tendenzen verklärt und verherrlicht erblickt — das nur allein ist nach meiner Überzeugung der wahre Zweck des Theaters.

*[S. 136—138]* *Berganza:* Du bist also auch neben deinem Musiktreiben, Schriftsteller — Dichter?
*Ich:* Ich schmeichle mir bisweilen —
*Berganza:* Schon genug — ihr taugt alle nicht viel, denn der reine, einfarbige Charakter ist selten.
*Ich:* Was willst du damit sagen?
*Berganza:* Nächst denen, die nur im äußern Prunkstaat der Poesie erscheinen, nächst euern geleckten Männlein, euern gebildeten gemüt- und herzlosen Weibern, gibt es noch welche, die von innen und außen gesprenkelt sind, und in mehreren Farben schillern, ja bisweilen wie das Chamäleon die Farben wechseln können.
*Ich:* Noch immer verstehe ich dich nicht —
*Berganza:* Sie haben Kopf — Gemüt — aber nur dem Geheiligten entfaltet die blaue Blume willig ihren Kelch!
*Ich:* Was willst du mit der blauen Blume?
*Berganza:* Eine Erinnerung an einen verstorbenen Dichter, der zu den reinsten gehörte, die jemals gelebt. Wie Johannes sagte: leuchteten in seinem kindlichen Gemüte die reinsten Strahlen der Poesie, und sein frommes Leben war ein Hymnus, den er dem höchsten Wesen und den heiligen Wundern der Natur in herrlichen Tönen sang. Sein Dichtername war: Novalis!
*Ich:* Viele hielten ihn jederzeit für einen Schwärmer und Fantasten —
*Berganza:* Weil er in der Poesie, sowie im Leben, nur das Höchste,

das Heiligste wollte, und vorzüglich manchen gesprenkelten Kollegen herzlich verachtete, wiewohl eigentlicher Haß seiner Seele fremd war, so hatte er manchen ihn verfolgenden Feind. — Ebenso weiß ich recht gut, daß man ihm Unverständlichkeit und Schwulst vorwarf, unerachtet es zu seinem Verständnis nur darauf ankam, mit ihm in die tiefsten Tiefen hinabzusteigen, und wie aus einem in Ewigkeit ergiebigen Schacht die wundervollen Kombinationen, womit die Natur alle Erscheinungen in ein Ganzes verknüpft, heraufzubergen, wozu denn freilich den mehrsten es an innerer Kraft und an Mut mangelte.

*Ich:* Ich glaube, daß wenigstens in Ansehung des kindlichen Gemüts und des wahren poetischen Sinnes, ihm ein Dichter der neuesten Zeit ganz an die Seite zu setzen ist.

*Berganza:* Meinst du *den*, der mit seltner Kraft die nordische Riesenharfe ertönen ließ, der mit wahrhafter Weihe und Begeisterung den hohen Helden *Sigurd* in das Leben rief, daß sein Glanz all die matten Dämmerlichter der Zeit überstrahlte, und vor seinem mächtigen Tritt all die Harnische, die man sonst für die Helden selbst gehalten, hohl und körperlos umfielen — meinst du den, so gebe ich dir recht. — Er herrscht als unumschränkter Herr im Reich des Wunderbaren, dessen seltsame Gestalten und Erscheinungen willig seinem mächtigen Zauberrufe folgen und — doch in diesem Augenblicke fällt mir durch eine besondere Ideenkombination ein Bild, oder vielmehr ein Kupferstich ein, der anders, als was er vorstellt, gedeutet, mir das eigentliche innere Wesen solcher Dichter, als von denen wir eben sprechen, auszudrücken scheint.

*Ich:* Sprich, lieber Berganza, was ist das für ein Bild?

*Berganza:* Meine Dame (du weißt, daß ich die Dichterin und mimische Künstlerin meine) hatte ein sehr schönes Zimmer mit guten Abdrücken der sogenannten Shakespeares-Galerie ausgeziert. Das erste Blatt, gleichsam als Prologus, stellte Shakespeares Geburt vor. Mit ernster hoher Stirn, mit hellen klaren Augen um sich schauend, liegt der Knabe in der Mitte, um ihn die Leidenschaften, ihm dienend; — die Furcht, die Verzweiflung, die Angst, das Entsetzen schmiegen gräßlich gestaltet sich willig dem Kinde, und scheinen auf seinen ersten Laut zu horchen.

*Ich:* Aber die Deutung auf unsere Dichter?
*Berganza:* Kann man nicht ohne allen Zwang jenes Bild so deuten: „Sehet, wie dem kindlichen Gemüte die Natur in allen ihren Erscheinungen unterworfen, wie selbst das Furchtbare, das Entsetzliche sich seinem Willen und seinem Worte schmiegt, und erkennet, daß nur ihm diese zauberische Macht verstattet."
*Ich:* In diesem Sinne habe ich wirklich noch nie das mir wohlbekannte Bild betrachtet; aber ich muß gestehen, daß deine Deutung nicht allein paßt, sondern auch überdem sehr pittoresk ist. Überhaupt scheint deine Fantasie sehr regsam. — Doch! — Du bist mir noch die Erklärung deiner sogenannten gesprenkelten Charaktere schuldig.
*Berganza:* Der Ausdruck taugt nicht viel, um das zu bezeichnen, was ich eigentlich meine, indessen hat ihn der Haß geboren, den ich gegen alle buntfarbig gesprenkelte Kreaturen von meinem Stande trage. Oft bin ich einem bloß deshalb in die Ohren gefahren, weil er in Weiß und Braun gefärbt, mir wie ein verächtlicher buntscheckichter Narr vorkam. — Sieh, lieber Freund! es gibt so viele unter euch, die man Dichter nennt, und denen man Geist, Tiefe, ja selbst Gemüt nicht absprechen kann, die aber, als sei die Dichtkunst etwas anderes als das Leben des Dichters selbst, von jeder Gemeinheit des Alltagslebens angeregt, sich willig den Gemeinheiten selbst hingeben, und die Stunden der Weihe am Schreibtische von allem übrigen Treiben und Tun sorgfältig trennen. — Sie sind selbstsüchtig, eigennützig, schlechte Gatten, schlechte Väter, untreue Freunde, indem sie, sobald der neue Bogen zur Presse soll, das Heiligste in heiligen Tönen verkünden.
*Ich:* Was tut aber das Privatleben, wenn der Dichter nur Dichter ist und bleibt! — Aufrichtig gesprochen, ich halte es mit Rameaus Neffen, der den Dichter der Athalia dem guten Hausvater vorzieht.
*Berganza:* Mir ist es schon fatal, daß man bei dem Dichter, als sei er eine diplomatische Person oder nur überhaupt ein Geschäftsmann, immer das Privatleben — und nun von welchem Leben denn? — absondert. — Niemals werde ich mich davon überzeugen, daß der, dessen ganzes Leben die Poesie nicht über das Gemeine, über die kleinlichen Erbärmlichkeiten der konventio-

nellen Welt erhebt, der nicht zu gleicher Zeit gutmütig und grandios ist, ein wahrhafter aus innerem Beruf, aus der tiefsten Anregung des Gemüts hervorgegangener Dichter sei.

7 Der goldne Topf (1814) = Werke, Bd.: Fantasie- und Nachtstücke.

*[S. 230]* ‚Erlaube, Herr', sagte der Erdgeist, ‚daß ich diesen drei Töchtern ein Geschenk mache, das ihr Leben mit dem gefundenen Gemahl verherrlicht. Jede erhält von mir einen Topf vom schönsten Metall, das ich besitze, den poliere ich mit Strahlen, die ich dem Diamant entnommen; in seinem Glanze soll sich unser wundervolles Reich, wie es jetzt im Einklang mit der ganzen Natur besteht, in blendendem herrlichen Widerschein abspiegeln, aus seinem Innern aber in dem Augenblick der Vermählung eine Feuerlilie entsprießen, deren ewige Blüte den bewährt befundenen Jüngling süß duftend umfängt. Bald wird er dann ihre Sprache, die Wunder unseres Reichs verstehen und selbst mit der Geliebten in Atlantis wohnen.' — Du weißt nun wohl, lieber Anselmus! daß mein Vater eben der Salamander ist, von dem ich dir erzählt. Er mußte seiner höheren Natur unerachtet sich den kleinlichsten Bedrängnissen des gemeinen Lebens unterwerfen, und daher kommt wohl oft die schadenfrohe Laune, mit der er manche neckt. Er hat mir oft gesagt, daß für die innere Geistesbeschaffenheit, wie sie der Geisterfürst Phosphorus damals als Bedingnis der Vermählung mit mir und meinen Schwestern aufgestellt, man jetzt einen Ausdruck habe, der aber nur zu oft unschicklicherweise gemißbraucht werde; man nenne das nämlich ein kindliches poetisches Gemüt. — Oft finde man dieses Gemüt bei Jünglingen, die der hohen Einfachheit ihrer Sitten wegen, und weil es ihnen ganz an der sogenannten Weltbildung fehle, von dem Pöbel verspottet würden. Ach, lieber Anselmus! — Du verstandest ja unter dem Holunderbusch meinen Gesang — meinen Blick — du liebst die grüne Schlange, du glaubst an mich und willst mein sein immerdar!

*[S. 253—255]* Rühren sich nicht in sanftem Säuseln und Rauschen die smaragdenen Blätter der Palmbäume, wie vom Hauch

des Morgenwindes geliebkost? — Erwacht aus dem Schlafe heben und regen sie sich und flüstern geheimnisvoll von den Wundern, die wie aus weiter Ferne holdselige Harfentöne verkünden! — Das Azur löst sich von den Wänden und wallt wie duftiger Nebel auf und nieder, aber blendende Strahlen schießen durch den Duft, der sich wie in jauchzender kindischer Lust wirbelt und dreht und aufsteigt bis zur unermeßlichen Höhe, die sich über den Palmbäumen wölbt. — Aber immer blendender häuft sich Strahl auf Strahl, bis in hellem Sonnenglanze sich der unabsehbare Hain aufschließt, in dem ich den Anselmus erblicke. — Glühende Hyazinthen und Tulipanen und Rosen erheben ihre schönen Häupter und ihre Düfte rufen in gar lieblichen Lauten dem Glücklichen zu: Wandle, wandle unter uns, Geliebter, der du uns verstehst — unser Duft ist die Sehnsucht der Liebe — wir lieben dich und sind dein immerdar! — Die goldnen Strahlen brennen in glühenden Tönen: wir sind Feuer von der Liebe entzündet. — Der Duft ist die Sehnsucht, aber Feuer das Verlangen, und wohnen wir nicht in deiner Brust? wir sind ja dein eigen! Es rischeln und rauschen die dunklen Büsche — die hohen Bäume: Komme zu uns! — Glücklicher — Geliebter! — Feuer ist das Verlangen, aber Hoffnung unser kühler Schatten! wir umsäuseln liebend dein Haupt, denn du verstehst uns, weil die Liebe in deiner Brust wohnet. Die Quellen und Bäche plätschern und sprudeln: Geliebter, wandle nicht so schnell vorüber, schaue in unser Kristall — dein Bild wohnt in uns, das wir liebend bewahren, denn du hast uns verstanden! — Im Jubelchor zwitschern und singen bunte Vögelein: Höre uns, höre uns, wir sind die Freude, die Wonne, das Entzücken der Liebe! — Aber sehnsuchtsvoll schaut Anselmus nach dem herrlichen Tempel, der sich in weiter Ferne erhebt. Die künstlichen Säulen scheinen Bäume und die Kapitäler und Gesimse Akanthusblätter, die in wundervollen Gewinden und Figuren herrliche Verzierungen bilden. Anselmus schreitet dem Tempel zu, er betrachtet mit innerer Wonne den bunten Marmor, die wunderbar bemoosten Stufen. „Ach nein", ruft er wie im Übermaß des Entzückens, „sie ist nicht mehr fern!" Da tritt in hoher Schönheit und Anmut Serpentina aus dem Innern des Tempels, sie trägt den goldnen Topf, aus dem eine herrliche Lilie entsprossen.

Die namenlose Wonne der unendlichen Sehnsucht glüht in den holdseligen Augen, so blickt sie den Anselmus an, sprechend: „Ach, Geliebter! die Lilie hat ihren Kelch erschlossen — das Höchste ist erfüllt, gibt es denn eine Seligkeit, die der unsrigen gleicht?“ Anselmus umschlingt sie mit der Inbrunst des glühendsten Verlangens — die Lilie brennt in flammenden Strahlen über seinem Haupte. Und lauter regen sich die Bäume und die Büsche, und heller und freudiger jauchzen die Quellen — die Vögel — allerlei bunte Insekten tanzen in den Luftwirbeln — ein frohes, freudiges, jubelndes Getümmel in der Luft — in den Wässern — auf der Erde feiert das Fest der Liebe! — Da zucken Blitze überall leuchtend durch die Büsche — Diamanten blicken wie funkelnde Augen aus der Erde! — hohe Springbäche strahlen aus den Quellen — seltsame Düfte wehen mit rauschendem Flügelschlag daher — es sind die Elementargeister, die der Lilie huldigen und des Anselmus Glück verkünden. — Da erhebt Anselmus das Haupt wie vom Strahlenglanz der Verklärung umflossen. — Sind es Blicke? — sind es Worte? — ist es Gesang? — Vernehmlich klingt es: „Serpentina! — der Glaube an dich, die Liebe hat mir das Innerste der Natur erschlossen! — Du brachtest mir die Lilie, die aus dem Golde, aus der Urkraft der Erde, noch ehe Phosphorus den Gedanken entzündete, entsproß — sie ist die Erkenntnis des heiligen Einklangs aller Wesen, und in dieser Erkenntnis lebe ich in höchster Seligkeit immerdar. — Ja, ich Hochbeglückter habe das Höchste erkannt — ich muß dich lieben ewiglich, o Serpentina! — nimmer verbleichen die goldnen Strahlen der Lilie, denn wie Glaube und Liebe ist ewig die Erkenntnis.“
Die Vision, in der ich nun den Anselmus leibhaftig auf seinem Rittergute in Atlantis gesehen, verdankte ich wohl den Künsten des Salamanders, und herrlich war es, daß ich sie, als alles wie im Nebel verloschen, auf dem Papier, das auf dem violetten Tische lag, recht sauber und augenscheinlich von mir selbst aufgeschrieben fand. — Aber nun fühlte ich mich von jähem Schmerz durchbohrt und zerrissen. „Ach, glücklicher Anselmus, der du die Bürde des alltäglichen Lebens abgeworfen, der du in der Liebe zu der holden Serpentina die Schwingen rüstig rührtest und nun lebst in Wonne und Freude auf deinem Rittergut in Atlantis!

— Aber ich Armer! — bald — ja in wenigen Minuten bin ich selbst aus diesem schönen Saal, der noch lange kein Rittergut in Atlantis ist, versetzt in mein Dachstübchen, und die Armseligkeiten des bedürftigen Lebens befangen meinen Sinn und mein Blick ist von tausend Unheil wie von dickem Nebel umhüllt, daß ich wohl niemals die Lilie schauen werde." — Da klopfte mir der Archivarius Lindhorst leise auf die Achsel und sprach: „Still, still, Verehrter! klagen Sie nicht so! — Waren Sie nicht soeben selbst in Atlantis, und haben Sie denn nicht auch dort wenigstens einen artigen Meierhof als poetisches Besitztum Ihres innern Sinns? — Ist denn überhaupt des Anselmus Seligkeit etwas anderes als das Leben in der Poesie, der sich der heilige Einklang aller Wesen als tiefstes Geheimnis der Natur offenbaret?"

8 Die Automate (1814) = Werke, Bd.: Die Serapions-Brüder.

*[S. 349]* [Ludwig: „...] In jener Urzeit des menschlichen Geschlechts, als es, um mich ganz der Worte eines geistreichen Schriftstellers zu bedienen (Schubert in den Ansichten von der Nachtseite der Naturwissenschaft) in der ersten heiligen Harmonie mit der Natur lebte, erfüllt von dem göttlichen Instinkt der Weissagung und Dichtkunst, als der Geist des Menschen nicht die Natur, sondern diese den Geist des Menschen erfaßte, und die Mutter das wunderbare Wesen, das sie geboren, noch aus der Tiefe ihres Daseins nährte, da umfing sie den Menschen wie im Wehen einer ewigen Begeisterung mit heiliger Musik, und wundervolle Laute verkündeten die Geheimnisse ihres ewigen Treibens. [..."]

9 Die Fermate (1816) = Werke, Bd.: Die Serapions-Brüder.

*[S. 74]* [Theodor: „...] Jeder Komponist erinnert sich wohl eines mächtigen Eindrucks, den die Zeit nicht vernichtet. Der im Ton lebende Geist sprach und das war das Schöpfungswort, welches urplötzlich den ihm verwandten im Innern ruhenden Geist weckte; mächtig strahlte er hervor und konnte nie mehr untergehen. Gewiß ist es, daß, so angeregt, alle Melodien die aus dem Innern hervorgehen, uns nur der Sängerin zu gehören scheinen, die den ersten Funken in uns warf. Wir hören sie und schreiben es nur auf, was sie gesungen. Es ist aber das Erbteil von uns Schwachen, daß wir,

an der Erdscholle klebend, so gern das Überirdische hinabziehen wollen in die irdische ärmliche Beengtheit. So wird die Sängerin unsere Geliebte — wohl gar unsere Frau! — Der Zauber ist vernichtet und die innere Melodie, sonst Herrliches verkündend, wird zur Klage über eine zerbrochene Suppenschüssel oder einen Tintenfleck in neuer Wäsche. — Glücklich ist der Komponist zu preisen, der niemals mehr im irdischen Leben *die* wiederschaut, die mit geheimnisvoller Kraft seine innere Musik zu entzünden wußte. Mag der Jüngling sich heftig bewegen in Liebesqual und Verzweiflung, wenn die holde Zauberin von ihm geschieden, ihre Gestalt wird ein himmelherrlicher Ton und der lebt fort in ewiger Jugendfülle und Schönheit und aus ihm werden die Melodien geboren, die nur sie und wieder sie sind. Was ist sie denn nun aber anders als das höchste Ideal, das aus dem Innern heraus sich in der äußern fremden Gestalt spiegelte.“

10 Die Jesuiterkirche in G. (1817) = Werke, Bd.: Fantasie- und Nachtstücke.

*[S. 429]* [Der Malteser: „. . .] Auffassung der Natur in der tiefsten Bedeutung des höhern Sinns, der alle Wesen zum höheren Leben entzündet, das ist der heilige Zweck aller Kunst. Kann denn das bloße genaue Abschreiben der Natur jemals dahin führen? — Wie ärmlich, wie steif und gezwungen sieht die nachgemalte Handschrift in einer fremden Sprache aus, die der Abschreiber nicht verstand und daher den Sinn der Züge, die er mühsam abschnörkelte, nicht zu deuten wußte. So sind die Landschaften deines Meisters korrekte Abschriften eines in ihm fremder Sprache geschriebenen Originals. — Der Geweihte vernimmt die Stimme der Natur, die in wunderbaren Lauten aus Baum, Gebüsch, Blume, Berg und Gewässer von unerforschlichem Geheimnis spricht, die in seiner Brust sich zu frommer Ahnung gestalten; dann kommt, wie der Geist Gottes selbst, die Gabe über ihn, diese Ahnung sichtlich in seine Werke zu übertragen. [. . .“]

11 Die Brautwahl (1819) = Werke, Bd.: Die Serapions-Brüder.

*[S. 1081]* [. . .] jeder Maler, sey er Landschafter oder Historikus, muß zugleich ein Dichter seyn, denn Gemälde sind Gedichte mit

dem Pinsel ausgeführt; aber nennen Sie das Dichten, wenn Bäume mit ihrem Laube, Stamm und ihren Wurzeln zugleich aussehen sollen, wie Menschen, Thiergestalten, ja wenn selbst Figuren zusammengestellt sind, nicht nur eine bestimmte Handlung, sondern nur eine außerhalb des Bildes liegende fantastische Idee auszudrücken? Da kommen wir in die Allegorie hinein, den ärmlichsten unkünstlerischten Theil der Malerey. Hüten Sie sich vor den Nebeln und Schwebeln!

12 Klein Zaches genannt Zinnober (1819) = Werke, Bd.: Späte Werke.

*[S. 75 f.]* „Ich liebe", fuhr Prosper Alpanus fort, „ich liebe Jünglinge, die so wie du, mein Balthasar, Sehnsucht und Liebe im reinen Herzen tragen, in deren Innerm noch jene herrlichen Akkorde widerhallen, die dem fernen Lande voll göttlicher Wunder angehören, das meine Heimat ist. Die glücklichen mit dieser inneren Musik begabten Menschen sind die einzigen, die man Dichter nennen kann, wiewohl viele auch so gescholten werden, die den ersten besten Brummbaß zur Hand nehmen, darauf herumstreichen und das verworrene Gerassel der unter ihrer Faust stöhnenden Saiten für herrliche Musik halten, die aus ihrem eignen Innern heraustönt. — Dir ist, ich weiß es, mein geliebter Balthasar, dir ist es zuweilen so, als verstündest du die murmelnden Quellen, die rauschenden Bäume, ja als spräche das aufflammende Abendrot zu dir mit verständlichen Worten! — Ja mein Balthasar! — In diesen Momenten verstehst du wirklich die wunderbaren Stimmen der Natur, denn aus deinem eignen Innern erhebt sich der göttliche Ton, den die wundervolle Harmonie des tiefsten Wesens der Natur entzündet.— [. . ."]

13 Die Serapions-Brüder (1819—1821) = Werke, Bd.: Die Serapions-Brüder.

*[S. 26 f.]* [Serapion: „. . .] Manchmal steige ich auf die Spitze jenes Berges, von der man bei heitrem Wetter ganz deutlich die Türme von Alexandrien erblickt, und vor meinen Augen begeben sich die wunderbarsten Ereignisse und Taten. Viele haben das auch unglaublich gefunden und gemeint, ich bilde mir nur ein, das vor

mir im äußern Leben wirklich sich ereignen zu sehen was sich nur als Geburt meines Geistes, meiner Fantasie gestalte. Ich halte dies nun für eine der spitzfündigsten Albernheiten die es geben kann. Ist es nicht der Geist allein, der das was sich um uns her begibt in Raum und Zeit, zu erfassen vermag? — Ja was hört, was sieht, was fühlt in uns? — vielleicht die toten Maschinen die wir Auge — Ohr — Hand etc. nennen und nicht der Geist? — Gestaltet sich nun etwa der Geist seine in Raum und Zeit bedingte Welt im Innern auf eigne Hand und überläßt jene Funktionen einem andern uns inwohnenden Prinzip? — Wie ungereimt! Ist es nun also der Geist allein, der die Begebenheit vor uns erfaßt, so hat sich das auch wirklich begeben was er dafür anerkennt. [...“]
[Cyprian: „...] Gar nicht vermag ich den Eindruck zu beschreiben, den der Besuch bei dem Unglücklichen auf mich machte. Indem mich sein Zustand, sein methodischer Wahnsinn, in dem er das Heil seines Lebens fand, mit tiefem Schauer erfüllte, setzte mich sein hohes Dichtertalent in Staunen, erweckte seine Gemütlichkeit, sein ganzes Wesen, das die ruhigste Hingebung des reinsten Geistes atmete, in mir die tiefste Rührung. [...“]

*[S. 53—55]* [Lothar: „...] ich verehre Serapions Wahnsinn deshalb, weil nur der Geist des vortrefflichsten oder vielmehr des wahren Dichters von ihm ergriffen werden kann. Ich will mich nicht darauf als auf etwas Altes, zum Überdruß Wiederholtes beziehen daß sonst den Dichter und den Seher dasselbe Wort bezeichnete, aber gewiß ist es, daß man oft an der wirklichen Existenz der Dichter ebensosehr zweifeln möchte als an der Existenz verzückter Seher welche die Wunder eines höheren Reichs verkünden! — Woher kommt es denn, daß so manches Dichterwerk das keineswegs schlecht zu nennen, wenn von Form und Ausarbeitung die Rede, doch so ganz wirkungslos bleibt wie ein verbleichtes Bild, daß wir nicht davon hingerissen werden, daß die Pracht der Worte nur dazu dient den inneren Frost, der uns durchgleitet, zu vermehren. Woher kommt es anders, als daß der Dichter nicht das wirklich schaute wovon er spricht, daß die Tat, die Begebenheit vor seinen geistigen Augen sich darstellend mit aller Lust, mit allem Entsetzen, mit allem Jubel, mit allen Schauern, ihn nicht

begeisterte, entzündete, so daß nur die inneren Flammen ausströmen durften in feurigen Worten: Vergebens ist das Mühen des Dichters uns dahin zu bringen, daß wir daran glauben sollen, woran er selbst nicht glaubt, nicht glauben kann, weil er es nicht erschaute. Was können die Gestalten eines solchen Dichters der jenem alten Wort zufolge nicht auch wahrhafter Seher ist, anderes sein als trügerische Puppen, mühsam zusammengeleimt aus fremdartigen Stoffen! —

Dein Einsiedler, mein Cyprianus, war ein wahrhafter Dichter, er hatte das wirklich geschaut was er verkündete, und deshalb ergriff seine Rede Herz und Gemüt. — Armer Serapion, worin bestand dein Wahnsinn anders, als daß irgendein feindlicher Stern dir die Erkenntnis der Duplizität geraubt hatte, von der eigentlich allein unser irdisches Sein bedingt ist. Es gibt eine innere Welt, und die geistige Kraft, sie in voller Klarheit, in dem vollendetsten Glanze des regesten Lebens zu schauen, aber es ist unser irdisches Erbteil, daß eben die Außenwelt in der wir eingeschachtet, als der Hebel wirkt, der jene Kraft in Bewegung setzt. Die innern Erscheinungen gehen auf in dem Kreise, den die äußeren um uns bilden und den der Geist nur zu überfliegen vermag in dunklen geheimnisvollen Ahnungen, die sich nie zum deutlichen Bilde gestalten. Aber du, o mein Einsiedler! statuiertest keine Außenwelt, du sahst den versteckten Hebel nicht, die auf dein Inneres einwirkende Kraft; und wenn du mit grauenhaftem Scharfsinn behauptetest, daß es nur der Geist sei, der sehe, höre, fühle, der Tat und Begebenheit fasse, und daß also auch sich wirklich *das* begeben was er dafür anerkenne, so vergaßest du, daß die Außenwelt den in den Körper gebannten Geist zu jenen Funktionen der Wahrnehmung zwingt nach Willkür. Dein Leben, lieber Anachoret, war ein steter Traum, aus dem du in dem Jenseits gewiß nicht schmerzlich erwachtest. — [. . .“]

*[S. 599]* [Theodor: „. . .] Ich meine, daß die Basis der Himmelsleiter, auf der man hinaufsteigen will in höhere Regionen, befestigt sein müsse im Leben, so daß jeder nachzusteigen vermag. Befindet er sich dann immer höher und höher hinaufgeklettert, in einem fantastischen Zauberreich, so wird er glauben, dies Reich gehöre

auch noch in sein Leben hinein, und sei eigentlich der wunderbar herrlichste Teil desselben. Es ist ihm der schöne prächtige Blumengarten vor dem Tore, in dem er zu seinem hohen Ergötzen lustwandeln kann, hat er sich nur entschlossen, die düstern Mauern der Stadt zu verlassen."

„Vergiß", sprach Ottmar, „vergiß aber nicht, Freund Theodor! daß mancher gar nicht die Leiter besteigen mag, weil das Klettern einem verständigen gesetzten Manne nicht ziemt, mancher schon auf der dritten Sprosse schwindlicht wird, mancher aber auch wohl die auf der breiten Straße des Lebens befestigte Leiter, bei der er täglich, ja stündlich vorübergeht, gar nicht bemerkt! — [. . ."]

*[S. 995]* [Theodor: „. . .] Frei überließen wir uns dem Spiel unsrer Laune, den Eingebungen unserer Fantasie. Jeder sprach wie es ihm im Innersten recht aufgegangen war, ohne seine Gedanken für etwas ganz Besonderes und Außerordentliches zu halten oder dafür ausgeben zu wollen, wohl wissend, daß das erste Bedingnis alles Dichtens und Trachtens eben jene gemütliche Anspruchslosigkeit ist, die allein das Herz zu erwärmen, den Geist wohltuend anzuregen vermag. [. . ."]

14 Lebens-Ansichten des Katers Murr nebst fragmentarischer Biographie des Kapellmeisters Johannes Kreisler in zufälligen Makulaturblättern (1820—1822) = Werke, Bd.: Die Elixiere des Teufels — Lebensansichten des Katers Murr.

*[S. 431]* Es begibt sich wohl, daß besagten Musikanten unsichtbare Hände urplötzlich den Flor wegziehen, der ihre Augen verhüllte, und sie erschauen, auf Erden wandelnd, das Engelsbild, das, ein süßes unerforschtes Geheimnis, schweigend ruhte in ihrer Brust. Und nun lodert auf in reinem Himmelsfeuer, das nur leuchtet und wärmt, ohne mit verderblichen Flammen zu vernichten, alles Entzücken, alle namenlose Wonne des höheren aus dem Innersten emporkeimenden Lebens, und tausend Fühlhörner streckt der Geist aus in brünstigem Verlangen, und umnetzt die, die er geschaut, und hat sie, und hat sie nie, da die Sehnsucht ewig dürstend fortlebt! — Und *sie, sie* selbst ist es, die Herrliche, die, zum Leben gestaltete Ahnung, aus der Seele des Künstlers hervorleuchtet, als Gesang — Bild — Gedicht!

*[S. 639]* Wie kommt es, sprach ich zu mir selbst indem ich sinnig die Pfote an die Stirn legte, wie kommt es, daß große Dichter, große Philosophen sonst geistreich, lebensweise, sich im sozialen Verhältnis mit der sogenannten vornehmeren Welt so unbehülflich zeigen? Sie stehen jederzeit da, wo sie eben in dem Augenblick nicht hingehören, sie sprechen wenn sie gerade schweigen sollten, und schweigen umgekehrt da, wo gerade Worte nötig, sie stoßen in, der Form der Gesellschaft, wie sie sich nun eben gestaltet hat, entgegengesetztem Streben überall an und verletzen sich selbst und andere; genug sie gleichen dem, der, wenn eben eine ganze Reihe muntrer Spaziergänger einträchtig hinauswandelt, sich allein zum Tore hineindrängt und nun mit Ungestüm seinen Weg verfolgend diese ganze Reihe verstört. Man schreibt, ich weiß es, dies dem Mangel gesellschaftlicher Kultur zu, die am Schreibtische nicht zu erlangen, ich meine indessen, daß diese Kultur gar leicht zu erlangen sein, und daß jene unbesiegbare Unbehülflichkeit wohl noch einen andern Grund haben müsse. — Der große Dichter oder Philosoph müßte es nicht sein, wenn er seine geistige Überlegenheit nicht fühlen sollte; aber ebenso müßte er nicht das jedem geistreichen Menschen eigne tiefe Gefühl besitzen um nicht einzusehen, daß jene Überlegenheit deshalb nicht anerkannt werden darf, weil sie das Gleichgewicht aufhebt, das stets zu erhalten die Haupttendenz der sogenannten vornehmeren Gesellschaft ist. Jede Stimme darf nur eingreifen in den vollkommenen Akkord des Ganzen aber des Dichters Ton dissoniert, und ist, kann er unter andern Umständen auch ein sehr guter sein, dennoch in dem Augenblick ein schlechter Ton, weil er nicht zum Ganzen paßt.

# XLI Karl Wilhelm Ferdinand Solger (1780—1819)

Erwin = Erwin. Vier Gespräche über das Schöne und die Kunst. 2 Theile. Berlin: Realschulbuchhandlung 1815.
Ästhetik = Vorlesungen über Ästhetik. Hg. von K. W. L. Heyse. Leipzig: Brockhaus 1829.

1 Erwin (1815).

*[S. 76—93]* Nun sind wir doch, sagt' ich, darin übereingekommen, die Sprache, als solche, könne nichts weiter in sich darstellen, als das Erkennen, und nicht etwa noch ein Dasein für sich haben, welches dieser Offenbarung des Erkennens widerstrebte.
Da er dies zugab, fuhr ich fort. Wenn also dieses Erkennen die vollkommene, sich durch die Kunst in ihrer ganzen Einheit und Ganzheit selbst schaffende Idee ist, so kann auch diese kein Hinderniß in der Sprache finden, dadurch zum vollen Dasein zu gelangen, so daß sie sich also nicht theilweise, wie du meintest, sondern vollständig in ihrem ganzen Schaffen darin selbst gleichsam gebiert. Ist demnach die Poesie eine besondere Kunst, so ist es doch nur eine, die zugleich die ganze Kunst selber ist, und darum dürfen wir sie keinesweges betrachten, wie irgend ein anderes einzelnes Ding, oder einen besonderen Begriff, sondern nur als die Idee des Schönen selbst, die sich selbst offenbart, oder als die Kunst, die nun in ihrem ganzen Umfange Poesie geworden ist. Dieses kannst du auch sehn an der ganz eigenthümlichen und zugleich die ganze Sprache durchdringenden Beschaffenheit, welche dieselbe durch die Poesie annimmt. Denn nicht bloß theilweise wird sie dadurch verändert, sondern sie bekommt durchaus eine andere Bedeutung, als im gemeinen Gebrauche. In den poetischen Ausdrucksarten, welche mit den Kunstnamen Metapher, Gleichniß, und anderen benannt werden, zeigen sich Symbol und Allegorie nur im Einzelnen. Was aber die poetische Sprache überhaupt sei, wird erst durch fortgesetzte Betrachtung ihres ganzen Verhältnisses zur gemeinen erkannt. Das können wir indessen auch hier einsehn, daß sie nicht als Mittel der Darstellung oder Mittheilung allein die Kunst der Poesie begründet, sondern als die Selbst-

offenbarung der in ihrem Handeln begriffenen, schaffenden Phantasie das ganze Dasein dieser Kunst umfaßt. Ihrem Wesen nach ist aber dieselbe dieses vollkommene Schaffen der Phantasie selbst, das von dem göttlichen Mittelpunkt ausgehende, sich selbst gestaltende Licht, welches zu seiner Gestaltung des Ueberganges in die hervorgebrachten wirklichen Dinge nicht bedarf. Vielmehr sind diese schon in ihrer ganzen Bestimmtheit in der Phantasie gegenwärtig; denn sonst könnten sie sich nicht in der Sprache allein entwickeln, sondern müßten sich in dem äußeren Stoff als Gegenstände verkörpern. Dieses, dächt' ich, Anselm, gäbe doch wohl genugsam zu erkennen, daß die Kunst der Poesie nicht durch das Darstellungsmittel der Sprache bedingt ist, sondern durch ihr eigenes, ganz in dem Leben der Idee liegendes Wesen.
Wahr scheint mir das, sprach er, was du sagst; aber in der Sprache sind ja die Dinge überhaupt nur als Gedanken, und nicht als äußere Gegenstände.
Das wohl, versetzt' ich, aber auf welche Weise? Muß nicht die gemeine Sprache immer einen Unterschied zwischen den äußeren Dingen, wie sie wahrgenommen werden, und den Gedanken, die sich auf dieselben beziehn, voraussetzen? Beschäftigt sie sich nicht einerseits mit dem Besondern, und zeigt in sich selbst die Erscheinung der Außendinge und die Wirkung, welche sie auf die Wahrnehmung machen, und ist sie nicht wiederum auch der sich äußernde Begriff, so daß sie diesen theils in sich selbst entwickelt, theils auf die Erscheinungen bezieht? In der Poesie verschwindet dagegen ja wohl dieser ganze Gegensatz?
Das, sagt' er, ist gewiß.
Nun wenn das ist, fuhr ich fort, wie kann er denn verschwinden, wenn nicht der ganze Umfang der Erkenntniß bloß durch die Idee bestimmt wird, und von derselben, als ihr eigenes Dasein ausgeht? Denn wenn irgend Wahrnehmung ihr von außen entgegen käme, so wäre auch der Gegensatz unvermeidlich. So aber ist es die Eine und selbe Idee, welche sich in der Phantasie schon von selbst als eine Welt der mannigfaltigsten Erscheinungen entwickelt, ohne an sich etwas anderes zu werden; und wiederum jede der besonderen Erscheinungen lebt frei für sich, ohne dem Begriff unterthan zu sein, weil sie nichts anderes als das Dasein der Idee ist.

Darum kann die Poesie niemals in der bloßen Aufnahme der äußeren Erscheinung in die Erkenntniß bestehn, welches beschreibende Dichtung sein würde; die also an sich etwas widersinniges ist, weil es in der Kunst gar nichts giebt, was, als bloß äußerer Gegenstand gedacht, der Beschreibung Stoff geben könnte. Nicht günstiger ist ihr aber auch der Verkehr mit Begriffen allein, worin das Erkennen als bloße Form der Verknüpfung und nicht als Lebenskraft der wirklichen Dinge thätig sein würde. Wenn aber in der Entwicklung der Begriffe und in ihrer Anwendung auf das Besondere das Lehren im gewöhnlichen Sinne besteht, so ergiebt sich hieraus, daß es auch keine lehrende Dichtkunst geben kann. Ja eine jede Absonderung des erkennenden Vermögens, jede Aeußerung eines nur inneren Zustandes ohne bestimmte Gestaltung der Idee als Stoff, ist der Poesie zuwider, weshalb auch Pindar von seiner Lehrerin Korinna getadelt wurde, daß er nicht Sagen und lebendige Gestalten genug in seine jugendlichen Versuche verwebt hatte. Was würde sie erst zu den Werken mancher neueren Dichter sagen, worin die Poesie nichts als unbestimmte Gefühle ausathmen, und der Musik ihre Grenzen streitig machen soll! Denn obwohl das Alterthum seiner ganzen Art und Weise nach weit mehr der Gestaltung im Einzelnen bedurfte als unsere Kunst, so liegt es doch im Wesen der Poesie überhaupt, daß sie nicht in allgemeine Betrachtungen oder Gefühle ohne ganz lebendige oder einzelne Gestalten zerfließen darf. Aus diesem allen siehst du wohl, daß diese Kunst durchaus, von aller anderen Berührung mit der Außenwelt frei, nur in diese übergeht durch die Sprache, weil sie allein in dem Gebiet der sich selbst schaffenden Erkenntniß sich vollendet, und ihre Außenwelt schon in sich trägt.

Du erhältst mich, sprach Anselm hierauf, noch immer im Schwanken. Denn betrachte ich die Poesie als eine besondere Kunst für sich, so erscheint sie mir als von allen anderen Künsten durch ganz bestimmte Merkmale verschieden; wenn ich dir aber zugeben muß, daß jenes vollständige Schaffen aus der Idee, und die vollkommene Bestimmung aller Gegenstände durch dieses Schaffen der Poesie allerdings zukommt, so dünkt sie mich dies nicht bloß mit allen anderen Künsten gemein zu haben, sondern sich darin nicht anders als die Kunst überhaupt zu verhalten.

Gut also, versetzt' ich, grade so mußt du es auch denken! Stelle dich mit mir in jenen Mittelpunkt des göttlichen Lichtes, welches, von dem Innersten der Phantasie ausgehend, sein Weltall aus sich selbst hervorbringt. Sobald du dasselbe sich brechen lässest an der äußeren Oberfläche der wirklichen, besonderen Dinge, so bist du aus diesem Urquell des Schaffens gerissen, und in jenes Gebiet versetzt, wo die Seele sich ins Unendliche beschäftigt, die Einzelheiten dieser Dinge mit der Einheit des Inneren zu verbinden, und das vollkommene Schaffen ist vernichtet. Wie aber kann es sich daran brechen, da es die ganze Oberfläche und Gestaltung dieser Dinge schon in sich selbst trägt, und überhaupt nicht zur wirklichen Erscheinung kommen kann, ohne dieselbe auf das genaueste begrenzt und ganz gerundet hervorzubringen! Es durchdringt also vielmehr vollkommen die Eigenthümlichkeiten derselben, indem es sie aus sich hervorbringt; und alles, was als Einzelnes und Zufälliges das Allgemeine der Erkenntniß trüben würde, muß hier schon in dem Wesen der Poesie begründet, und mit demselben gänzlich übereinstimmend sein. Die Phantasie, die auf solche Weise ihr eigenes Gebiet mit einer Welt von einzelnen und mannigfaltigen Wesen bevölkert, ist also nothwendig auch in sich unabhängig, vollständig und sich selbst genügend, so daß du ganz und gar nicht Unrecht hast anzunehmen, die Poesie müsse allumfassend und die Kunst überhaupt sein. Aber eben deshalb, um in sich selbst unumschränkt zu bleiben, schließt sie auch gänzlich die Außenwelt, als Gegenstand der Wahrnehmung von sich aus, wodurch sie eben eine besondere Kunst für sich wird. Dieses Ausschließen nun kann nicht von der Art sein, daß sie sich etwa ganz in den bloßen Gedanken, ohne alles Erscheinen nach außen zurückzöge; dann würde sie eben nicht allumfassend, noch vollständiges Dasein der Idee werden; sondern gänzlich entfaltet sie sich zwar nach außen, doch so, daß es nur ein Erscheinen der Phantasie als Thätigkeit, nicht als Gegenstand, sei, und hiedurch wird sie selbst zur Sprache. Dieses wäre denn, mein Freund, das Weltall der Poesie, welches du nur überschauen kannst von jener Warte des Mittelpunktes aus, von wo jeder Widerstand, den die Oberfläche nur da, wo sie selbst sich befindet, hervorbringen kann, sich in lebendiges Wirken des Geistes auflöset, in welchem ja schon auch die Oberfläche als ihm gleichartig und übereinstimmend lag. Noch vollständiger kannst du indessen einsehn, wie allumfassend die Poesie ist, wenn du näher betrachten willst, daß sie durch ihre verschiedenen Arten alle Standpunkte der Idee umfaßt.

Ich würd' es gern hören, sprach er, wenn du mir auch diese bezeichnen wolltest, zumal da es mir scheint, als sei in dieser vollkommenen Einheit des Mittelpunktes und der Oberfläche, wie du es nennst, gar kein Grund einer Eintheilung zu finden.

Du giebst aber doch zu, fragt' ich ihn, daß in der Poesie das Wesen der Phantasie und ihr Dasein in den besonderen, wirklichen Erscheinungen auf das innigste und vollständigste vereinigt sind, und nicht das allein, sondern auch wodurch sie es sind, nämlich dadurch, daß in allem nur die Phantasie in ihrer ursprünglichen Thätigkeit gegenwärtig und nirgend in äußeren Stoff übergegangen ist?

Dies ist, versetzt' er, der Inhalt deiner ganzen Erklärung der Poesie.

Du stellst dir also, fuhr ich fort, die besonderen Erscheinungen, worin das Dasein der Phantasie besteht, auch nicht vor als das Körperliche oder den äußeren Stoff? Denn diesen sondern wir ja eben recht sorgfältig ab.

Nein, sprach er, ich sehe wohl, was du meinst, daß sich nämlich die Idee ausbilde in Einzelwesen, oder vielmehr in die bestimmten Vorstellungen von denselben, die eben, weil sie nicht in körperlichen Stoff übergehn, bei ihrer Einzelheit doch ganz in der Idee bleiben.

So ist es auch recht, sagt' ich. Meinst du nun aber, daß dieses Ganze, das wir Poesie nannten, als ein mittleres Ding anzusehn sei, welches wir aus der Idee und dem Einzelnen zusammengesetzt hätten, oder siehst du vielmehr ein, so etwas könne als eine mechanische, von äußeren Gegenständen abgesehene Verbindungsart hier gar nicht vorkommen, sondern das Ganze müsse ungetheilt entweder als Idee, oder als Welt des Einzelnen, oder auch als beides zugleich zu betrachten sein, weil eben das Wesen dieser Kunst darin besteht, alles dieses zugleich und als Eins und dasselbe zu sein?

Das letzte ist wohl ohne Zweifel das richtige.

So behalte dieses fest und gehe mit mir weiter, indem du das Ganze nun zuerst als Idee allein betrachtest! Kann und darf diese etwas außer dem wirklichen Dasein bestehendes sein, wenn sie doch mit demselben, wie es ja die Kunst überhaupt verlangt, Eins sein soll, und muß sie nicht ein durchaus wirkliches, gegenwärtiges und doch nur sie selbst in ihrer Ganzheit entwickelndes Leben annehmen?

Gewiß, das muß sie.

Die Gottheit selbst, lieber Anselm, geht also durch diese Seite der Kunst in ein ganz wirkliches Leben über, und in Persönlichkeit, Handlung und alle Verhältnisse der mannigfaltigen Welt. Auf gleiche Weise kann aber auch das zeitliche Dasein der Einzelwesen hier nichts anderes sein, als die lebendige Idee, und wird also ein zwar ganz weltliches, aber doch ideales Leben. Beides ist von Anfang an, in dem ersten Aufleuchten, und in aller ferneren Entfaltung der Poesie ganz Eins und dasselbe; und wir hätten also hier wieder eine besondere Poesie, die aber zugleich die ganze Poesie überhaupt ist, und welche wir die epische nennen.

Wahrlich, sprach er darauf, der Name überrascht mich, obwohl ich das einsehe, daß hier die Poesie in einer ganz eigenthümlichen Gestalt erscheint.

Du wirst gleichwohl, versetzt' ich, bald erkennen, daß auch der Name nicht unrichtig angewandt ist. Denn erstlich erscheint doch in der epischen Poesie alles in wirklicher Thätigkeit und zeitlicher Handlung, und selbst die Gottheit nie als ein außerweltliches Wesen, sondern ganz persönlich in die Verknüpfungen des zeitlichen Handelns eingreifend; und zweitens, was eben so wichtig ist, erscheint dieses Handeln einzelner Personen dennoch als ein idealisches, als ein wesentliches, oder als die Handlung, die an sich und vorzugsweise Handlung genannt werden muß. Darum ist die Menschenwelt, die das epische Gedicht darstellt, schon an sich und nothwendig eine heroische, deren Begriff wir schon heute, wie du dich erinnern wirst, gefunden haben; denn sie ist zugleich die Idee des ganzen menschlichen Geschlechts und seines Handelns überhaupt, weshalb auch Homer nicht nur oft des gewaltigen Abstandes seiner Helden von den Menschen seiner Zeit gedenkt, sondern auch jeden, er thue, wie er wolle, als vollkommen, göttlich und untadelig zu preisen pflegt. Noch deutlicher wird es dir indessen werden durch die Vergleichung mit den übrigen Gattungen.

So leite mich, sprach er, nunmehr zu diesen.

Nimm also, fuhr ich fort, nachdem du von der Idee zuerst ausgegangen bist, nunmehr das Einzelne und Zeitliche vor. Dieses ist als Ausdruck und Leben der Idee schon in der epischen Kunst mit enthalten; nicht wahr?

Ja wohl, versetzt' er, und, wenn es so nicht sein soll, so zeigt sich überhaupt nicht, wie es in der Kunst vorkommen dürfe.

Dennoch, sagt' ich, muß es auch an und für sich in der Kunst erscheinen, da wir ja gesehn haben, daß die ganze Poesie auch in ihm beruhe. Nun ist es doch in der epischen Kunst dadurch, daß die Idee sich ganz und gar in dasselbe verwandelt, und in Gestalt desselben lebt?

So war es.

Daß es also dort erscheint, sagt' ich, davon ist es selbst als Einzelnes nicht der Grund, sondern die Idee, welche durch dasselbe zum Leben kommt. Als Einzelnes dagegen ist es ja wohl nur der Grund davon, daß es nicht in der Idee, sondern bloß in der Besonderheit, und von der Idee geschieden ist?

Ja freilich; und deshalb, denk' ich, auch der Kunst fremd.

Wie darfst du so sprechen, fragt' ich, da es doch als Einzelnes auch die ganze Poesie begründen soll? Das freilich bleibt wahr, daß es nun von der Kunst nur in einem Gegensatze mit der Idee aufgefaßt werden darf; aber glaubst du denn nicht, daß dieser Gegensatz eben durch die Kunst zu vermitteln sei?

Gewiß, sprach er, meinst du nun doch eine Beziehung, wodurch dieses Einzelne als ein Abbild der Idee vorgestellt würde.

Nicht so wohl als ein Abbild, versetzt' ich, als vielmehr so, daß es aus derselben hergeleitet, und wieder durch das Ewige und Wesentliche seiner Einzelheit selbst, auf sie zurückgeführt wird; welches denn, um es gleich zu sagen, das Werk der lyrischen Poesie wäre. In dieser Gattung tritt die Poesie, welche in der epischen ganz in den Gegenstand übergegangen war, selbst hervor als die thätige Beziehung und der innere Zusammenhang, wodurch das getrennte vereinigt, ja zu Einem und demselben wird; und wenn in jener das Handeln in Stoff und Hervorgebrachtes der Kunst verwandelt ist, so zieht dieselbe hier allen Stoff in ihr Handeln hinüber, und stellt ihn nur im Lichte ihrer eigenen inneren Beziehungen vor. Deshalb giebt in der lyrischen Poesie der Dichter selbst sich oft als Kunstwerk hin, da sich in ihm die Poesie als jenes Handeln wirklich offenbart, und daraus ist denn wohl die Meinung entstanden, die lyrische Poesie unterscheide sich durch die subjektive Darstellungsart, die, in wie fern sie Wahres enthalte, zu prüfen uns von unserm Wege zu weit abführen würde; auch liegt dazu mancher Grund in dem, was wir über den Gegensatz des Subjektiven und Objektiven überhaupt ausgemittelt haben. Auf jeden Fall kann indessen dieses Verhältniß immer nur ein abgeleitetes sein; die lebendige, thätige Beziehung zwischen dem Wesen und dem Besonderen bleibt das Wesentliche, und diese kann sich wohl dadurch offenbaren, daß wir den Dichter selbst in seiner Persönlichkeit wirkend erkennen, nicht minder aber auch so, daß sich nur die Gegenstände ganz als solche auf dem Spiegel seiner Seele zeigen, wobei nach außen hin eine ganz objektive Darstellung möglich ist. Dieser Gegensatz der epischen und lyrischen Gattung wird dir nun wohl beider Wesen deutlicher machen. Freilich, sagt' er darauf, ist es ein reiner Gegensatz, durch welchen du beide geschieden hast, so daß ich kaum noch einsehe, wie zwischen ihnen die dramatische Platz finden soll. Indessen denk' ich, daß diese letzte schwerlich mit irgend einer anderen verwechselt werden kann. Sonst aber hätt' ich manches, was ich kaum mit Sicherheit einer von jenen beiden unterordnen könnte.

Das kann wohl nicht anders sein, versetzt' ich, ehe du recht genau den Umfang und Inhalt eines jeden Gebietes untersucht hast. Dir aber alle Zweifel der Art zu lösen, das möchte wohl für heute unmöglich werden, und lieber wollen wir, dergleichen für andre Unterhaltungen versparend, uns heute nur über unseren Hauptzweck verständigen. Doch will ich dich wenigstens daran erinnern, daß nichts dem bloßen Stoff oder Gegenstande nach von irgend einer Gattung der Kunst ausgeschlossen sein könne. [...] Für jetzt laß uns indessen nur gleich zur dramatischen Kunst übergehn.

Diese, sprach Anselm, lässest du also doch auch aus der Vereinung der epischen und lyrischen entstehn, wie es ja auch ihr bekannter

Ursprung beweist, da in ihren Anfängen Erzählung Einer Person und Gesang des Chors mit einander abwechselten. Dieser Mischung ist auch das Griechische Drama in seinen Gesprächen und Chören treu geblieben, und in dem neueren scheinen doch immer noch dieselben Bestandtheile, wiewohl mehr in einander verschmolzen zu sein.

Dies Verschmelzen allein, versetzt' ich, mein lieber Anselm, gäbe wohl immer noch nichts, als ein zusammengesetztes Ding, und das kann nie eine Idee, und also nach allem, was wir schon bemerkten, auch keine Gattung der Kunst sein. Daß jene beiden Gattungen auch in dieser dritten enthalten sein müssen, das leidet freilich keinen Zweifel; denn in jeder müssen sich alle übrigen wieder finden; aber weil eben jede auch die ganze Kunst für sich ist, so muß sie auch ihr ganz eigenthümliches Wesen haben.

Nun, und welches ist dieses bei der dramatischen Kunst?

Du siehst doch, sagt' ich, daß in den beiden anderen die Idee immer als etwas über dem gemeinen Leben oder als Ideal erscheint? Denn so nennen wir die Idee in Beziehung auf das Wirkliche. Zur epischen nämlich gehörte, daß in dem Dasein der Idee selbst das Zeitliche zu ihrem Ausdruck erhoben sei, die lyrische war aber mit eben dieser Erhebung beschäftigt.

So war es, sagt' er; doch kann wohl in keiner Art von Kunst ein solches Ideal fehlen.

Und doch, versetzt' ich, stimmen darin alle überein, daß im Drama das wirkliche Leben vorgestellt werden soll, weshalb dasselbe auch weder in der Vergangenheit noch in der Zukunft ein Ziel und gleichsam ein Maaß der Vollkommenheit vor sich hat, wie die beiden anderen Künste, sondern alles vor unseren Augen als gegenwärtig vorgehn läßt. Findest du hierin nicht eine Andeutung, daß auf eine ganz neue und eigenthümliche Weise das Dasein der Idee ausgedrückt sein müsse?

Es wäre also, sprach er, hier das wirkliche Leben auch der Beziehung beraubt, wodurch es uns zuvor allein, vermittelst der lyrischen Poesie, zum Ideal zurückgeführt werden konnte? Wie lösest du diesen Widerspruch?

Ob es ein Widerspruch, gab ich zur Antwort, sein, und vielleicht auch bleiben muß, wird sich noch zeigen. Aber das ist freilich gewiß, daß Erhebung zum Ideal, nach der einen oder anderen Richtung hier gänzlich fehlt. Welchen anderen Ausweg giebt es aber dann, als diesen, daß in dem zeitlichen und wirklichen Leben, als solchem, selbst das Dasein der Idee dargestellt werde?

Wenn ich nur erst wüßte, versetzt' er, wie dieses möglich ist!

Freilich, sagt' ich, nicht so, daß wir das wirkliche Leben ganz in seiner bloßen Zufälligkeit und eigentlichen Nichtigkeit auffassen, wie es überhaupt für die Kunst nicht da ist. Schön muß es bleiben, aber deswegen braucht es nicht zu erscheinen, wie es mit der Gottheit ganz einig ist, noch wie es in gegenseitiger Beziehung mit derselben steht; sondern es kann ja auch so dargestellt werden, wie es in seiner Wirklichkeit zugleich sein Wesen ausdrückt, also ein schönes ist, und doch zugleich in seiner Zeitlichkeit und Nichtigkeit vor dem göttlichen Wesen erkannt wird. Ja es läßt sich durch die Kunst, sobald es ganz das gegenwärtige und wirkliche sein soll, durchaus nicht anders fassen. Denn ein Wesen trägt es in sich, und ist ewig und göttlich, sonst wär' es gar nicht; und dennoch ist es nur einzeln und zeitlich, und steht als solches mit diesem göttlichen Wesen im vollkommensten Widerspruche. Und weil dieser Widerspruch an sich durchaus unauflöslich ist, kann die wahre und ächte Wirklichkeit des Lebens nur dargestellt werden durch die Kunst, in welcher die Idee als Wesen und als zeitliches Dasein gleich kräftig lebt. Das ist ja eben das große und unendliche und nie zu bezwingende Räthsel, welches die unbegeisterten Gedanken der Menschen unaufhörlich beschäftigt, daß in ihnen selbst zwei Naturen wohnen, die ewige und die zeitliche, die ohne einander nicht sein können, und doch einander gänzlich aufheben; dieses treibt sie zur Verzweiflung an der göttlichen Gerechtigkeit oder zum Hochmuth auf ihr eigenes Verdienst, dieses die Besseren auf die mannigfaltigsten Ausflüchte, um ihre Unruhe zu beschwichtigen, und sich eine Wahrscheinlichkeit der Rettung vorzumalen, die ihnen durch keine Bürgschaft gesichert wird. In dieser Verwirrung und Zerrüttung tritt aber, um jetzt von der Religion zu schweigen, die Kunst auf, und löst nicht etwa, die Täuschung aufzeigend, das Räthsel, sondern bekräftigt erst recht dieses Verhältnisses innere Wahrheit, damit das Räthsel darin von selbst zergehe. Denn da, wo nicht etwa der Widerspruch vermittelt, oder die Harmonie aufgelöst wird, sondern wo Harmonie und Widerspruch ganz Eins und dasselbe sind, da wohnt diese wunderbare Kunst. Deshalb läßt sie sich auch durch nichts anderes erklären, sondern nur durch sich selbst verstehn, und nur durch sie und in ihr verstehn wir unser Leben. Darum greift keine Kunst so tief in unser gegenwärtiges Dasein und unsere Stimmung über dasselbe; und doch erhebt uns, gründlich verstanden, keine so ganz über all unser Bedürftiges und Uneiniges. Alle reizt sie an durch die großen, aber keinesweges idealischen, sondern ganz menschlichen Begebenheiten, welche sie in der Mitte des Volks, nicht dem bloßen Scheine nach, wie die gewöhnlichen, sondern in ihrer inneren Wahrheit vorgehn läßt, und jeden auch den stumpfesten, auch den, welcher zuerst nur begierig war, irgend etwas buntes und lebendiges und ihm gleichartiges zu sehn, treibt eine, wenn auch noch so dunkele Unruhe über sein eigenes Dasein, zu einer Ahndung, daß ihm mit dem Vorhange der Bühne, wohl noch ein anderer Vorhang, der undurchdringlich über der inneren Welt lag, aufgehn möchte. Und wenn auch nur wenigen dieser ganz hinweggezogen wird, so werden doch gewiß die meisten von einem Strahle des Lichts, der aus demselben hervordrang, berührt und erfrischt.

*[S. 124—126]* Ist denn nicht die Kunst einzig und allein in demjenigen zu Hause, welches wir das heilige nannten, und blieb da nicht das Wesen in allen Abstufungen des wirklichen Daseins dasselbe? Durch das Wesen und die Idee sind alle Künste zugleich und Eins, und nur in einander und durch einander; in ihrem Dasein dagegen sind sie neben einander, und bestimmen sich gegenseitig; aber beides fällt in jenem Reiche, wo sie allein Künste sind, vollkommen in Eins zusammen. Wenn ich nun so ihr Wesen und ihr Dasein unterscheide, verstehest Du dies nicht so, daß sie in ihrem Wesen als die göttliche Idee selbst gedacht werden, die dennoch als gegenwärtig erscheint, weil sie nämlich ohne dies nicht Künste wären, in ihrem Dasein aber als die Wirksamkeit der im Einzelnen erscheinenden Phantasie, welche Wirksamkeit doch nur vollständige Aeußerung des Wesens ist? Und läßt es sich anders verstehn?

Nach deiner Ansicht, antwortete Bernhard, wohl nicht.
Ich wollte dir, sagt' ich, auch nur beweisen, daß nach meiner Ansicht jene Trennung die du machtest, ganz wegfällt. Denn die Künste sind zwar der Tempel und die Wohnung der Gottheit, aber auch zugleich ihr vollkommener Leib, und also die unmittelbare und eigenthümliche Selbstoffenbarung ihres Wesens. Der Leib ist für die Poesie ganz in der Seele selbst enthalten, und alles was körperliche Kunst genannt wird, ist in jener gegenwärtig als in seinem eignen innersten Leben. Darum ist es nicht ein anderes, sondern dasselbe was in dieser Kunst das geistige Licht des Lebens, und in den körperlichen eben desselben Leib ist; [...] In diesem Lichte nun ruht der göttliche Gedanke, welcher alles durchdringt, auf seiner eigenen Schöpfung, und er braucht sich nicht von sich selbst loszureißen, um in die Wirklichkeit überzugehn, weil in allen noch so besonderen und mannigfaltigen Gestalten immer nur er selbst enthalten ist, und er also immer auch nur sich selbst betrachtet. Diesen Lichtkreis, in welchem alles in seliger Vollendung vereinigt ist, könnten wir das Allerheiligste nennen, wenn nicht auch das scheinbar Aeußerliche von eben solcher Herrlichkeit wäre.

*[S. 243—245]* Denn auch die Idee ist in der Phantasie von Anfang an etwas gegenwärtiges und wirkliches, und der denkende Verstand schwebt über ihr und denkt sie gleichsam aus in einzelne Gestalten der Erscheinung. So entfaltet er die Anschauung, von der ich zuerst mit Bernhard sprach, zum wirklichen Dasein, und wird sich ihrer als seines gegenwärtigen Lebens und Webens durch ihre inneren und äußeren Beziehungen deutlich bewußt. Wenn aber das geschieht, so sehn wir nicht mehr bloß, wie du vorhin noch richtig bemerktest, woher die Kunst kommt und wohin sie geht, sondern wir ertappen sie in ihrem ewigen Schweben zwischen ihren eigenen Elementen, welche sich mischend und verbindend das unbegrenzte und nur von sich selbst umschlossene Weltall der Schönheit bilden. Dieser Standpunkt ist ohne Zweifel die eigentliche Reife der Kunst; denn alles Hervortreiben und Drängen des künstlerischen Geistes ist darin vollendet und beruhigt, und wie in einem klaren Krystall das innere Gewebe der Theile, welches das Entstehen bezeichnen würde, nicht zu erkennen, sondern über-

all auf gleiche Weise Dasein und Vollendung ist, so sind auch in die Gestalt eines solchen Kunstwerkes alle inneren Anstalten und Organe zur vollen Durchsichtigkeit aufgegangen. Wenn wir nun dem gemeinen Verstande folgten, so sollten wir meinen, es falle so alles in eine ununterscheidbare Masse zusammen; dagegen besteht aber eben das Wunder des künstlerischen Verstandes darin, daß er dies Eine zugleich in das mannigfaltigste Dasein zerlegt, und in jenem reinen Aether ungehindert seine Beziehungen und Verknüpfungen auf das mannigfaltigste vollendet. Das deutlichste Beispiel davon läßt sich an der Poesie geben, obwohl auch in den vollendeten Werken der alten Bildnerei und der neueren Malerei vom geübten und wahrhaft verständigen Blicke dasselbe gefunden wird.

*[S. 286 f.]* Nach dem Wesen alles Menschlichen und Persönlichen hinschauend, das sich mit seiner ganzen Kraft in unser Dasein ergießt, erblicke ich die Verklärung dieses Daseins im Glanze der epischen Poesie. Zerreißen mir aber die Widersprüche meines gegenwärtigen Lebens die Einstimmigkeit des Wesentlichen und des Besonderen, so strebt beides mit dem Schwunge der lyrischen Kunst, sich aufschwingend und herabsenkend zum reinsten Zusammenklange in einander. Endlich vollkommen geschlossen, und zu seliger Vollendung abgerundet wird mir das Leben und jeder Augenblick desselben, indem ich es in seiner unmittelbaren Gegenwart durch die dramatische Kunst ergreife, wie in seinem Nichts das Wesen der Gottheit sich ununterbrochen als mein eigenstes Dasein offenbart. Sollte dieses, meine Freunde, nicht die wahrhafte und vollkommene Kunst sein, welche der Verstand Gottes als ein wirklicher und lebendiger ausübt, und deren Werke wir mit dem gemeinen Verstande nur als die zerstreuten Glieder des Künstlers zusammenlesen? Und dieser göttliche Verstand ist es, der in uns das Gleichartige wirkt und uns lehrt, in dem Handeln unserer zeitlichen Künstler unser wahrhaftes Dasein, wie es in der That und an sich ist, vollständig begreifen. So könnten wir wohl kurz sagen, unser gegenwärtiges, wirkliches Dasein, in seiner Wesentlichkeit erkannt und durchlebt, sei die Kunst; und eben darin lebe auch überall jener Mittelpunkt, worin sich Wesen und Wirklichkeit beide als Gegenwart

durchdringen, die Ironie, die vollkommenste Frucht des künstlerischen Verstandes. In dieser nun ist der Verstand und die zwiefache, sich selbst schaffende und begrenzende Anschauung Eins und dasselbe, weshalb auch hier das göttliche Weltall, dessen Anblick mir eben wieder gewährt wird, sich in seiner ganzen Klarheit eröffnet. Und in dieser hellen Pforte zum vollkommenen Erkennen sehe ich abermals die heilige Gestalt der Weisheit stehn; denn keine andere war es die mir auch das erste Mal erschien. Von hier aus, deutet sie mir an, sei nach allen Richtungen Wahrheit und Güte und Seligkeit zu finden, und sie fordert für ihre Offenbarungen mit dem Wink der leuchtenden Hand das Gelübde, nicht hier zu ruhen, da uns sonst alles, was sie uns gezeigt, wieder verschwinden möchte, vielmehr ferner mit ihr auf allen übrigen Wegen fortzustreben nach dem Ziele, welches sich erst offenbart, wo sich alle wieder in der Mitte des göttlichen Weltalls verbinden.

2 Vorlesungen über Ästhetik (gehalten 1819) = Ästhetik.

*[S. 183—186]* Von dem Organismus des künstlerischen Geistes

Das künstlerische Genie und das Kunstwerk stehen einander gegenüber. In jenem ist die Idee als Princip lebendig und gegenwärtig; in dem Kunstwerk ist die Thätigkeit der Idee abgeschlossen und gesättigt in der Wirklichkeit. Daher ist sowohl das künstlerische Genie, wie das Kunstwerk, etwas ganz Universelles, Selbständiges. Zwischen beiden lebt die künstlerische Thätigkeit, deren Quell das Genie als das vorher Gegebene, und deren Product das Kunstwerk ist. Die zwischen beiden Endpunkten liegende Thätigkeit ist uns das Wichtigste.

Das Schöne als Stoff der Kunst ist die Thätigkeit des Künstlers selbst, betrachtet als Symbol, oder das Kunstwerk von Seiten seines inneren Geistes angesehen. Diesem steht der Gegensatz des Schönen und Erhabenen gegenüber, der an dem Kunstwerk aufgefaßt wird, aber ein Gegensatz der Thätigkeit selbst ist, sofern diese von der Seite des Kunstwerks aus erkannt wird.

Aber auch die Thätigkeit, rein als solche betrachtet, muß einen zwiefachen Standpunkt haben: 1) die Thätigkeit als Idee; 2) die Thätigkeit, wie sie sich im Stoffe abschließt. Diese beiden Seiten unterscheiden wir durch die Ausdrücke: Poesie und Kunst im engeren Sinn. — Die Poesie ist etwas der Kunst Allgemeines, das innere Wirken der Idee; die Kunst, die Vollendung der Idee in ihrer Erscheinung. Auf der Seite der reinen Thätigkeit verhält sich die Kunst zur Poesie, wie auf der Seite des Kunstwerkes der Gegensatz des Erhabenen und Schönen zu dem Schönen als Stoff der Kunst im göttlichen und irdischen Schönen. Die Poesie ist hier die Hauptsache, wie dort der Stoff; die Kunst macht hier nur den Schluß, wie in dem vorigen Abschnitt das Erhabene und Schöne.

Der Gegensatz zwischen Poesie und Kunst muß zuerst noch näher entwickelt werden. Wir dürfen beide nicht durch Abstraction sondern, nicht annehmen, die Poesie bestehe bloß in der Erfindung eines allgemeinen Planes für das Kunstwerk, ohne Rücksicht auf die Materie, also in dem bloßen Vorsatz. Eben so wenig dürfen wir unter Kunst das Technische, die bloße mechanische Bearbeitung der Stoffe verstehen. Trennte man Kunst und Poesie auf diese Weise, so entstände die Betrachtungsart des gemeinen Lebens, die Zweck und Mittel, Entwurf und Ausführung scheidet — eine Trennung, welche durch Abstraction geschieht, nur dem gemeinen Bewußtsein zukommt, und nicht der philosophischen, sondern der empirischen Betrachtung angehört.

In Rücksicht auf das Handeln des Künstlers ist für uns Poesie und Kunst eins und dasselbe; es ist derselbe Akt, der auf der einen Seite Poesie, auf der andern Kunst ist. Das bloße Wollen ist freilich etwas anderes, als das Vollbringen; der bloße Entwurf kann nie das Kunstwerk ausmachen; dem Künstler aber ist Wollen und Ausführung Eins. — Die Kunst ist dieselbe Wirksamkeit, wie die Poesie, nur betrachtet von der Seite der äußeren Vollendung. Die ganze Vollendung vom ersten Gedanken bis zum letzten Striche der Ausführung liegt immer noch innerhalb der Idee, aber auch eben so gut innerhalb der Sphäre der Kunst oder der äußeren Darstellung.

Wir betrachten zunächst die Poesie selbständig als die gesammte künstlerische Thätigkeit für sich, und sprechen mithin

1. Von der Poesie im Allgemeinen und von ihrer Eintheilung

Die Poesie für sich ist das innere Wirken der Idee im künstlerischen Geiste. Sie ist demnach eine höhere Thätigkeit außerhalb des Künstlers, der allgemeine Weltgedanke, die Idee überhaupt. Indem aber eine solche allgemeine Wirksamkeit im Bewußtsein ist, muß sie zugleich, um in die Wirklichkeit überzugehen, das Bewußtsein des Künstlers anfüllen.

Der menschliche Geist kann von sehr verschiedenen Seiten angesehen werden; hier kommt er in Betracht von Seiten der in ihm lebendig thätigen Idee. Wir müssen die Fähigkeit des Geistes, die ein solches Wirken der Idee möglich macht, oder vielmehr die Entwickelungsstufe des ganzen Geistes, auf welche er durch diese Wirksamkeit der Idee gestellt wird, mit einem Ausdrucke belegen. Diese Stufe des Bewußtseins, wo die künstlerische Idee in ihm thätig ist, nennen wir Phantasie. Im Allgemeinen ist Phantasie jede Aeußerung der Idee im Bewußtsein; insbesondere unterscheidet sich die künstlerische von der religiösen.

*[S. 243]* Die Kunst erreicht ihren Zweck um so vollkommener, je mehr darin Ironie und Begeisterung verschmolzen sind. Diese Einheit giebt sich an einer überirdischen Gewalt kund, welche solche Kunstwerke ausüben, denen sie zukommt. Solche ungeheuere Erscheinungen sind das wahrhaft Classische in der Kunst, die eigentlichen Mittelpunkte derselben, die immer als welthistorisch erscheinen. Solche Erscheinungen sind in der alten Poesie vorzüglich Sophokles, in der neueren Shakspeare, bei deren Werken man sich von dem Geiste der Welt selbst ergriffen fühlt. Hier offenbaren sich Ironie und Begeisterung in ihrer vollkommensten Durchdringung, und beherrschen selbst diejenigen auf unbegreifliche Weise, die ein Kunstwerk nach ganz andern Gesichtspunkten zu betrachten gewohnt sind.

*[S. 247 f.]* Die echte Ironie setzt das höchste Bewußtsein voraus, vermöge dessen der menschliche Geist sich über den Gegensatz und die Einheit der Idee und der Wirklichkeit vollkommen klar ist. In der Naturpoesie aber findet immer ein mehr unbewußtes Streben statt, dagegen die Poesie der Individualität

die Form der Beziehung vorwalten läßt und danach den Stoff behandelt. Es fragt sich nun, ob die Ironie bei beiderlei Künstlern, in dem symbolischen und allegorischen Bestreben, auf gleiche Weise vorhanden ist.

Wenn der symbolische Künstler Allgemeines und Besonderes durch das Symbol in eine Thatsache verbunden hat, so muß er auch das Verhältniß zwischen Idee und Wirklichkeit nur in dem Momente des Symbols, in der Thatsache auffassen, die er symbolisch dargestellt hat. Das Bewußtsein wird also hier durch den Stoff bedingt sein und in diesem selbst hervortreten. Dieser Stoff aber hat immer zugleich eine ganz allgemeine Bedeutung, da die Idee in seinem Gegensatz immer die reine Thätigkeit ist. Der besondere Stoff muß sich daher zum Allgemeinen erheben, worin zugleich die Einsicht in das allgemeine Verhältniß der Wirklichkeit zur Idee liegt. Werke des Alterthums, die uns auf diesen allgemeinen Standpunkt stellen, sind die vollkommensten. Dergleichen finden wir besonders in den alten Tragikern, vor allem bei Sophokles, und zwar am vollendetsten im Oedipus bei Kolonos, wo die bestimmte Fabel zugleich das allgemeine Verhältniß zum Bewußtsein bringt.

Die allegorische bewußte Ironie muß hinwiederum unbewußt und symbolisch werden, weil sie die verbundenen Thatsachen als typisch für diesen bestimmten Standpunkt darstellen muß, wodurch sie welthistorisch werden und Bedeutung für das Universum erhalten. Diese Erscheinung, daß die bewußte Ironie zugleich eine unbewußte wird, indem sie sich ganz in dem bestimmten Stoffe erschöpft, finden wir am meisten bei Shakspeare, vorzüglich in seinen historischen Tragödien, [...]

*[S. 257—260]* Eintheilung der Künste

Aus dem zweiten Theile unserer Darstellung ergiebt sich schon die allgemeinste Eintheilung in Poesie und Kunst, welche beide zur Kunst im allgemeinen Sinne des Wortes gehören. Es kann nur noch die Frage sein: wie kommt es, daß Poesie und Kunst zwei selbständige Erscheinungen werden, da sie doch an sich nur zwei Ansichten oder Seiten einer und derselben Kunst sind? In der absoluten Kunst sind in der That beide Eins und müssen dem Wesen der Kunst nach zusammenfallen. Betrachten wir aber die Kunst als wirkliche Erscheinung, so entsteht durch den Widerspruch der Wirklichkeit und der Idee die Absonderung in zwei Seiten. — Wir haben im zweiten Theile die Kunst als Idee betrachtet; jetzt muß sie als Wirklichkeit angesehen werden, und erst hier entsteht eine Eintheilung der Kunst, indem die Gegensätze sich bestimmt unterscheiden.

Da aber Idee und Wirklichkeit beide vereinigt die Kunst ausmachen, so kann es noch paradox scheinen, auf die Wirklichkeit der Kunst eine Eintheilung zu gründen. Die Kunst ist aber überhaupt nur in der Wirklichkeit, und der Gegensatz, welcher die Eintheilung der Kunst begründet, kann nur darin liegen, ob die Wirklichkeit als Idee, oder die Idee als Wirklichkeit betrachtet wird. — In der Wirklichkeit kann die Idee nicht als volle Einheit der Poesie und Kunst erscheinen. Das Gesetz der Wirklichkeit, in welcher alles in Gegensätze zerfällt, muß auch für die Kunst obwalten.

Man könnte einwenden, es müsse mithin bloß die Wirklichkeit als Gegenwart der Idee angesehen werden, und die Idee könne nicht noch besonders als ein selbständiges Gebiet der Kunst für sich erscheinen. Denken wir uns aber die Gegensätze der Wirklichkeit ohne Gegenwart der Idee, so haben wir gar keine Gegensätze der Idee, sondern die Verbindung der Gegensätze müßte durch gemeine Reflexion geschehen, und dieselben würden abstracte Gegensätze werden. Soll also die Idee in der Wirklichkeit sein, so muß sie als Idee darin hervortreten; träte sie bloß im Gegensatz hervor, so entstände Reflexion.

Die Idee muß also auf zwiefache Weise in die Wirklichkeit eingehen: 1) als innere Einheit das Mannichfaltige aufhebend und wieder erzeugend; 2) so daß sie sich in die Gegensätze der Wirklichkeit spaltet und diese zum Ausdruck ihrer selbst bildet. Darauf gründet sich die Haupteintheilung in Poesie und Kunst, beides im engeren Sinne genommen.

Die Poesie ist die universelle Kunst; sie ist die sich selbst modificirende und bestimmende Idee. Die Gegensätze der Wirklichkeit in ihr können nicht verschiedene Künste bilden, sondern nur verschiedene Arten der Poesie. Die Idee muß aber nicht als abstracte betrachtet werden; sie muß ihr ganzes Dasein mit sich führen, sich ganz in der Wirklichkeit darstellen, sich selbst durch ihre Gegensätze begrenzen und dadurch objectiv werden. Die Poesie und die darin lebendige Idee muß selbst eine Wirklichkeit annehmen, die aber nur als Wirklichkeit der thätigen Idee, nicht des Objectes erscheint. Erkennten wir nicht überall die thätige Idee, so wäre die Poesie nicht die Richtung, vermöge deren die Idee sich selbst die Wirklichkeit schafft. Die Wirklichkeit nun, welche die Idee sich giebt, ist die Sprache, welche mithin nicht äußeres Mittel oder Organ der Poesie ist, sondern die Existenz und Thätigkeit der Poesie selbst, in sofern diese Thätigkeit ganz Wirklichkeit werden muß.

Eine Kunst, in welcher Poesie und Kunst Eins wären, müßte zur Sprache das Dasein der wirklich erscheinenden Dinge haben. Dies können wir uns als Kunst nicht möglich denken; es wäre ein Schaffen, wie das der Gottheit. In der Poesie kann sich die Gegenwart der Idee nur durch eine Wirklichkeit ausdrücken, die ganz denkende Thätigkeit ist, und das ist die Sprache.

Die Sprache ist kein bloßes Mittel, um Gedanken zu bezeichnen. Ein solches äußeres Mittel ist undenkbar; und von Erfindung der Sprache im gewöhnlichen Sinne kann daher nicht die Rede sein. Der Ursprung der Sprache ist mit dem Ursprung des Denkens Eins, welches in der Wirklichkeit ohne Sprache nicht möglich ist. Das Denken ist ein subjectives Sprechen, wie das Sprechen ein objectives Denken, die äußere Erscheinung des Denkens selbst. Keines von beiden ist ohne das andere möglich und beide bedingen einander gegenseitig. — Da die Poesie nur Thätigkeit der Idee und auch in ihrer äußeren Erscheinung in der Sprache Thätigkeit ist, so wird sie nie abgeschlossene Gegenstände, sondern immer nur Thätigkeit darstellen können.

*[S. 267—270]* Von der Poesie

Es fragt sich zuerst, was in der Poesie das Symbol sei. Da der Begriff nicht objectiv in den Gegenstand übergehen und auch nicht reiner Begriff sein kann: so muß 1) das Symbol hier als werdend, als Thätigkeit und Uebergang gedacht werden; die Poesie drückt daher Alles in Thätigkeit und durch Thätigkeit aus;

2) aber kann hier nicht die bloße Form der Thätigkeit genügen, sondern nur eine solche, die immer die individualisirte Idee darstellt. Mithin müssen es nicht bloße Thätigkeiten sein, die wir wahrnehmen, sondern wirklich lebendige Objecte.

Diese Sätze sind gleichsam die Axiome der Poesie. Alles in der Poesie muß Handlung und Bewegung sein. Daher kann eine bloß beschreibende Poesie, die den Gegenstand ohne Bewegung und Handlung auffaßt, nicht gedacht werden; worüber Lessing in seinem Laokoon treffliche Bemerkungen gemacht hat. [...]

Auf der andern Seite muß in der Poesie ein lebendiges Object sein, in welches sich der Begriff verwandelt. Wäre sie bloß Thätigkeit des Begriffs, so entstände Musik. Ein bloßes Denken über den Stoff aber erzeugt die didaktische Poesie, die eben so unstatthaft ist, wie die beschreibende. — Aus dem Gesagten ist die Grenze der Poesie zu erkennen. Weder Beschreibung noch Belehrung kann darin aufgenommen werden; noch weniger aber der Zweck, etwas Besonderes im wirklichen Leben zu bewirken, welcher den Redekünsten, oder dem Gebiete der Sittlichkeit angehört.

Es muß ferner in der Poesie die Sprache selbst, zunächst ihrem Inhalte nach, symbolisch und allegorisch sein; sie muß eine künstlerische sein, in welcher sowohl das symbolische, als auch das allegorische Princip gefunden wird. Diese Beschaffenheit der Sprache äußert sich durch das Bildliche des Audrucks oder die Tropen, welche sich nach dem Ueberwiegen des symbolischen oder allegorischen Charakters unterscheiden. [...]

In der vollkommensten Poesie sind die ganz einfachen, natürlichen Ausdrücke die herrschenden, weil die Begriffe so am meisten in ihrer reinen Gestalt zur Erscheinung kommen. Werden dieselben durch bildlichen Ausdruck der Erscheinung erst genähert, so verlieren sie die Kraft des Begriffes und werden den Vorstellungen des gemeinen Lebens coordinirt. Wo hingegen das Besondere vorwaltet, und das Einzelne zum Begriff erhoben wird, da muß die Sprache am tropenreichsten sein. Daher finden sich bei den Humoristen und bei den Dichtern, die von historischem Stand-

punkte oder von dem des wirklichen Lebens ausgehen, die meisten Bilder.
Aber nicht bloß der Inhalt, auch die äußere sinnliche Erscheinung der Sprache muß der Kunst unterworfen sein, durch das Metrum. Eine unkünstlerisch gebildete Sprache würde das Kunstwerk bloß als allgemeinen Begriff, und die Sprache als Mittel der Einführung desselben in die Wirklichkeit erscheinen lassen. Die Sprache selbst muß daher künstlerische Beschaffenheit haben.

*[S. 271—274]* Wir gehen nun zu der Eintheilung der Poesie über. Die Poesie ist Thätigkeit, die mit dem Resultate zusammengefaßt werden muß; denn das Ganze ist nur die eine und selbe Kunst, in welcher nothwendig beides sein muß: das Schöne als Gegenstand der Kunst, und die Thätigkeit des Künstlers. Diese beiden Seiten müssen zur Unterscheidung der Gattungen wirken. Der Gegenstand muß sich universell darstellen in einer besonderen Richtung der Thätigkeit; diese hinwiederum muß sich in dem besonderen Gegenstande universell äußern. Thätigkeit und Gegenstand werden hier eins und dasselbe; sonst würden die Theile sich nicht scheiden können.
Hiernach muß es drei Gattungen der Poesie geben: 1) vorzugsweise symbolische; 2) vorzugsweise allegorische Poesie; 3) eine Gattung, in welcher die Idee sich als reine Thätigkeit offenbart, und Symbol und Allegorie ihr nur als Mittel zu dieser Offenbarung dienen. In den beiden ersten Gattungen geht die Thätigkeit ganz in den Stoff über; in der dritten waltet die Form ob, die reine Thätigkeit, in welcher Symbol und Allegorie sich sättigen. Diese reine Thätigkeit wird durch Phantasie, Sinnlichkeit und Verstand hindurch wirken müssen.
Die erste oder die symbolische Gattung ist das Epos; die zweite, allegorische ist die lyrische Poesie; die dritte, in welcher sich beides durchdringt, ist die dramatische Poesie. Im Epos und der Lyrik kommt es vorzugsweise auf den Stoff an; nur daß im Epos der Stoff der ganz ins Object übergegangene Begriff ist, während in der lyrischen Poesie auch die Beziehungen wesentlich dazu gehören. Im Dramatischen ist nicht der Stoff

die Hauptsache, sondern die in ihm wirkende Idee, und der Stoff gilt nur in der Hinsicht, als sich in seiner Gegenwart die Idee offenbart.

Im Epos und in der Lyrik schätzt man den Stoff nach seiner Qualität. So sind im Epos Charaktere und Thaten der Menschen die Hauptsache; im Lyrischen die Gedanken, Stimmungen, Gefühle, weil diese die Beziehung zwischen Erscheinung und Begriff ausmachen. Im Dramatischen ist beides nur die Wirklichkeit des Stoffes und der wahre Stoff ist die Offenbarung der Idee. Aus diesem Grunde stellt die dramatische Kunst in der Gegenwart dar, während in der epischen und lyrischen Poesie der Stoff als außer der Gegenwart gegeben aufgefaßt wird: im Epos vorzugsweise als ein vergangener, in der Lyrik als ein solcher, der vermöge der Beziehung im Werden begriffen ist und auf Zukunft hindeutet. Das Ziel, der Zweck der menschlichen Bestrebungen stellt sich in der lyrischen Poesie dar als durch die Beziehung zu erlangen. Beides fällt im Drama zusammen, wo die Gegenwart nur für den gemeinen Verstand das Mittelglied zwischen Vergangenheit und Zukunft, für die höhere Einsicht Offenbarung der Idee als eines untheilbaren Ganzen ist.

Im Epos ist jedoch nicht bloß die Phantasie thätig. Es gehört zum Stoffe immer die universelle Thätigkeit und das Epos kann daher phantastisch, oder sinnlich sein. Es liegt also auch in ihm der Keim einer Allegorie. — Eben so ist die Lyrik nicht bloß sinnlich, sondern auch phantastisch; denn auch in ihr ist die Thätigkeit universell. Auch hier neigt sich die Poesie aus den Enden der Beziehung in den Mittelpunkt des Symbols, der durch den hier vorzugsweise wirksamen Verstand gewonnen wird.

Vor allem aber im Drama ist die Thätigkeit universell. Es ist die reine Thätigkeit der Idee, die sich ihre Wirklichkeit schafft. Daher muß der Verstand im Drama so wirken, daß Phantasie und Sinnlichkeit in ihm aufgehen. Er kommt in seiner höchsten Blüthe als herrschende Ironie zum Vorschein, deren Sitz im Drama ist. Die Ironie wird in den beiden Richtungen des Drama, dem Tragischen und dem Komischen, wirklich. Der Stoff im Drama geht in etwas Indifferentes auf und drückt das reine Wesen der Idee aus. Dieses reine Wesen ist das wahre Schicksal, welches darin liegt,

daß sich der symbolische und allegorische Stoff in den Gedanken verliert.
Noch eine Rücksicht kommt bei der Eintheilung der Poesie in Betracht: der Unterschied der Natur und der Individualität. Obwohl in jener das Symbol, in dieser die Allegorie überwiegt, so muß doch in beiden Gebieten jede Gattung von Kunst ihren Platz finden. Nur werden sich diese Gattungen nach jedem dieser Standpunkte verschieden ausbilden. Das Drama ist in beiden Gebieten Mittelpunkt und Grundlage der ganzen Kunst; denn auch die andern Gattungen deuten immer darauf hin.
Die Poesie ist innerlich eine Einheit, weil in ihr die Phantasie als reine Thätigkeit der Idee wirkt und diese schlechthin eine ist. Sie kann sich daher nur nach verschiedenen Richtungen auf die Wirklichkeit theilen. Die Kunst hingegen hat die Wirklichkeit zum Princip, deren Gegensätze sich in ihr völlig absondern müssen, da sich in jedem derselben die Idee vollständig wiederholt. Was in der Wirklichkeit in einander fließt, scheidet sich in der Kunst rein ab, die mithin die Welt immer unter einseitigen Gesichtspunkten behandelt. Es giebt daher verschiedene Künste. Die Poesie aber ist nur Eine, und es giebt nur Arten der Poesie, nicht verschiedene Poesien.

*[S. 310 f.]* Die dramatische Poesie ist die universelle, da sie keinen besonderen Stoff in Beziehung auf die Idee, sondern die Idee selbst in ihrer reinen Thätigkeit darstellt. Indem diese erschöpfend aufgefaßt wird, muß die Scheidung des Tragischen und Komischen eintreten. Ein Mittleres zu denken, wo Wirklichkeit und Idee ganz Eins würden, ist uns unmöglich, da wir das Wesen nur durch einen Gegensatz zu erkennen vermögen. Die vollkommene Einheit der Idee und Wirklichkeit können wir uns nicht einmal vorstellen; es wäre dies die göttliche Erkenntniß selbst. Wir sind in der Existenz befangen, die ein von der Idee abgewendetes, verlorenes und an sich nichtiges Leben hat und nur Bedeutung, Inhalt und Werth erhalten kann, wenn sich die göttliche Idee in ihr offenbart. Diese Offenbarung aber ist nur möglich durch Aufhebung der Existenz selbst, und in diesem Akte müssen wir die Idee erfassen, was wir auf absolute Weise nicht

vermögen. Die Existenz selbst ist nicht das Dasein der Gottheit; vielmehr können wir dieses nur dadurch erfahren, daß durch seine Offenbarung die Existenz aufgehoben wird. Dieser Mittelpunkt alles menschlichen Bewußtseins ist auch der Mittelpunkt der Poesie.

*[S. 343—345]* Zusammenhang und Verhältniß der Künste
Die Poesie steht selbständig auf der einen Seite und umfaßt für sich allein den Umfang der vier andern Künste. Diese beiden Massen sind verschiedene Welten oder Seiten der Kunst. Wo aber das Symbol überwiegt, vereinigt sich die Poesie mit den vier andern Künsten auf das genaueste. So war es bei den Alten im Drama als dem Mittelpunkte der ganzen Kunst, wo Architectur, Malerei, Plastik (sowohl in der Gestaltung und idealisirenden Ausschmückung der Personen, als auch im Tanze, welcher nichts anders als Ausübung der Plastik ist) und endlich Musik im Vortrage der Poesie sich mit dieser verbinden und das alte Drama zu einem Inbegriffe aller Künste machen. — Das Drama der Alten war usprünglich religiöse Handlung, wurde aber dann ganz zu einer Anstalt für die Kunst, daher denn auch die damit verbundenen mystisch religiösen Handlungen eine ganz abstracte Bedeutung erhielten. Die Kunst hatte die Religion, in sofern sie sich als gegenwärtig offenbart, verschlungen; daher drängte sich das ganze Leben der Alten in die Kunst zusammen und wollte symbolisch sein.

Bei den Neueren ist die Schauspielkunst nicht auf gleiche Weise die vollkommene Vereinigung aller Künste. Das musikalische und unmusikalische Drama sind hier ganz getrennt. Letzteres spricht die innersten Motive der Handlungen mit aus und kann auf keine Weise musikalisch werden. Das musikalische Drama aber ist bei uns eine Gattung der Musik, nicht der Poesie; ein Zurücktreten der Musik auf den individualisirten Stoff. Strebte man in der Oper nach allgemeiner Deutung auf das Innere in aller Poesie, so könnte diese Gattung sehr gehoben werden. Die höchste Annäherung an dieses Ziel zeigt die Gluck'sche Oper.

Dagegen ist die neuere Poesie überhaupt der lebendigste Ausdruck der historischen Entwickelung des göttlichen Wesens im menschlichen Geschlechte und hat vermöge ihrer allegorischen Bedeutung weit allgemeineren und wesentlicheren Sinn, als die alte. Bei den Alten ist die Offenbarung in jedem Momente mit dem Stoffe gesättigt; dadurch wird das einzelne Kunstwerk bedeutender; keines aber deutet in solchem Grade auf den inneren Zusammenhang und das innere Wesen der Existenz hin, wie es die neuere Poesie vermag. — Man kann die neuere Poesie nur durch ihre Geschichte ganz verstehen. Sie ist in diesem Sinne weit mehr ein Ganzes, als die alte, und — was man gewöhnlich verkennt — die Hauptquelle für die innere Geschichte des göttlichen Geistes in der neuern Welt.

## XLII Friedrich Heinrich Karl Baron de la Motte Fouqué (1777—1843)

Gedichte = Gedichte. 5 Bde. Stuttgart und Tübingen: Cotta 1816 bis 1827.

Frauentaschenbuch = Frauentaschenbuch für das Jahr 1817 von de la Motte Fouqué. Nürnberg: Schrag.

Göthe = Göthe und Einer seiner Bewundrer. Ein Stück Lebensgeschichte. Berlin: Duncker 1840.

1 Trost (Aus d. Jünglingsalter. Erstdruck 1816?) = Gedichte, Bd. I.

*[S. 36]* Nur Einmal flammt der hohe Jugendmuth,
Nur Einmal stehn der Freude Hallen offen;
Da brennt das Leben rings in farb'ger Gluth,
Da wagt's der Geist, auf Erdenlust zu hoffen.

Ach, bald erlischt der wunderbare Schein,
Darin zu uns die Götter niedersteigen!
Bald hüllt uns dichtes Erdendunkel ein,
Die Freude flieht, und ihre Hymnen schweigen.

Getrost! Noch mancher lichte Augenblick
Wird Dir die rauhe Pilgerfahrt verschönen.
Treu bleibt der goldnen Dichtkunst Götterglück
Auf ewig den erkornen lieben Söhnen.

Nicht fremd bist Du dem süssen Leierklang,
Und magst ihn selbst aus reinen Saiten rufen.
Der Kranz, der sich um Andrer Locken schlang,
Er winkt auch Dich hinan die lichten Stufen.

Hinan! Am Boden kriecht ein arm Geschlecht;
Dort mag es dumpf, von Gott vergessen, zagen.
Du fühlst zum heil'gen Streite Kraft und Recht:
Nur Muth! Und alle Nachtgewölke tagen.

2 Die Muse und der Dichter (Aus dem Jünglingsalter. Erstdruck 1816?) = Gedichte, Bd. I.

*[S. 45]* Die Muse

Lieber, wie find' ich Dich heut? Du hast ja die häuslichen
Festlich prangend geschmückt; Blumen duften umher; [Wände

Selbst italische Zweige, die längstbefreundeten, grüssen
Brüderlich mich und vertraut. Sage, was hast Du im Sinn?

Der Dichter

Immer sollen hinfort Dich solche Blüthen empfangen,
Denn aus sonniger Flur kommst Du dem Freunde zum Trost,
Drängst Dich muthig hindurch, wo Menschen toben und Stürme,
Bringst mir Blumen herbei, bildend zu flechten den Kranz.
Bringe sie freundlich stets. Ich Sterblicher gebe zum Danke,
Künftig für ewige Dir irdische Blumen zurück.

3 Tempelbau (Aus dem Jünglingsalter. Erstdruck 1816?) = Gedichte, Bd. I.

*[S. 93]* Das Leben ringt, als woll' es sich gestalten
In Lust und Ordnung, wie zum schönen Bilde,
Doch schwindet bald des jungen Friedens Milde
Vor feindlicher Gestirne rauhem Walten.

Im Streite muß, was kaum entblüht, veralten,
Es drohen sich, befehdend, kühne Wilde;
Nur Liebe sinnt, wie sie das Zarte bilde,
Und strebet, Licht aus Dunkel zu entfalten.

Der Dichter tritt in's wogende Gedränge
Mit freiem Sinn hinein zur guten Stunde,
Befragt vertraut die Geister der Gesänge.

Die geben ihm, dem Freunde, willig Kunde,
Und Alles steiget aus verworrner Enge
Harmonisch auf zum schönen Tempelrunde.

4 Die Rheinfahrt (1817) = Frauentaschenbuch.

*[S. 194]* „Es war einmahl, hub dieser [Friedlieb] ganz unbefangen an, in uralten Tagen eine Veste, die man Ilium nannte. Die konnte durchaus nicht erobert werden, so lange ein Bild, welches sie das Palladium nannten, — es sei vom Himmel gekommen, meinten sie, — drinnen aufbewahrt stand. Als es nun die Bürger sich durch schlaue Leute entwenden ließen, ward die palladiums-

leere Veste alsbald erobert, ja sogar verwandelt, denn das Oberste ward darin zu unterst gekehrt. Nun sag' ich immer: wohl dem Dichter, der sein Palladium festhält; da hat's mit den Verwandlungen nicht eben viel für ihn zu sagen."

5 Göthe und Einer seiner Bewundrer (1840) = Göthe.

*[S. 50—52]* Wo uns nicht ein wunderbares Etwas von oben in die Seele hereinfällt, was Niemand machen und nur die Muse bescheeren darf, kann sich's der Mühe des Machens gar nicht verlohnen. Zwar kenne ich diese anmuthige Mühe gar wohl, wo man sie auf die Darstellung eines angedeutetermaaßen Beschied'nen und Bescheerten verwendet. Eure Excellenz weiß: ich stamme als Poet aus einer in dieser Hinsicht gar strengen Schule, es mit der Formenreinheit überaus genau nehmend. Und ich kann durchaus nicht sagen, mir sei bei'm Ringen darnach jemals ein Ding wie Angstschweiß ausgebrochen. Vielmehr boten mir Sonett, Oktave, Espinele, und was ich des Aehnlichen als anmuthige Kampfes-Aufgabe noch irgend gesucht und gefunden habe, stets neue geistige Schwingen zum kräftigen Emporsteigen dar. Wem in diesem Kampfes-Garten minder behaglich zu Muth würde, oder wer sich wohl gar als ein willkührlich von außen Eingeschnürter dabei vorkäme, der thäte allerdings besser, sich außerhalb der also gezogenen Schranken zu begeben, und sein Kampfspiel auf anderweitig eigenbeliebige Art zu treiben. Somit: auch was man im Bilden des denkbar schwierigsten Metrums versucht, gilt mir noch immer für kein eigentliches M a c h e n , sondern eben eher für ein S c h a f f e n , und da stehen wir denn auch an dem Hellenischen Grundworte für Poesie: „ποιεῖν." Unser Deutsches: „D i c h t e n" giebt wohl denselben Sinn, aber freilich in einiger nordlichen Räthselhaftigkeit. „M a c h e n" klingt zwar deutlich, wird aber vor lauter Deutlichkeit fast beängstigend materiell. [...]
Freilich, Eure Excellenz, s o l l der Dichter zur Besinnung kommen, zum allermöglichst heiterklarem Bewußtsein über sein Schaffen. Und dahin waren auch Sie schon in jenen seeligen Momenten, wo Werther und Götz aus Ihrer jugendlich bewegten Seele hervorgingen, vollständig gediehen. Dem Verstande sein Recht, aber nur sein dienstbares Recht. Die Muse bleibt seine allgewaltige Lehns-

Herrin. Wir Dichter gleichen mit Nichten der dampf- und krampfhaft berauschten Pythia. Aber g e m a c h t haben Sie, verehrter Patriarch, wahr und wahrhaftig jene Gebilde n i c h t , weil eben solche durchaus n i c h t s G e m a c h t e s sind, und darin just besteht eben deren Herrlichkeit.

*[S. 66]* Die strengere Lebensaufgabe des Dichters in seiner Einwirkung darauf und in seinen Eindrücken von dorther offenbart sich im Gegensatze seiner Wünsche und geistigen Gesichte zu der Wirklichkeit. Ein oftmal sehr herber Gegensatz, unter dessem Gefühl wir alsdann die uns beschiedene Gabe „e i n e L a s t“ nennen dürfen, wie Das die Propheten des alten Bundes mit der ihrigen thaten, wenn gleich unermeßlich höheren Sinnes, als unsre Anmaaßung reicht. Aber alle wahrhafte Poesie ist nun doch einmal unabtrennlich der Weissagung verwandt. Und die uns aufgeladene Last ist eine solche, die wir nicht ohne gar ernste Versündigung von uns abwälzen könnten, ja im tiefsten Herzensgrund es nicht einmal möchten: eine theure, liebe, heilige Last, ohne die wir uns keines freudigen Athemzuges mehr erfreuen würden.
Doch eben deshalb ist sie uns nicht zum Spiele beschieden, nicht zum hochmüthigem Erheben über Schöpfung und Geschichte. Wenn wir Adler sind, sind wir doch wahrlich keine nestlosen Adler. Und unser begeistertes Schaffen ist nicht sowohl dem Waidwerke des Adlers, nach niedrem Gewilde hin, zu vergleichen, als vielmehr seinem aus wunderbarer Anziehung entsteigendem Fluge Sonnenan.
So gewiß aber der Adler einen Leib hat, so gewiß hat er auch einen Horst, und kann ihn in keinem, ob noch so kühnem Schwunge vergessen.
Und so gewiß der Dichter einen Leib hat, so gewiß hat er auch ein Vaterland, und soll es in keinem, ob noch so kühnem Schwunge vergessen.

## XLIII Henrich Steffens (1773—1845)

Zeit = Die gegenwärtige Zeit und wie sie geworden, mit besonderer Rücksicht auf Deutschland. 2 Bde. Berlin: Reimer 1817.

Erinnerungen = Was ich erlebte. Aus der Erinnerung niedergeschrieben. 10 Bde. Breslau: Max 1840—44.

1 Die gegenwärtige Zeit und wie sie geworden (1817) = Zeit, Bd. II.

*[S. 300]* Die Betrachtung des menschlichen Daseins geht als solche entweder vorzüglich auf die innere That, als das Allgemeine in der Speculation, in der Ethik, deren Gegenstand der Wille, oder auf die äußere That als das Besondere in der Geschichte, deren Gegenstand die Handlung, oder auf ein Gleichgewicht beider, des Allgemeinen und des Besondern, des Willens und der Handlung, in der Kunst, in der Poesie.

*[S. 304]* Wie steht aber der Dichter in seiner schönen Mitte zwischen dem Ethiker und dem Geschichtsforscher? Jener sucht das Allgemeine; aber das Leben droht ihm zu entschlüpfen — [...]

*[S. 306]* Da tritt der Dichter in die Mitte. Ihm ist es vergönnt, die Geburt aus der eigenen befruchteten Seele mit seiner Unendlichkeit in die Zeit zu setzen, die Zukunft in ihrer nie abgebrochenen Reihe nahe zu rücken. Die Speculation stellt uns das feste Individuum, aber ohne Wechsel, ohne Freude und Leid, eisern dar; die Geschichte giebt uns den Wechsel, aber das Feste, das Unwandelbare ist uns entrückt. Der Dichter möchte uns beides reichen, und das ist der Zauber der Poesie. Sie individualisirt die Begebenheiten. Mit dem scheinbar willkührlichen Wechsel der Gefühle, der Handlungen, weiß sie das Bleibende zauberisch zu verknüpfen. Jenes eiserne Band der Methode ist verschwunden, aber auch der furchtbare ewig gebärende, nie gestaltende Wechsel.

Die Zeiten selbst scheinen gleich der Sonne zu Gibeon stille zu stehen. Wie von unsichtbaren Geistern gepeitscht, drängt eine Begierde die andere, eine Leidenschaft die andere, Freud und Leid wechseln so schnell, daß wir sie verwechseln, keiner kann dem andern bei der vorübergehenden Eile die Hand reichen — bis der Dichter erscheint, und dem furchtbar fortrauschenden Strome zu verweilen gebietet. Da findet die Freude ihr Maß und das Leid sein Ende, und wir sehen uns an, und erkennen uns in uns selber und wechselseitig. Dem Dichter steht es frei, von einem gegebenen Dasein auszugehn, oder von der Gesinnung.

*[S. 315—317]* Den Naturmoment in der Poesie nachzuweisen, wäre eine Thorheit, denn er ist allgemein anerkannt; auch wird kaum jemand etwas für Poesie gelten lassen, was aus einer Abstraction des Naturlebens entstanden wäre. Was ein Gleichgewicht des Allgemeinen und Besondern ist, muß nothwendig von Natur und Geist auf gleiche Weise durchdrungen seyn. Wenn daher die Worte verstummen, so gestalten sich die Töne selber in harmonischen Einklang, die herumschweifenden Farben vereinigen sich das Höchste des Lebens darzustellen; ja die Steine werden lebendig, und stimmen in den allgemeinen Jubel ein. Aber über die Würde der Poesie ein Wort zu reden, möchte wol zeitgemäß seyn; denn man hat sich in unsern Tagen in eine wahre Vergötterung der Poesie immer mehr hineingeredet. Nun ist es zwar keinesweges meine Absicht, der Poesie ihre göttliche Tiefe abzusprechen, ihren Zauber zu verleugnen, der mir nicht fremd ist. Nur dieses behaupten wir: sie steht nicht höher als irgend eine andere Form menschlicher Kunde, sie ist keinesweges die Durchdringung der Geschichte und der Ethik, vielmehr die dritte zwischen beide tretende Form der Historie, die die Spuren ihrer Realität nicht verleugnen kann, je tiefer, je bedeutender sie sich ausspricht, desto gewisser. Die eigentliche heitere Sonne der Poesie ist die irdische Liebe, die Geschlechtsliebe in ihrer tiefsten Bedeutung, und zwar keinesweges zufällig. Die Liebe ist eben die innigste Verknüpfung des Gemüths und der Natur, das reinste Gleichgewicht beider, die Poesie im Leben selbst. Aber so wenig als Geschlechtsliebe den Kreis des Lebens ausfüllt, so wenig die Poesie. Die Liebe selbst ist eine schwellende Blüthe voll unendlicher Sehnsucht, in ihrer Befriedigung würde sie verwelken. Daher verfolgt sie die Poesie, wenn sie sie fröhlich darstellen will, nur im Keimen, bis zur völligen Entfaltung sie zu begleiten hütet sie sich; denn die losen Blumen-

blätter, die das Geheimniß verschlossen, flattern dann an der Blume halbverwelkt. Die Liebe muß sich selbst ein ewiges, zartes Geheimniß bleiben; wo sie sich begreift, verschwindet sie. Wenn die Poesie ein leichtes, fröhliches, witziges Spiel treibt mit Nichtigkeiten, die sich wechselseitig zerstören, so tritt uns ein Größeres, aber nur angedeutet, entgegen, und wo eine unendliche Kraft sich positiv in das volle Dasein hervorwagt, da muß sie untergehen. Sie darf sich mit dem Schein nicht vermählen, erst im Untergehen erscheint sie groß. Selbst wo der heitere Held ein fröhliches Leben genießt, muß ein geheimes Grauen ihn begleiten, und Shakespeare konnte mit Heinrich dem Fünften die Reihe seiner historischen Dramen nicht schließen. So vermag auch die Poesie ewig nur anzuregen, nie zu befriedigen; sie ist einem göttlichen Traume zu vergleichen, der uns das ewige Leben ganz nahe rückt. Aber immer träumen wir nicht, und unendliche Sehnsucht ergreift uns, wenn wir erwachen.

2 Was ich erlebte (1841) = Erinnerungen, Bd. III, IV.

Kiel [1797]

*[Bd. III, S. 324 f.]* Daß eine solche Cultur ein gesundes Leben erlangt hat, daß sie sich in einer in sich geschlossenen Form gefunden hat, erkennt sie nur durch eine nationale Poesie. Es gibt kein wahres Volk ohne diese; ihr aber fehlt die tiefste Bedeutung, wenn sie nicht aus einem nationalen Leben entsprungen ist. Aber eben so gewiß ist es, daß keine Philosophie ohne Poesie eine sichere Form erhalten kann. Wie diese die getrennten Momente des sinnlichen Daseins zur lebendigen organischen Einheit steigert, in welcher das Geschiedene erst eine volksthümliche Wirklichkeit erhält, so ist die Philosophie die höhere Einheit der Poesie und des sinnlichen Daseins selber.

Jena [1798]

*[Bd. IV, S. 126]* [...] wir gewöhnten uns, einen größeren Maaßstab für die Poesie anzulegen; wir fingen an einzusehen, daß der Sinn für die eigentliche Dichtkunst, die, einst ein wesentlicher Moment des Daseins, Kunst, Wissenschaft und Staat durchdrungen hatte, verloren gegangen war, und wieder belebt werden mußte.

## XLIV Arthur Schopenhauer (1788—1860)

Sämtliche Werke. Hg. von P. Deussen. München: Piper 1911.

Die Welt als Wille und Vorstellung (1818) = Sämtl. Werke, Bd. I.

*[S. 286—298 § 51]* Wenn wir nun mit unseren bisherigen Betrachtungen über die Kunst im Allgemeinen von den bildenden Künsten uns zur Poesie wenden; so werden wir nicht zweifeln, daß auch sie die Absicht hat, die Ideen, die Stufen der Objektivation des Willens, zu offenbaren und sie mit der Deutlichkeit und Lebendigkeit, in welcher das dichterische Gemüth sie auffaßte, dem Hörer mitzutheilen. Ideen sind wesentlich anschaulich: wenn daher in der Poesie das unmittelbar durch Worte Mitgetheilte nur abstrakte Begriffe sind; so ist doch offenbar die Absicht, in den Repräsentanten dieser Begriffe den Hörer die Ideen des Lebens anschauen zu lassen, welches nur durch Beihülfe seiner eigenen Phantasie geschehen kann. Um aber diese dem Zweck entsprechend in Bewegung zu setzen, müssen die abstrakten Begriffe, welche das unmittelbare Material der Poesie wie der trockensten Prosa sind, so zusammengestellt werden, daß ihre Sphären sich dergestalt schneiden, daß keiner in seiner abstrakten Allgemeinheit beharren kann; sondern statt seiner ein anschaulicher Repräsentant vor die Phantasie tritt, den nun die Worte des Dichters immer weiter nach seiner Absicht modifiziren. Wie der Chemiker aus völlig klaren und durchsichtigen Flüssigkeiten, indem er sie vereinigt, feste Niederschläge erhält; so versteht der Dichter aus der abstrakten, durchsichtigen Allgemeinheit der Begriffe, durch die Art wie er sie verbindet, das Konkrete, Individuelle, die anschauliche Vorstellung, gleichsam zu fällen. Denn nur anschaulich wird die Idee erkannt: Erkenntniß der Idee ist aber der Zweck aller Kunst. Die Meisterschaft in der Poesie, wie in der Chemie, macht fähig, allemal gerade den Niederschlag zu erhalten, welchen man eben beabsichtigt. Diesem Zweck dienen die vielen Epitheta in der Poesie, durch welche die Allgemeinheit jedes Begriffes eingeschränkt wird, mehr und mehr, bis zur Anschaulichkeit. [...]

Vermöge der Allgemeinheit des Stoffes, dessen sich die Poesie, um die Ideen mitzutheilen, bedient, also der Begriffe, ist der Umfang ihres Gebietes sehr groß. Die ganze Natur, die Ideen aller Stufen sind durch sie darstellbar, indem sie, nach Maaßgabe der mitzutheilenden Idee, bald beschreibend, bald erzählend, bald unmittelbar dramatisch darstellend verfährt. Wenn aber, in der Darstellung der niedrigeren Stufen der Objektität des Willens, die bildende Kunst sie meistens übertrifft, weil die erkenntnißlose und auch die bloß thierische Natur in einem einzigen wohlgefaßten Moment fast ihr ganzes Wesen offenbart; so ist dagegen der Mensch, soweit er sich nicht durch seine bloße Gestalt und Ausdruck der Miene, sondern durch eine Kette von Handlungen und sie begleitender Gedanken und Affekte ausspricht, der Hauptgegenstand der Poesie, der es hierin keine andere Kunst gleich thut, weil ihr dabei die Fortschreitung zu Statten kommt, welche den bildenden Künsten abgeht.

Offenbarung derjenigen Idee, welche die höchste Stufe der Objektität des Willens ist, Darstellung des Menschen in der zusammenhängenden Reihe seiner Bestrebungen und Handlungen ist also der große Vorwurf der Poesie. — Zwar lehrt auch Erfahrung, lehrt auch Geschichte den Menschen kennen; jedoch öfter die Menschen als den Menschen: d. h. sie geben mehr empirische Notizen vom Benehmen der Menschen gegen einander, woraus Regeln für das eigene Verhalten hervorgehen, als daß sie in das innere Wesen des Menschen tiefe Blicke thun ließen. Indessen bleibt auch dieses letztere keineswegs von ihnen ausgeschlossen: jedoch, so oft es das Wesen der Menschheit selbst ist, das in der Geschichte, oder in der eigenen Erfahrung sich uns aufschließt; so haben wir diese, der Historiker jene schon mit künstlerischen Augen, schon poetisch, d. h. der Idee, nicht der Erscheinung, dem innern Wesen, nicht den Relationen nach aufgefaßt. Unumgänglich ist die eigene Erfahrung Bedingung zum Verständniß der Dichtkunst, wie der Geschichte: denn sie ist gleichsam das Wörterbuch der Sprache, welche beide reden. Geschichte aber verhält sich zur Poesie wie Porträtmalerei zur Historienmalerei: jene giebt das im Einzelnen, diese das im Allgemeinen Wahre: jene hat die Wahrheit der Erscheinung, und kann sie aus derselben beurkunden, diese hat die Wahrheit der Idee, die in keiner einzelnen

Erscheinung zu finden, dennoch aus allen spricht. Der Dichter stellt mit Wahl und Absicht bedeutende Charaktere in bedeutenden Situationen dar: der Historiker nimmt beide wie sie kommen. [...] Der Dichter aber faßt die Idee auf, das Wesen der Menschheit, außer aller Relation, außer aller Zeit, die adäquate Objektität des Dinges an sich auf ihrer höchsten Stufe. Wenn gleich nun auch, selbst bei jener dem Historiker nothwendigen Betrachtungsart, das innere Wesen, die Bedeutsamkeit der Erscheinungen, der Kern aller jener Schaalen, nie ganz verloren gehen kann und wenigstens von Dem, der ihn sucht, sich noch finden und erkennen läßt; so wird dennoch Dasjenige, was an sich, nicht in der Relation, bedeutend ist, die eigentliche Entfaltung der Idee, bei weitem richtiger und deutlicher in der Dichtung sich finden, als in der Geschichte, jener daher, so paradox es klingt, viel mehr eigentliche, ächte, innere Wahrheit beizulegen seyn, als dieser. Denn der Historiker soll der individuellen Begebenheit genau nach dem Leben folgen, wie sie an den vielfach verschlungenen Ketten der Gründe und Folgen sich in der Zeit entwickelt; aber unmöglich kann er hiezu alle Data besitzen, Alles gesehen, oder Alles erkundet haben: er wird jeden Augenblick vom Original seines Bildes verlassen, oder ein falsches schiebt sich ihm unter, und dies so häufig, daß ich glaube annehmen zu dürfen, in aller Geschichte sei des Falschen mehr, als des Wahren. Der Dichter hingegen hat die Idee der Menschheit von irgend einer bestimmten, eben darzustellenden Seite aufgefaßt, das Wesen seines eigenen Selbst ist es, was sich in ihr ihm objektivirt: seine Erkenntniß ist, wie oben bei Gelegenheit der Skulptur auseinandergesetzt, halb a priori: sein Musterbild steht vor seinem Geiste, fest, deutlich, hell beleuchtet, kann ihn nicht verlassen: daher zeigt er uns im Spiegel seines Geistes die Idee rein und deutlich, und seine Schilderung ist, bis auf das Einzelne herab, wahr wie das Leben selbst. [...] — Wer also die Menschheit, ihrem innern, in allen Erscheinungen und Entwickelungen identischen Wesen, ihrer Idee nach, erkennen will, dem werden die Werke der großen, unsterblichen Dichter ein viel treueres und deutlicheres Bild vorhalten, als die Historiker je vermögen: denn selbst die besten unter diesen sind als Dichter lange nicht die ersten und haben auch nicht freie Hände. [...]

Die Darstellung der Idee der Menschheit, welche dem Dichter obliegt, kann er nun entweder so ausführen, daß der Dargestellte zugleich auch der Darstellende ist: dieses geschieht in der lyrischen Poesie, im eigentlichen Liede, wo der Dichtende nur seinen eigenen Zustand lebhaft anschaut und beschreibt, wobei daher, durch den Gegenstand, dieser Gattung eine gewisse Subjektivität wesentlich ist; — oder aber der Darzustellende ist vom Darstellenden ganz verschieden, wie in allen anderen Gattungen, wo mehr oder weniger der Darstellende hinter dem Dargestellten sich verbirgt und zuletzt ganz verschwindet. In der Romanze drückt der Darstellende seinen eigenen Zustand noch durch Ton und Haltung des Ganzen in etwas aus: viel objektiver als das Lied hat sie daher noch etwas Subjektives, dieses verschwindet schon mehr im Idyll, noch viel mehr im Roman, fast ganz im eigentlichen Epos, und bis auf die letzte Spur endlich im Drama, welches die objektiveste und in mehr als einer Hinsicht vollkommenste, auch schwierigste Gattung der Poesie ist. Die lyrische Gattung ist ebendeshalb die leichteste, und wenn die Kunst sonst nur dem so seltenen ächten Genius angehört, so kann selbst der im Ganzen nicht sehr eminente Mensch, wenn in der That, durch starke Anregung von Außen, irgend eine Begeisterung seine Geisteskräfte erhöht, ein schönes Lied zu Stande bringen: denn es bedarf dazu nur einer lebhaften Anschauung seines eigenen Zustandes im aufgeregten Moment. Dies beweisen viele einzelne Lieder übrigens unbekannt gebliebener Individuen, besonders die Deutschen Volkslieder, von denen wir im „Wunderhorn“ eine treffliche Sammlung haben, und eben so unzählige Liebes- und andere Lieder des Volkes in allen Sprachen. Denn die Stimmung des Augenblickes zu ergreifen und im Liede zu verkörpern ist die ganze Leistung dieser poetischen Gattung. Dennoch bildet in der lyrischen Poesie ächter Dichter sich das Innere der ganzen Menschheit ab, und Alles, was Millionen gewesener, seiender, künftiger Menschen, in den selben, weil stets wiederkehrenden, Lagen, empfunden haben und empfinden werden, findet darin seinen entsprechenden Ausdruck. Weil jene Lagen, durch die beständige Wiederkehr, eben wie die Menschheit selbst, als bleibende dastehen und stets die selben Empfindungen hervorrufen, bleiben die lyrischen Produkte ächter Dichter Jahrtausende hindurch richtig, wirksam und frisch. Ist doch überhaupt der Dichter der allgemeine Mensch: Alles, was irgend eines Menschen Herz bewegt hat, und was die menschliche Natur, in irgend einer Lage, aus sich hervortreibt, was irgendwo in einer Menschenbrust wohnt und brütet, — ist sein Thema und sein Stoff; wie daneben auch die ganze übrige Natur. Daher kann der Dichter so gut die Wollust, wie die Mystik besingen, Anakreon, oder Angelus Silesius seyn, Tragödien, oder Komödien schreiben, die erhabene, oder die gemeine Gesinnung darstellen, — nach Laune und Beruf. Demnach darf Niemand dem Dichter vorschreiben, daß er edel und erhaben, moralisch, fromm, christlich, oder Dies oder Das seyn soll, noch weniger ihm vorwerfen, daß er Dies und nicht Jenes sei. Er ist der Spiegel der Menschheit, und bringt ihr was sie fühlt und treibt zum Bewußtseyn.

Betrachten wir nun das Wesen des eigentlichen Liedes näher [...]. Darum geht im Liede und der lyrischen Stimmung das Wollen (das persönliche Interesse der Zwecke) und das reine Anschauen der sich darbietenden Umgebung wundersam gemischt durch einander: es werden Beziehungen zwischen beiden gesucht und imaginirt; die subjektive Stimmung, die Affektion des Willens, theilt der angeschauten Umgebung und diese wiederum jener ihre Farbe im Reflex mit: von diesem ganzen so gemischten und getheilten Gemüthszustande ist das ächte Lied der Abdruck. — Um sich diese abstrakte Zergliederung eines von aller Abstraktion sehr fernen Zustandes an Beispielen faßlich zu machen, kann man jedes der unsterblichen Lieder Goethes zur Hand nehmen: als besonders deutlich zu diesem Zweck will ich nur einige empfehlen: „Schäfers Klagelied", „Willkommen und Abschied", „An den Mond", „Auf dem See", „Herbstgefühl", auch sind ferner die eigentlichen Lieder im „Wunderhorn" vortreffliche Beispiele, [...]

In den mehr objektiven Dichtungsarten, besonders dem Roman, Epos und Drama, wird der Zweck, die Offenbarung der Idee der Menschheit, besonders durch zwei Mittel erreicht: durch richtige und tiefgefaßte Darstellung bedeutender Charaktere und durch Erfindung bedeutsamer Situationen, an denen sie sich entfalten. Denn wie dem Chemiker nicht nur obliegt, die einfachen Stoffe und ihre Hauptverbindungen rein und ächt darzustellen;

sondern auch, sie dem Einfluß solcher Reagenzien auszusetzen, an welchen ihre Eigenthümlichkeiten deutlich und auffallend sichtbar werden; ebenso liegt dem Dichter ob, nicht nur bedeutsame Charaktere wahr und treu, wie die Natur selbst, uns vorzuführen; sondern er muß, damit sie uns kenntlich werden, sie in solche Situationen bringen, in welchen ihre Eigenthümlichkeiten sich gänzlich entfalten und sie sich deutlich, in scharfen Umrissen darstellen, welche daher bedeutsame Situationen heißen. Im wirklichen Leben und in der Geschichte führt der Zufall nur selten Situationen von dieser Eigenschaft herbei, und sie stehen dort einzeln, verloren und verdeckt durch die Menge des Unbedeutsamen. Die durchgängige Bedeutsamkeit der Situationen soll den Roman, das Epos, das Drama vom wirklichen Leben unterscheiden, ebenso sehr, als die Zusammenstellung und Wahl bedeutsamer Charaktere: bei beiden ist aber die strengste Wahrheit unerläßliche Bedingung ihrer Wirkung, und Mangel an Einheit in den Charakteren, Widerspruch derselben gegen sich selbst, oder gegen das Wesen der Menschheit überhaupt, wie auch Unmöglichkeit, oder ihr nahe kommende Unwahrscheinlichkeit in den Begebenheiten, sei es auch nur in Nebenumständen, beleidigen in der Poesie ebenso sehr, wie verzeichnete Figuren, oder falsche Perspektive, oder fehlerhafte Beleuchtung in der Malerei: denn wir verlangen, dort wie hier, den treuen Spiegel des Lebens, der Menschheit, der Welt, nur verdeutlicht durch die Darstellung und bedeutsam gemacht durch die Zusammenstellung. Da der Zweck aller Künste nur einer ist, Darstellung der Ideen, und ihr wesentlicher Unterschied nur darin liegt, welche Stufe der Objektivation des Willens die darzustellende Idee ist, wonach sich wieder das Material der Darstellung bestimmt; so lassen sich auch die von einander entferntesten Künste durch Vergleichung an einander erläutern. [. . .]

Als der Gipfel der Dichtkunst, sowohl in Hinsicht auf die Größe der Wirkung, als auf die Schwierigkeit der Leistung, ist das Trauerspiel anzusehen und ist dafür anerkannt. Es ist für das Ganze unserer gesammten Betrachtung sehr bedeutsam und wohl zu beachten, daß der Zweck dieser höchsten poetischen Leistung die Darstellung der schrecklichen Seite des Lebens ist, daß der namenlose Schmerz, der Jammer der Menschheit, der Triumph der Bosheit, die höhnende Herrschaft des Zufalls und der rettungslose Fall der Gerechten und Unschuldigen uns hier vorgeführt werden: denn hierin liegt ein bedeutsamer Wink über die Beschaffenheit der Welt und des Daseyns. Es ist der Widerstreit des Willens mit sich selbst, welcher hier, auf der höchsten Stufe seiner Objektität, am vollständigsten entfaltet, furchtbar hervortritt.

## XLV Karl August Varnhagen von Ense (1785—1858)

Denkwürdigkeiten = Denkwürdigkeiten und vermischte Schriften. 9 Bde. Mannheim: Hoff (I—IV) bzw. Leipzig: Brockhaus (V—IX) 1837—59.

Tagebücher = Aus dem Nachlaß Varnhagen's von Ense. Tagebücher. 14 Bde. Leipzig: Brockhaus 1861—70.

1 Rezension: K. Immermann, Brief an einen Freund über die falschen Wanderjahre Wilhelm Meisters. 1823 = Denkwürdigkeiten, Bd. II.

*[S. 348 f.]* Sehr treffend hat der Verfasser in dieser Schrift selbst den Grund angegeben, weßhalb in verschiedenen Zeitaltern auch der Dichter in verschiedener Beschaffenheit dasteht. Unser Zeitalter hat mit seiner ganzen Bildung auch die Dichtkunst offenbar zu der Höhe geführt, wo die gesonderten Gebiete des Geistes in Verbindung treten, sich vermischen und durchdringen. Unsere Dichter sind nicht die des Mittelalters, wo heitere Naturgabe dem glücklichen Minnesänger sein fertiges Fach anwies, innerhalb dessen er zufrieden wirkte und ruhte; unsere Dichter müssen außer jener Gabe noch manche andere besitzen; sie dürfen nicht nur, sie müssen sogar, in gewissem Betracht, als Dichter zugleich Philosophie, Religion, Natur- und Geschichtskunde, Gelehrtheit und Kritik vereinigen, weil diese insgesammt jetzt ein Theil des Lebensstoffes geworden sind, den für jene Zeit die Einrichtungen und Abentheuer der Welt allein ausmachten. Unsere Dichter sind unsere Lehrer zugleich und unsere Weisen. Seit Lessing hat dieser Karakter in unserer Litteratur sich immer reicher entwickelt; Herder, Jean Paul, Schiller, die beiden Schlegel, Tieck, und Goethe selbst, sind leuchtende Beispiele. Hiermit ist denn auch genug erklärt, wie wir denselben Schriftsteller, den wir kürzlich als wacker aufstrebenden Dichter angerühmt, diesem unbeschadet nun auch als ächten Kritiker preisen dürfen, und wir wünschen, daß beide Richtungen, in wechselseitiger Erhellung, sich in diesem edlen Geiste, zur Freude vieler Gleichgesinnten, immer herrlicher entfalten mögen.

2 Rezension: K. Immermann, Cardenio und Celinde. 1826 = Denkwürdigkeiten, Bd. II.

*[S. 350 f.]* Der Dichter bedarf, wie jeder im Leben wahrhaft Thätige, zu seiner größeren Selbstständigkeit einer fortwährenden Hingebung derselben, und nur in dem steten Wechsel beider Richtungen wird in der Poesie wie im Leben wahrhaft Großes vollbracht. Wer nichts hinzugeben hat, als ganz und immer sich selbst, der ist zum Nachahmer verdammt, und gehört in aller Weise der Masse an; wer aber zu sehr zurückhält und beharrt, der vereinsamt; beide scheiden aus dem Kreise des eigenthümlichen Lebens und Wirkens ab. Die Eigenthümlichkeit muß sich hervortretend gleichsam mit der Welt ausgleichen, mit dem umgebenden Leben in Harmonie setzen, erst dann ist sie gelungen sie selbst.

3 Goethe. „Im Sinne der Wanderer" (1827) = Denkwürdigkeiten, Bd. I.

*[S. 417]* Was man von Shakspeare gesagt hat, daß er auf den Scheidewegen und Uebergängen zweier Zeitalter stehe, gilt im Grunde von jedem Dichter, dem dieser Name im großen Sinne des Wortes zukommt, und diese Stellung gehört recht eigentlich zu den Bedingungen, welche sein Erscheinen tragen, seiner Ausbildung und Wirksamkeit die Mittel darbieten, und ihm die reife widerstrebende Welt, so wie die unreife harrende, gleichsam als die Stoffe seiner Kunst in die Hände liefern.

*[S. 419 f.]* Das Bild dieses Lebens konnte deßhalb nur um so reicher ausfallen, die Poesie vor allem erfüllte den Auftrag, dasselbe zu erfassen und in ihren ewigen Gestalten veredelt aufzubewahren, so redlich als glänzend.
Göthe's ganze Dichtung ist fast nur das Bild der Zerrüttungen einer mit sich selber in Zwiespalt gerathenen Welt, und wenn er auf der einen Seite die Gestaltungen dieses Zwiespalts durch den Zauber und die Anmuth seines künstlerischen Genius mildert, jedes Vorhandene durch die ihm inwohnende Wahrheit in seiner Berechtigung zum Dasein darstellt, und somit gleichsam versöhnt und harmonisirt, so wird ihm von anderer Seite nicht erlassen, kraft eben derselben Kunst und Wahrheit auch manchen noch im Ver-

borgenen ruhenden Widerstreit aus dem geheimen Dunkel hervorzuziehen und grell und scharf an das Tageslicht zu bringen. In dieser Stellung und Aufgabe des Dichters liegt vollständig der Schlüssel zu allen verkehrten Anforderungen und Vorwürfen, welche ein beschränkter und von allem Unverstandenen beunruhigter Sinn von jeher dem Dichter in Betreff der Sittlichkeit machen will, die doch seinen Werken im höchsten Grade inwohnt, auch wo er sie für blöde Augen zu verletzen scheint.

Denn gerade die Zerrüttung und Auflösung der alten Lebensformen, welche längst krank und schadhaft das frische Leben an ihren Tod fesseln möchten, und dieses neue Werdende, welches noch keine Sanktion hat, die unerkennbar gewordene Verwicklung der ewigen Legitimität mit deren zeitlicher Usurpation, gerade dies ist ja der Stoff, den die Poesie einer solchen Epoche aufnehmen und verarbeiten muß, wenn sie selber nicht auf das Leben verzichten will. Die Masse der Zeitgenossen vermag daher den Dichter wohl zu bewundern, aber nicht vollständig zu verstehen; sie wird seine Berichte wie seine Intentionen tadeln; doch eine spätere Zeit stellt unfehlbar auch in dieser Hinsicht die Gerechtigkeit her, und erkennt an, wie in allen Wagnissen des Herzens und Freveln des Geistes der Künstler unschuldig und fromm, in aller Sinnlichkeit keusch und rein bleibt, gleich dem geistlichen Lehrer, der ohne Scheu jedem Uebertritt und Irrthum nachgeht, ihre Namen und Eigenschaften nennt, und selbst in die Abgründe der Nacht sich versenkt, um mit dem ihnen entrissenen Leben bereichert zu dem Lichte wieder aufzutauchen. Nicht anders thut der Dichter, insofern er es wahrhaft ist; er kann nur aufhören sittlich zu sein, wo er aufhört Dichter zu sein.

4 Rezension: Musenalmanache für das Jahr 1830 = Denkwürdigkeiten, Bd. VIII.

*[S. 390 f.]* In der That ist es eine erfreuliche Erscheinung, neben so vielen wesentlichen und wichtigen Betriebsamkeiten, welchen der Deutsche mit steigenden Kräften und Erfolgen jetzt seinen nachhaltigen Eifer widmet, auch das dichterische Leben und Wirken in der Nation so wohlbegründet fortdauern und so ausgebreitet blühen zu sehen, wie als besondere Zeichen auch diese neuen Erschei-

nungen es beurkunden. Was dieses dichterische Treiben, in welchem wir mit höherer Billigkeit diesmal gern auch jede gefällige Liebhaberei und nachbildende Uebung anerkennend begreifen, in seiner Gesammtheit bedeute und der Nation werth sei, würden wir mit Betroffenheit einsehen, wenn wir dasselbe plötzlich aus unsrer Mitte verschwunden dächten! Es ist kein Zweifel, alle sonstigen Thätigkeiten, wie selbstständig und ernsten Lebenszwecken genügend sie erscheinen möchten, würden durch die Abwesenheit dieses glücklichen Elements leiden, und alle äußere Fülle und Größe, zu welcher sie führten, keinen Ersatz für dasselbe geben. Aber von solchem Unglück sind wir wahrlich nicht bedroht! Die Poesie lebt und blüht in unsrer Mitte auf allen Stufen; Meister und Jünger, Vornehme und Geringe, Süd- und Norddeutsche, alle treten freundlich in die zur edlen Genossenschaft hier neu eröffneten Räume!

5 Rezension: Abendstunden, hg. von F. Theremin. 1833 = Denkwürdigkeiten, Bd. II.

*[S. 416 f.]* Die höchsten Ergebnisse des Denkens, die reinsten Ueberzeugungen der Religion, wirken unmittelbar durch ihr eigenstes Wesen, ohne Beimischung künstlichen Vortrags, der das einfache starke Licht durch die Mannigfaltigkeit bunter Farben in vielen Fällen sogar verdunkeln würde. Die Kunst hinwieder weiß jene Wahrheiten, mit denen sie im tiefsten Einverständnisse lebt, eben so wenig für sich als Schmuck und Hülfe zu benutzen; und ein Bund der Kirche mit den Künsten, den man zu solchem Behufe wechselseitigen Leistens oft genug verkehrterweise hat schließen wollen, ist immer ein unfruchtbarer geblieben. Doch wird eine Vereinigung beider Gebiete deßhalb nicht entbehrt, sondern nur in andrer Art, als jener aushülflichen, bewirkt, indem keines derselben sich an das andre veräußert, sondern beide selbstständig in dem reinsten menschlichen Antriebe zusammenfließen. Der Weise, der ein Künstler, der Fromme, der ein Dichter ist, wie sollten sie, ihrem höchsten Berufe folgend, aufhören diese Begabten zu sein? wie dürften sie jemals diese edlen Gaben verwerfen oder verläugnen, ohne das ganze Gewebe der ihnen verliehenen Eigenschaften zu zerreißen? Wo diese Gaben wahrhaft vorhanden sind, da müs-

sen sie den Geist überall begleiten, und es wird immer ein erfreuender Anblick sein, die höchste Bildung der Kunst, die Anmuth und Lieblichkeit des Vortrags, den Zauber der Poesie, sich den schmucklosen Ergebnissen der Wissenschaft und der Religion anschmiegen, diese zu jenen einkehren zu sehen. Auf beiden Seiten bleibt das Wesen dabei unverändert, und die Verbindung ist nur in der persönlichen Begabung, ohne auf die Sachen selbst überzugehen.

6 Rezension: Le Monde comme il est; par le marquis de Custine. 1835 = Denkwürdigkeiten, Bd. II.

*[S. 447]* Die Verzweiflung für sich allein hört auf poetisch zu seyn, sie thut wie ein wirkliches Uebel weh, und dem Schmerze weicht man aus. Allein zu verbannen ist sie darum aus der Poesie noch nicht, sie ist in ihr, wie im Leben selbst, ein unabweisliches Element, [...]

7 Wilhelm Neumann (1835) = Denkwürdigkeiten, Bd. I.

*[S. 346 f.]* In jener Zeit hielt August Wilhelm Schlegel zu Berlin Vorlesungen vor einem auserlesenen Kreise von Zuhörern und Zuhörerinnen; der Zustand der Litteratur und Kunst überhaupt, ihre bisherige und künftige Entwickelung, waren der reiche Stoff dieser Vorträge, welche nicht ohne bedeutende Wirkung blieben, besonders weil viele gleichzeitige Bestrebungen Friedrich Schlegel's, Tieck's, Schleiermacher's und selbst Fichte's, sich damit zu verbinden schienen. Es war eine Art Verkündigung neuen Aufschwunges zum Dichten und Leben, wozu hauptsächlich die strebende Jugend sich berufen fühlte.

8 Rezension: J. P. Eckermann, Gespräche mit Goethe. 1837 = Denkwürdigkeiten, Bd. I.

*[S. 478 f.]* Dies deutet allerdings darauf hin, daß der bloß lyrische Dichter in unsrer modernen Zeit nicht mehr der Dichter par excellence sein kann, sondern nur eine einseitige, untergeordnete Stellung in der Poesie und eine kurze Blüthezeit hat, der wahre Dichter aber in universeller Aufnahme und Schilderung des Lebens nie des Stoffes noch der Formen ent-

behren wird, sondern in stetem Wechsel immer neue Blüthen und Früchte bringt!

9 Fouqué (1837) = Denkwürdigkeiten, Bd. II.

*[S. 334]* Er hatte ein schönes Talent für Lied, Romanze, Nachbildung; als letztere gelang ihm selbst das dramatische Heldengedicht einmal, im Sigurd dem Schlangentödter. Aber selbst Undine hätte keine Erzählung, sondern nur eine Romanze werden sollen. Vom Uebrigen schweigen wir. Die Poesie will nicht als gespenstische Wache auf die öden Trümmer des Ritterthumes sich bannen lassen.

10 Kunstwerk (1837) = Denkwürdigkeiten, Bd. II.

*[S. 335 f.]* Wer aus lebendigem Geiste dichtet, giebt Leben, und wo dieses ist, ist eine Unendlichkeit der Beziehungen aufgethan, die der Dichter nicht beabsichtigt, nicht berechnet hat, sondern geschaffen. Daher man Jahrtausende hindurch an diesen Beziehungen Neues forschen, deuten, finden, verstehen kann — was der Urheber nie gedacht oder gemeint hat — ohne das Werk zu erschöpfen oder zu überladen. Shakspeare, Cervantes, Goethe, wachsen mit den nachlebenden Geschlechtern und durch deren geistige Miteiferung und Betrachtung immer schöner zu ihrer vollständigen Größe empor.

11 Verbindung (1837) = Denkwürdigkeiten, Bd. II.

*[S. 338 f.]* Der Geschichtschreiber steht dem Dichter ganz nahe; wo sie sich berühren, scheint jeder den andern entbehrlich zu machen. Herodot ist auch Dichter, Shakspeare auch Geschichtschreiber. Geschichtschreibung ist Krieg mit der Gemeinheit der Meinungen der Gegenwart, Dichtung ist ihre Veredlung. Wer Dichtung und Wahrheit nur in Widerstreit sieht, kennt weder Dichtung noch Wahrheit.

12 Rezension: Vecchie Romanze spagnuole. Recate in Italiano da Giovanni Berchet. 1837 = Denkwürdigkeiten, Bd. V.

*[S. 253 f.]* Alle Poesie als ein Gemeingut anzusehen, und den Dichtungen aller Völker wechselseitig Zugang und Stätte zu

sichern, ist ein Unternehmen, welches größtentheils dem tiefen Weltbürgersinn und freien Forschungsgeiste der deutschen Kritik anzurechnen bleibt. Lessing und Herder sind hier zuerst zu nennen, dann beide Schlegel und Tieck, aber die ganze Nation, die Übersetzer, Sprachgelehrten, Alterthumsforscher und Philosophen, alles wirkte bewußt und unbewußt in dieser Richtung, welche nun die ganze litterarische Welt durchdringt, und in dem inhaltreichen, mit dem Fortgange der Zeit und Einsicht noch stets wachsenden Worte Goethe's ihr kräftiges Bewußtsein ausgesprochen hat. Kein Zeitalter, kein Volk hat jetzt mehr für sich allein gedichtet, sondern alle mit- und nachlebenden haben Theil daran, eignen sich von dem eröffneten Reichthume zu, was ihnen genehm und brauchbar ist. Die neue Ansicht und Behandlung der Poesie ist für keine Gattung wirksamer und günstiger geworden, als für die eigentlichen Volkslieder, für die zum Theil uralten Gesänge, in welchen sich die Thaten, Gesinnungen und Sitten der Voreltern bewahrt haben. Engländer, Franzosen, und Andre, haben ihren derartigen Gedichten früherhin wohl manche Beachtung zugewendet, aber als Gegenständen der Alterthumsforschung, als Sprachdenkmalen, oder auch als historischen Zeugnissen; als Poesie hat erst die neuere Zeit sie gewürdigt, gesammelt und zum Austausche gebracht.

13 Rezension: Werke von Alexander Puschkin. 1838 = Denkwürdigkeiten, Bd. V.

*[S. 274 f.]* Wenn in einer solchen Sprache die Poesie erwacht, so darf man großen Erscheinungen entgegensehen. Zwar ohne Poesie lebt kein Volk, und ihrer entbehrt keine Sprache zu irgend einer Zeit; aber hier gilt ein Unterschied; auch vor Agamemnon gab es Helden, doch, wüßten wir auch ihre Namen und Thaten, sie stünden immer hinter jenem zurück. Die Russen durften schon lange sich ihres Lomonossoff, ihres Dershawin, und mancher Andern rühmen; allein darum war ihre Poesie noch nicht zum Durchbruch gekommen. Wie lange sich ein solcher verzögern kann, wie eigenwillig, auch bei sonst üppigem Wuchse, diese Blüthe sich erschließt, können wir an uns selbst ermessen: unsre Poesie ist von gestern, vor Goethe und Schiller hatten die Deutschen keinen ihre Gesammtbildung darstellenden Dichter. Wir sagen mit besonderm

Nachdruck Gesammtbildung, denn diese ist es, welche der Dichter einer spätern, mannigfach ausgebildeten Epoche als Thatsache vorfinden und durch sein Verdienst abschließen muß. Die Naturpoesie des Volkes vereinigt sich dann mit der künstlerischen Aneignung des allgemeinen Weltfortschrittes, an den jede Nation ihr Recht hat, von dem sie mitlebt, und den der Dichter mit ihrer Volksthümlichkeit vermittelt.

*[S. 276—279]* Die Schöpfungen von Shakespeare und Goethe, die Byron'schen Stimmungen, die Victor Hugo'schen Strebungen, mit Einem Worte, der ganze Schatz litterarischer Gebilde, sind in die allgemeine poetische Atmosphäre schon übergegangen und aufgelöst, wir athmen sie als freies Lebenselement, und sie werden als solches Stoff und Bestandtheil neuer Dichtungen, die deßhalb, weil jener Übergang in ihnen erkennbar, noch keineswegs nachgeahmte zu nennen sind. Der Geist allein ist es, der hier zu entscheiden hat, der den freien Gebieter erkennen läßt, oder den knechtischen Nachahmer. Woher hat's der Dichter? ist eine Frage, welche schon von Goethe bei mehreren Anlässen bündig erörtert worden, worauf wir hier mit Fug verweisen.
[...] Hierin eigentlich gründet sich immer der wahre Dichterberuf, daß die Poesie Freude und Trost sei, und nur um dies recht zu sein, steigt sie zu allen Schmerzen und Leiden hinab. [...]
Jeder Dichter, der sich nicht in ideale Allgemeinheiten verliert, spricht mehr oder minder sein Land und Volk aus, und es wird jedesmal viel darauf ankommen, wie diese beschaffen sind. Aber fast immer zieht der hiedurch bestimmte Kreis sich enge genug zusammen, und liefert meist nur einseitig Gleichartiges, Nördliches, Südliches, Gebildetes, Volksmäßiges, Angenommenes sogar und Verabredetes.

*[S. 309]* [...] dem eignen Lande gehört der Dichter immer an, und wo seine Landsleute kämpfen und bluten, darf er ihnen immer Sieg und Ruhm wünschen; die Art übrigens, wie er es thut, kann ihn gegen den Verdacht, er habe seine frühere Denkart und Gefühlsweise aufgeopfert, hinlänglich sichern. Und auch darin besteht das Recht des Dichters, daß er dem Augenblicke, wie er sich giebt und aufdrängt, verschwenderisch leiht und schenkt, was der-

selbe nur zu tragen vermag; das Haftende und das Nebenabfallende hilft beides die richtige Wahrheit darstellen.

14 Tagebuchnotiz vom 27. Juni 1838 = Tagebücher, Bd. I.

*[S. 102]* Frühere Betrachtungen über das Lehrhafte in der Poesie hab' ich in diesen Zug zusammengezogen: Der ist kein Dichter, wer in allem Einzelnen immer auch lehren will; aber wer durch seine Dichtung im Ganzen uns nicht lehrt, der ist auch kein Dichter!

15 Rezension: Goethe's Gedichte, erläutert von H. Viehoff. 1846 = Denkwürdigkeiten, Bd. VIII.

*[S. 400—402]* In der Jugend lesen wir unsere Dichter freilich ohne allen Kommentar, wir folgen ihnen entzückt durch Hell und Dunkel, und das Uebermaß des Genusses, den wir aus dem Verstandenen schöpfen, führt uns über das weniger Klare leicht hinweg, ja nicht selten liegt auch in diesem noch ein Reiz des Ahndungsvollen, der den Genuß erhöht. Ebenso wenig, wie das allseitige Verständniß des Inhalts, kümmert uns der tiefe Bezug des Gedichts zu dem Dichter, wir singen sein Lied und fragen nicht wie es entstanden sei, wir feiern wohl den Namen des Dichters, aber lassen es bei dem Namen bewenden.
Dies Ergreifen der bloßen Sache in ihrem groben Sein, ohne Sorge wegen ihres Zusammenhanges und ohne Rückblick auf ihren Urheber, findet sich auch in ganzen Zeitaltern, in solchen nämlich, welche noch die Kindlichkeit eines unreifen Zustandes darstellen, und daher überhaupt im Volksleben, sofern es mehr oder minder stets einem solchen Zustande angehört. Aus diesem Grunde wissen wir auch so wenig über die Entstehung der großen Urdichtungen, über die Dichter der Ilias und Odyssee, der Gesänge vom Cid, der Nibelungen; und so singt noch immer das Volk froh und fromm seine Welt- und Kirchenlieder, wie sie das fliegende Blatt und das Gesangbuch namenlos darbietet und fragt nicht, wo sie herkommen, aus welchen Verhältnissen sie stammen oder wie die Zeit sie mag verwandelt haben.
Wir dürfen diese Art des Genusses und des Verbrauchs der Poesie nicht schelten; sie hat vielmehr den größten Werth und die entschiedenste Berechtigung in der Bildungsstufe, auf der sie entsteht und gedeiht. Aber ebenso wenig läßt sich verkennen, daß eine

höhere Stufe, ein reiferes Alter, eine entwickeltere Zeit andere Ansprüche machen, einen andern Genuß der Poesie fordern und erlangen.

Hier stellt sich uns das Gedicht als kein abgeschlossen Selbstständiges dar, sondern als Theil eines großen Ganzen, als Einzelheit einer unendlichen Schöpfung; in seiner augenblicklichen Bestimmtheit ist es nicht ohne Vor und Nach zu denken, nicht ohne den Zusammenhang mit andrem Lebensausdruck. Hier kommt das Recht der Gestalt, ihrer Mannichfaltigkeit und Wandlung zur Sprache, hier beginnt die geschichtliche Umsicht, die Erkenntniß des Ursprünglichen und Nachgebildeten, die Vergleichung der Erzeugnisse, die Scheidung ihrer Bestandtheile. Und vor Allem drängt sich die Frage nach dem Urheber auf, der uns bald ebenso wichtig wird, als seine wunderbaren Gaben, ja wichtiger, denn höher als das Geschaffene steht uns mit Recht der Schöpfer, wenn wir auch nur durch jenes ihn zumeist erkennen und bewundern. Nun sind wir nicht mehr zufrieden, die Geschenke des Meisters nur im Ganzen hinzunehmen, wir streben in das Innere zu dringen, die Stoffe und Gestalten zu erfassen, das Einzelne in seine feinsten Verzweigungen zu verfolgen. Wir erforschen die Ursprünge, die Triebfedern, wir wollen Einsicht haben in die Bedingungen des Entstehens, Theil haben an dem ganzen Leben, aus welchem die Dichtung hervorgewachsen ist.

16 Tagebuchnotiz vom 22. Dezember 1850 = Tagebücher, Bd. VII.

*[S. 464]* Ich genieße der Gunst, lebhafte, anregende, in ihrer Art gehaltvolle Träume zu haben, welche zur Prosa des Tages gleichsam die Poesie geben, und wirklich mein Wachen unterstützen.

17 Tagebuchnotiz vom 20. Mai 1855 = Tagebücher, Bd. XI.

*[S. 94]* Es war von Poesieen die Rede, ihrem Werth oder Unwerth, den Hoffnungen, die sie erregen dürfen u. s. w. Ich erkenne jedes Talent willig an, und finde noch löblich, mit Poesie sich zu beschäftigen, auch bei geringem Talent. Aber wenn die Ansprüche, die nur bittweise hervortreten dürften, mich übermüthig herausfordern, wenn man Vergleichungen anstellt, und Uhland in den Schatten, ja Goethe'n sogar zurückdrängen will, dann muß ich scharfes Gericht halten, und jedem sagen, wohin er gehört.

## XLVI Wilhelm Hauff (1802—1827)

Werke = Prosaische und poetische Werke. 12 Bde. Berlin: Hempel 1879.

Nachlaß = H. Hofmann, Wilhelm Hauff. Eine nach neuen Quellen bearbeitete Darstellung seines Werdeganges. Mit einer Sammlung von Briefen und einer Auswahl aus dem unveröffentlichten Nachlaß des Dichters. Frankfurt a. M.: Diesterweg 1902.

1 Mittheilungen aus den Memoiren des Satan (1826) = Werke, Bd. VII/VIII.

*[S. 164]* [Der Deutsche: „...] bei uns zu Lande ist das was Anderes. Da kann Jeder in die Literatur hineinpfuschen, wann und wie er will, und es giebt kein Gesetz, das Einem verböte, etwas Miserables drucken zu lassen, wenn er nur einen Verleger findet. Bei den Kritikern und Poeten meines Vaterlandes ist nicht nur in Hinsicht auf die Phantasie die schöne romantische Zeit des Mittelalters; nein, wir sind, und ich rechne mich ohne Scheu dazu, sammt und sonders edle Raubritter, die einander die Blumen der Poesie abjagen und in unsere Verließe schleppen; wir üben das Faustrecht auf heldenmüthige Weise und halten literarische Wegelagerungen gegen den reich beladenen Krämer und Juden. Die Poesie ist bei uns eine Gemeindewiese, auf welcher jedes Vieh umherspazieren und Blumen und Gras fressen kann nach Belieben."

2 Einige Bemerkungen über: The Romances of Walter Scott (1826) = Nachlaß.

*[S. 229]* Seit Wilhelm Meister und schon zuvor, kamen Kunstromane bey uns an die Tagesordnung. Man wollte unter Roman nicht mehr die Lebensbegebenheit des Helden verstehn, sondern die Aufstellung und Entwicklung der herrschenden Ansicht über Kunst oder sonst ein Thema des geistigen Lebens. Die sogenannte Geschichte war Nebensache. Daher Romane über Musik, Poesie, Schauspielerkunst, religiöse, Maler-, Bildhauer usw., — Romane. Ueberall herrschte die Idee vor. Natürlich: weil in jener Zeit das Absolute auf dem Wege physikalischer Forschung gefunden werden sollte.

Ob die Aesthetiker von jener Ansicht zurückgekommen sind? In der That spukt sie noch unter mancherley Verkleidungen umher, in Praxi scheint man aber durch das Gefühl zur Ueberzeugung gelangt zu sein, denn: Der Quell der wahren Poesie ist nicht die Idee, sondern bildliche Anschauung, Phantasie.

*[S. 230 f.]* Wenn aber der Dichter nicht von der I d e e bey Erfindung des Kunstwerks ausgehen soll, und wenn wir finden, daß die besten Romane nicht die allegorische Darstellung irgend einer Wahrheit, sondern vielmehr ein treu poetisches Bild des Lebens sind, so darf man auch an W. Scotts Romanen den Mangel einer leitenden Idee nicht rügen, weil sein ganzes Bestreben dahin geht, jeder lebendigen oder lebendig gewesenen Erscheinung die poetische Seite abzugewinnen und sie nur in dieser ihrer Wahrheit anschaulich zu machen.
Uebrigens dürfte doch in W. Scotts Romanen eine Idee durchgreifen und durchgehen. Es ist die, welche eigentlich dem Wesen der Poesie zu Grunde liegt, das Ringen der individuellen endlichen Kraft gegen die gesetzliche Ordnung, und so sehr überall gekämpft und gerungen wird, so blickt doch immer der Freund des friedlich bestehenden und dem wirklichen Geist der Zeit Entsprechenden hervor. Die schönen Charaktere zerstören sich oder werden bekehrt.
Gedankenarmuth kann ihm auch nicht vorgeworfen werden. Der Teutsche in seinem Jahrhundert lebt immer in der Reflexion. Diese aber taugt nicht für die Poesie.

3 Vertrauliches Schreiben an Herrn W. A. Spöttlich (1828) = Werke, Bd. X.

*[S. 9]* Die besten und berühmtesten Novellendichter, Lopez de Vega, Boccaz, Goethe, Calderon, Tieck, Scott, Cervantes und auch ein Tempelhofer haben freilich aus einem unerschöpflichen Schatz der Phantasie ihre Dichtungen hervorgebracht, und die unverwelklichen Blumensträuße, die sie gebunden, waren nicht in Nachbars Garten gepflückt, sondern sie stammten aus dem ewig grünen Paradies der Poesie, wozu nach der Sage Feen ihren Lieblingen den unsichtbaren Schlüssel in die Wiege legen. Daher kömmt

es auch, daß durch eine geheimnißvolle Kraft Alles, was sie gelogen haben, zur schönsten Wahrheit geworden ist.
Geringere Sterbliche, welchen jene magische Springwurzel, die nicht nur die unsichtbaren Wege der Phantasie erschließt, sondern auch die festen und undurchdringlichen Pforten der menschlichen Brust aufreißt, nicht zu Theil wurde, müssen zu allerlei Nothbehelf ihre Zuflucht nehmen, wenn sie — Novellen schreiben wollen. Denn das eben ist das Aergerliche an der Sache, daß oft ihre Wahrheit als schlecht erfundene Lüge erscheint, während die Dichtung jener Feenkinder für treue, unverfälschte Wahrheit gilt.

*[S. 11 f.]* Die „wundervolle Märchenwelt“ findet kein empfängliches Publikum mehr, die lyrische Poesie scheint nur noch von wenigen geheiligten Lippen tönen zu wollen, und vom alten Drama sind uns, sagt man, nur die Dramaturgen geblieben. In einer solchen miserablen Zeit, Verehrter, ist die Novelle ein ganz bequemes Ding. Den Titel haben wir wie eine Maske von den großen Novellisten entlehnt, [...]
Ich habe, mein werther Herr, dies Alles gesagt, um Ihnen darzuthun, wie ich eigentlich dazu kam, Novellen zu schreiben, wie man beim Novellenschreiben zu Werk gehe, und — daß Alles getreue Wahrheit sei, wenn auch keine poetische, was ich niedergeschrieben.

4 Das Bild des Kaisers (1828) = Werke, Bd. XI.

*[S. 164]* [„... ] mir scheint diese Weinlese ein fortdauernder Festtag der Natur, eine liebliche, verkörperte Poesie.“
„Poesie?“ erwiderte Anna, indem sie einen trüben, wehmüthigen Blick auf die Berge gegenüber warf. „Eine Poesie, die mir das Herz durchschneidet. Mir erscheint dieses fröhliche Treiben wie ein Bild des Lebens. Unter langem Jammer und Ungemach ein Tag der Freude, der durch seine hellen, freundlichen Strahlen das öde Dunkel umher nur noch deutlicher zeigt, aber nicht aufhellt! [...“]

## XLVII Justinus Christian Andreas Kerner (1786—1862)

Sämtliche poetische Werke in 4 Bdn. Hg. von J. Gaismaier. Leipzig: Hesse [1905].

Poesie (1826) = Sämtl. Werke, Bd. I.

*[S. 65]*

Poesie ist tiefes Schmerzen
Und es kommt das echte Lied
Einzig aus dem Menschenherzen,
Das ein tiefes Leid durchglüht.

Doch die höchsten Poesien
Schweigen wie der höchste Schmerz,
Nur wie Geisterschatten ziehen
Stumm sie durchs gebrochne Herz.

## XLVIII Ludwig Uhland (1787—1862)

Schriften zur Geschichte der Dichtung und Sage. Hg. von A. v. Keller u. a. 8 Bde. Stuttgart: Cotta 1865—73.

Geschichte der altdeutschen Poesie (Vorlesungen, gehalten 1830—1831) = Schriften, Bd. I.

*[S. 24—26]* Wie über einer großen Bergkette, aus dem Schooße derselben und ihrem Zuge folgend, nur mit kühneren Zacken und Zinnen, ein leuchtendes Wolkengebirg emporsteigt, so über und aus dem Leben der Völker ihre Poesie. Der Drang, der dem einzelnen Menschen inwohnt, ein geistiges Bild seines Wesens zu erzeugen, ist auch in ganzen Völkern als solchen schöpferisch wirksam, und es ist nicht bloße Redeform, daß die Völker dichten. Darin eben, in dem gemeinsamen Hervorbringen, nicht in dem nur äußerlichen Merkmale der Verbreitung, haftet der Begriff der Volkspoesie und aus ihrem Ursprung ergeben sich ihre Eigenschaften.

Wohl kann auch sie nur mittelst einzelner sich äußern, aber die Persönlichkeit der Einzelnen ist nicht, wie in der Dichtkunst litterarisch gebildeter Zeiten, vorwiegend, sondern verschwindet im allgemeinen Volkscharakter. Auch aus den Zeiten der Volksdichtung haben sich berühmte Sängernamen erhalten und, wo dieselbe noch jetzt blüht, werden beliebte Sänger namhaft gemacht.

Meist jedoch sind die Urheber der Volksgesänge unbekannt oder bestritten und die Genannten selbst, auch wo die Namen nicht ins Mythische sich verlieren, erscheinen überall nur als Vertreter der Gattung, die Einzelnen stören nicht die Gleichartigkeit der poetischen Masse, sie pflanzen das Überlieferte fort und reihen ihm das Ihrige nach Geist und Form übereinstimmend an, sie führen nicht abgesonderte Werke auf, sondern schaffen am gemeinsamen Bau, der niemals beschlossen ist. Dichter von gänzlich hervorstechender Eigenthümlichkeit können hier schon darum nicht als dauernde Erscheinung gedacht werden, weil die mündliche Fortpflanzung der Poesie das Eigenthümliche nach der allgemeinen Sinnesart zuschleift und nur ein allmähliches Wachsthum gestattet.

Vornehmlich aber läßt ein innerer Grund die Überlegenheit der

Einzelnen nicht aufkommen. Die allgemeinste Theilnahme eines Volkes an der Poesie, wie sie zur Erzeugung eines blühenden Volksgesanges erforderlich ist, findet nothwendig dann statt, wenn die Poesie noch ausschließlich Bewahrerin und Ausspenderin des gesammten geistigen Besitzthums ist. Eine bedeutende Abstufung und Ungleichheit der Geistesbildung ist aber in diesem Jugendalter eines Volkes nicht gedenkbar; sie kann erst mit der vorgerückten künstlerischen und wissenschaftlichen Entwicklung eintreten. Denn wenn auch zu allen Zeiten die einzelnen Naturen mehr oder weniger begünstigt erscheinen, die einen gebend, die andern empfangend, die geistigen Anregungen aber das Geschäft der Edleren sind, so muß doch in jenem einfacheren Zustande die poetische Anschauung bei allen lebendiger, bei den Einzelnen mehr im Allgemeinen befangen gedacht werden. Die Harfe geht noch von Hand zu Hand, wie bei den Gastmahlen der Angelsachsen; die ganze Masse ist noch, wie ein Zug von Wandervögeln, in der poetischen Schwebung begriffen und die Einzelnen fliegen abwechselnd an der Spitze. Die geistigen Richtungen sind noch ungeschieden und darum der Eigenthümlichkeit keine besondern Bahnen eröffnet; das künstlerische Bewustsein steht noch nicht dem Stoffe gegenüber, darum auch keine absichtliche Manigfaltigkeit der Gestaltung; der Stoff selbst, im Gesammtleben des Volkes festbegründet, durch lange Überlieferung geheiligt, gibt keiner freieren Willkühr Raum. Und so bleibt zwar die Thätigkeit der Begabteren unverloren, aber sie mehrt und fördert nur unvermerkt; die reichste Quelle, die den Strom des Gesanges schwellt, ist doch in ihm nicht auszuscheiden.

Auf keiner Stufe der poetischen Litteratur, selbst nicht bei dem schärfsten Gepräge dichterischer Eigenthümlichkeiten, kann der Zusammenhang des Einzelnen mit der Gesammtbildung seines Volkes völlig verläugnet werden. Erscheinungen, die in Nähe und Gegenwart schroff auseinander stehen, treten in der Ferne der Zeit und des Raumes in größern Gruppen zusammen und diese Gruppen selbst zeigen unter sich einen gemeinsamen Charakter. Stellt man sich so dem gesammten poetischen Erzeugnis eines Volkes gegenüber und vergleicht man es nach außen mit den Gesammtleistungen andrer Völker, so betrachtet man dasselbe als Nationalpoesie;

für unsern Zweck war es um den innern Gegensatz zu thun, um die Volkspoesie in ihrem Verhältnisse zur dichterischen Persönlichkeit.

Daß die Volkspoesie nur in mündlichem Vortrag lebe, ist bereits angedeutet worden. Man könnte sagen: aus dem einfachen Grunde, weil solche Völker die Schrift noch gar nicht kennen oder nicht allgemeiner zu gebrauchen wissen. Aber wessen der menschliche Geist bedarf, das erfindet oder erlernt er; reicht ihm Sang und Sage nicht mehr aus, so erfindet er die Schreibkunst; bei gesteigertem Bedürfnis erfand er den Bücherdruck. Auf derjenigen Bildungsstufe nun, auf welcher der Volksgesang gedeiht, wird der Buchstabe gar nicht vermisst. Hier gilt einzig die große Bilderschrift mächtiger Gestalten der Natur und des Menschenlebens. Die Betrachtung der Welt geschieht nicht mit dem Meßnetze des Gedankens, sondern mit dem Spiegel der Phantasie; was vor dieser in klarem Bilde steht, wird im tönenden Worte weiter und weiter mitgetheilt. Wie sollte das volle, farbige Lebensbild in den todten Schriftzug zusammenschrumpfen? Die Rune, wenn sie auch bekannt ist, wird mit Scheue betrachtet, als ein bannender Zauber. Noch grünt die Äsche, die im Runenalphabet zum A erstarrt.

*[S. 27 f.]* Wenn wir uns im Bisherigen die Volkspoesie nach ihrem vollsten Begriffe gedacht haben, so ist doch leicht zu erachten, daß sie in ihrer geschichtlichen Erscheinung bei verschiedenen Völkern, nach Gehalt und Umfang, in sehr manigfachen Abstufungen und Übergängen sich darstelle. Wie das Leben jedes Volkes wird auch das Bild dieses Lebens, die Poesie, beschaffen sein. Ein Hirtenvolk, in dessen einsame Gebirgthäler der Kampf der Welt nur fernher in dumpfen Widerhallen eindringt, wird in seinen Liedern die beschränkten Verhältnisse ländlichen Lebens, die Mahnungen der Naturgeister, die einfachsten Empfindungen und Gemüthszustände niederlegen; sein Gesang wird idyllisch-lyrisch austönen.

Ein Volk dagegen, das seit unvordenklicher Zeit in weltgeschichtlichen Schwingungen sich bewegt, mit gewaltigen Schicksalen kämpft und große Erinnerungen bewahrt, wird auch eine reiche und großartige Heldensage, voll mächtiger Charaktere, Thaten und Leidenschaften, aus sich erschaffen, und wie sein Leben weitere Kreise zieht und größere Zusammenhänge bildet, wird auch seine Sage sich zum Epos, zum epischen Cyclus, verknüpfen und ausdehnen. Diese Entfaltung zu einem umfassenden Epos, das Bedeutendste, was die Volkspoesie erzeugen kann, ist uns nun auch in den Heldenliedern des deutschen Mittelalters aufbewahrt.

*[S. 28]* Gedeihen und Absterben der Volkspoesie hängen überall davon ab, ob die Grundbedingung derselben, Theilnahme des gesammten Volkes, feststehe oder versage; ziehen die edleren Kräfte sich von ihr zurück, dem Schriftenthum zugewendet, so versinkt sie nothwendig in Armuth und Gemeinheit.

## XLIX Caspar David Friedrich (1774—1840)

Bekenntnisse. Hg. von K. K. Eberlein. Leipzig: Klinkhardt & Biermann 1924.

Äußerung bei Betrachtung einer Sammlung von Gemälden von größtenteils noch lebenden und unlängst verstorbenen Künstlern (um 1830).

*[S. 139]* Kann denn wohl je die Malerei oder irgend eine Kunst erschöpft werden? oder hört sie schon deshalb nicht auf eine Kunst zu sein, wenn ihr je ein Ziel gesetzt werden könnte?

*[S. 155]* Es läßt sich der geringfügigste ja wohl selbst schmutzige Gegenstand in der Natur oder Wirklichkeit malerisch aufgefasst, dem Auge wohlgefällig als Bild wiedergeben. Aber ein edler Gegenstand dichterisch malerisch schön und gefällig dargestellt, fesselt und bleibt selbst noch bei geringerer Ausführung dennoch anziehend; [. . .]

*[S. 187]* Wäre X nicht nach Rom gereist, er wäre vielleicht jetzt weiter in seiner Kunst. Seit er von da zurück ist, hat er sich sehr gebessert. Er huldigte in Rom auch der Mode und ward ein Anhänger von Koch, nicht Schüler der Natur mehr. Seit er aber zur Erkenntnis gekommen ist, dass die Natur die beste, nie irrende Leiterin ist, haben seine Leistungen bedeutend gewonnen. Als malender Dichter wird er wohl nie etwas von Bedeutung leisten. Er sieht im gewöhnlichen Leben nur das Gewöhnliche, was tiefer liegt, bleibt ihm fremde. Die Poesie, zu der er sich zuweilen gehoben fühlt, ist eigentlich nichts als eine kränkelnde Hypochondrie. Ihm fehlt der Kompass, der innere Magnet durchs Gebiet zu steuern. Daher sieht er sich immer nach der allgemeinen Heerstrasse um, dass er sie ja nicht aus den Augen verliert, sonst ist er auch verloren.

## L Carl Gustav Carus (1789—1869)

Landschaftsmalerei = Briefe über Landschaftsmalerei, geschrieben in den Jahren 1815—35. Zweite Ausgabe. Leipzig: Fleischer 1835.

Taschenbuch = Historisches Taschenbuch. Hg. von Fr. v. Raumer. Neue Folge. 6. Jahrgang. Leipzig: Brockhaus 1845.

Denkwürdigkeiten = Denkwürdigkeiten aus Europa, mitgeteilt von C. G. C., zu einem Lebensbild zusammengestellt von M. Schlösser. Hamburg: Schröder 1963.

1 Landschaftsmalerei (1831).

*[S. 15 f.]* [...] sowie ich es empfinde, daß eine wahrhaft poetische Stimmung eben eine Erhebung des ganzen Menschen ist, wobei alle Seelenkräfte in Anspruch genommen werden, wie ich die Täuschung Derer einsehe, welche eben doppelt reflectirend die Reflexion im Kunstfache verwerfen; so scheue ich es auch nicht mehr, die Schönheit mit allen Zweigen meiner Seele zu umfassen, und ich erfahre vielmehr dann erst den vollen und echten poetischen Genuß, wenn sich vor einem Kunstwerke das lebendige Ansprechen meines Empfindens mit klarer Einsicht der innern Vollendung und dem Gewahrwerden eines reinen Willens im Künstler vereinigt; [...]

*[S. 18—20]* Und nun betrachte die Schöpfungen der Kunst, welche, obwol nicht selbst in der Wirklichkeit lebend, doch für uns lebend scheinen können, und so, als von Menschen geschaffen, die Verwandtschaft des Menschen zum Weltgeiste beurkunden. Denke an jene Charaktere, deren Sinn und Rede vom Dichter geschaffen, sie selbst uns als wahrhaftige Gestalten vor Augen bringt.

„Ich weiß es, sie sind ewig, denn sie sind!“

sagt Tasso, oder vielmehr Göthe, und zwar mit Recht, von seinen Gestalten. — Und jenen Achilles, Odysseus, Orlando, Sigismund, Hamlet, jene Eleonora von Este, jene Ophelia, jenes Gretchen, sind sie nicht alle, wie wir sie kennen, Geschöpfe einer göttlichen Kunst, und ist es nicht als hätten sie alle unter den Lebendigen gewandelt; kennen wir ihr Denken und Thun nicht gleich dem eines abgeschiedenen Freundes? — Wer aber so den Geist dem Geiste hervorruft, ist der nicht gewaltig vor Vielen? und sollte es nicht den Menschen erheben, wenn er solche Kraft im Menschen findet? — Wenden wir vom Gedicht uns nun zur Harmonie der Töne! — Flüchtiger vorüberrauschend als das Gedicht, kann die Musik zwar nicht leicht ein ganzes Gemüth mit allen seinen Leiden und Thaten erschaffen, wohl aber vermag sie einen Moment, eine gewisse Stimmung der Seele aufzufassen, sie mit einer unendlichen Gewalt ins Leben einzuführen, daß wir unwillkürlich mit in diese Stimmung gezogen werden, als wären alle die Töne nahe Freunde, die uns mit Macht in i h r e n Kreis, in ihre Sinnesart bannten. — Dasselbe gilt denn, obwol wieder auf andere und ruhigere Weise, von der Architectur, denn beide halten noch von eigentlicher Naturnachbildung sich entfernt, sprechen in reinen Verhältnissen, die eine in der Zeit, die andere im Raume sich aus und bilden so im Verein mit der Poesie den ersten und herrlichsten Dreiklang, welcher, als der erhabenste Accord, des Menschen Brust bewegt und bewegen muß, da der Gott sich so, nach freier Unmittelbarkeit, in Kunstgebilden irgend eines Menschen offenbarend, zugleich allen Menschen näher tritt und sie selbst mit erhebt. — Ja, ist es Dir nicht auch, als müßte zwischen diesen drei Künsten und den drei Naturreichen, den drei Grundformen des Denkens, der dreigetheilten innern Organisation, welche Physiologen im Menschen finden, den drei Grundfarben und den drei Grundtönen wieder eine innere Beziehung bestehen, deren Tiefe wir nur ahnen können, ohne daß wir sie je ganz ergründen werden?

*[S. 36]* Der Mensch nämlich wird auch in dieser Hinsicht sich nur als ein Ganzes erweisen, und Kunst und Wissenschaft, obwol im Verstande geschieden, können es doch nie in der Wirklichkeit vollkommen sein. Die Darstellung der Wissenschaft kann daher nie ohne Kunst (ohne kunstgemäße Ordnung der Gedanken und Worte) gelingen, und die Erzeugung des Kunstwerks hinwiederum wird ohne Wissenschaft (das Können ohne Kenntniß) unmöglich bleiben.

*[S. 115 f.]* Sollen nun Beispiele aufgestellt werden, so laß mich

hier poetische Schilderungen landschaftlicher Natur dazu wählen, denn die Poesie, wie sie weit früher war als alle Landschaftsmalerei, wie sie geistiger ist als alle Malerei, so gibt sie auch hier die edelsten Vorbilder. — Muster dieser Art aber wird uns namentlich ein Dichter geben, in dem die Aufgabe neuerer Zeit sich gelöst zeigt, durch Kunst zum Wissen geführt zu werden und aus dem Wissen höhere Kunstleistungen wieder sich entwickeln zu lassen.
Von wem aber wäre dies mehr zu sagen als von Göthe und seinen Werken? und namentlich die späteren sind es denn auch, wo sich nicht sowol gedichtete Landschaften, sondern die tiefsten poetischen Anschauungen gewisser Seiten des großen geheimnißvollen Lebens der Erde vorfinden.

2 Ludwig Tieck. Zur Geschichte seiner Vorlesungen in Dresden (entstanden 1833) = Taschenbuch.

*[S. 214—216]* „Wenn tausendfältige Strahlen, von dem Göttlichen ausgehend, auf tausendfältige Weise von den Erschauungen zurückgespiegelt werden — wo ist es, daß der Strahl am unmittelbarsten, am meisten als volles ganzes Sonnenbild zurückgespiegelt wird? — Wo anders, als von der Erscheinung des echten, des wahrhaftigen Poeten? — Nur von ihm aus strahlt wie vom Göttlichen selbst eine wahrhaftige, eine unendlich mannichfaltige, eine lebendige Welt? — Ist im vollendeten Heiligen die innerste Idee des Göttlichen lebendig geworden, so ist dies doch nicht wie im echten Poeten die g a n z e Offenbarung — es ist eine Auswahl — ein Sublimat — eine Excerpt! — aber im Poeten tritt die Welt selbst mit ihren Lücken und Vollkommenheiten, ihren Schönheiten und Widerlichkeiten, ihrem Guten und Bösen, wie ihre Erscheinung von Ewigkeit her im Geiste des Göttlichen selbst aufgestiegen war, hervor — belebt — begeistert uns — und ist das höchste Document der eignen göttlichen Natur m e n s c h l i c h e n Geistes. —
Diese Gedanken kamen mir heute, als die Zauberwelt dieses heitersten, frischesten Pfeiles aus Shakspeare's Köcher mich belebend, ja entzückend durchdrungen hatte.
O dieser Shakspeare ist selbst wie die Hermione unverloren! und von Tausenden todt geglaubt und doch lebend und beseligend steigt er immer wieder gleich der Hermione von seinem Piedestal

herab, zu allen denen, die seinem geheimnißvollen Kreise mit Liebe und Hingebung sich nahen! —
Uebrigens wurde mir heute recht klar, warum so manche sonst glücklich begabte Naturen zum innern Verständniß dieses Dichters sich gar nicht hindurch arbeiten können. Seine Werke sind nämlich in so großartigem Zusammenhange gedacht, daß nothwendig ein Standpunkt gefordert wird, das Ganze zu überblicken und die hohe Kunst des Meisters zu empfinden. Denke dir Rafaels Verklärung in einer Handbreit Entfernung stückweise betrachtet, du siehst einzelne prächtige Köpfe, Hände, Füße, dann leere Stellen, dunkle oder helle Flächen, die dir ohne Bedeutung scheinen, und gewiß du würdest bald ermüden, solltest du lange noch solch stückweise Betrachtungen fortsetzen! — Aber nun weiter zurück — in die rechte Entfernung! in das rechte Licht! — und jetzt blitzt dir auf einmal die Macht der ganzen Conception des Künstlers entgegen! — So mit Shakspeare's Stücken! — Lies dies Wintermärchen stückweis, heute einen Akt, morgen den andern! — Vieles wird dich erfreun, manches vielleicht dir unbedeutend erscheinen! anderes zerrissen und ohne Zusammenhang dir vorkommen! — Nun aber das Ganze so ohne Unterbrechung rein und klar auf einmal aufgerollt! und welche Fülle des Lebens, welche hohe poetische Freiheit, welche Frischheit der Zeichnungen! — Also Heil dem Dichter! und Dank dem Lehrer!" —

3 Mnemosyne (1848) = Denkwürdigkeiten.

*[S. 394]* Daher also das Eindringliche, das ganz allgemein Menschliche dieser Kunst, daher aber auch das Mysteriöse und das schwer im Innern Zugängliche derselben, daher die Möglichkeit, wie in einem kurzen Tongange eine menschliche Individualität, ein gewisser menschlicher Zustand so schneidend ausgedrückt sein kann, und daher endlich auch das Aufregende und gewaltig Fortreißende dieser Kunst, deren inneres Wesen geradezu ins Herz dringt, eben weil sie den geschilderten Zustand in seinem Urquell selbst am Herzen erfaßt. Kurz und gut, der echte Musiker hat die wahre poetische Reichs-Unmittelbarkeit.

*[S. 711]* Ist nun unser Leben ein Kunstwerk, so laßt uns noch betrachten, wie entsteht überhaupt ein Kunstwerk? — Wie wurden Mozarts Melodien, wie gestalteten sich Goethes Dichtungen, wie bildete Raffael? — Wie? Waren diese Geister etwa Philosophen, welche vorher weitläufige Untersuchungen ausführten, was ein Kunstwerk bedeute und fordere? Woher ihnen ein Beruf zugekommen sei zum Dichten und Bilden? Entwickelten sie sich endlich wohl eine Theorie, welche haltbar wäre, damit auch jedweder andere gute Dicht-, Ton- und Bildwerke fertigen könne? Mitnichten! Das in ihnen Gegebene regte mächtig die Schwingen; ohne mit Worten sagen zu können: Das will ich, und so meine ich es, riß es sie hin zum Tun und Schaffen, sie wußten weder sich noch anderen Rechenschaft zu geben, und im unmittelbaren lebendigen Anschauen ihrer eigenen Göttlichkeit erzeugten sie Werke, unvergänglich in ihrem Wesen wie sie selbst.

*[S. 712]* Eine innere, gegebene Anregung also drängt im Künstler als Grundidee eines Kunstwerkes sich hervor, und liebevoll ist das ganze Wesen des Künstlers gegen diese Idee bezogen, weil er in jeder Idee sich selbst erkennt, und Einssein und Liebe gleich sind. Diese Liebe ist das Licht — das Element der Sprache, des Tones, der Farbe; diese Mittel — sie sind der Boden für die Pflanze des Kunstwerkes.

*[S. 713]* Welche Führer können uns dem Ziele des höchsten Bewußtseins entgegenleiten? — Philosophie, Religion, Poesie. — Philosophie: aber nur eine solche, deren erstes Prinzip Gott ist. — Religion: aber nur eine solche, deren innerer Kern Liebe ist. — Poesie: aber nur die aus reiner Seele hervorgegangene und auf Reinheit der Idee gerichtete.